개념엔 유형학습

중학수학 2·2

도움 주신 분들

1판 8쇄 2024년 4월 16일
펴낸곳 메가스터디(주)
펴낸이 손은진
디자인 이정숙, 윤인아
제작 신심철
주소 서울시 서초구 효령로 304(서초동) 국제전자센터 24층
대표전화 1661.5431
홈페이지 http://www.megastudybooks.com
출판사 신고 번호 제 2015-000159호

메가스터디BOOKS
'메가스터디북스'는 메가스터디㈜의 출판 전문 브랜드입니다. 유아/초등 학습서, 중고등 수능/내신 참고서는 물론, 지식, 교양, 인문 분야에서 다양한 도서를 출간하고 있습니다.

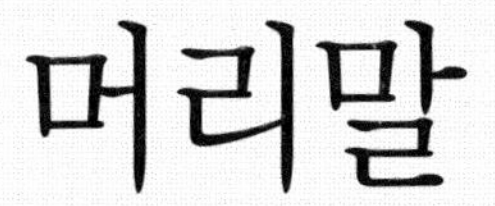

"어떤 문제집이 좋아요?"

제자들을 가르치면서 가장 많이 받게 되는 질문 중에 하나입니다.
그런 질문을 들으며 이런 고민을 하게 되었습니다.
"좋은 문제집을 추천해 주는 것도 좋겠지만 세상의 어떤 문제라고 다 풀 수 있게 해 주면 좋을 텐데…"
그런 마음으로 「유형 학습」이라는 문제집을 준비하게 되었습니다.

수학 문제의 출제의도를 정확히 파악할 수 있다면 더 폭넓게 이해하고 응용할 수 있을 것이라는 믿음이 있었기 때문입니다.

그래서 선생님은 우리 제자들이 개념을 재미있고 확실하게 이해하고, 그 개념이 문제에 어떻게 적용되는지 정확히 해석할 수 있도록, 나아가 다양한 소재의 문제풀이를 통해 실생활 문제나 수능형 문제에도 잘 적응할 수 있도록 만들어 주고 싶습니다.

- 개념이 확실히 머릿속에 잡히고 그 생각들이 움직여 잘 적용될 수 있도록
- 수학에 대한 흥미를 잃지 않고 문제 해결의 재미를 느낄 수 있도록
- 편리하고 효율적으로 학습할 수 있도록
- 단순히 학문에만 그치지 않고 실생활에 활용할 수 있도록

「유형 학습」은 문제를 유형화하고, 보다 어려운 문제로 한번 더 반복하고, 그리고 마지막에 스스로 풀어 보면서 자신의 것으로 만들 수 있도록 구성했습니다.
또한, 심화–서술형 문제, 실생활 문제에 대한 적응력을 기를 수 있는 코너와 스스로 자신의 실력을 도전을 통해 흥미롭게 점검할 수 있는 코너까지 준비해 다양한 방법으로 재미있게 학습할 수 있도록 꾸몄습니다.

그동안 이 책이 나올 수 있도록 노력해 주신 모든 분들께 감사드리며, 그 노력이 우리 제자들의 꿈을 이루는데 조금이나마 보탬이 되기를 진심으로 바랍니다.

선생님 추천 학습법

① **내가 이해한 개념을 직접 설명해 보자.**
개념 부분은 혼자서 해결할 수 없는 것이 많기 때문에 수업을 통해서 확실히 이해할 필요가 있다. 혼자서 학습하면 10시간이 걸리는 내용도 수업을 통해서는 1시간만에도 이해할 수 있기 때문이다. 하지만 가장 중요한 것은 내가 이해한 내용을 다른 사람에게 설명할 수 있을 만큼 집중력 있게 학습해야 한다.

② **어려운 문제는 20분간 고민해 보자.**
나의 수준보다 조금 더 어려운 문제에 도전하면서 스스로 부족한 면을 정확히 파악하고, 고난이도 문제에 적응할 수 있어야 내 실력을 끌어올릴 수 있다. 하지만 어려운 문제를 오래 고민하다 보면 자칫 수학에 대한 흥미를 잃거나 시간을 낭비하게 될 수 있으므로 20분간만 고민한다.

구성과 특징

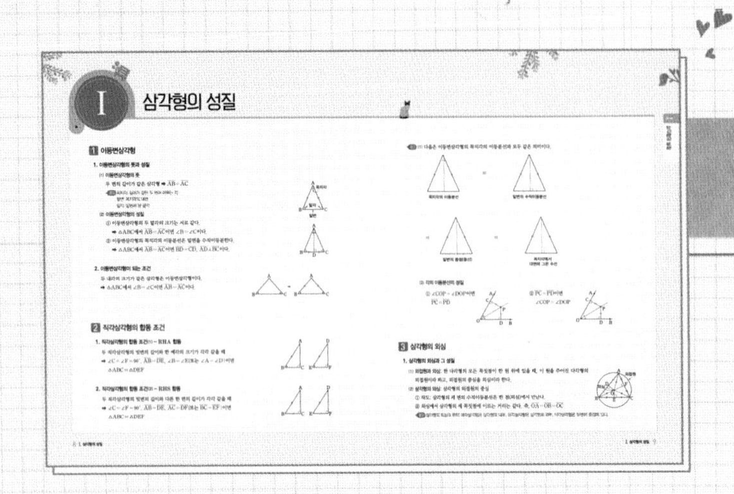

1 단원별 개념 정리

각 단원별로 꼭 알아야 할 필수 개념을 한 번에 확인할 수 있도록 구성

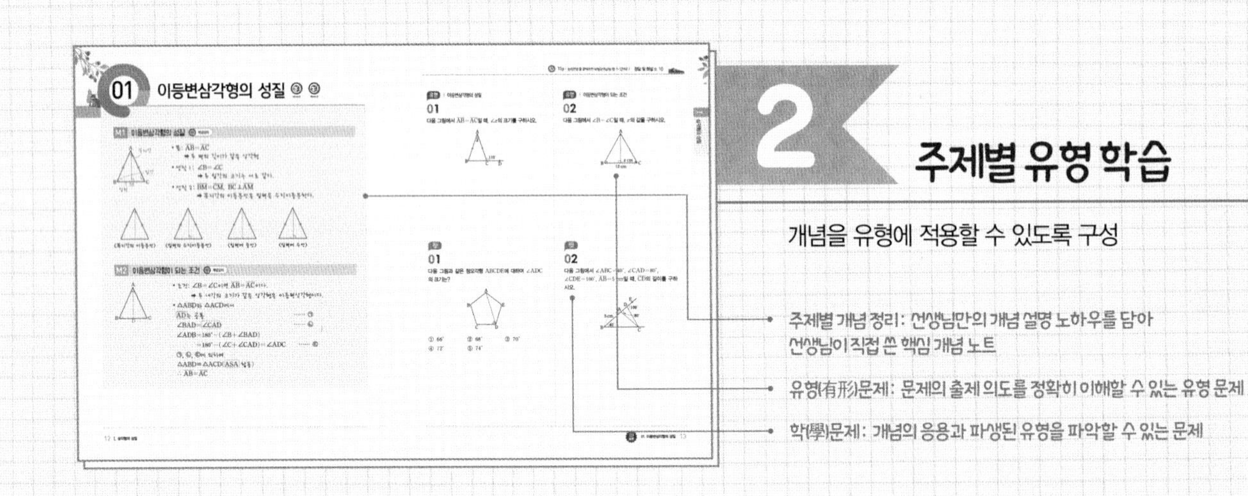

2 주제별 유형 학습

개념을 유형에 적용할 수 있도록 구성

- 주제별 개념 정리 : 선생님만의 개념 설명 노하우를 담아 선생님이 직접 쓴 핵심 개념 노트
- 유형(有形)문제 : 문제의 출제 의도를 정확히 이해할 수 있는 유형 문제
- 학(學)문제 : 개념의 응용과 파생된 유형을 파악할 수 있는 문제

이 책을 공부하는 법

본문의 학습 방법

① 선생님 강의를 들으면서 개념 노트를 이해한다.

② 출제의도를 파악하면서 유형(有形) 문제를 푼다.

③ 학(學) 문제를 통해 해당 유형을 다시 한번 익힌다.

④ 단원 종합 문제를 풀면서 해당 단원을 확실히 이해했는지 점검한다.

복습 방법

① 개념 노트를 다시 한번 읽고, 나만의 개념 정리 노트를 만든다.

② 강의를 들으면서 이해되지 않았던 문제들을 다시 한번 풀어 본다.

③ X 표시한 유형을 다시 한번 풀어 본다.

차례

I 삼각형의 성질

01 이등변삼각형의 성질 12

02 직각삼각형의 합동 조건 18

03 삼각형의 외심 24

04 삼각형의 내심 30

05 삼각형의 외심과 내심의 응용 36

II 사각형의 성질

01 평형사변형의 성질 54

02 평형사변형이 되는 조건 60

03 직사각형과 마름모 66

04 정사각형과 등변사다리꼴 72

05 사각형 사이의 관계 78

III 도형의 닮음

01 닮은 도형의 성질 94

02 삼각형의 닮음 조건 100

Ⅳ 닮음의 활용

01 삼각형과 평행선 118

02 평행선 사이의 선분의 길이의 비 124

03 삼각형의 두 변의 중점을 연결한 선분 130

04 삼각형의 무게중심 136

05 넓이의 비와 부피의 비 142

Ⅴ 피타고라스 정리

01 피타고라스 정리 158

02 피타고라스 정리의 응용 164

Ⅵ 확률

01 경우의 수 182

02 합의 법칙과 곱의 법칙 188

03 여러 가지 경우의 수 194

04 확률의 뜻과 성질 200

05 확률의 계산 206

I

삼각형의 성질

☑ 학습 계획 및 성취도 체크

· 유형 이해도에 따라 □ 안에 O, △, X를 표시합니다.

· 시험 전에 X 표시한 유형은 반드시 한 번 더 풀어 봅니다.

01 이등변삼각형의 성질

	학습 계획	1차 학습	2차 학습
유형 01 이등변삼각형의 성질	/	☐	☐
유형 02 이등변삼각형이 되는 조건	/	☐	☐
유형 03 종이 접기	/	☐	☐
유형 04 이등변삼각형의 성질 및 조건 설명하기	/	☐	☐

02 직각삼각형의 합동 조건

	학습 계획	1차 학습	2차 학습
유형 05 직각삼각형의 합동 조건	/	☐	☐
유형 06 RHA 합동의 응용	/	☐	☐
유형 07 RHS 합동의 응용	/	☐	☐
유형 08 각의 이등분선의 성질	/	☐	☐

03 삼각형의 외심

	학습 계획	1차 학습	2차 학습
유형 09 삼각형의 외심	/	☐	☐
유형 10 직각삼각형의 외심	/	☐	☐
유형 11 삼각형의 외심이 주어질 때, 각의 크기 구하기(1)	/	☐	☐
유형 12 삼각형의 외심이 주어질 때, 각의 크기 구하기(2)	/	☐	☐

04 삼각형의 내심

	학습 계획	1차 학습	2차 학습
유형 13 삼각형의 내심	/	☐	☐
유형 14 삼각형의 내심이 주어질 때, 각의 크기 구하기(1)	/	☐	☐
유형 15 삼각형의 내심이 주어질 때, 각의 크기 구하기(2)	/	☐	☐
유형 16 삼각형의 내심을 지나는 평행선	/	☐	☐

05 삼각형의 외심과 내심의 응용

	학습 계획	1차 학습	2차 학습
유형 17 삼각형의 내접원과 접선의 길이	/	☐	☐
유형 18 삼각형의 외심과 내심에서의 각의 크기 구하기	/	☐	☐
유형 19 이등변삼각형의 외심과 내심	/	☐	☐
유형 20 직각삼각형의 외접원과 내접원	/	☐	☐

I 삼각형의 성질

1 이등변삼각형

1. 이등변삼각형의 뜻과 성질

(1) 이등변삼각형의 뜻

두 변의 길이가 같은 삼각형 ➡ $\overline{AB}=\overline{AC}$

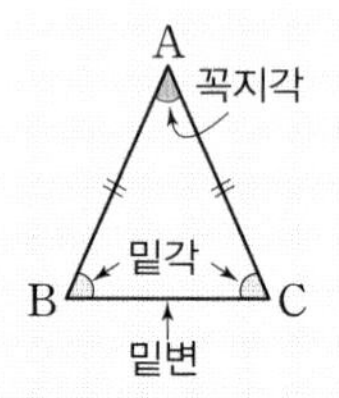

참고 꼭지각: 길이가 같은 두 변이 이루는 각
밑변: 꼭지각의 대변
밑각: 밑변의 양 끝각

(2) 이등변삼각형의 성질

① 이등변삼각형의 두 밑각의 크기는 서로 같다.

➡ $\triangle ABC$에서 $\overline{AB}=\overline{AC}$이면 $\angle B=\angle C$이다.

② 이등변삼각형의 꼭지각의 이등분선은 밑변을 수직이등분한다.

➡ $\triangle ABC$에서 $\overline{AB}=\overline{AC}$이면 $\overline{BD}=\overline{CD}$, $\overline{AD}\perp\overline{BC}$이다.

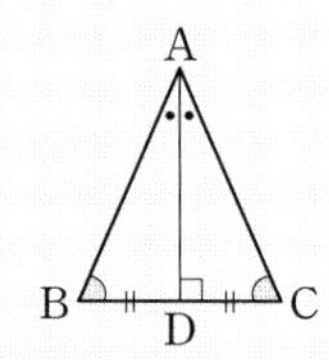

2. 이등변삼각형이 되는 조건

두 내각의 크기가 같은 삼각형은 이등변삼각형이다.

➡ $\triangle ABC$에서 $\angle B=\angle C$이면 $\overline{AB}=\overline{AC}$이다.

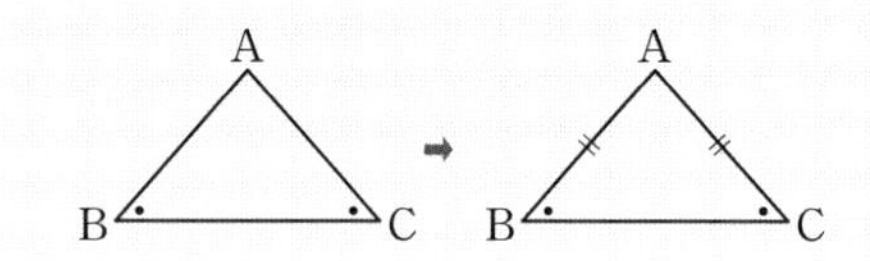

2 직각삼각형의 합동 조건

1. 직각삼각형의 합동 조건(1) – RHA 합동

두 직각삼각형의 빗변의 길이와 한 예각의 크기가 각각 같을 때

➡ $\angle C=\angle F=90°$, $\overline{AB}=\overline{DE}$, $\angle B=\angle E$(또는 $\angle A=\angle D$)이면

$\triangle ABC\equiv\triangle DEF$

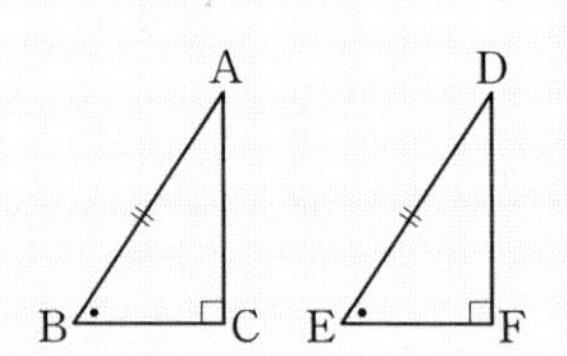

2. 직각삼각형의 합동 조건(2) – RHS 합동

두 직각삼각형의 빗변의 길이와 다른 한 변의 길이가 각각 같을 때

➡ $\angle C=\angle F=90°$, $\overline{AB}=\overline{DE}$, $\overline{BC}=\overline{EF}$(또는 $\overline{AC}=\overline{DF}$)이면

$\triangle ABC\equiv\triangle DEF$

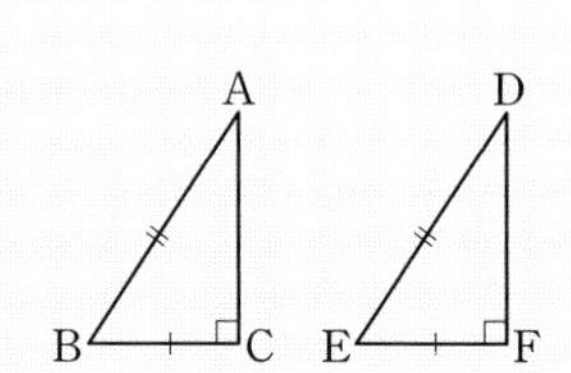

참고 (1) 다음은 이등변삼각형의 꼭지각의 이등분선과 모두 같은 의미이다.

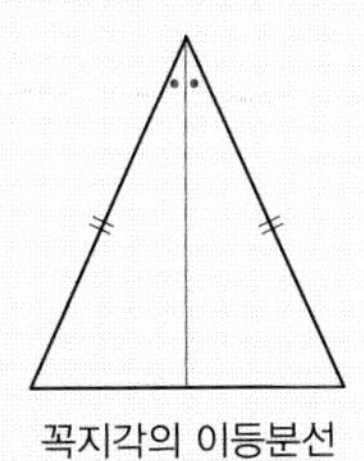
꼭지각의 이등분선

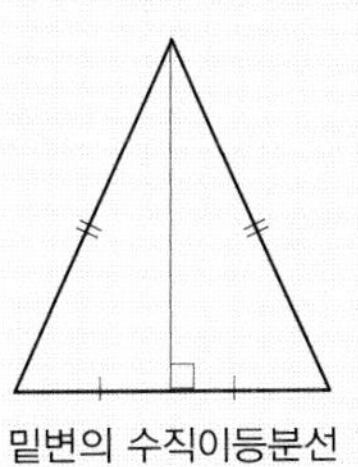
밑변의 수직이등분선

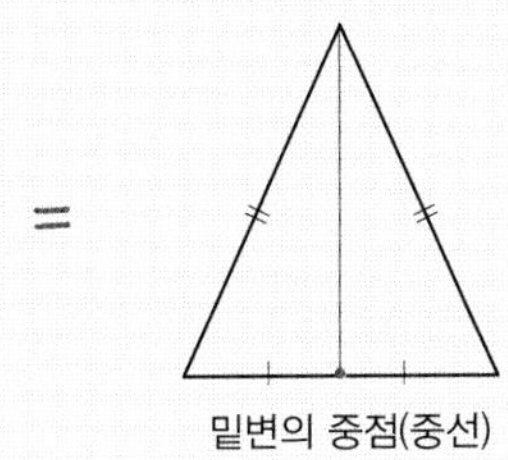
밑변의 중점(중선)

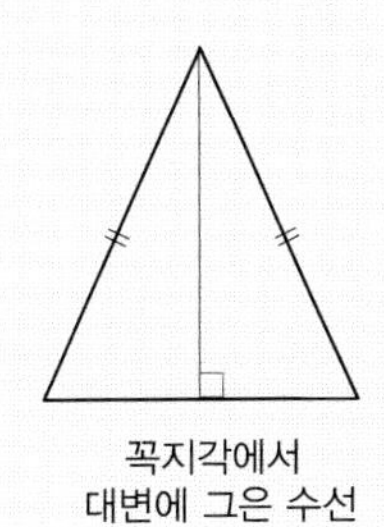
꼭지각에서
대변에 그은 수선

(2) 각의 이등분선의 성질

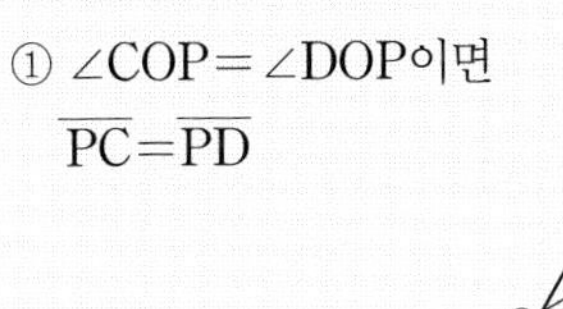

① $\angle COP = \angle DOP$이면
$\overline{PC} = \overline{PD}$

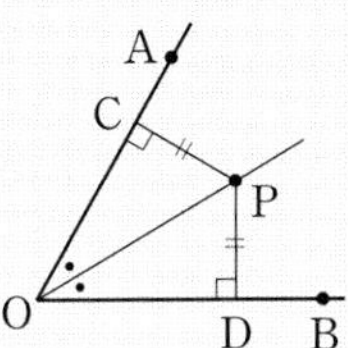

② $\overline{PC} = \overline{PD}$이면
$\angle COP = \angle DOP$

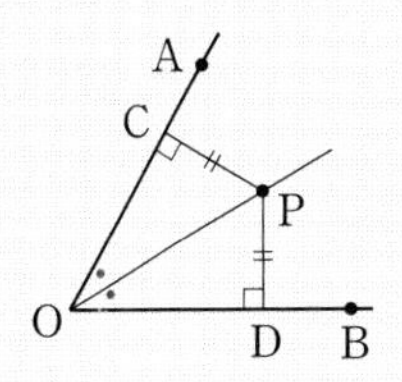

3 삼각형의 외심

1. 삼각형의 외심과 그 성질

(1) **외접원과 외심**: 한 다각형의 모든 꼭짓점이 한 원 위에 있을 때, 이 원을 주어진 다각형의 외접원이라 하고, 외접원의 중심을 외심이라 한다.

(2) **삼각형의 외심**: 삼각형의 외접원의 중심

① 작도: 삼각형의 세 변의 수직이등분선은 한 점(외심)에서 만난다.

② 외심에서 삼각형의 세 꼭짓점에 이르는 거리는 같다. 즉, $\overline{OA} = \overline{OB} = \overline{OC}$

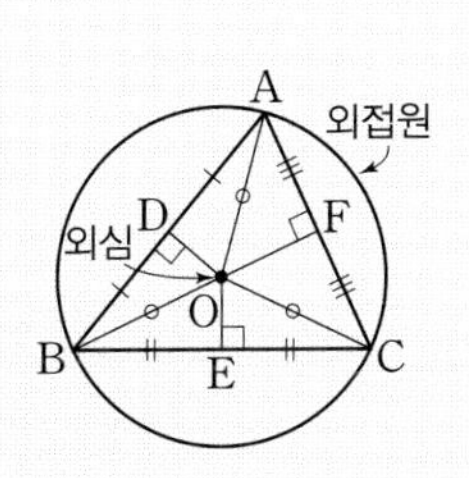

참고 삼각형의 외심의 위치: 예각삼각형은 삼각형의 내부, 둔각삼각형은 삼각형의 외부, 직각삼각형은 빗변의 중점에 있다.

I 삼각형의 성질

2. 삼각형의 외심의 활용

점 O가 삼각형 ABC의 외심일 때

(1)

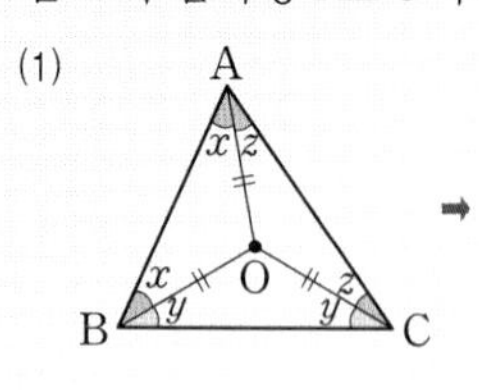

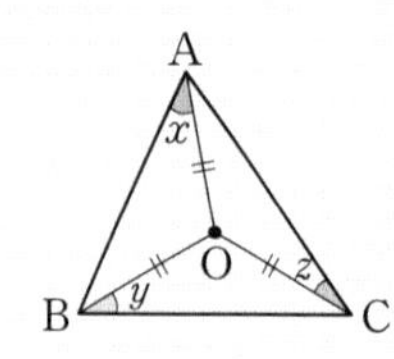

$\angle x+\angle y+\angle z=90°$

(2)

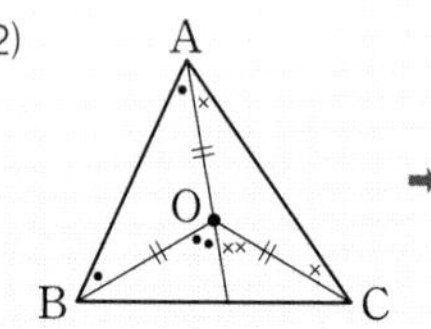

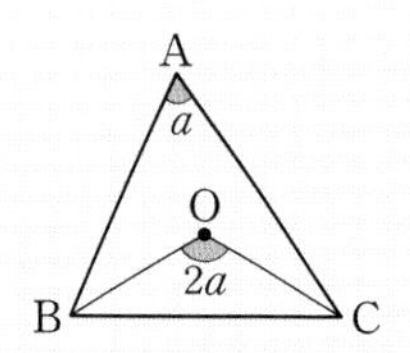

$\angle BOC=2\angle A$

4 삼각형의 내심

1. 접선과 접점

(1) 원과 직선이 한 점에서 만날 때, 이 직선은 원에 접한다고 한다.

① 접선: 원과 한 점에서 만나는 직선

② 접점: 원과 접선이 만나는 점

(2) 원의 접선은 그 접점을 지나는 반지름과 수직이다.

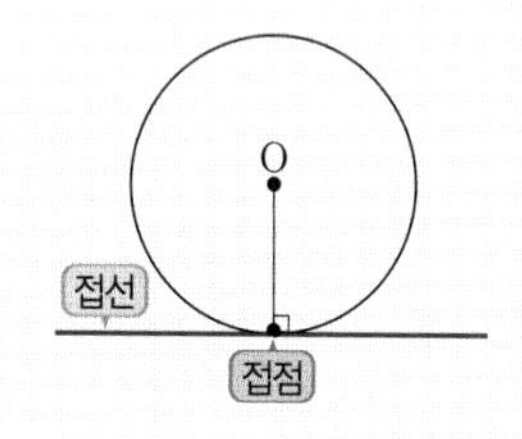

2. 삼각형의 내심과 그 성질

(1) **내접원과 내심**: 다각형의 모든 변이 한 원에 접할 때, 이 원을 주어진 다각형의 내접원이라 하고, 내접원의 중심을 내심이라 한다.

(2) **삼각형의 내심**: 삼각형의 내접원의 중심

① 작도: 삼각형의 세 내각의 이등분선은 한 점(내심)에서 만난다.

② 내심에서 삼각형의 세 변에 이르는 거리는 같다. 즉, $\overline{ID}=\overline{IE}=\overline{IF}$

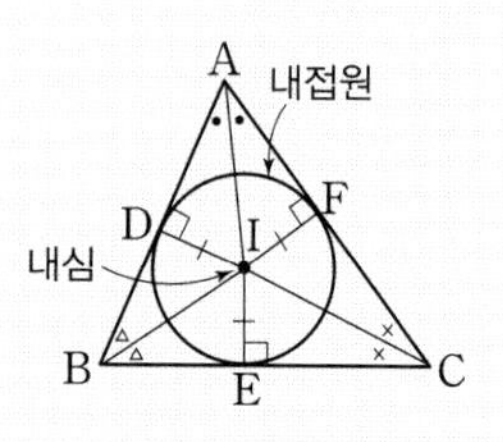

3. 삼각형의 내심의 활용(1)

점 I가 삼각형 ABC의 내심일 때

(1)

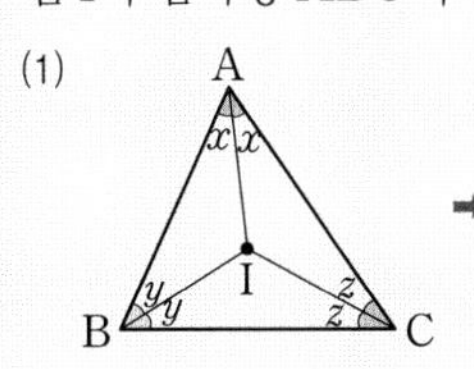

➡

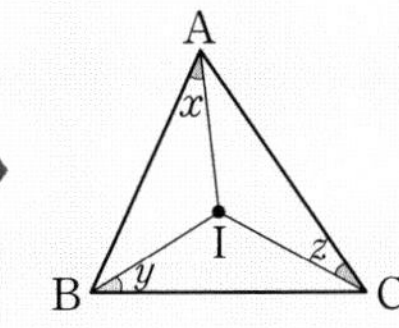

$\angle x+\angle y+\angle z=90^\circ$

(2)

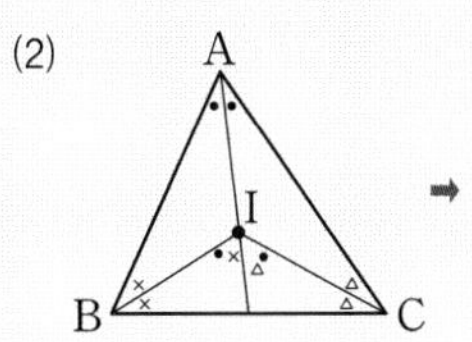

➡

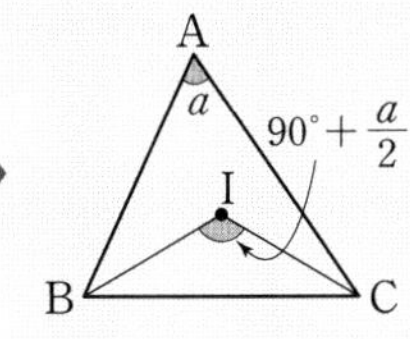

$\angle \mathrm{BIC}=90^\circ+\frac{1}{2}\angle \mathrm{A}$

4. 삼각형의 내심의 활용(2)

(1) 삼각형 ABC의 내접원의 반지름의 길이를 r라 하면

$\triangle \mathrm{ABC}=\frac{1}{2}r(a+b+c)$

(2) 삼각형 ABC의 내접원이 $\overline{\mathrm{AB}}$, $\overline{\mathrm{BC}}$, $\overline{\mathrm{CA}}$와 만나는 점을 각각 D, E, F라 하면 원 밖의 한 점에서 그 원에 그은 두 접선의 길이는 같다.

$\overline{\mathrm{AD}}=\overline{\mathrm{AF}}$, $\overline{\mathrm{BD}}=\overline{\mathrm{BE}}$, $\overline{\mathrm{CE}}=\overline{\mathrm{CF}}$

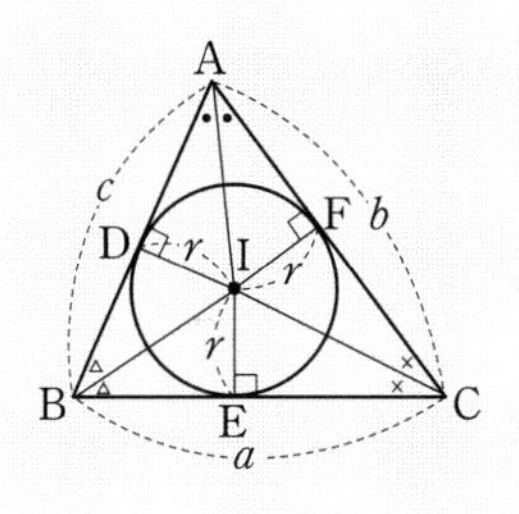

5. 삼각형의 내심과 평행선

삼각형 ABC에서 점 I는 내심이고 $\overline{\mathrm{DE}}/\!/\overline{\mathrm{BC}}$일 때,

(1) △DBI, △EIC는 이등변삼각형이다.
즉, $\overline{\mathrm{DB}}=\overline{\mathrm{DI}}$, $\overline{\mathrm{EC}}=\overline{\mathrm{EI}}$

(2) (△ADE의 둘레의 길이)$=\overline{\mathrm{AB}}+\overline{\mathrm{AC}}$

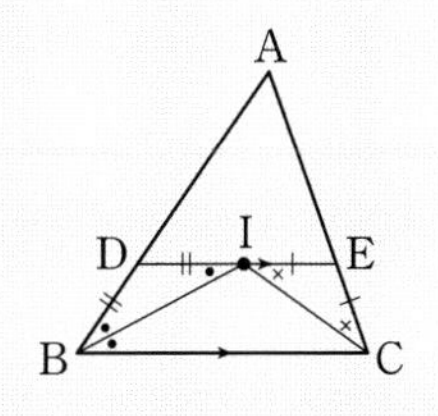

01 이등변삼각형의 성질

M1 이등변삼각형의 성질 개념강의

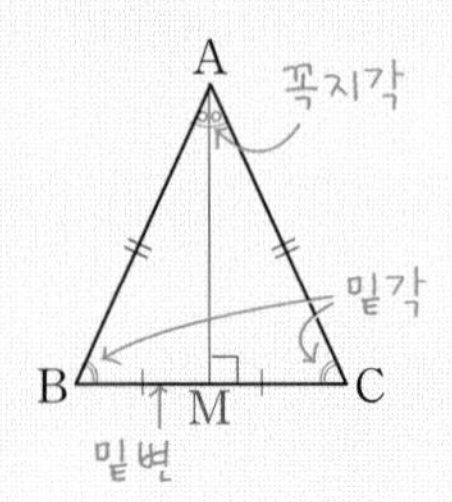

- 뜻: $\overline{AB}=\overline{AC}$
  ➡ 두 변의 길이가 같은 삼각형
- 성질 1: $\angle B=\angle C$
  ➡ 두 밑각의 크기는 서로 같다.
- 성질 2: $\overline{BM}=\overline{CM}$, $\overline{BC}\perp\overline{AM}$
  ➡ 꼭지각의 이등분선은 밑변을 수직이등분한다.

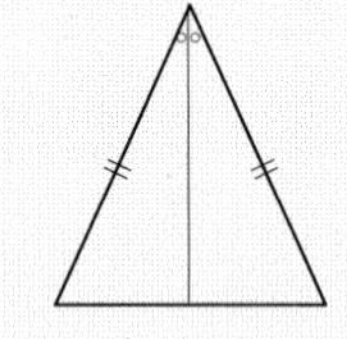
〈꼭지각의 이등분선〉

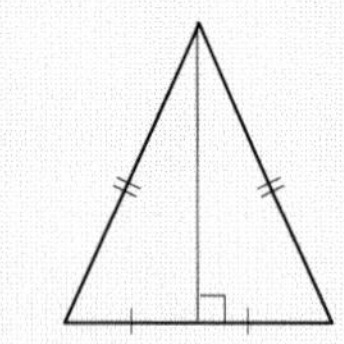
〈밑변의 수직이등분선〉

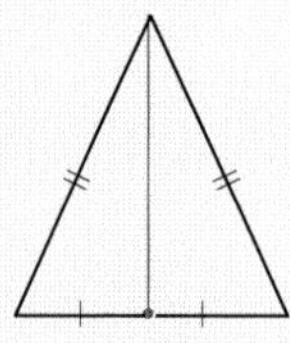
〈밑변에 중선〉

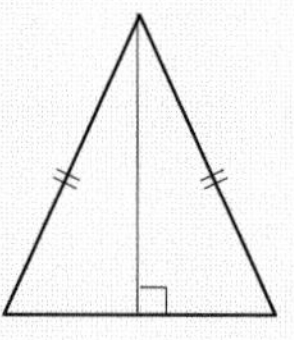
〈밑변에 수선〉

M2 이등변삼각형이 되는 조건 개념강의

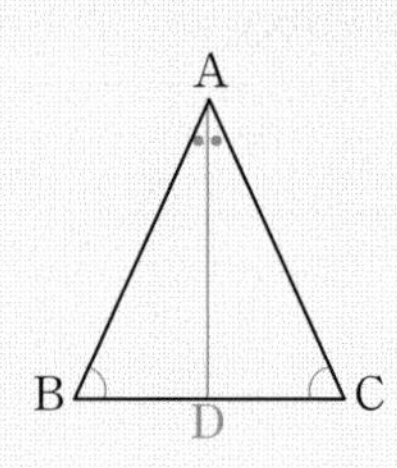

- 조건: $\angle B=\angle C$이면 $\overline{AB}=\overline{AC}$이다.
  ➡ 두 내각의 크기가 같은 삼각형은 이등변삼각형이다.
- $\triangle ABD$와 $\triangle ACD$에서

$\overline{AD}$는 공통 ...... ㉠

$\angle BAD=\angle CAD$ ...... ㉡

$\angle ADB=180^\circ-(\angle B+\angle BAD)$

$=180^\circ-(\angle C+\angle CAD)=\angle ADC$ ...... ㉢

㉠, ㉡, ㉢에 의하여

$\triangle ABD\equiv\triangle ACD$(ASA 합동)

$\therefore \overline{AB}=\overline{AC}$

유형 | 이등변삼각형의 성질

01

다음 그림에서 $\overline{AB}=\overline{AC}$일 때, $\angle x$의 크기를 구하시오.

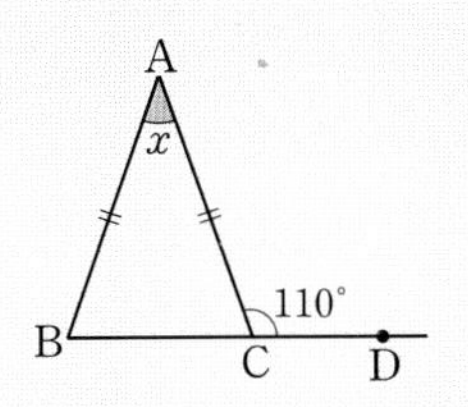

유형 | 이등변삼각형이 되는 조건

02

다음 그림에서 $\angle B=\angle C$일 때, x의 값을 구하시오.

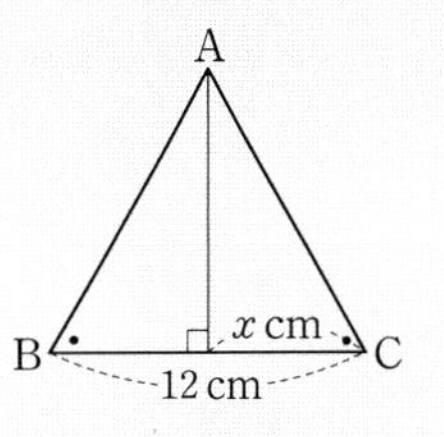

學

01

다음 그림과 같은 정오각형 ABCDE에 대하여 $\angle ADC$의 크기는?

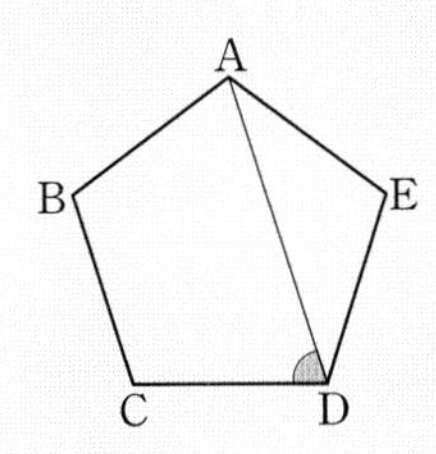

① 66° ② 68° ③ 70°
④ 72° ⑤ 74°

學

02

다음 그림에서 $\angle ABC=40^{\circ}$, $\angle CAD=80^{\circ}$, $\angle CDE=100^{\circ}$, $\overline{AB}=5\text{ cm}$일 때, $\overline{CD}$의 길이를 구하시오.

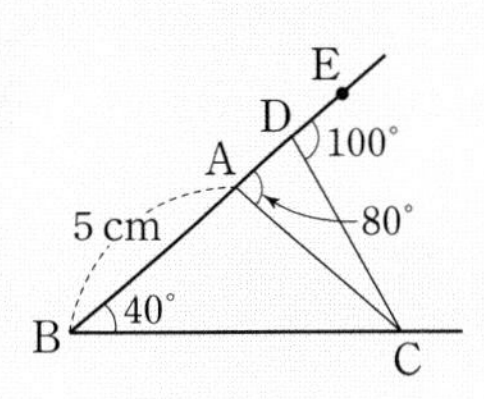

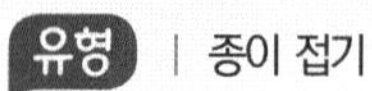

유형 | 종이 접기

03

폭이 일정한 종이를 다음 그림과 같이 접었다. $\angle DAB = 52°$일 때, $\angle x$의 크기를 구하시오.

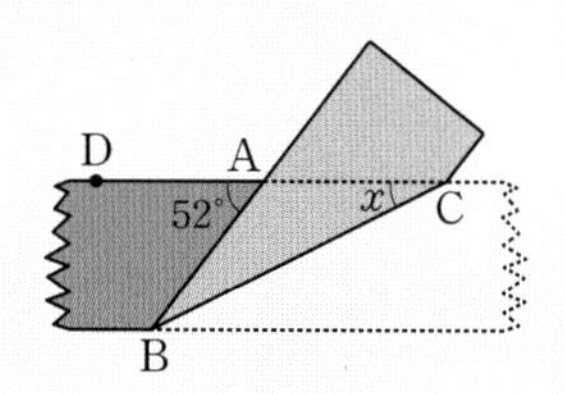

유형 | 이등변삼각형의 성질 및 조건 설명하기

04

다음은 '이등변삼각형의 두 밑각의 크기는 같다.'를 설명하는 과정이다. (가)~(라)에 알맞은 것을 써넣으시오.

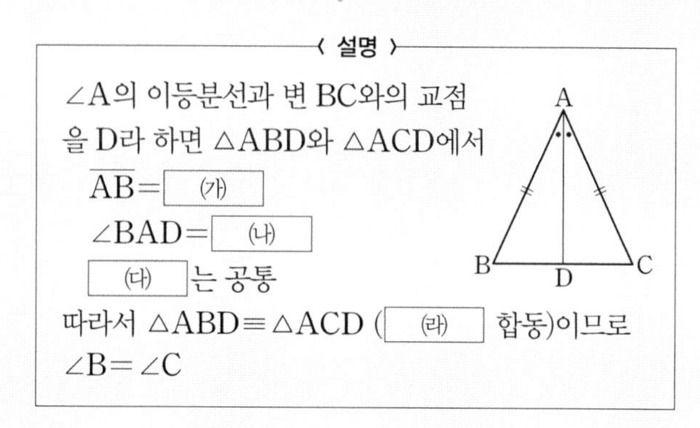

〈 설명 〉

$\angle A$의 이등분선과 변 BC와의 교점을 D라 하면 $\triangle ABD$와 $\triangle ACD$에서

$\overline{AB} =$ (가)

$\angle BAD =$ (나)

(다) 는 공통

따라서 $\triangle ABD \equiv \triangle ACD$ ((라) 합동)이므로

$\angle B = \angle C$

學

03

직사각형 모양의 종이를 다음 그림과 같이 접었을 때, $\triangle ABC$의 넓이를 구하시오.

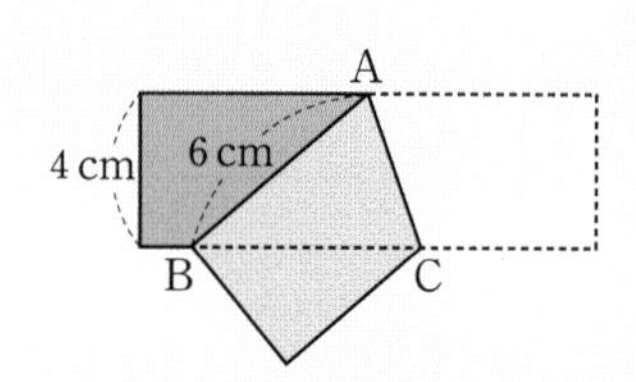

學

04

다음은 '세 내각의 크기가 같은 삼각형은 정삼각형이다.'를 설명하는 과정이다. (가), (나), (다)에 알맞은 것을 써넣으시오.

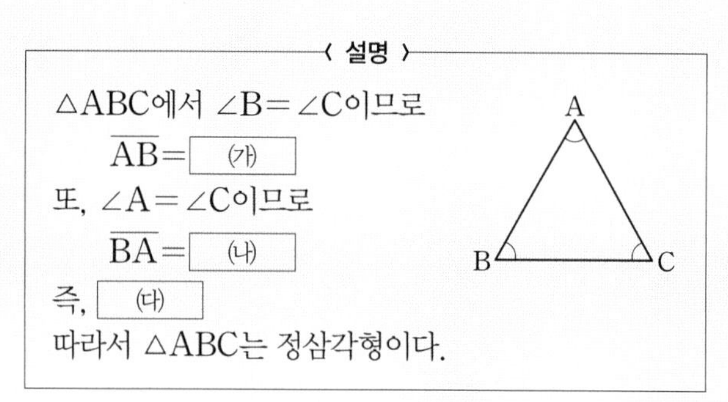

〈 설명 〉

$\triangle ABC$에서 $\angle B = \angle C$이므로

$\overline{AB} =$ (가)

또, $\angle A = \angle C$이므로

$\overline{BA} =$ (나)

즉, (다)

따라서 $\triangle ABC$는 정삼각형이다.

+MEMO

라디오 수타

라디오 방송 형식으로 배운 내용을 재미있게 **수학타파**하는 코너

꼭

01

다음 그림의 $\triangle ABC$에서 $\overline{AB}=\overline{AC}$일 때, $\angle x$의 크기는?

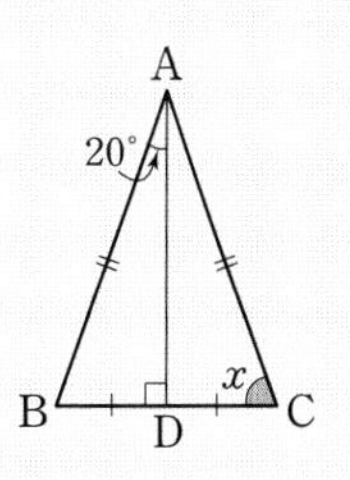

① 55° ② 60° ③ 65°
④ 70° ⑤ 75°

꼭

02

다음 그림의 $\triangle ABC$에서 $\angle A=\angle B$이고 $\overline{AD}=\overline{BD}$일 때, $\angle x$의 크기를 구하시오.

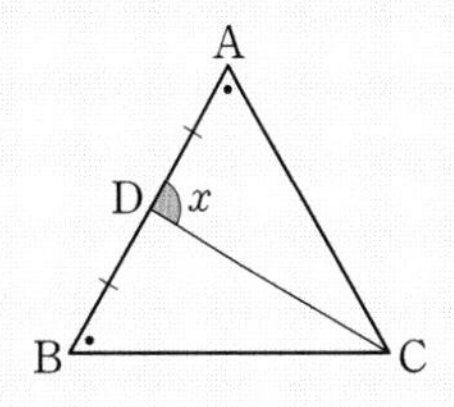

01 이등변삼각형의 성질

꼭

03

폭이 일정한 종이를 다음 그림과 같이 접었다.
$\angle ABC=49^\circ$, $\overline{AB}=7\text{ cm}$일 때, 다음을 구하시오.

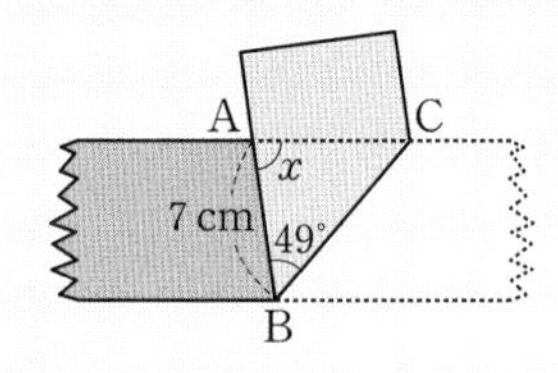

(1) $\angle x$의 크기

(2) $\overline{AC}$의 길이

꼭

04

다음은 '정삼각형의 세 내각의 크기는 모두 같다.'를 설명하는 과정이다. (가), (나), (다)에 알맞은 것을 써넣으시오.

〈 설명 〉

$\triangle ABC$는 $\overline{AB}=\overline{AC}$인 이등변삼각형이므로

$\angle B=$ (가)

또한, $\triangle ABC$는 $\overline{BA}=\overline{BC}$인 이등변삼각형이므로

$\angle C=$ (나)

$\therefore$ (다)

생각 +

정우는 생일선물로 받은 퍼즐 조각 중에서 정삼각형 조각 하나와 정사각형 조각 하나를 이용하여 다음 그림과 같이 집 모양을 만들었다. 집의 지붕 꼭대기 A부터 바닥 한 쪽 구석 B까지를 연결한 선분 AB의 중점을 D라 할 때, $\angle x$, $\angle y$의 크기가 같음을 보이시오.

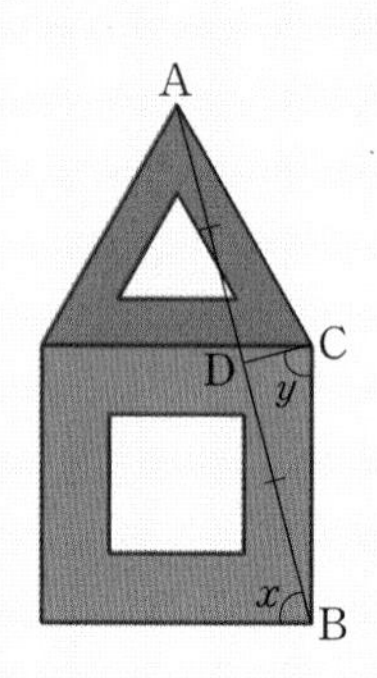

다음 그림과 같이 30 cm 자 위에 $\overline{BC}=8$ cm, $\overline{EF}=9$ cm인 두 이등변삼각형 ABC, DEF가 있다. 삼각형 ABC는 1초에 3 cm씩, 삼각형 DEF는 1초에 2 cm씩 움직이고 있다. 5초 후, 두 삼각형이 겹쳐지는 부분의 넓이를 구하시오.

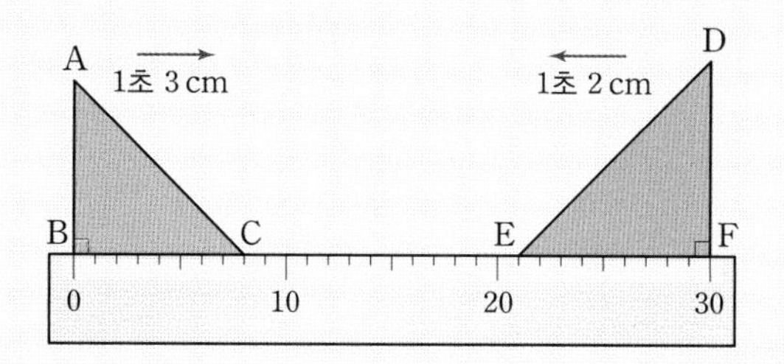

다음 그림과 같이 △ABC는 $\overline{AB}=\overline{AC}$인 이등변삼각형이다. $\overline{AB}$, $\overline{BC}$, $\overline{CA}$ 위에 $\overline{BD}=\overline{CE}$, $\overline{BE}=\overline{CF}$가 되도록 세 점 D, E, F를 잡을 때, $\angle x$의 크기를 구하시오.

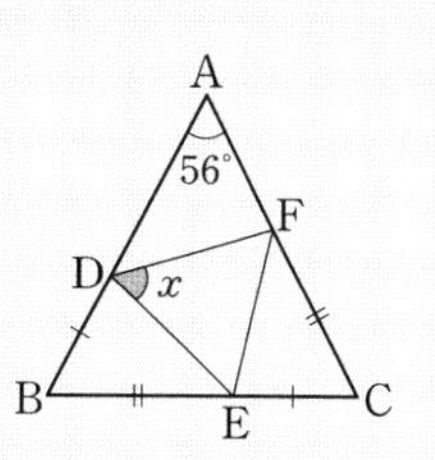

I 삼각형의 성질

02 직각삼각형의 합동 조건

M1 직각삼각형의 합동 조건 개념강의

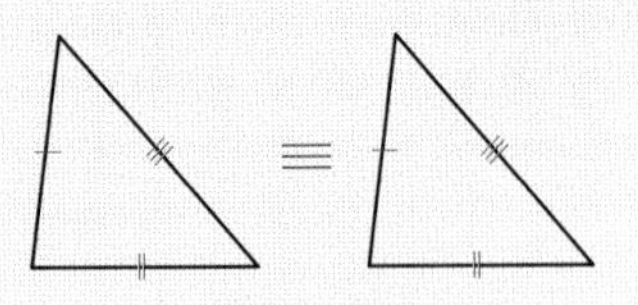

SSS 합동

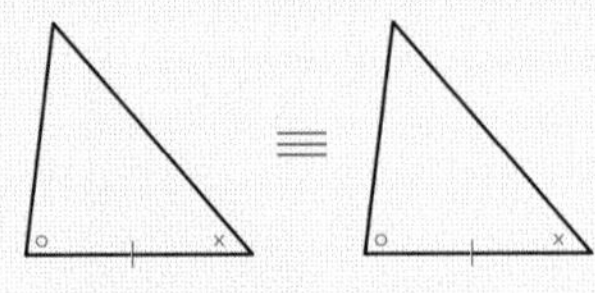

SAS 합동

ASA 합동

(1) RHA 합동

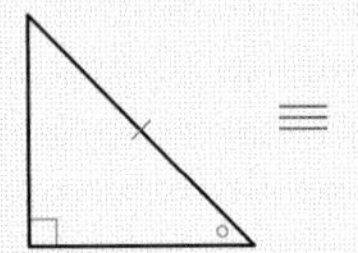
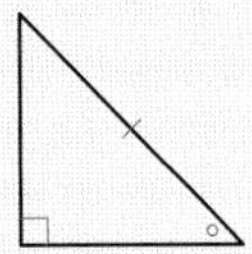

Right angle 직각
Hypotenuse 빗변
Angle (예)각

(2) RHS 합동

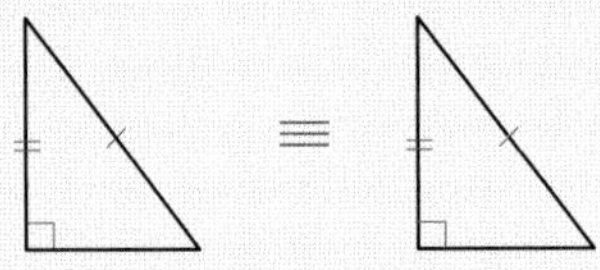

Right angle 직각
Hypotenuse 빗변
Side 변

M2 각의 이등분선의 성질 개념강의

(1)

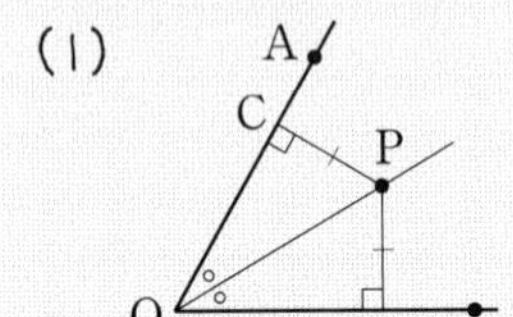

$\triangle COP \equiv \triangle DOP$(RHA 합동)

$\therefore \overline{CP} = \overline{DP}$

(2)

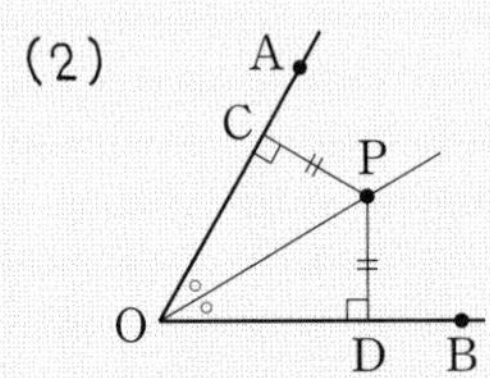

$\triangle COP \equiv \triangle DOP$(RHS 합동)

$\therefore \angle COP = \angle DOP$

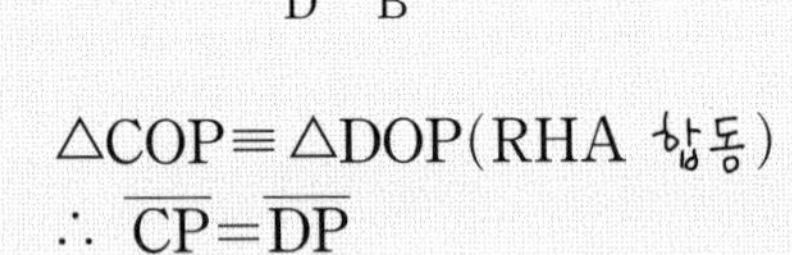

유형 | 직각삼각형의 합동 조건

05

다음 〈보기〉의 직각삼각형에서 서로 합동인 것끼리 짝지으시오.

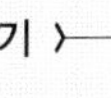

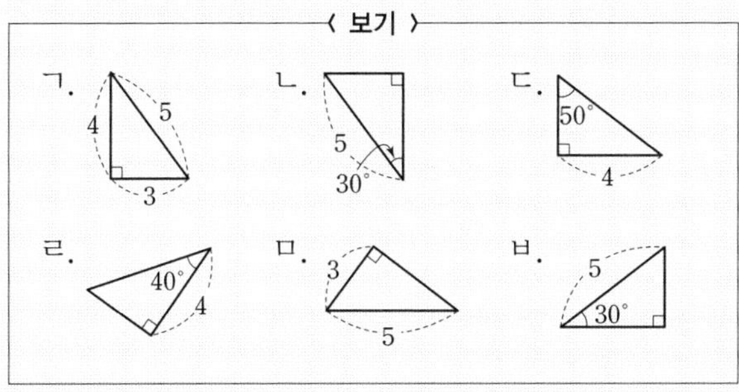

유형 | RHA 합동의 응용

06

다음 그림과 같이 $\angle A=90°$이고 $\overline{AB}=\overline{AC}$인 직각이등변삼각형 ABC의 꼭짓점 A를 지나는 직선 l이 있다. 두 꼭짓점 B, C에서 직선 l에 내린 수선의 발을 각각 D, E라 할 때, □BCED의 넓이를 구하시오.

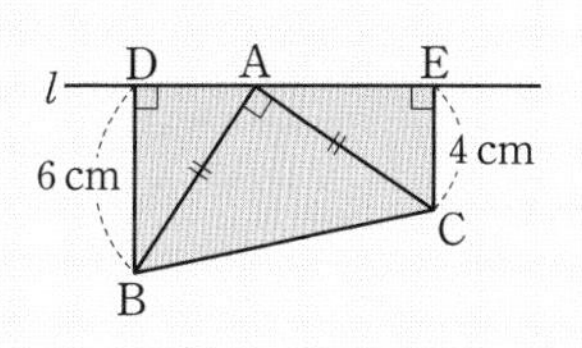

05

다음 중 아래 그림과 같은 두 직각삼각형 ABC, DEF가 합동이 되는 경우가 아닌 것은?

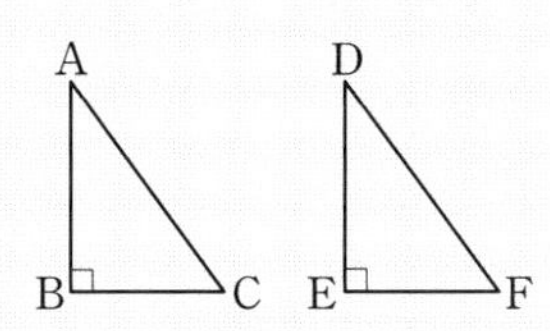

① $\overline{AC}=\overline{DF}$, $\angle C=\angle F$
② $\overline{AC}=\overline{DF}$, $\overline{AB}=\overline{DE}$
③ $\overline{AB}=\overline{DE}$, $\overline{BC}=\overline{EF}$
④ $\overline{AB}=\overline{DE}$, $\angle A=\angle D$
⑤ $\angle A=\angle D$, $\angle C=\angle F$

06

다음 그림의 $\triangle ABC$에서 점 M은 $\overline{AB}$의 중점이고, 점 D, E는 각각 점 A, B에서 $\overline{CM}$과 그 연장선에 내린 수선의 발이다. $\overline{CM}=7\,cm$, $\overline{EM}=2\,cm$, $\overline{BE}=3\,cm$일 때, $\triangle ADC$의 넓이를 구하시오

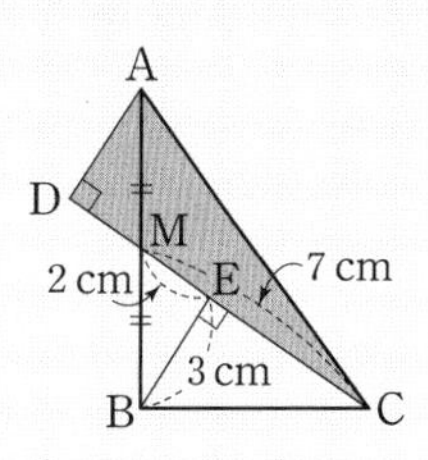

유형 | RHS 합동의 응용

07

다음 그림과 같은 삼각형 ABC에서 $\overline{DE}=\overline{DF}$이고 $\angle AED=\angle AFD=90^\circ$이다. $\angle ADE=52^\circ$일 때, $\angle x$의 크기를 구하시오.

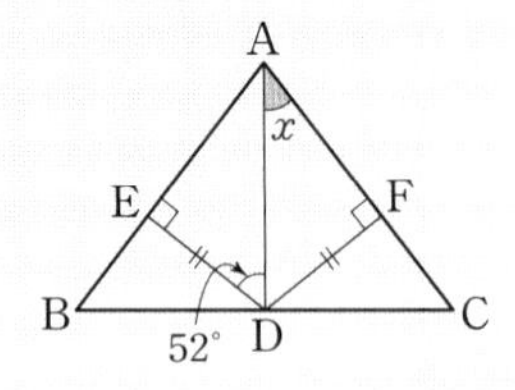

유형 | 각의 이등분선의 성질

08

다음 그림과 같이 $\angle A=90^\circ$인 직각삼각형 ABC에서 $\angle C$의 이등분선이 $\overline{AB}$와 만나는 점을 D라 하자. $\overline{AD}=2\text{ cm}$, $\overline{BC}=9\text{ cm}$일 때, $\triangle BCD$의 넓이는?

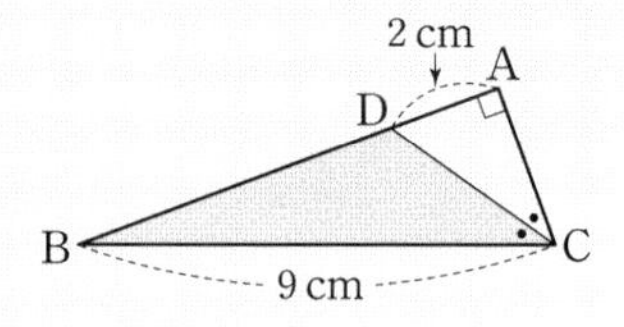

① 8 cm^2 ② $\frac{17}{2}\text{ cm}^2$ ③ 9 cm^2
④ $\frac{19}{2}\text{ cm}^2$ ⑤ 10 cm^2

學

07

다음 그림의 삼각형 ABC는 $\angle B=90^\circ$이고 $\overline{AB}=\overline{BC}$인 직각이등변삼각형이다. $\overline{AC}\perp\overline{DE}$이고 $\overline{AB}=\overline{AE}$, $\overline{BD}=6\text{ cm}$일 때, $\triangle CED$의 넓이를 구하시오.

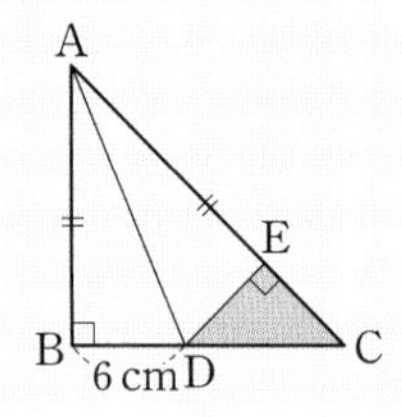

學

08

다음 그림과 같은 직각삼각형 ABC에서 $\angle A$의 이등분선이 $\overline{BC}$와 만나는 점을 D라 하자. 점 D에서 $\overline{AC}$에 내린 수선의 발을 E라 할 때, $\triangle CED$의 둘레의 길이는?

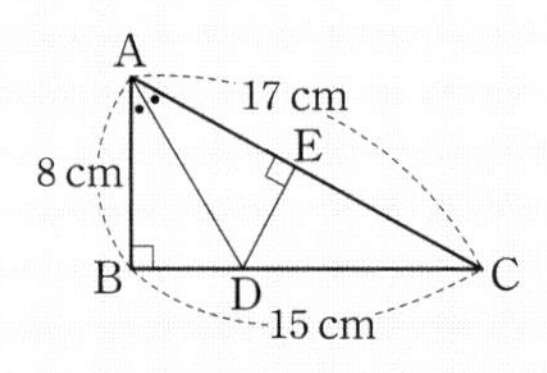

① 21 cm ② 22 cm ③ 23 cm
④ 24 cm ⑤ 25 cm

+MEMO

라디오 수타

라디오 방송 형식으로 배운 내용을 재미있게 수학타파하는 코너

꼭

05

다음 중 아래 그림과 같은 두 직각삼각형 ABC, DEF가 합동이 되기 위한 조건은?

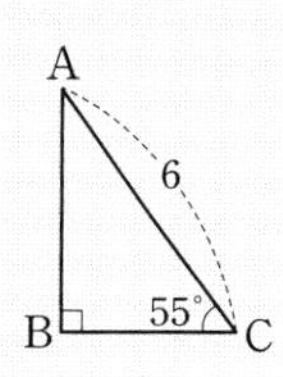

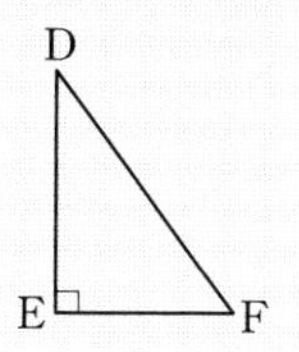

① $\angle D=35°$, $\angle F=55°$

② $\overline{DE}=6$, $\angle F=55°$

③ $\overline{DF}=6$, $\angle D=35°$

④ $\overline{EF}=6$, $\angle D=35°$

⑤ $\overline{DF}=6$, $\overline{EF}=3$

꼭

06

다음 그림과 같은 직각이등변삼각형 ABC의 두 꼭짓점 B, C에서 꼭짓점 A를 지나는 직선 l에 내린 수선의 발을 각각 D, E라 하자. $\overline{BD}=5\,\text{cm}$, $\overline{CE}=8\,\text{cm}$일 때, $\overline{DE}$의 길이는?

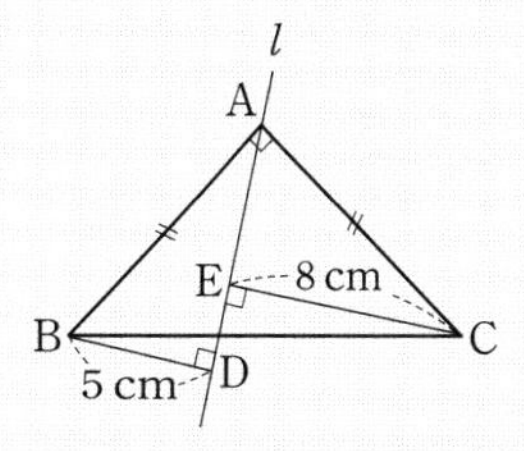

① $2\,\text{cm}$ ② $\frac{5}{2}\,\text{cm}$ ③ $3\,\text{cm}$

④ $\frac{7}{2}\,\text{cm}$ ⑤ $4\,\text{cm}$

꼭

07

다음 그림과 같이 $\angle A=76^\circ$인 $\triangle ABC$의 두 꼭짓점 B, C에서 대변에 내린 수선의 발을 각각 D, E라 하자. $\overline{BE}=\overline{CD}$일 때, $\angle x$의 크기는?

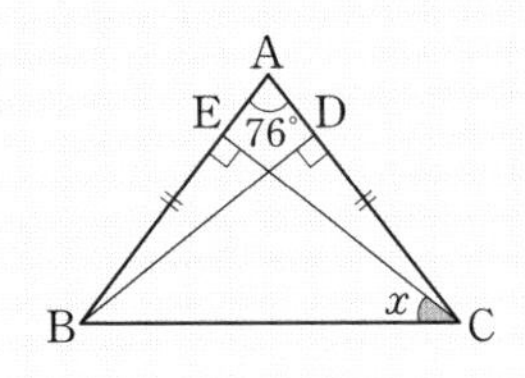

① 36° ② 38° ③ 40°
④ 42° ⑤ 44°

꼭

08

아래 그림은 '$\angle AOB$의 이등분선 $\overrightarrow{OC}$ 위의 한 점 P에서 $\overrightarrow{OA}$, $\overrightarrow{OB}$에 내린 수선의 발을 각각 Q, R라 할 때, $\overline{PQ}=\overline{PR}$이다.'를 설명하기 위해 그린 것이다. 다음 중 필요한 조건이 아닌 것은?

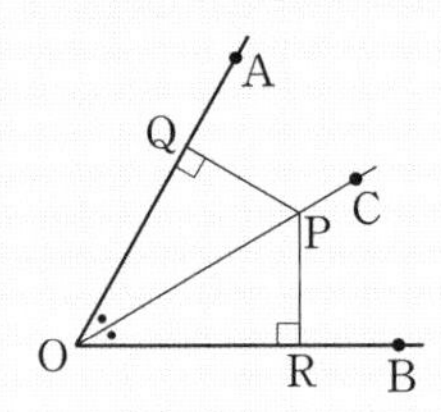

① $\overline{OP}$는 공통
② $\angle PQO=\angle PRO=90^\circ$
③ $\angle QOR=\angle QPR$
④ $\angle QOP=\angle ROP$
⑤ $\triangle POQ\equiv\triangle POR$

생각 ➕

다음은 '$\overline{AB}=\overline{AC}$인 이등변삼각형 ABC의 꼭짓점 B, C에서 대변에 내린 수선의 발을 각각 D, E라 하면 $\overline{BD}=\overline{CE}$이다.'를 설명하는 과정이다. (가)~(마)에 알맞은 것을 써넣으시오.

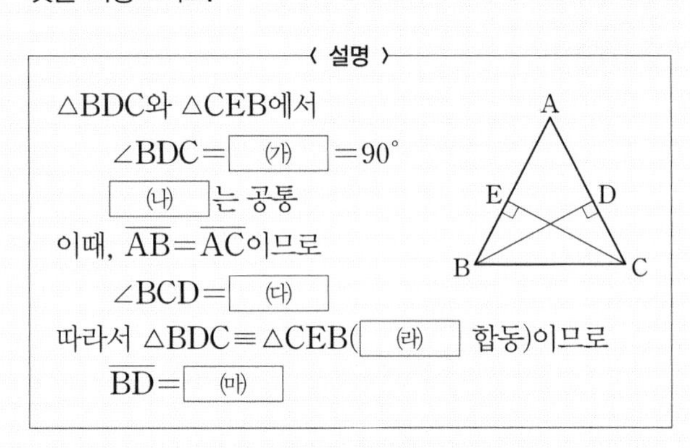

〈 설명 〉

$\triangle BDC$와 $\triangle CEB$에서
$\angle BDC=$ (가) $=90^\circ$
(나) 는 공통
이때, $\overline{AB}=\overline{AC}$이므로
$\angle BCD=$ (다)
따라서 $\triangle BDC\equiv\triangle CEB$((라) 합동)이므로
$\overline{BD}=$ (마)

생각 ++

삼각김밥을 먹으려면 비닐 포장을 벗겨야 하는데, 번호가 적힌 순서대로 변 BC와 수직을 이루고 있는 1번 비닐을 벗겼더니 직각삼각형 두 개가 만들어졌다. 이 두 개의 직각삼각형이 합동임을 직각삼각형의 합동 조건을 이용하여 설명하려면 어떤 조건이 더 필요한지 말하시오.

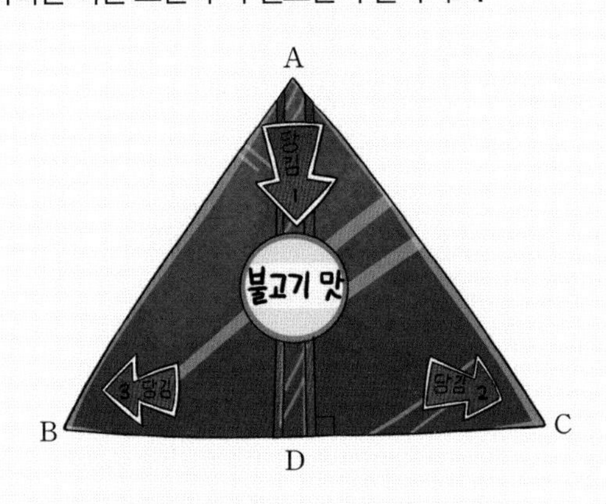

생각 +++

다음 그림과 같이 정사각형 ABCD의 꼭짓점 B를 지나는 직선과 $\overline{CD}$의 교점을 E라 하자. 두 점 A, C에서 $\overline{BE}$에 내린 수선의 발을 각각 F, G라 하면 $\overline{AF}=9\,\text{cm}$, $\overline{CG}=6\,\text{cm}$이다. 이때, △AFG의 넓이는?

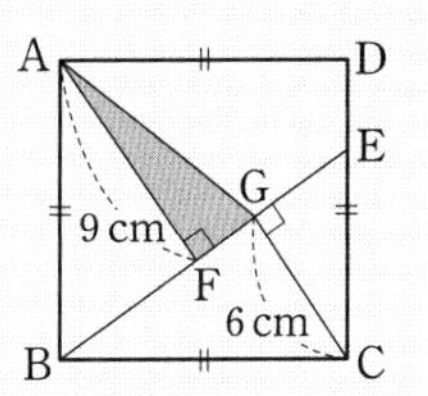

① $13\,\text{cm}^2$ ② $\frac{27}{2}\,\text{cm}^2$ ③ $14\,\text{cm}^2$

④ $\frac{29}{2}\,\text{cm}^2$ ⑤ $15\,\text{cm}^2$

삼각형의 외심

M1 삼각형의 외심 개념강의

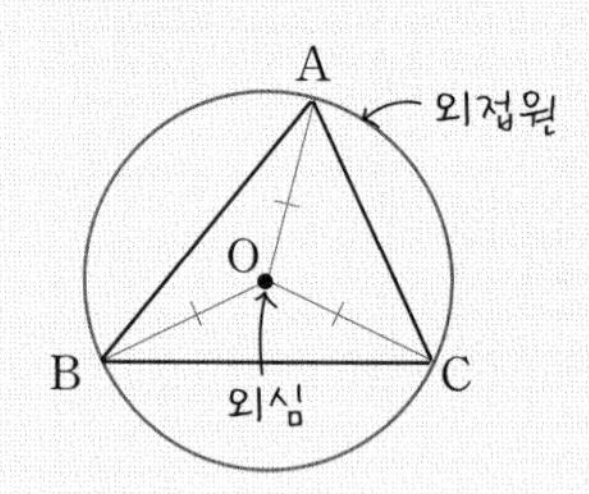

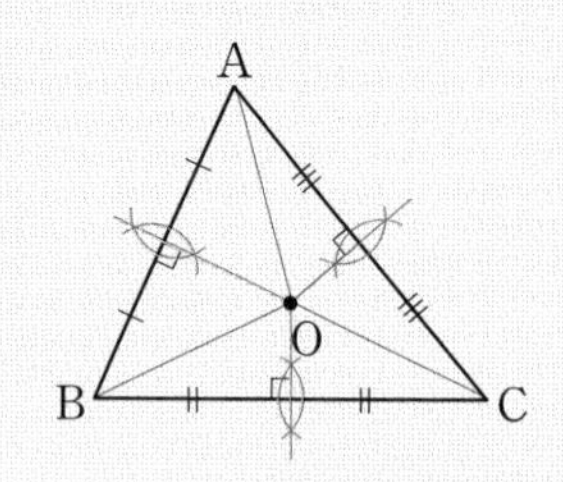

- 작도: 세 변의 수직이등분선의 교점
- 성질: 세 꼭짓점에 이르는 거리는 같다.

M2 삼각형의 외심의 위치 개념강의

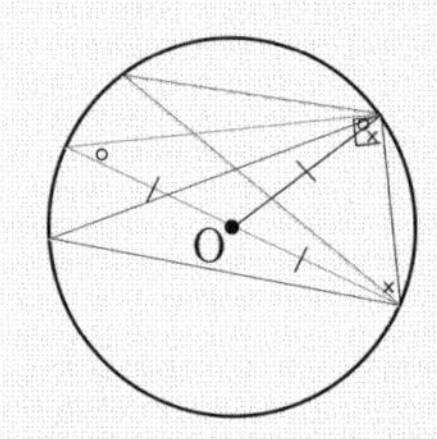

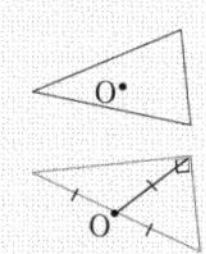

예각삼각형 → 삼각형의 내부

직각삼각형 → 빗변의 중점

둔각삼각형 → 삼각형의 외부

M3 삼각형의 외심의 활용 개념강의

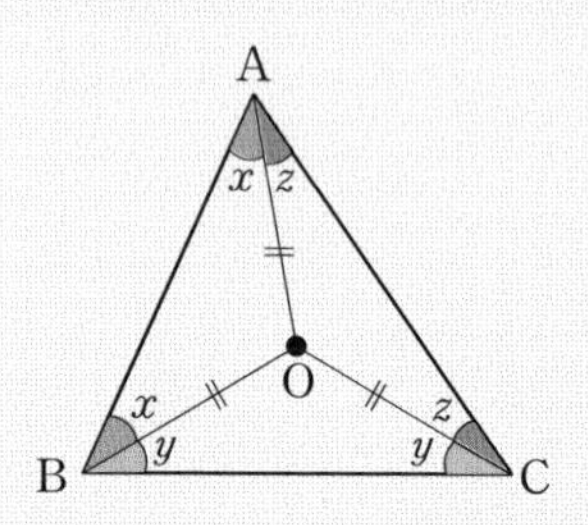

$2(\angle x+\angle y+\angle z)=180^\circ$

$\therefore\ \angle x+\angle y+\angle z=90^\circ$

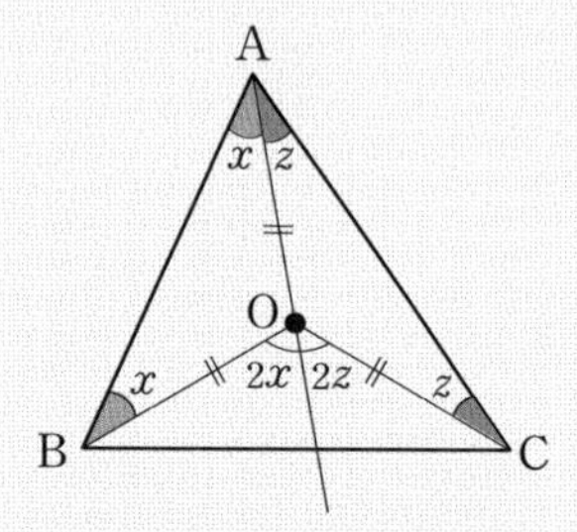

- $\angle\mathrm{BOC}=2\angle\mathrm{BAC}$
- $\angle\mathrm{AOC}=2\angle\mathrm{ABC}$
- $\angle\mathrm{AOB}=2\angle\mathrm{ACB}$

용어사전

- 외(外 바깥) 심 circumcenter
- 외접(接 접하다) circumscription
- 외접원(圓 둥글다) circumscribed circle

유형 | 삼각형의 외심

09

아래 그림에서 점 O는 $\triangle ABC$의 외심이다. 다음 중 옳지 않은 것은?

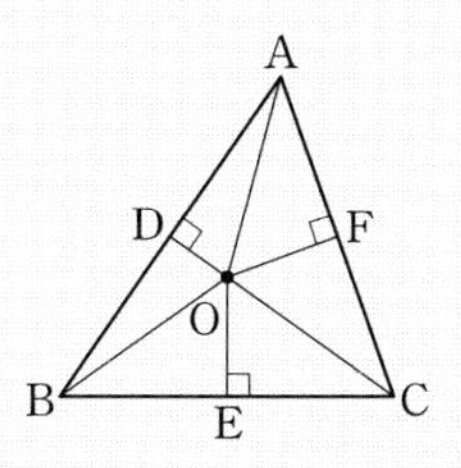

① $\overline{AF}=\overline{CF}$ ② $\overline{OA}=\overline{OB}=\overline{OC}$
③ $\angle OBC=\angle OCB$ ④ $\angle OBD=\angle OBE$
⑤ $\triangle OAD\equiv\triangle OBD$

유형 | 직각삼각형의 외심

10

다음 그림과 같이 $\angle B=90^\circ$이고 $\overline{AB}=6\text{ cm}$, $\overline{BC}=8\text{ cm}$인 직각삼각형 ABC의 둘레의 길이가 24 cm 일 때, $\triangle ABC$의 외접원의 넓이를 구하시오.

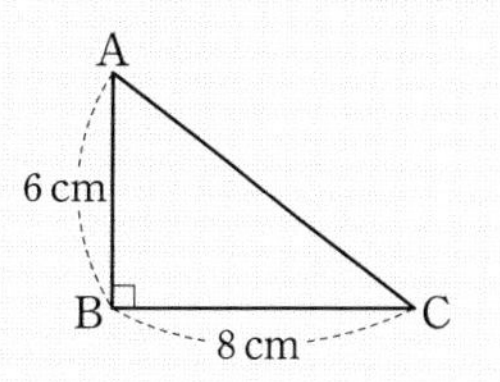

學

09

아래 그림과 같은 삼각형 모양의 산책로가 있는 공원이 있다. 세 지점에서 거리가 같은 지점에 편의점을 세우려고 할 때, 다음 중 어느 지점에 편의점을 세워야 하는가?

(단, 건물의 크기는 고려하지 않는다.)

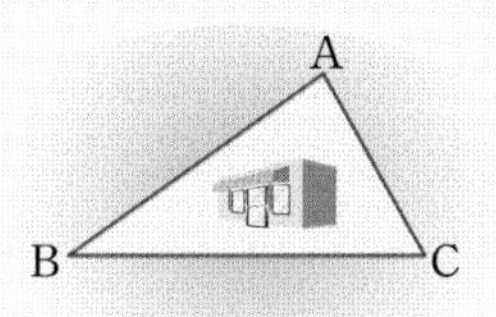

① $\angle A$와 $\angle B$의 이등분선의 교점
② $\overline{AB}$와 $\overline{BC}$의 수직이등분선의 교점
③ 점 A와 $\overline{BC}$의 중점, 점 B와 $\overline{AC}$의 중점을 각각 연결한 선분의 교점
④ 점 A에서 $\overline{BC}$에 내린 수선과 점 B에서 $\overline{AC}$에 내린 수선의 교점
⑤ $\angle A$의 이등분선과 $\overline{BC}$의 수직이등분선의 교점

學

10

다음 그림에서 $\triangle ABC$는 $\angle A=90^\circ$인 직각삼각형이다. $\overline{BM}=\overline{CM}$, $\overline{BC}=16\text{ cm}$이고, $\angle ABC=30^\circ$일 때, $\triangle AMC$의 둘레의 길이는?

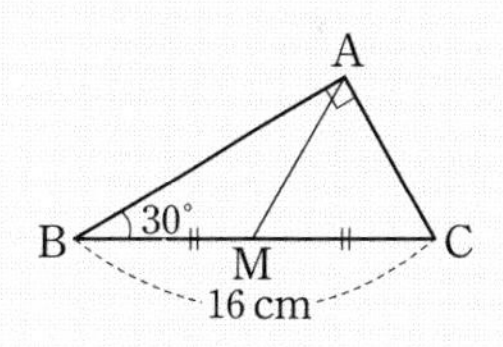

① 20 cm ② 22 cm ③ 24 cm
④ 26 cm ⑤ 28 cm

유형 | 삼각형의 외심이 주어질 때, 각의 크기 구하기(1)

11

다음 그림에서 점 O는 $\triangle ABC$의 외심이다.
$\angle OBC=30^\circ$, $\angle OCA=40^\circ$일 때, $\angle OAB$의 크기는?

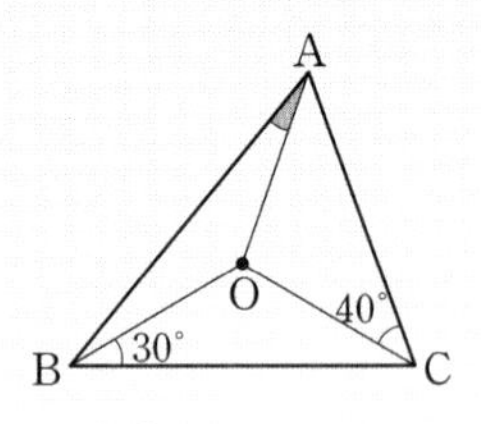

① 10° ② 15° ③ 20°
④ 25° ⑤ 30°

유형 | 삼각형의 외심이 주어질 때, 각의 크기 구하기(2)

12

다음 그림에서 점 O는 $\triangle ABC$의 외심이다.
$\angle BOC=130^\circ$일 때, $\angle x+\angle y$의 크기를 구하시오.

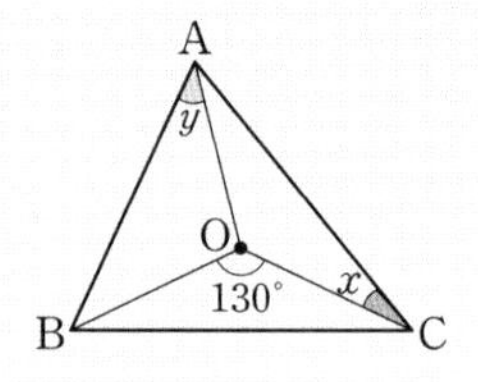

學

11

다음 그림에서 점 O는 $\triangle ABC$의 외심이다. $\angle ABC=50^\circ$일 때, $\angle x$의 크기를 구하시오.

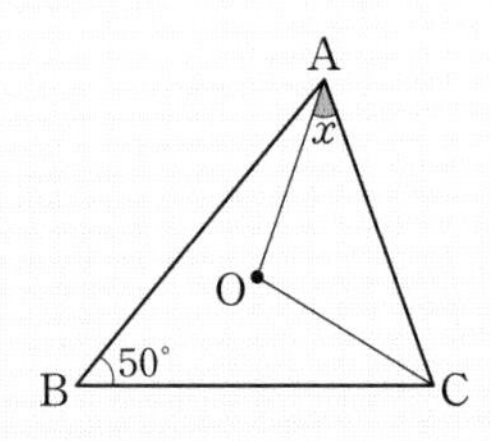

學

12

다음 그림과 같이 $\overline{AB}=\overline{AC}$인 이등변삼각형 ABC에서 $\overline{AC}$와 $\overline{BC}$의 수직이등분선의 교점을 O라 하자. $\angle A=80^\circ$일 때, $\angle OCB$의 크기를 구하시오.

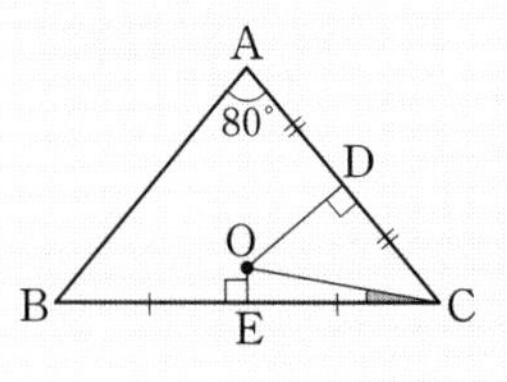

+MEMO

라디오 수타
라디오 방송 형식으로
배운 내용을 재미있게
수학타파하는 코너

꼭

09

다음 그림에서 점 O는 $\triangle ABC$의 외심이다. $\overline{AB}=9\,\text{cm}$이고 $\triangle OAB$의 둘레의 길이가 $21\,\text{cm}$일 때, $\triangle ABC$의 외접원의 둘레의 길이를 구하시오.

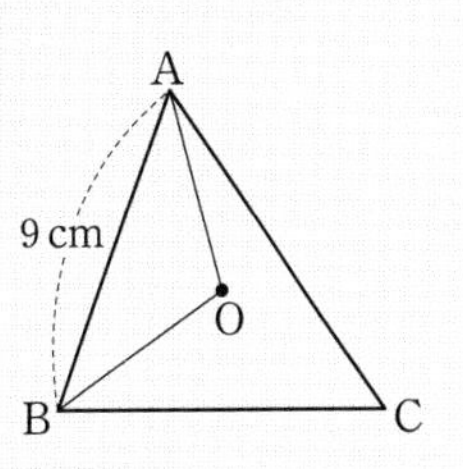

꼭

10

다음 그림에서 점 O는 $\angle A=90^\circ$인 직각삼각형 ABC의 빗변의 중점이다. $\angle BOA : \angle AOC = 3 : 2$일 때 $\angle B$의 크기를 구하시오.

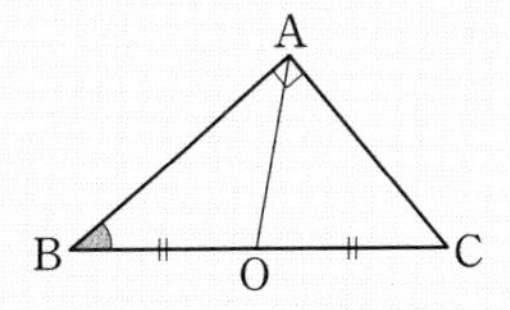

꼭

11

다음 그림에서 점 O는 △ABC의 외심이다.
∠OBA=39°, ∠OCB=30°일 때, ∠x의 크기는?

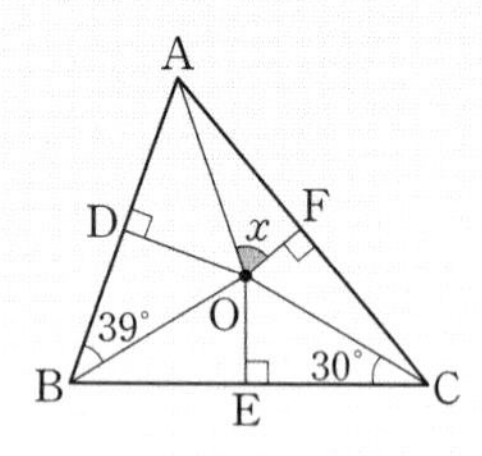

① 66° ② 69° ③ 72°
④ 75° ⑤ 78°

꼭

12

다음 그림과 같은 △ABC에서 점 O는 △ABC의 외심이다. ∠BAC : ∠ABC : ∠BCA=2 : 3 : 4일 때, ∠BOC의 크기를 구하시오.

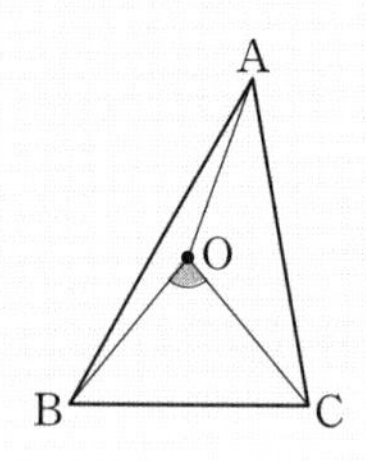

생각 ➕

다음 [그림 1]과 같이 위쪽 그릇에 임의로 똑같은 크기의 세 개의 구멍을 뚫고, 동시에 모래를 흘려 보냈다. 모래가 흘러내리면 [그림 2]와 같이 아래쪽 그릇에 생기는 세 개의 모래 더미의 경계선들은 각각 한 쌍의 모래 더미의 꼭짓점에서 같은 거리에 있다. 이 실험에 대하여 바르게 이야기하고 있는 학생을 모두 고르시오.

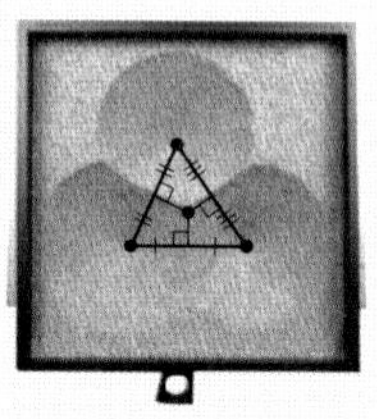
[그림 1]

[그림 2]

혁구: 같은 이론으로 깨진 원 모양의 접시의 원래 크기를 알 수 있대.
희연: 뚫린 세 구멍으로는 같은 양의 모래가 빠져 나갔어.
원길: 우리 마을의 P 아파트, Q 아파트, R 아파트 사이에 들어오는 할인마트의 위치도 저렇게 정하면 유리하겠다.
윤희: 가운데 점에서 세 구멍을 연결한 삼각형의 세 변에 이르는 거리는 같다.
미림: 세 구멍을 연결한 삼각형의 세 꼭짓점에서 가운데 점까지의 거리는 모두 같아.

다음 그림에서 점 O는 $\triangle$ABC의 외심이다.
$\angle$ABC$=32°$, $\angle$OBC$=23°$일 때, $\angle x$의 크기를 구하시오.

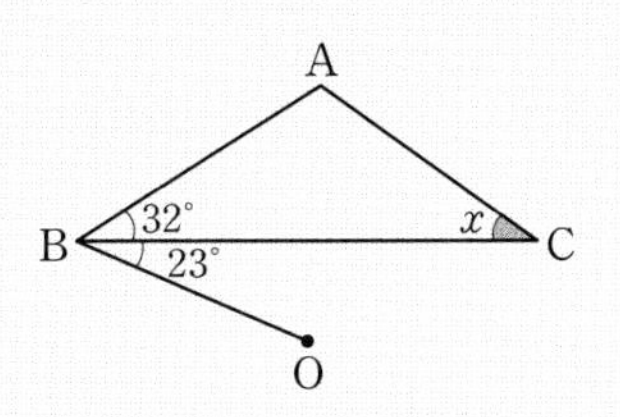

다음 그림에서 점 O는 $\triangle$ABC의 외심이고
$\overline{BD}=\overline{DE}=\overline{EC}$일 때, $\angle$BOC의 크기는?

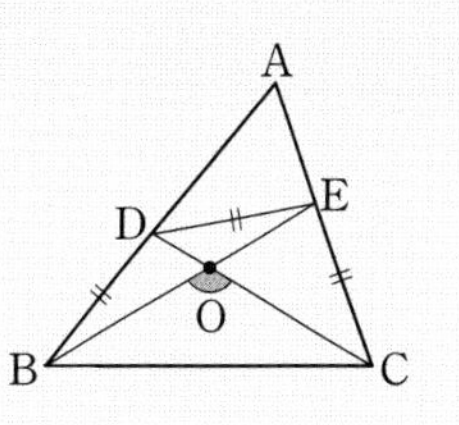

① 110° ② 115° ③ 120°
④ 125° ⑤ 130°

삼각형의 내심

M1 접선과 접점 개념강의

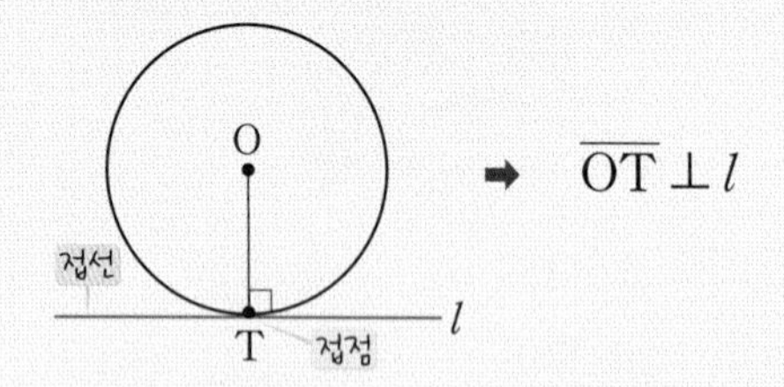

➡ $\overline{OT} \perp l$

M2 삼각형의 내심 개념강의

항상 삼각형의 내부

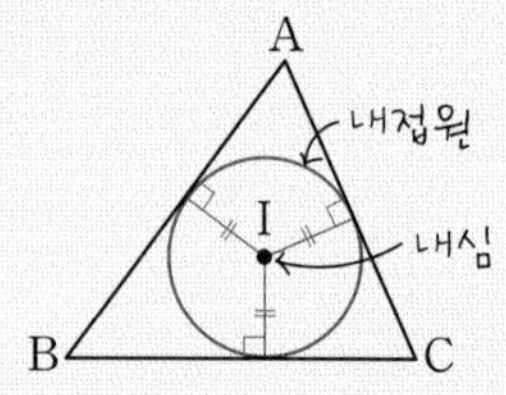

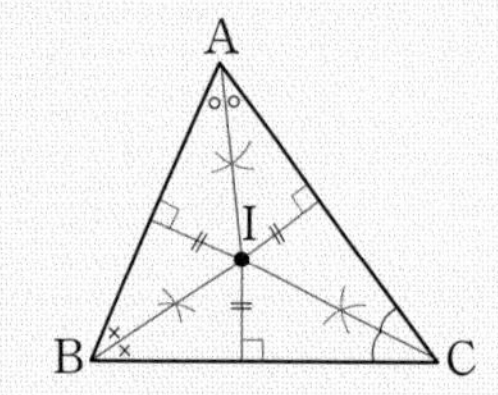

- 작도: 세 내각의 이등분선의 교점
- 성질: 세 변에 이르는 거리는 같다.

M3 삼각형의 내심의 활용 개념강의

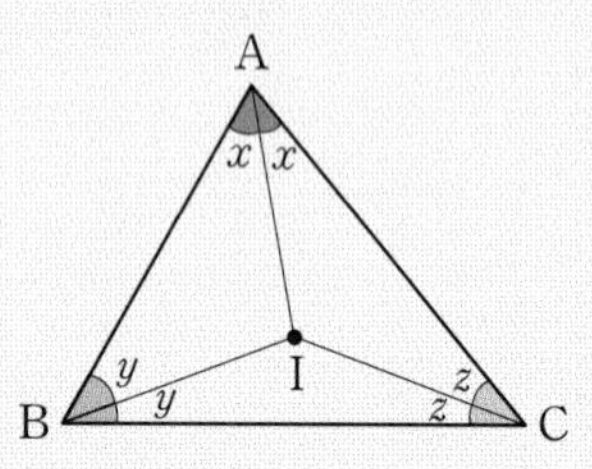

$2(\angle x+\angle y+\angle z)=180^{\circ}$

$\therefore\ \angle x+\angle y+\angle z=90^{\circ}$

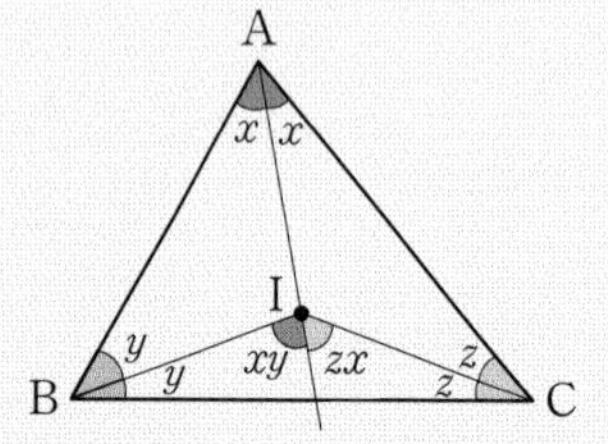

- $\angle BIC=90^{\circ}+\frac{1}{2}\angle BAC$
- $\angle AIC=90^{\circ}+\frac{1}{2}\angle ABC$
- $\angle AIB=90^{\circ}+\frac{1}{2}\angle ACB$

용어사전

- **내접** (接 접하다) incenter
- **내접원** (圓 둥글다) inscription
- **내** (內 안) **심** inscribed circle

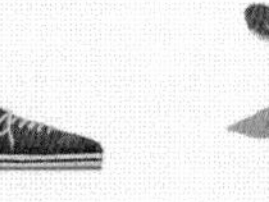

 | 삼각형의 내심

13

오른쪽 그림의 $\triangle ABC$에서 점 I는 내심이고, 점 I에서 세 변에 내린 수선의 발을 각각 D, E, F라 할 때, 다음 〈보기〉 중 옳은 것을 모두 고르시오.

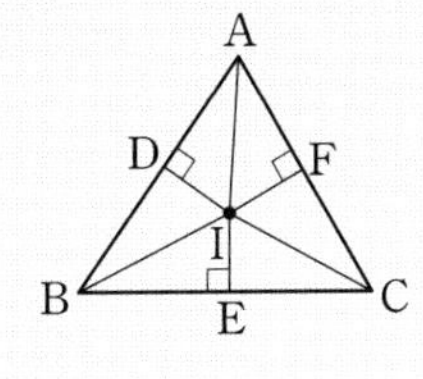

〈 보기 〉

ㄱ. $\overline{ID}=\overline{IE}=\overline{IF}$ ㄴ. $\overline{CE}=\overline{CF}$
ㄷ. $\triangle IBD \equiv \triangle IBE$ ㄹ. $\angle IAD=\angle IBD$

 | 삼각형의 내심이 주어질 때, 각의 크기 구하기(1)

14

다음 그림에서 점 I는 $\triangle ABC$의 내심이다. $\angle IBC=32°$, $\angle AIB=115°$일 때, $\angle IAC$의 크기는?

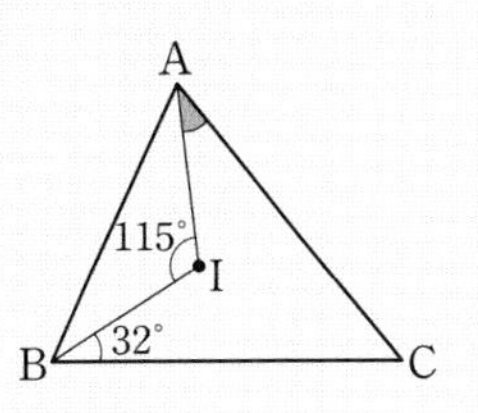

① 31° ② 32° ③ 33°
④ 34° ⑤ 35°

13

다음 그림과 같은 삼각형 모양의 산책로가 있는 공원이 있다. 세 도로에 이르는 거리가 같은 지점에 분수를 세우려고 할 때, 어느 지점에 분수를 세워야 하는지 설명하시오.

(단, 분수의 크기는 고려하지 않는다.)

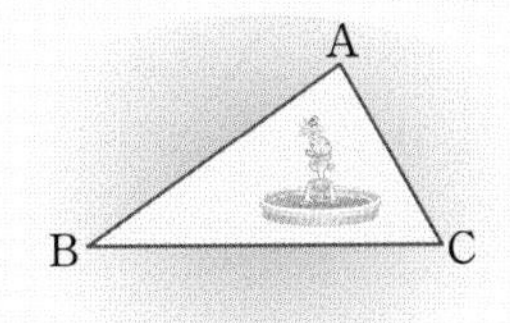

學

14

다음 그림에서 $\triangle ABC$는 $\overline{AC}=\overline{BC}$인 이등변삼각형이고, 점 I는 $\triangle ABC$의 내심이다. $\angle IBC=20°$일 때, $\angle ICA$의 크기는?

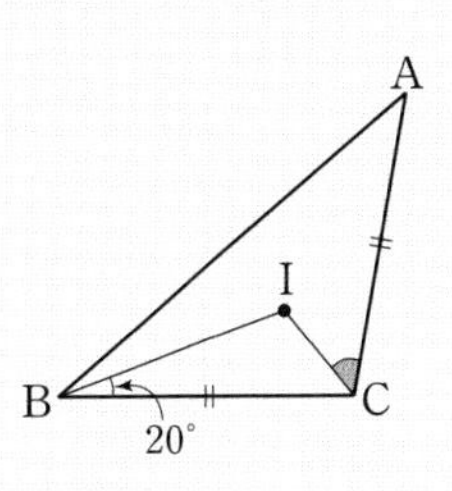

① 45° ② 50° ③ 55°
④ 60° ⑤ 65°

| 삼각형의 내심이 주어질 때, 각의 크기 구하기(2)

15

다음 그림에서 점 I는 $\angle B$, $\angle C$의 이등분선의 교점이다. $\angle IAC=48°$일 때, $\angle BIC$의 크기를 구하시오.

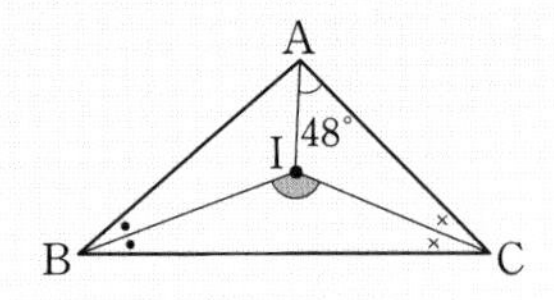

| 삼각형의 내심을 지나는 평행선

16

아래 그림의 $\triangle ABC$에서 내심 I를 지나면서 변 BC에 평행한 직선이 $\overline{AB}$, $\overline{AC}$와 만나는 점을 각각 D, E라 할 때, 다음 중 옳지 않은 것은?

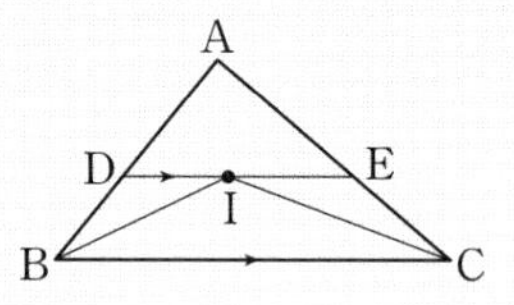

① $\overline{DI}=\overline{IE}$　② $\angle ABI=\angle DIB$
③ $\angle EIC=\angle ICB$　④ $\overline{DE}=\overline{DB}+\overline{EC}$
⑤ ($\triangle ADE$의 둘레의 길이)$=\overline{AB}+\overline{AC}$

15

다음 그림에서 점 I는 $\triangle ABC$의 세 내각의 이등분선의 교점이다. $\angle A : \angle B : \angle C=2:3:4$일 때, $\angle x$의 크기는?

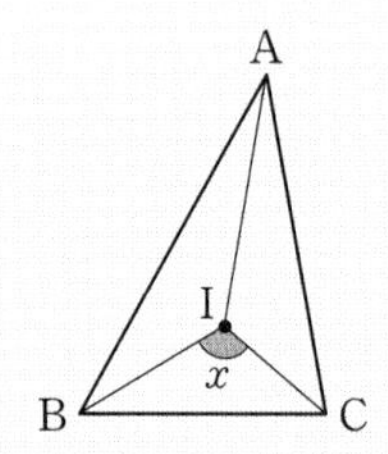

① 100°　② 105°　③ 110°
④ 115°　⑤ 120°

16

다음 그림에서 점 I는 $\triangle ABC$의 내심이고 $\overline{DE} /\!/ \overline{BC}$일 때, $\triangle ABC$의 둘레의 길이를 구하시오.

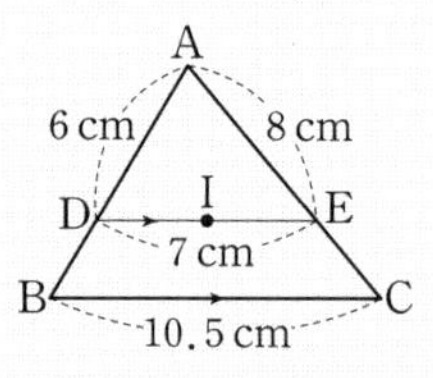

+MEMO

라디오 수타
라디오 방송 형식으로
배운 내용을 재미있게
수학타파하는 코너

꼼

13

아래 그림의 $\triangle ABC$에서 점 I는 내심이고, 점 I에서 세 변에 내린 수선의 발을 각각 D, E, F라 할 때, 다음 중 옳지 않은 것은?

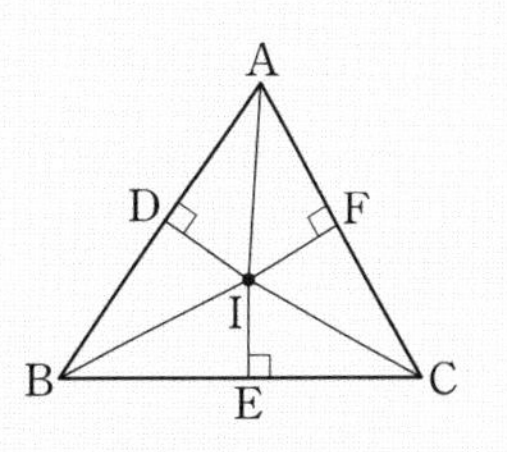

① $\overline{ID}=\overline{IF}$
② $\overline{CE}=\overline{CF}$
③ $\triangle IDB \equiv \triangle IEB$
④ $\overline{BE}=\overline{CE}$
⑤ $\angle AID=\angle AIF$

꼼

14

다음 그림에서 점 I는 $\triangle ABC$의 내심이다. $\angle IBC=24°$, $\angle ICB=36°$일 때, $\angle A$의 크기를 구하시오.

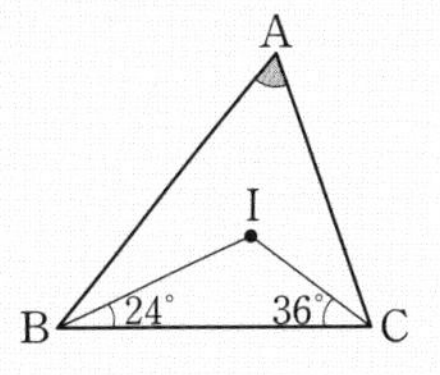

꼭

15

다음 그림에서 점 I는 $\triangle ABC$의 내심이다. $\angle AIB=100°$일 때, $\angle x$의 크기는?

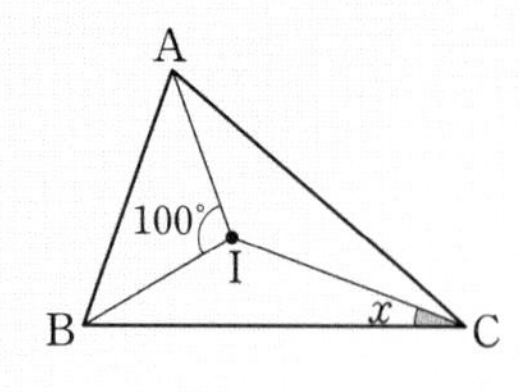

① 10° ② 12° ③ 14°
④ 16° ⑤ 18°

꼭

16

다음 그림에서 점 I는 $\overline{AB}=\overline{AC}$인 이등변삼각형 ABC의 내심이다. $\overline{DE} /\!/ \overline{BC}$이고 $\triangle ADE$의 둘레의 길이가 22 cm일 때, $\overline{AC}$의 길이를 구하시오.

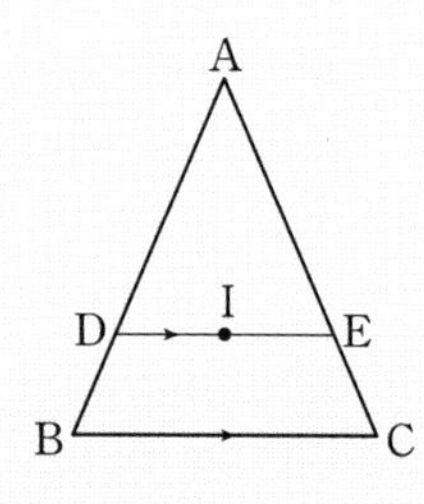

생각+

세운이네 반에서는 올해의 추억들을 적은 종이를 타임캡슐에 넣고, 이 타임캡슐을 10년 후에 개봉하기로 하였다. 학교 운동장의 조회대와 수돗가, 동상의 세 지점을 잇는 삼각형을 만들었을 때, 이 삼각형 안에 그릴 수 있는 가장 큰 원의 중심에 타임캡슐을 묻으려고 한다. 주어진 그림을 참고하여 타임캡슐을 묻는 지점과 수돗가, 동상이 이루는 각의 크기를 구하시오.

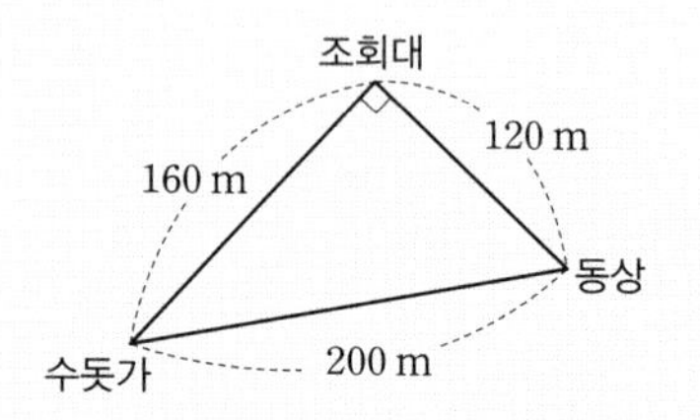

다음 그림에서 점 I는 $\triangle$ABC의 내심이고, 점 I′은 $\triangle$IBC의 내심이다. $\angle$IAB$=22°$일 때, $\angle$BI′C의 크기를 구하시오.

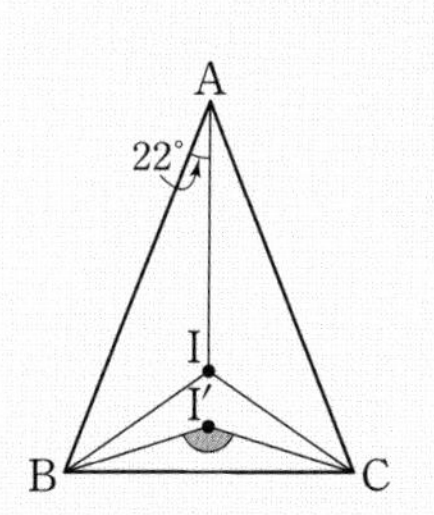

다음 그림에서 점 I는 $\triangle$ABC의 내심이다. $\angle$B$=50°$일 때, $\angle x+\angle y$의 크기를 구하시오.

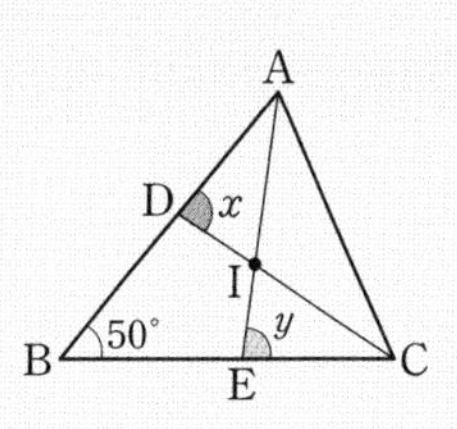

05 삼각형의 외심과 내심의 응용

M1 삼각형의 내심의 응용 개념강의

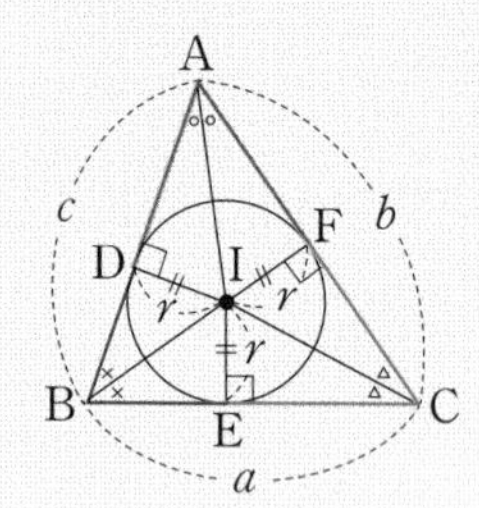

$\overline{BD}=\overline{BE}$

$\overline{CE}=\overline{CF}$

$\overline{AD}=\overline{AF}$

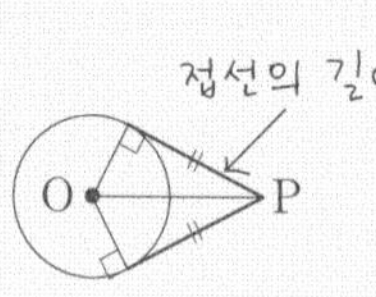

$\triangle ABC=\triangle IBC+\triangle ICA+\triangle IAB$

$=\frac{1}{2}ar+\frac{1}{2}br+\frac{1}{2}cr$

$=\frac{1}{2}r(a+b+c)$

$=\frac{1}{2}\times$(내접원의 반지름의 길이)

$\times$(삼각형의 둘레의 길이)

M2 삼각형의 외심과 내심에서의 각의 크기 개념강의

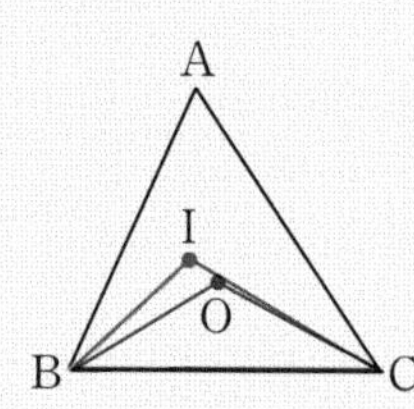

- $\angle BOC=2\angle A$, $\angle OBC=\angle OCB$
- $\angle BIC=90^\circ+\frac{1}{2}\angle A$, $\angle IBA=\angle IBC$

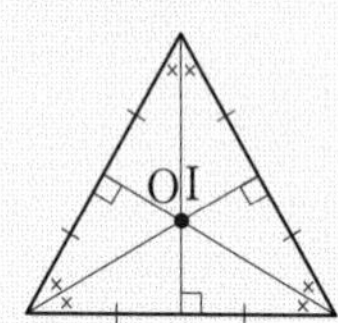

정삼각형

↓

O, I 일치

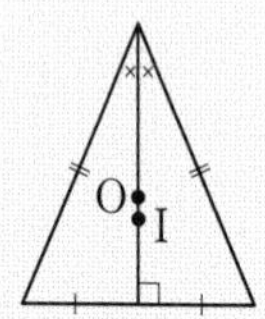

이등변삼각형

↓

O, I 한 직선 위에

M3 직각삼각형의 외접원과 내접원 개념강의

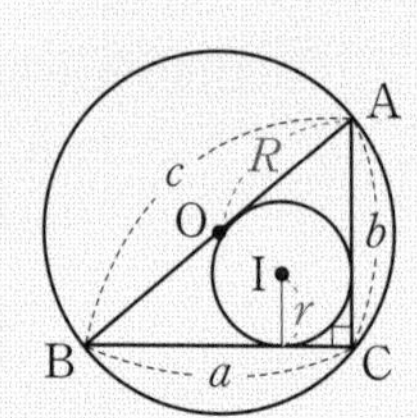

$R=\frac{1}{2}c$

$\frac{1}{2}ab=\frac{1}{2}r(a+b+c)$

유형 | 삼각형의 내접원과 접선의 길이

17

다음 그림에서 점 I가 $\triangle ABC$의 내심일 때, $\overline{AF}$의 길이를 구하시오.

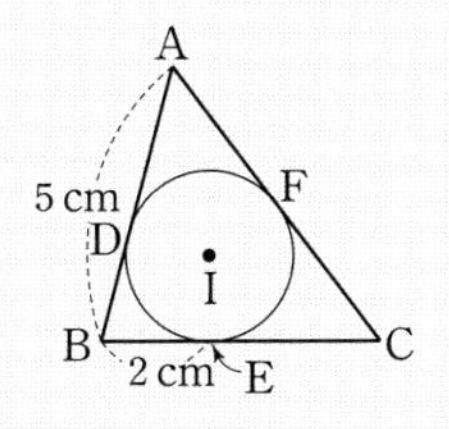

유형 | 삼각형의 외심과 내심에서의 각의 크기 구하기

18

다음 그림에서 점 O와 점 I는 각각 $\triangle ABC$의 외심과 내심이다. $\angle A=70°$일 때, $\angle BIC+\angle BOC$의 크기를 구하시오.

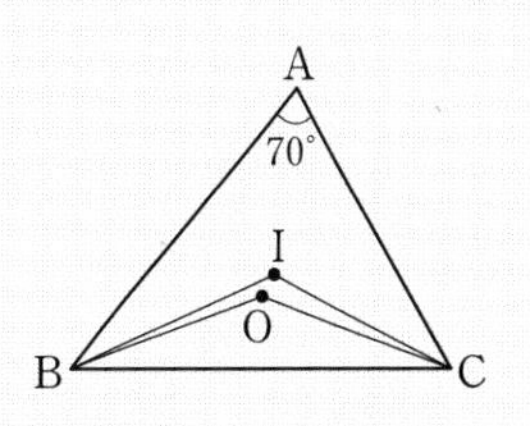

17

다음 그림에서 원 I는 $\triangle ABC$의 내접원이고, 세 점 D, E, F는 내접원과 $\triangle ABC$의 접점이다. $\overline{AB}=25\,cm$, $\overline{BC}=21\,cm$, $\overline{CA}=20\,cm$일 때, $\overline{CF}$의 길이는?

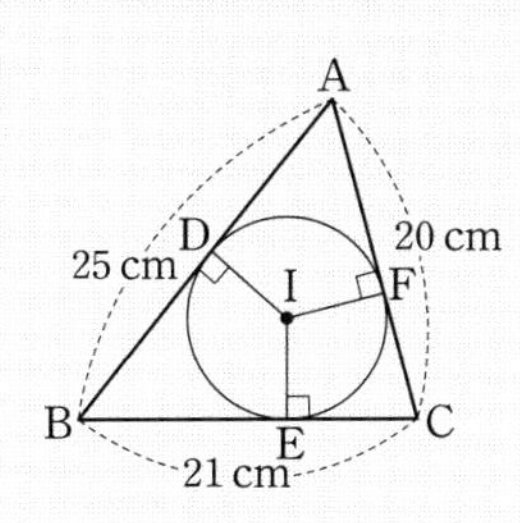

① 6 cm　② 7 cm　③ 8 cm
④ 9 cm　⑤ 10 cm

18

다음 그림에서 점 O는 $\triangle ABC$의 외심이면서 동시에 $\triangle ACD$의 내심이다. $\angle D=52°$일 때, $\angle B$의 크기는?

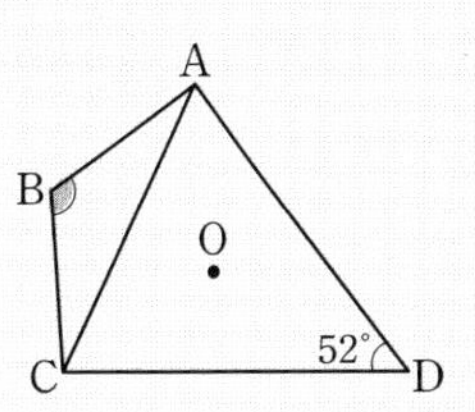

① 115°　② 118°　③ 120°
④ 122°　⑤ 125°

유형 | 이등변삼각형의 외심과 내심

19

다음 그림에서 $\triangle ABC$는 $\overline{AB}=\overline{AC}$인 이등변삼각형이고, 두 점 O, I는 각각 $\triangle ABC$의 외심과 내심이다. $\angle A=50°$일 때, $\angle OBI$의 크기는?

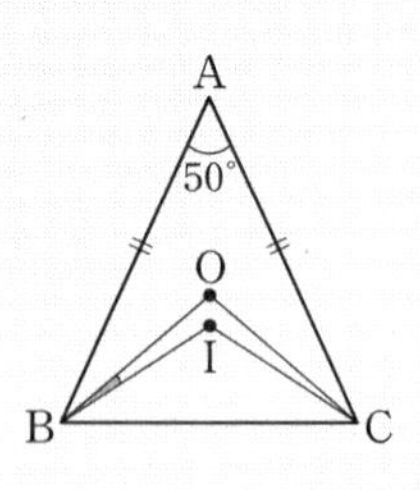

① $6°$ ② $6.5°$ ③ $7°$
④ $7.5°$ ⑤ $8°$

유형 | 직각삼각형의 외접원과 내접원

20

다음 그림과 같은 직각삼각형 ABC의 내접원과 외접원의 반지름의 길이의 합은?

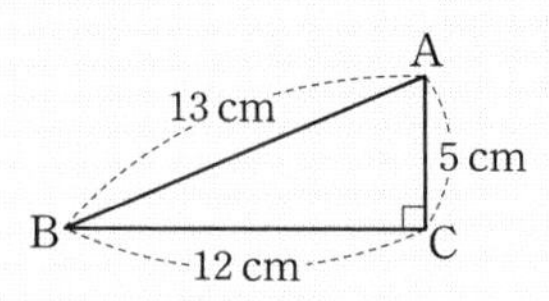

① $\frac{13}{2}$ cm ② 7 cm ③ $\frac{15}{2}$ cm
④ 8 cm ⑤ $\frac{17}{2}$ cm

學

19

다음 그림과 같이 $\triangle ABC$의 외심 O와 내심 I가 일치할 때, $\angle x$의 크기를 구하시오.

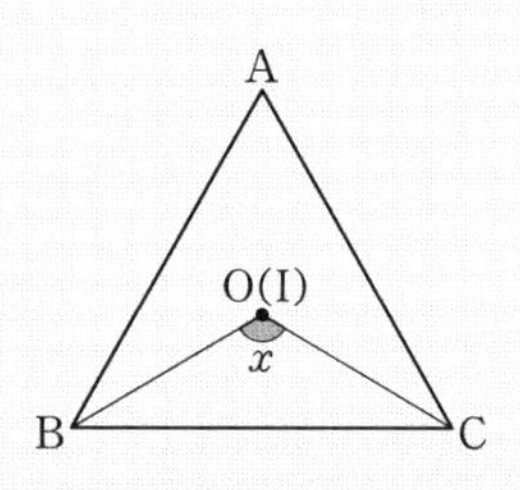

學

20

다음 그림에서 $\overline{AC}$가 원 O의 지름이고 원 O는 $\triangle ABC$의 외접원, 원 I는 $\triangle ABC$의 내접원이다. 내접원 I와 세 변 AB, BC, CA의 접점을 각각 D, E, F라 하자. 두 원 O, I의 반지름의 길이가 각각 5 cm, 2 cm일 때, $\triangle ABC$의 넓이를 구하시오.

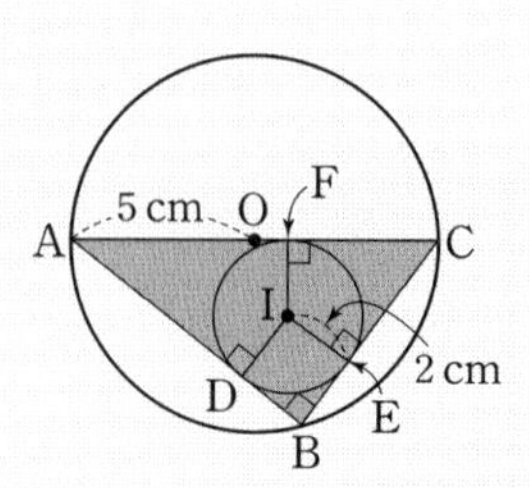

라디오 수타

라디오 방송 형식으로
배운 내용을 재미있게
수학타파하는 코너

꼭

17

다음 그림에서 점 I는 △ABC의 내심이다. 세 점 D, E, F는 각각 내접원과 세 변 AB, BC, CA의 접점이고, 점 P는 $\overline{GH}$와 내접원의 접점이다. △GBH의 둘레의 길이는?

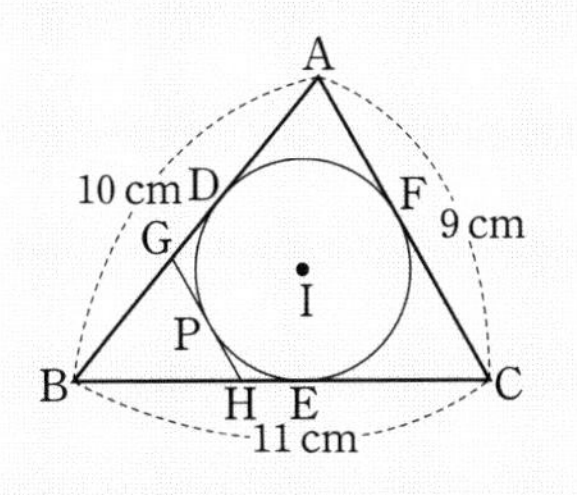

① 8 cm ② 9 cm ③ 10 cm
④ 12 cm ⑤ 14 cm

꼭

18

다음 그림에서 점 O와 점 I는 각각 △ABC의 외심과 내심이다. $\angle B=48°$, $\angle C=72°$일 때, $\angle BIC-\angle BOC$의 크기는?

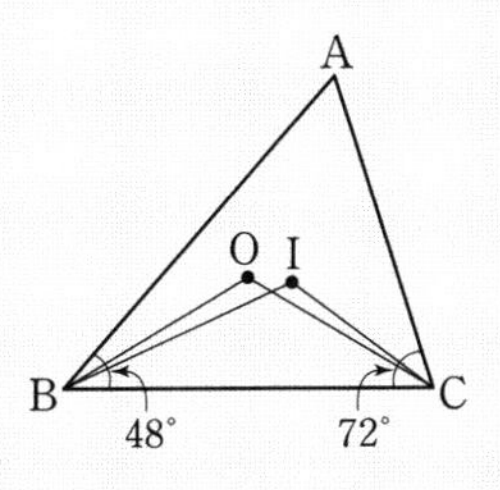

① 0° ② 5° ③ 10°
④ 15° ⑤ 20°

꼭

19

다음 그림에서 두 점 O, I는 각각 $\overline{AB}=\overline{AC}$인 이등변삼각형 ABC의 외심과 내심이다. $\angle ABC=68°$일 때, $\angle OCI$의 크기를 구하시오.

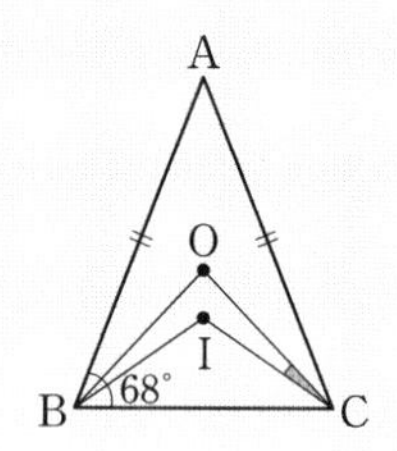

꼭

20

다음 그림의 $\angle A=90°$인 직각삼각형 ABC에서 점 I는 내심, 점 O는 외심이다. $\overline{AB}=12$ cm, $\overline{BC}=20$ cm, $\overline{CA}=16$ cm일 때, 색칠한 부분의 넓이를 구하시오.

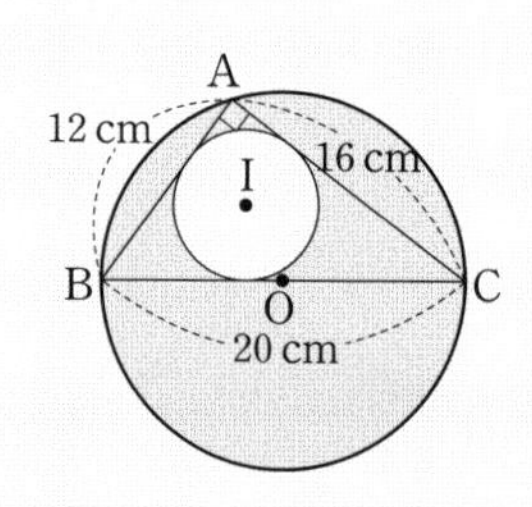

생각+

다음 그림에서 원 I는 △ABC의 내접원이다. △ABC의 둘레의 길이가 34 cm이고 원 I의 둘레의 길이가 6π cm일 때, 색칠한 부분의 넓이를 구하시오.

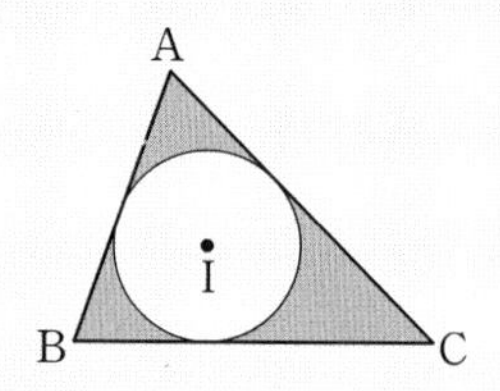

생각 ++

다음은 '삼각형의 세 변의 수직이등분선이 한 점에서 만난다.'를 설명하는 과정이다. (가)~(마)에 알맞은 것을 써넣으시오.

〈 설명 〉

△ABC에서 $\overline{AB}$와 $\overline{BC}$의 수직이등분선의 교점을 O라 하고, 점 O에서 $\overline{AC}$에 내린 수선의 발을 F라 하면

$\overline{OA}=\overline{OB}$, $\overline{OB}=$ (가) 이므로

$\overline{OA}=$ (가) …… ㉠

△OAF와 △OCF에서

$\angle OFA=$ (나) $=90°$, (다) 는 공통 …… ㉡

㉠, ㉡에 의하여 △OAF≡ (라) 이므로

$\overline{AF}=$ (마)

즉, $\overline{OF}$는 $\overline{AC}$의 수직이등분선이므로 삼각형의 세 변의 수직이등분선은 한 점 O에서 만난다.

생각 +++

다음은 '삼각형의 세 내각의 이등분선이 한 점에서 만난다.'를 설명하는 과정이다. (가)~(마)에 알맞은 것을 써넣으시오.

〈 설명 〉

△ABC에서 ∠B와 ∠A의 이등분선의 교점을 I라 하고, 점 I에서 세 변 AB, BC, CA에 내린 수선의 발을 각각 D, E, F라 하자.

점 I가 ∠B와 ∠A의 이등분선 위에 있으므로

$\overline{ID}=\overline{IE}$, $\overline{ID}=$ (가) ∴ $\overline{IE}=$ (가)

두 직각삼각형 IEC와 IFC에서

$\overline{IE}=$ (가), (나) 는 공통이므로

△IEC≡△IFC((다) 합동)

∴ ∠ICE= (라)

즉, $\overline{IC}$는 ∠C의 (마) 이므로 삼각형의 세 내각의 이등분선은 한 점 I에서 만난다.

단원 종합 문제

〈1번부터 16번까지는 각 문항당 4점입니다.〉

01

다음 그림과 같이 $\overline{AB}=\overline{AC}$인 이등변삼각형 ABC에서 $\overline{BC}=\overline{BD}=\overline{AD}$이다. $\angle A=\angle x$라 할 때, $\angle x$의 크기를 구하시오.

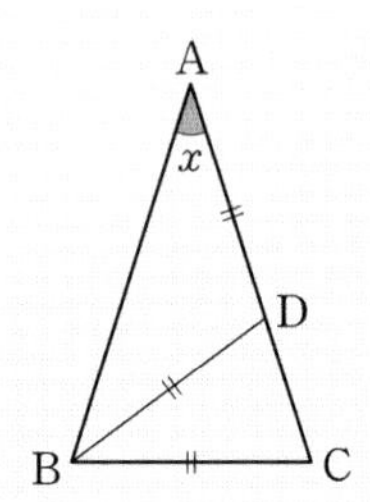

02

다음 그림의 $\triangle ABC$에서 $\angle A=\angle C$이고 $\angle ABD=\angle CBD$일 때, x의 값을 구하시오.

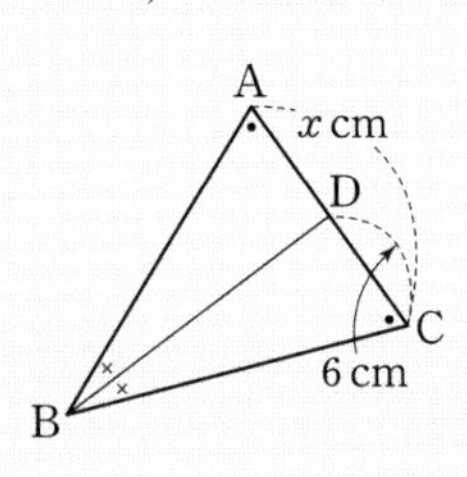

03

아래 그림과 같이 $\overline{AB}=\overline{AC}$인 이등변삼각형 ABC에서 $\angle A$의 이등분선과 밑변 BC의 교점을 D, $\overline{AD}$ 위의 한 점을 P라 할 때, 다음 중 옳지 <u>않은</u> 것은?

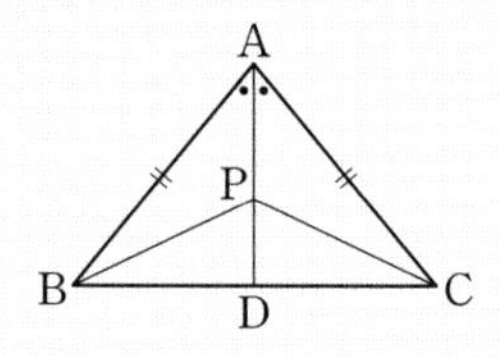

① $\overline{PD}\perp\overline{BC}$
② $\overline{BD}=\overline{CD}$
③ $\overline{AP}=\overline{BP}$
④ $\triangle ABP\equiv\triangle ACP$
⑤ $\angle BPC=2\angle BPD$

04

다음 그림에서 $\triangle ABC$는 $\overline{AB}=\overline{AC}$인 이등변삼각형이다. $\overline{AC}$ 위에 점 D를 잡아 점 D를 지나며 $\overline{BC}$에 수직인 직선이 $\overline{BC}$, $\overline{AB}$의 연장선과 만나는 점을 각각 E, F라 하자. $\overline{AB}=7\text{ cm}$, $\overline{CD}=4\text{ cm}$일 때, $\overline{AF}$의 길이를 구하시오.

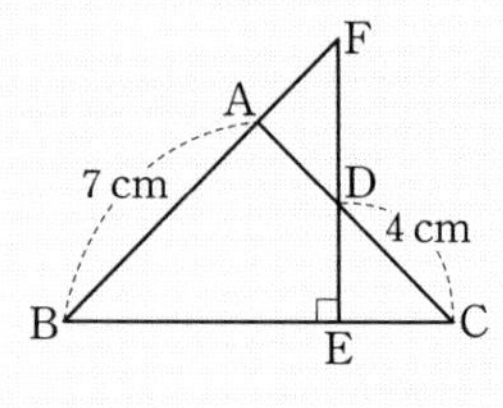

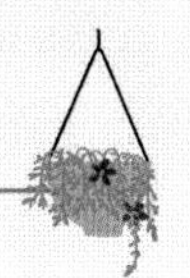

05

아래 그림에서 $\triangle ABC$는 $\overline{AB}=\overline{AC}$인 이등변삼각형이고 $\triangle DEF$는 정삼각형일 때, 다음 중 $\angle a$, $\angle b$, $\angle c$ 사이의 관계식으로 옳은 것은?

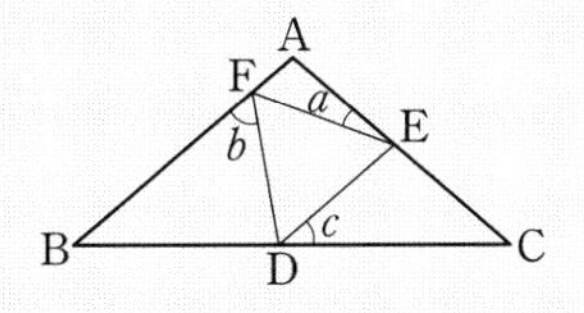

① $\angle a+\angle b+\angle c=180°$

② $\angle a+\angle c=\angle b$

③ $2\angle c=\angle a+\angle b$

④ $3\angle a=\angle b+\angle c$

⑤ $4\angle b=\angle a+\angle c$

06

다음 그림과 같이 $\triangle ABC$는 $\angle A=90°$인 직각이등변삼각형이다. 점 A를 지나는 직선 l 위에 점 B, C에서 내린 수선의 발을 D, E라 할 때, $\triangle ABC$의 넓이는?

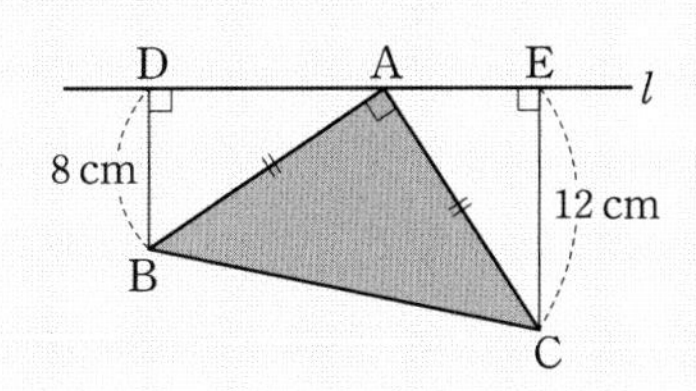

① 96 cm^2 ② 104 cm^2 ③ 112 cm^2

④ 120 cm^2 ⑤ 128 cm^2

07

다음 그림과 같은 $\triangle ABC$에서 $\angle ADM=\angle AEM=90°$, $\overline{MD}=\overline{ME}$이다. $\angle AME=55°$일 때, $\angle BAC$의 크기를 구하시오.

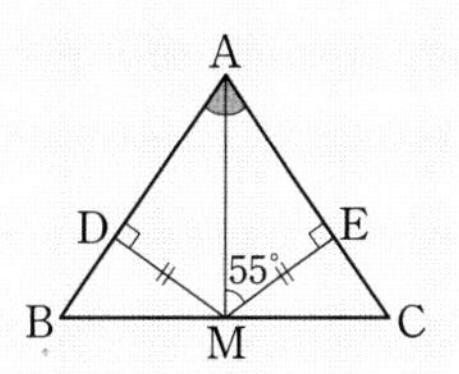

08

오른쪽 그림과 같이 아파트 A동, B동, C동에서 같은 거리에 있는 지점에 도서관을 세우려고 할 때, 도서관의 위치 선정에 이용할 수 있는 것은? (단, 각 건물의 크기는 고려하지 않는다.)

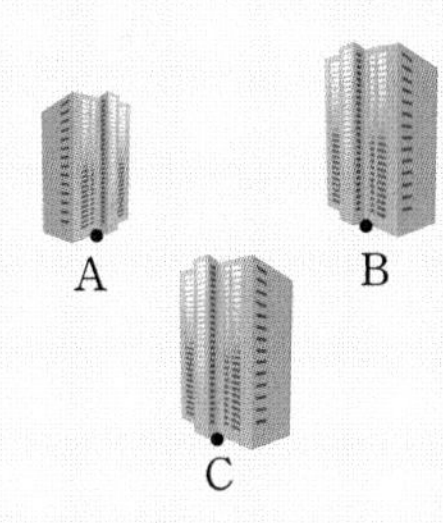

① 외접원의 중심 ② 각의 이등분선

③ 내접원의 중심 ④ 세 내각의 이등분선

⑤ 세 중선의 교점

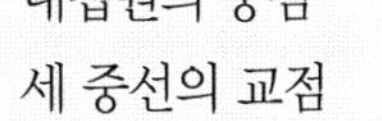

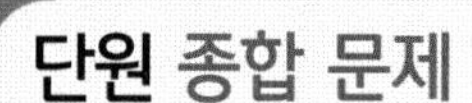

09

다음 그림에서 점 O는 $\triangle ABC$의 외심이다.
$\triangle ABC=80\text{ cm}^2$, $\overline{OF}=5\text{ cm}$, $\overline{CF}=6\text{ cm}$일 때, $\square ODBE$의 넓이를 구하시오.

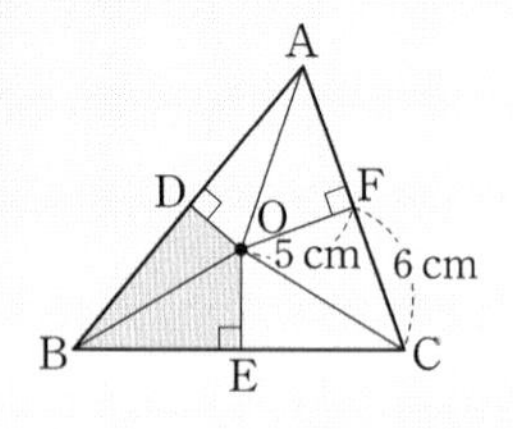

10

다음 그림에서 점 I는 $\triangle ABC$의 내심이다. $\angle IBA=33°$, $\angle BIC=127°$일 때, $\angle x+\angle y$의 크기를 구하시오.

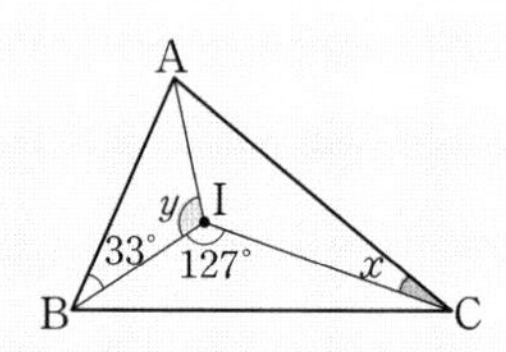

11

다음 그림과 같이 $\angle ABC=90°$인 직각삼각형 ABC에서 $\overline{AC}$의 중점을 M, 꼭짓점 B에서 $\overline{AC}$에 내린 수선의 발을 H라 하자. $\angle C=50°$일 때, $\angle x$의 크기는?

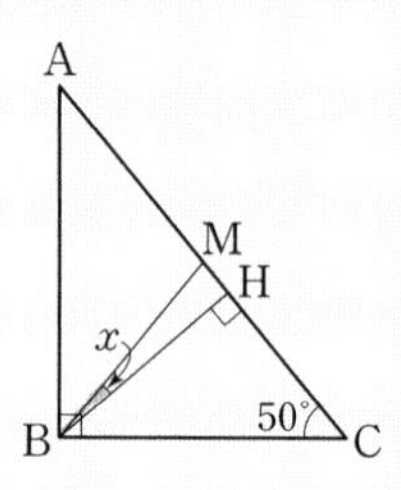

① 10° ② 12° ③ 15°
④ 18° ⑤ 20°

12

다음 그림에서 $\triangle ABC$는 $\angle B=90°$인 직각삼각형이다. $\overline{AB}=12\text{ cm}$, $\overline{BC}=9\text{ cm}$, $\overline{CA}=15\text{ cm}$이고 점 I가 $\triangle ABC$의 내심일 때, $\triangle ICA$의 넓이는?

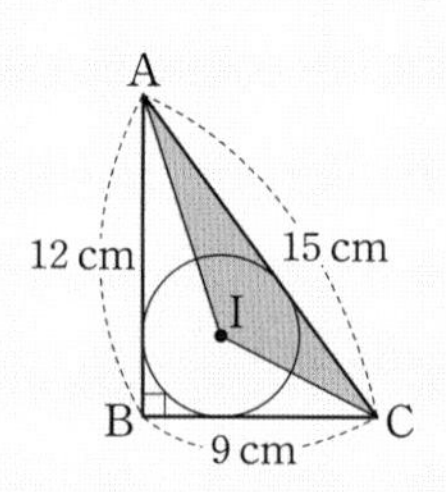

① 22 cm^2 ② 22.5 cm^2 ③ 23 cm^2
④ 23.5 cm^2 ⑤ 24 cm^2

13

$\overline{AB}=6\,cm$, $\overline{BC}=8\,cm$, $\overline{AC}=6\,cm$인 $\triangle ABC$의 내심을 I, $\overline{AI}$의 연장선과 $\overline{BC}$의 교점을 D라 할 때, $\overline{AI}:\overline{DI}$를 가장 간단한 정수비로 나타내면?

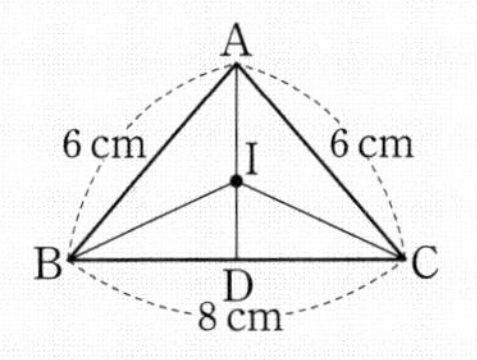

① 5 : 3 ② 5 : 2 ③ 4 : 3
④ 3 : 1 ⑤ 3 : 2

14

다음 그림에서 $\overline{AD}/\!/\overline{BC}$, $\overline{AC}=\overline{BC}$, $\overline{AD}=\overline{CD}$, $\angle ABC=76°$이고, 점 I, I′은 각각 $\triangle ABC$, $\triangle ACD$의 내심이다. $\overline{AI}$의 연장선과 $\overline{DI'}$의 연장선의 교점을 P라 할 때, $\angle APD$의 크기를 구하시오.

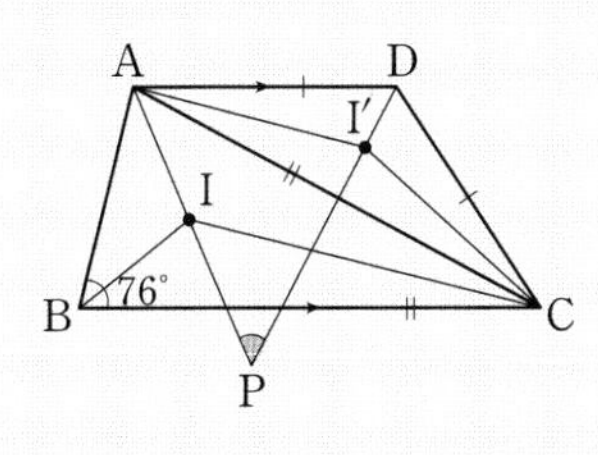

15

다음 그림에서 점 O는 $\triangle ABC$의 외심이면서 $\triangle ACD$의 외심이고, 점 I는 $\triangle ACD$의 내심이다. $\angle ABC=64°$일 때, $\angle AIC$의 크기를 구하시오.

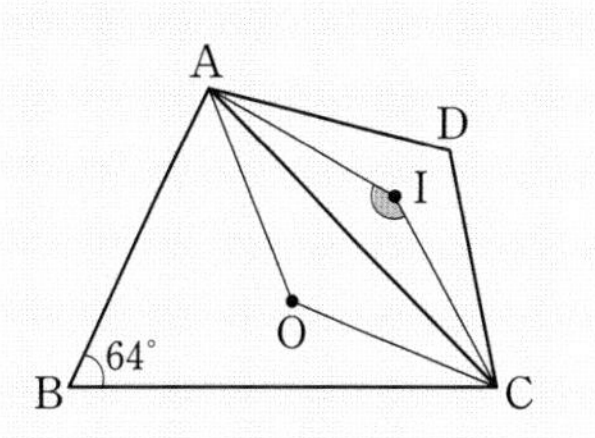

16

다음 그림과 같이 $\triangle ABC$의 내심 I와 외심 O가 점 A에서 $\overline{BC}$의 중점 M을 이은 $\overline{AM}$ 위에 있다. $\angle BAC=75°$, $\overline{AE}=\overline{EC}$일 때, $\angle EPC$의 크기를 구하시오.

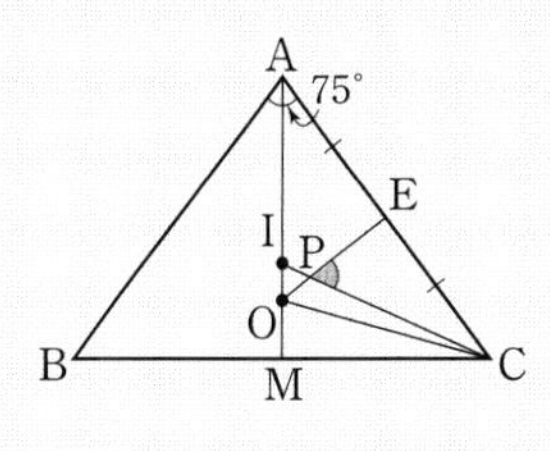

독심술

17

아래 그림과 같이 $\overline{AB}=\overline{AC}$인 직각이등변삼각형 ABC의 두 꼭짓점 B, C에서 꼭짓점 A를 지나는 직선 l에 내린 수선의 발을 각각 D, E라 하자. $\overline{BD}=6\,\text{cm}$, $\overline{CE}=10\,\text{cm}$일 때, 다음 물음에 답하시오. [총 6점]

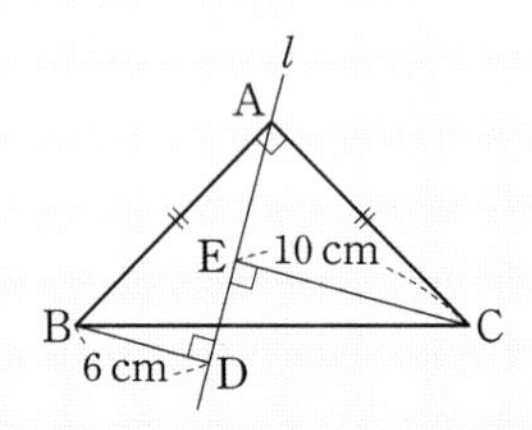

(1) 합동인 삼각형과 합동 조건을 말하시오. [3점]

(2) $\overline{DE}$의 길이를 구하시오. [3점]

18

다음 그림과 같이 $\angle A=92°$, $\angle C=46°$인 $\triangle ABC$에서 $\angle B$의 이등분선이 $\overline{AC}$와 만나는 점을 D라 하자. 이때, $\overline{AB}+\overline{AD}=\overline{BC}$임을 설명하시오. [10점]

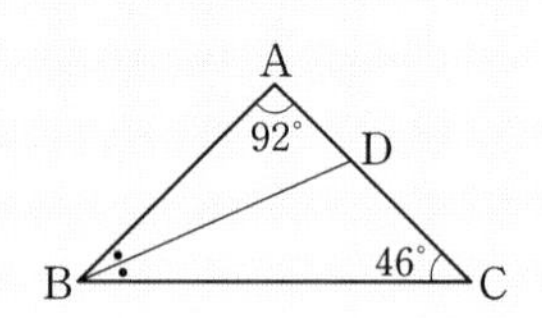

19

다음 그림에서 점 O와 점 I는 각각 △ABC의 외심과 내심일 때, $\angle x$의 크기를 구하시오. [10점]

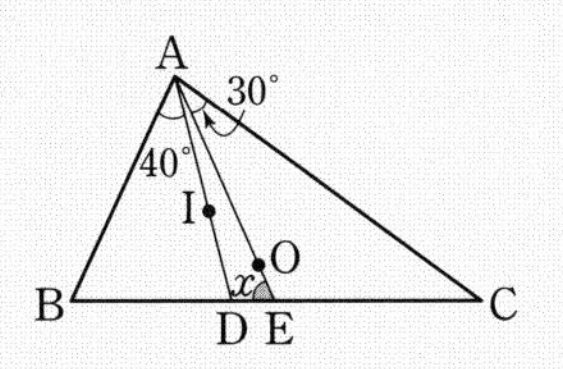

20

다음 그림과 같이 △ABC는 $\overline{AB}=6\text{ cm}$, $\overline{BC}=10\text{ cm}$, $\overline{AC}=8\text{ cm}$인 직각삼각형이다. △ABC에 내접하는 합동인 두 원의 반지름의 길이를 구하시오. [10점]

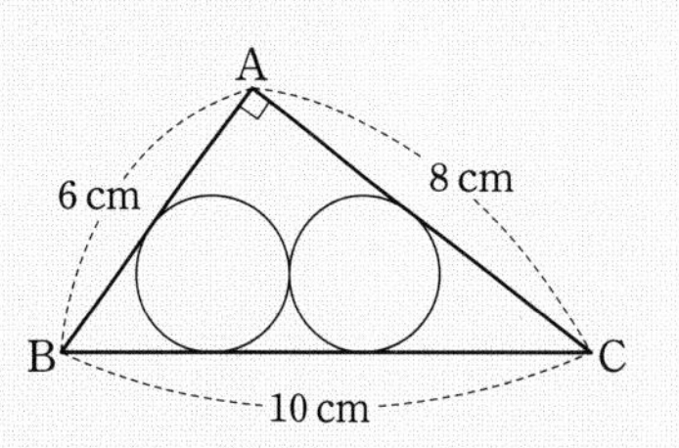

II

사각형의 성질

☑ 학습 계획 및 성취도 체크

· 유형 이해도에 따라 □ 안에 ○, △, X를 표시합니다.

· 시험 전에 X 표시한 유형은 반드시 한 번 더 풀어 봅니다.

01 평행사변형의 성질

	학습 계획	1차 학습	2차 학습
유형 01 평행선의 성질	/	☐	☐
유형 02 평행사변형의 성질(1)	/	☐	☐
유형 03 평행사변형의 성질(2)	/	☐	☐
유형 04 평행사변형의 성질(3)	/	☐	☐

02 평행사변형이 되는 조건

	학습 계획	1차 학습	2차 학습
유형 05 평행사변형이 되는 조건	/	☐	☐
유형 06 평행사변형임을 설명하기	/	☐	☐
유형 07 평행사변형이 되는 조건의 응용	/	☐	☐
유형 08 평행사변형과 넓이	/	☐	☐

03 직사각형과 마름모

	학습 계획	1차 학습	2차 학습
유형 09 직사각형의 성질	/	☐	☐
유형 10 마름모의 성질	/	☐	☐
유형 11 평행사변형이 직사각형이 되는 조건	/	☐	☐
유형 12 평행사변형이 마름모가 되는 조건	/	☐	☐

04 정사각형과 등변사다리꼴

	학습 계획	1차 학습	2차 학습
유형 13 정사각형의 성질	/	☐	☐
유형 14 정사각형이 되는 조건	/	☐	☐
유형 15 등변사다리꼴의 성질	/	☐	☐
유형 16 등변사다리꼴의 성질의 응용	/	☐	☐

05 사각형 사이의 관계

	학습 계획	1차 학습	2차 학습
유형 17 여러 가지 사각형의 판별	/	☐	☐
유형 18 대각선의 성질	/	☐	☐
유형 19 각 변의 중점을 차례로 연결한 사각형	/	☐	☐
유형 20 평행선과 삼각형의 넓이	/	☐	☐

Ⅱ 사각형의 성질

1 평행사변형

1. 평행사변형의 뜻과 성질

(1) 뜻: 두 쌍의 대변이 각각 평행한 사각형

➡ $\overline{AB} /\!/ \overline{DC}$, $\overline{AD} /\!/ \overline{BC}$

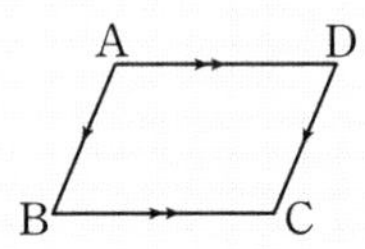

(2) 성질

① 두 쌍의 대변의 길이가 각각 같다.

➡ $\overline{AB}=\overline{DC}$, $\overline{AD}=\overline{BC}$

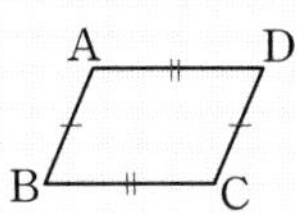

② 두 쌍의 대각의 크기가 각각 같다.

➡ $\angle A=\angle C$, $\angle B=\angle D$

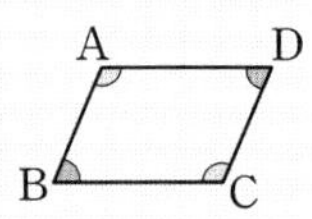

③ 두 대각선이 서로 다른 것을 이등분한다.

➡ $\overline{OA}=\overline{OC}$, $\overline{OB}=\overline{OD}$

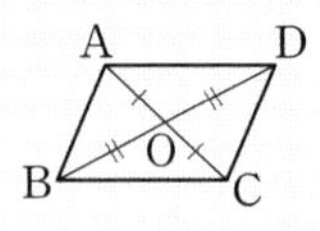

참고 평행사변형의 성질의 활용

① 평행사변형의 뜻을 이용하여 엇각 찾기 ➡ $\angle DCF=\angle BFC$(엇각)

② 이등변삼각형 찾기 ➡ $\angle BCF=\angle BFC$이므로 $\triangle BCF$는 이등변삼각형

③ 평행사변형의 대변의 성질 이용하기

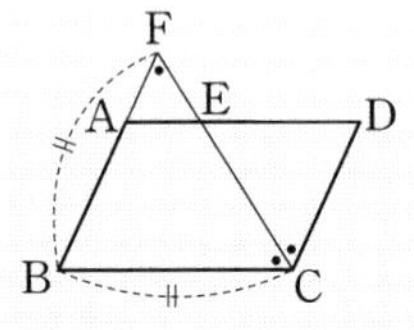

2. 평행사변형이 되는 조건

다음 중 어느 한 조건을 만족하는 사각형은 평행사변형이다.

(1) 두 쌍의 대변이 각각 평행하다. ➡ $\overline{AB} /\!/ \overline{DC}$, $\overline{AD} /\!/ \overline{BC}$

(2) 두 쌍의 대변의 길이가 각각 같다. ➡ $\overline{AB}=\overline{DC}$, $\overline{AD}=\overline{BC}$

(3) 두 쌍의 대각의 크기가 각각 같다. ➡ $\angle A=\angle C$, $\angle B=\angle D$

(4) 두 대각선이 서로 다른 것을 이등분한다. ➡ $\overline{OA}=\overline{OC}$, $\overline{OB}=\overline{OD}$

(5) 한 쌍의 대변이 평행하고 그 길이가 같다. ➡ $\overline{AB} /\!/ \overline{DC}$, $\overline{AB}=\overline{DC}$

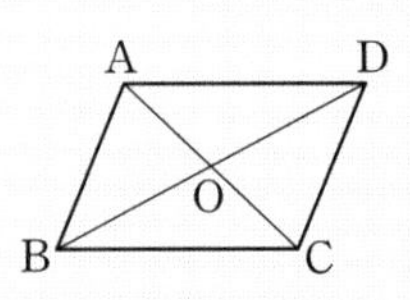

2 직사각형과 마름모

1. 직사각형

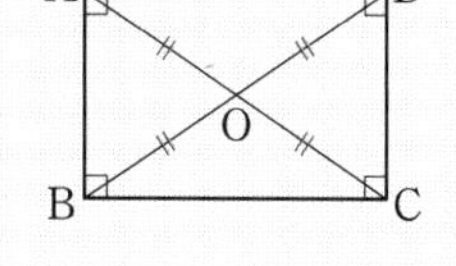

(1) 뜻: 네 내각의 크기가 모두 같은 사각형

➡ $\angle A=\angle B=\angle C=\angle D$

(2) 성질: 두 대각선은 길이가 같고, 서로 다른 것을 이등분한다.

➡ $\overline{AC}=\overline{BD}$, $\overline{AO}=\overline{BO}=\overline{CO}=\overline{DO}$

(3) 평행사변형이 직사각형이 되는 조건

① 한 내각이 직각이다. ➡ $\angle A=90°$

② 두 대각선의 길이가 같다. ➡ $\overline{AC}=\overline{BD}$

2. 마름모

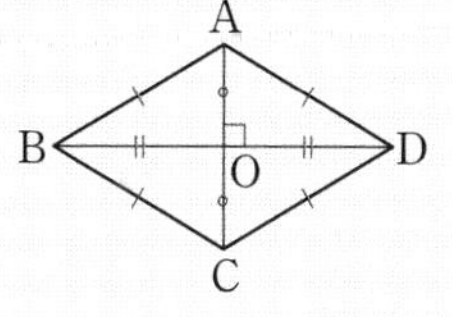

(1) 뜻: 네 변의 길이가 모두 같은 사각형

➡ $\overline{AB}=\overline{BC}=\overline{CD}=\overline{DA}$

(2) 성질: 두 대각선은 서로 다른 것을 수직이등분한다.

➡ $\overline{AC}\perp\overline{BD}$, $\overline{AO}=\overline{CO}$, $\overline{BO}=\overline{DO}$

(3) 평행사변형이 마름모가 되는 조건

① 이웃하는 두 변의 길이가 같다. ➡ $\overline{AB}=\overline{BC}$

② 두 대각선이 직교한다. ➡ $\overline{AC}\perp\overline{BD}$

3 정사각형과 등변사다리꼴

1. 정사각형

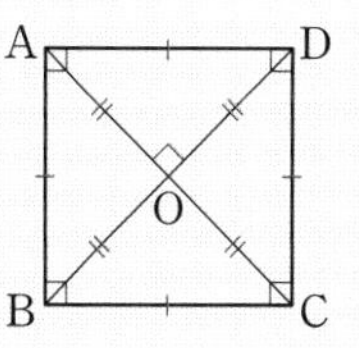

(1) 뜻: 네 변의 길이가 모두 같고, 네 내각의 크기가 모두 같은 사각형

➡ $\overline{AB}=\overline{BC}=\overline{CD}=\overline{DA}$, $\angle A=\angle B=\angle C=\angle D$

(2) 성질: 두 대각선의 길이가 같고, 서로 다른 것을 수직이등분한다.

➡ $\overline{AC}=\overline{BD}$, $\overline{AO}=\overline{BO}=\overline{CO}=\overline{DO}$, $\overline{AC}\perp\overline{BD}$

사각형의 성질

2. 정사각형이 되는 조건

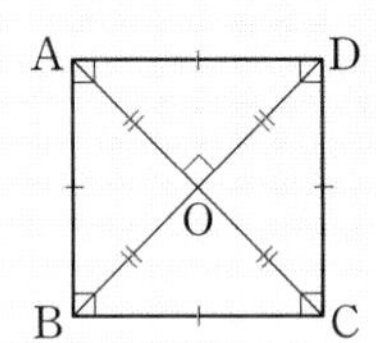

(1) 직사각형이 정사각형이 되는 조건

① 이웃하는 두 변의 길이가 같다. ➡ $\overline{AB}=\overline{BC}$

② 두 대각선이 직교한다. ➡ $\overline{AC}\perp\overline{BD}$

(2) 마름모가 정사각형이 되는 조건

① 한 내각이 직각이다. ➡ $\angle A=90°$

② 두 대각선의 길이가 같다. ➡ $\overline{AC}=\overline{BD}$

3. 등변사다리꼴

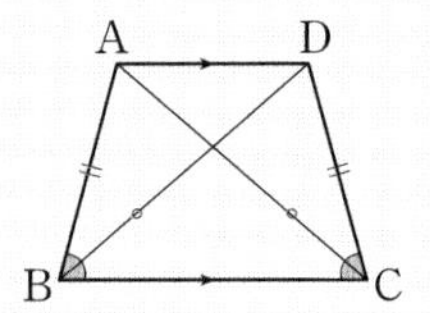

(1) 뜻: 밑변의 양 끝각의 크기가 같은 사다리꼴

➡ $\overline{AD}/\!/\overline{BC}$, $\angle B=\angle C$

(2) 성질

① 평행하지 않은 한 쌍의 대변의 길이가 같다. ➡ $\overline{AB}=\overline{DC}$

② 두 대각선의 길이가 같다. ➡ $\overline{AC}=\overline{BD}$

4 여러 가지 사각형 사이의 관계

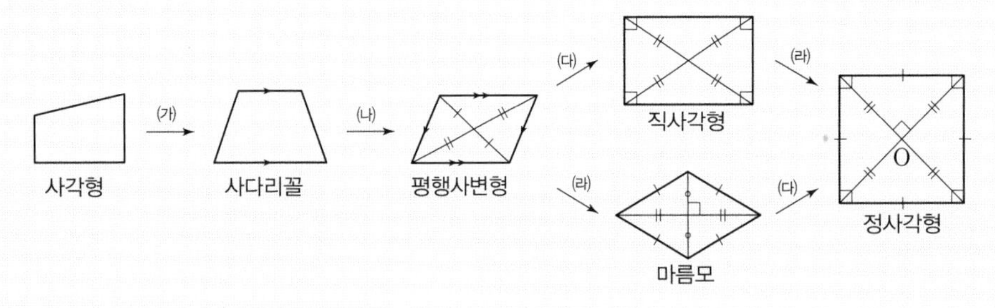

(가) 한 쌍의 대변이 평행하다.

(나) 다른 한 쌍의 대변도 평행하다.

(다) 두 대각선의 길이가 같거나 한 내각이 직각이다.

(라) 두 대각선이 서로 수직이거나 이웃하는 두 변의 길이가 같다.

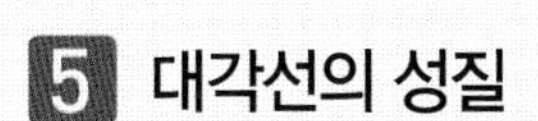

5 대각선의 성질

사각형의 종류 / 대각선의 성질	평행사변형	직사각형	마름모	정사각형	등변사다리꼴
서로 다른 것을 이등분한다.	○	○	○	○	×
길이가 같다.	×	○	×	○	○
직교한다.	×	×	○	○	×
내각을 이등분한다.	×	×	○	○	×

6 평행선과 넓이

1. 평행선과 삼각형의 넓이

(1) $l /\!/ m$이면

$\triangle ABC = \triangle DBC = \triangle EBC$

$= \frac{1}{2}ah$

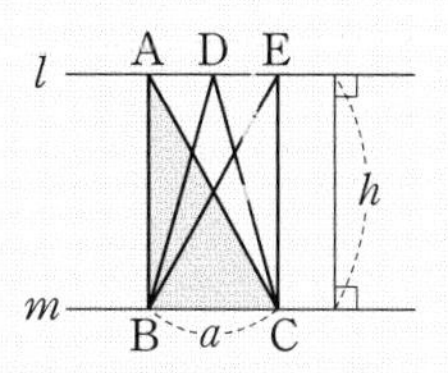

(2) $\overline{BC} : \overline{CD} = m : n$이면

$\triangle ABC : \triangle ACD = m : n$

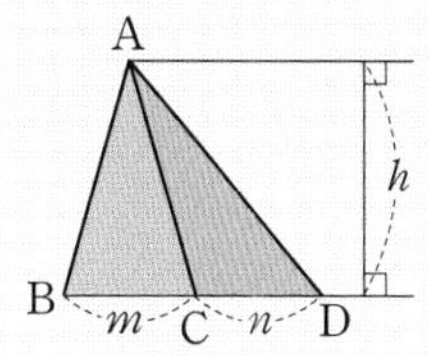

2. 평행사변형과 넓이

(1) 평행사변형 ABCD에서

$\triangle ABC = \triangle BCD = \triangle CDA = \triangle ABD$

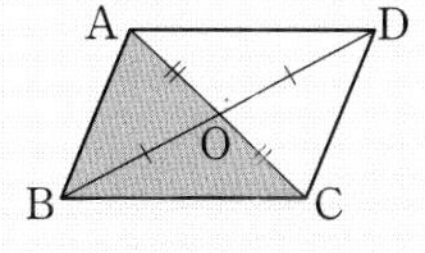

(2) 평행사변형 ABCD 내부의 임의의 점 P에 대하여

$\triangle PAB + \triangle PCD = \triangle PDA + \triangle PBC$

$= \frac{1}{2}\square ABCD$

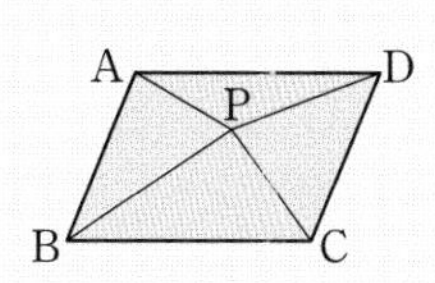

01 평행사변형의 성질

M1 평행사변형의 뜻

개념강의

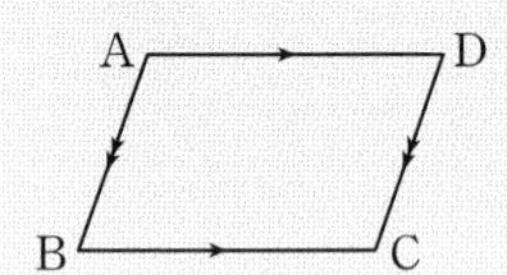

• 정의(뜻): $\overline{AD} /\!/ \overline{BC}$, $\overline{AB} /\!/ \overline{DC}$

➡ 두 쌍의 대변이 각각 평행한 사각형

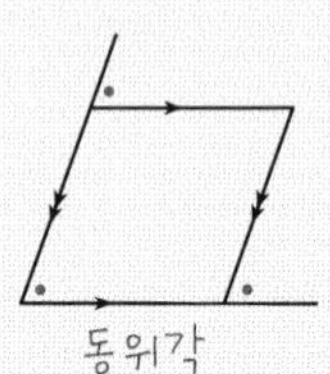

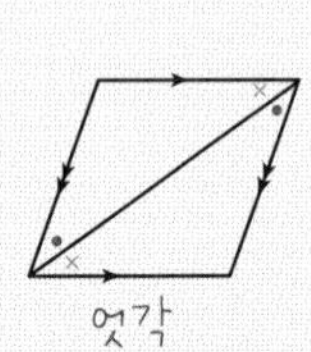

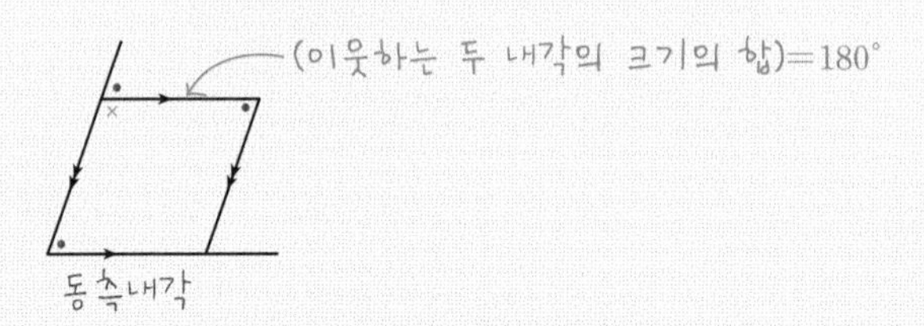

M2 평행사변형의 성질

개념강의

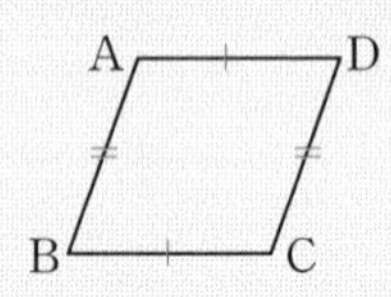

• 성질 1: $\overline{AD}=\overline{BC}$, $\overline{AB}=\overline{DC}$

➡ 두 쌍의 대변의 길이는 각각 같다.

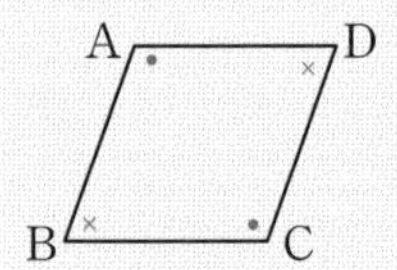

• 성질 2: $\angle A=\angle C$, $\angle B=\angle D$

➡ 두 쌍의 대각의 크기는 각각 같다.

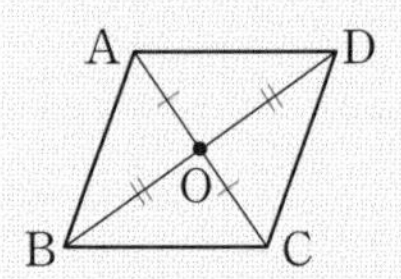

• 성질 3: $\overline{OA}=\overline{OC}$, $\overline{OB}=\overline{OD}$

➡ 두 대각선은 서로 다른 것을 이등분한다.

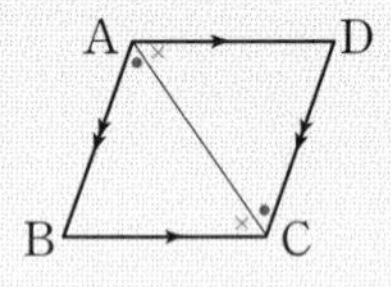

$\triangle ABC$와 $\triangle CDA$에서

$\overline{AC}$는 공통, $\angle BAC=\angle DCA$, $\angle BCA=\angle DAC$

$\triangle ABC \equiv \triangle CDA$(ASA 합동)

∴ 성질 1 성질 2

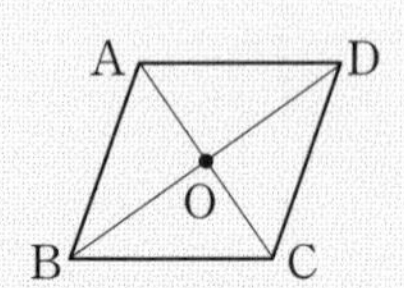

$\triangle OAD$와 $\triangle OCB$에서

$\overline{AD}=\overline{CB}$, $\angle OAD=\angle OCB$, $\angle ODA=\angle OBC$

$\triangle OAD \equiv \triangle OCB$(ASA 합동)

∴ 성질 3

| 평행선의 성질

01

다음 그림과 같은 평행사변형 ABCD에서 $\angle x$, $\angle y$의 크기를 각각 구하시오.

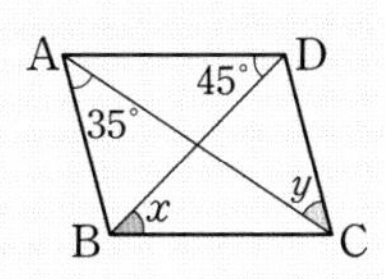

| 평행사변형의 성질(1)

02

다음 그림과 같은 평행사변형 ABCD에서 $\overline{AD}=2x+1$, $\overline{BC}=4x-5$, $\overline{DC}=3x-3$일 때, $\overline{AB}$의 길이는?

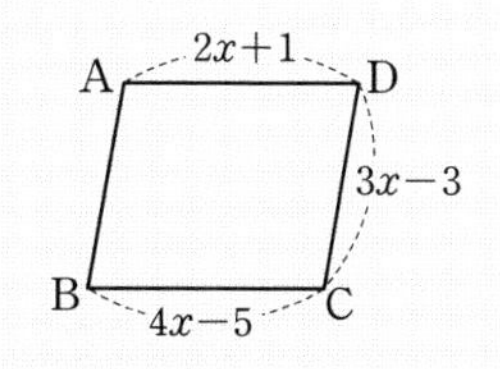

① 6 ② 7 ③ 8
④ 9 ⑤ 10

學

01

다음 그림과 같은 평행사변형 ABCD에서 $\angle$A와 $\angle$B의 크기의 비가 $3:2$일 때, $\angle$C의 크기를 구하시오.

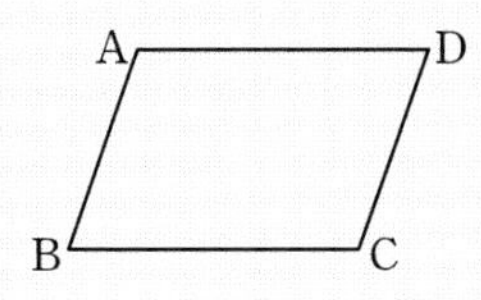

學

02

다음은 '평행사변형에서 두 쌍의 대변의 길이는 각각 같다.'는 것을 설명하는 과정이다. (가)~(마)에 알맞은 것을 써넣으시오.

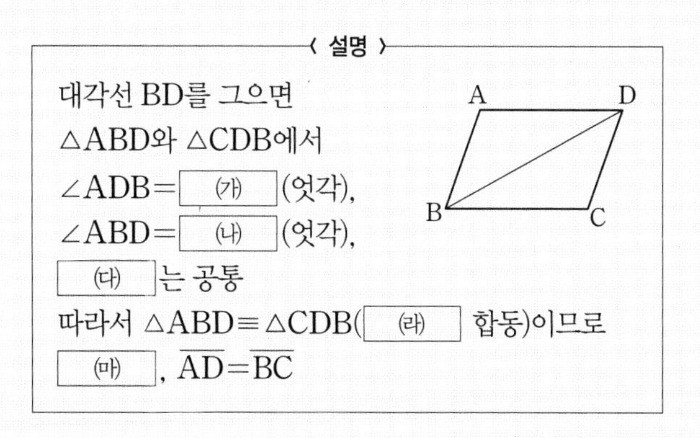
〈 설명 〉

대각선 BD를 그으면
$\triangle$ABD와 $\triangle$CDB에서
$\angle$ADB= (가) (엇각),
$\angle$ABD= (나) (엇각),
(다) 는 공통
따라서 $\triangle ABD \equiv \triangle CDB$((라) 합동)이므로
(마) , $\overline{AD}=\overline{BC}$

01 평행사변형의 성질

유형 | 평행사변형의 성질(2)

03

다음 그림과 같은 평행사변형 ABCD에서 $\angle B=30^\circ$일 때, $\angle x$, $\angle y$의 크기를 각각 구하시오.

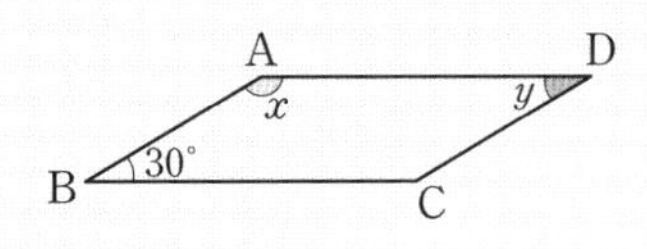

유형 | 평행사변형의 성질(3)

04

다음 그림과 같은 평행사변형 ABCD의 두 대각선의 교점을 O라 하면 $\overline{OC}=4$, $\overline{OD}=5$이다. $\angle ADB$의 이등분선과 $\overline{BC}$의 연장선의 교점을 E라 할 때, $\overline{BE}$의 길이는?

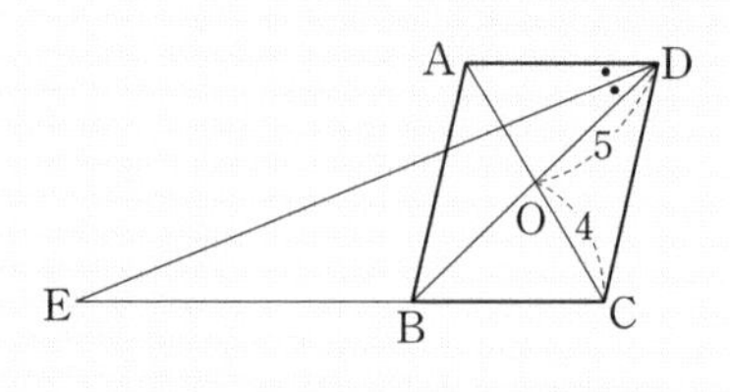

① 8　② 9　③ 10
④ 11　⑤ 12

學

03

다음은 '평행사변형에서 두 쌍의 대각의 크기는 각각 같다.'는 것을 설명하는 과정이다. (가)~(라)에 알맞은 것을 써넣으시오.

〈 설명 〉

$\overline{BA}$의 연장선 위에 한 점 E를 잡으면

$\angle EAD=$ (가) (동위각),

$\angle EAD=$ (나) (엇각)

$\therefore \angle B=\angle D$

마찬가지로 $\overline{CD}$의 연장선 위의 한 점을 F라고 하면

$\angle FDA=$ (다) (동위각),

$\angle FDA=$ (라) (엇각)

$\therefore \angle A=\angle C$

學

04

다음은 '평행사변형에서 두 대각선은 서로 다른 것을 이등분한다.'는 것을 설명하는 과정이다. (가)~(바)에 알맞은 것을 써넣으시오.

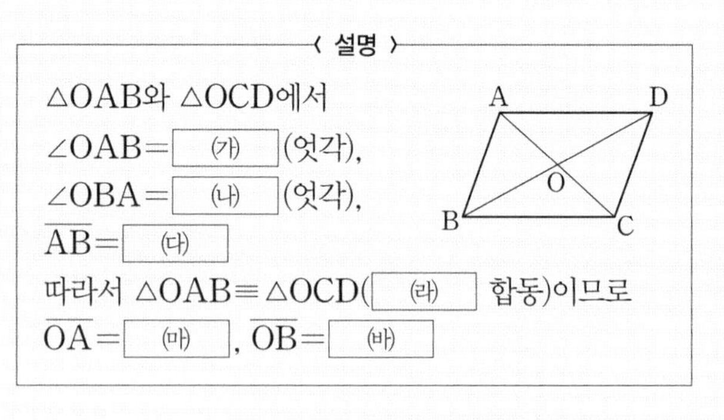

〈 설명 〉

$\triangle OAB$와 $\triangle OCD$에서

$\angle OAB=$ (가) (엇각),

$\angle OBA=$ (나) (엇각),

$\overline{AB}=$ (다)

따라서 $\triangle OAB\equiv\triangle OCD($ (라) 합동)이므로

$\overline{OA}=$ (마), $\overline{OB}=$ (바)

+MEMO

라디오 수타

라디오 방송 형식으로
배운 내용을 재미있게
수학타파하는 코너

꼭

01

다음 그림과 같은 평행사변형 ABCD에서 두 대각선의 교점을 O라 하고 $\angle\mathrm{ABO}=51^\circ$, $\angle\mathrm{COD}=60^\circ$일 때, $\angle y-\angle x$의 크기는?

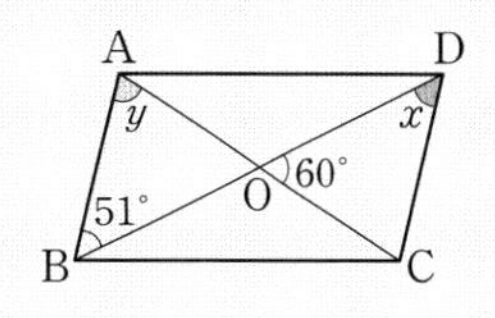

① 10° ② 12° ③ 14°
④ 16° ⑤ 18°

꼭

02

다음 그림과 같이 $\overline{\mathrm{AB}}=3\,\mathrm{cm}$, $\overline{\mathrm{AD}}=4\,\mathrm{cm}$인 평행사변형 ABCD에서 ∠D의 이등분선이 $\overline{\mathrm{BC}}$와 만나는 점을 E라 할 때, $\overline{\mathrm{BE}}$의 길이를 구하시오.

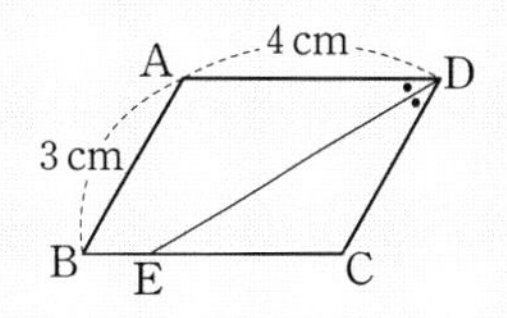

II 사각형의 성질

꼭

03

다음 그림과 같은 평행사변형 ABCD에서 $\angle ACB$의 이등분선과 $\overline{AD}$의 연장선의 교점을 E라 하자.
$\angle AEC=24°$, $\angle CDA=60°$일 때, $\angle CAB$의 크기를 구하시오.

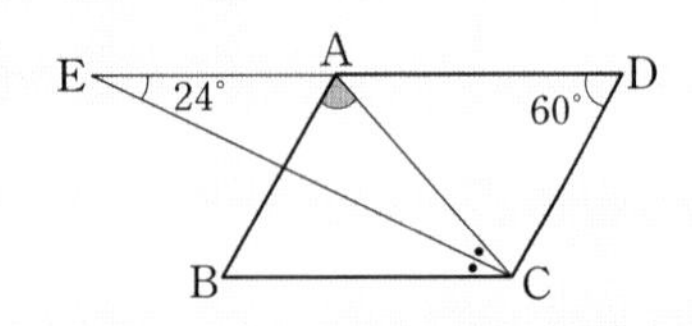

꼭

04

다음 그림과 같은 평행사변형 ABCD에서 $\overline{AD}=3x+1$, $\overline{BC}=4x-2$, $\overline{OD}=2x+2$일 때, $\overline{BD}$의 길이는?

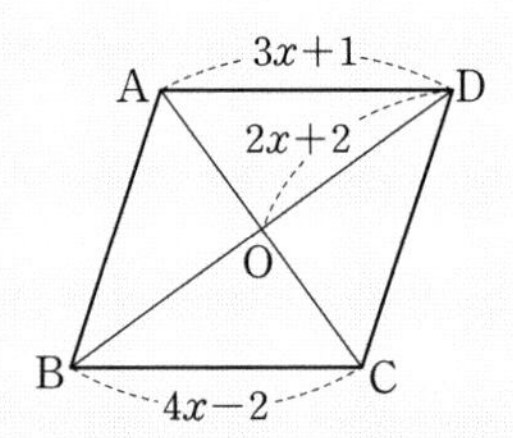

① 16 ② 17 ③ 18
④ 19 ⑤ 20

생각+

다음 그림의 평행사변형 ABCD에서 점 E는 변 BC 위의 점이고, 점 D에서 $\overline{AE}$에 내린 수선의 발을 F라 하자.
$\angle EAB=46°$일 때, $\angle x$의 크기는?

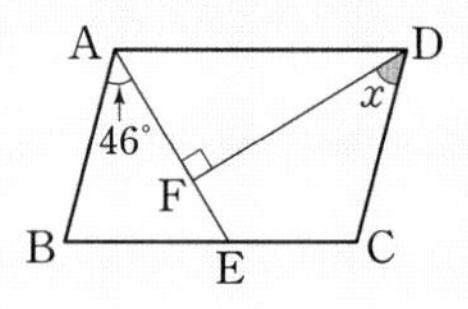

① 43° ② 44° ③ 45°
④ 46° ⑤ 47°

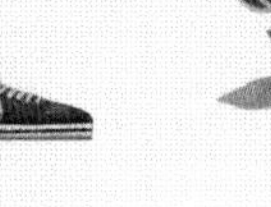

다음 그림과 같은 평행사변형 ABCD의 두 대각선의 교점 O를 지나는 직선이 $\overline{AB}$, $\overline{CD}$와 만나는 점을 각각 P, Q라 하자. $\angle OQC=90^\circ$일 때, $\triangle APO$의 넓이를 구하시오.

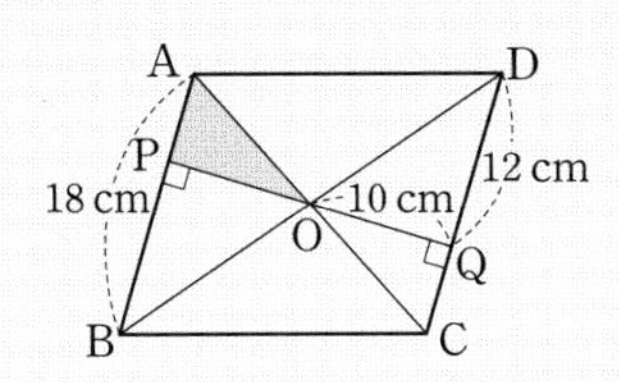

다음 그림의 평행사변형 ABCD에서 $\angle A$와 $\angle B$의 이등분선이 $\overline{BC}$, $\overline{AD}$와 만나는 점을 각각 E, F라 하자. $\angle DFB=150^\circ$일 때, $\angle AEC$의 크기를 구하시오.

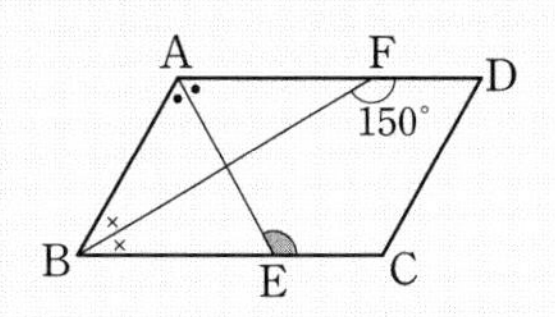

02 평행사변형이 되는 조건

M1 평행사변형이 되는 조건 개념강의

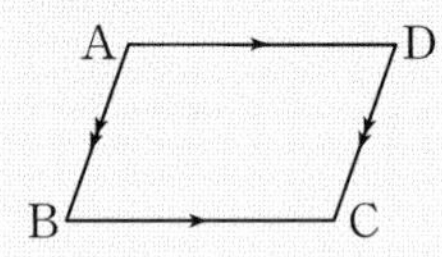

(1) $\overline{AD} /\!/ \overline{BC}$, $\overline{AB} /\!/ \overline{DC}$ 정의(뜻)
두 쌍의 대변이 각각 평행하다.

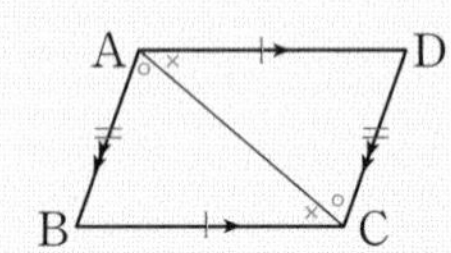

(2) $\overline{AD}=\overline{BC}$, $\overline{AB}=\overline{DC}$ 성질 1
두 쌍의 대변의 길이가 각각 같다.

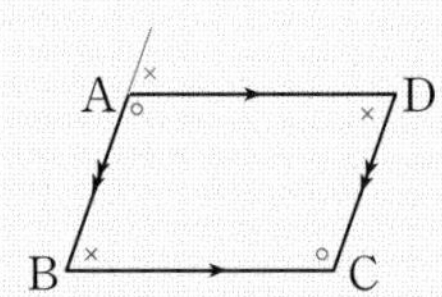

(3) $\angle A=\angle C$, $\angle B=\angle D$ 성질 2
두 쌍의 대각의 크기가 각각 같다.

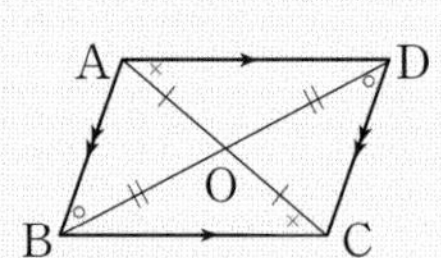

(4) $\overline{OA}=\overline{OC}$, $\overline{OB}=\overline{OD}$ 성질 3
두 대각선이 서로 다른 것을 이등분한다.

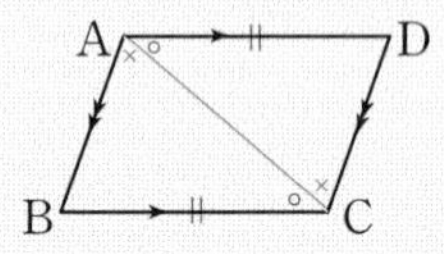

(5) $\overline{AD} /\!/ \overline{BC}$, $\overline{AD}=\overline{BC}$
한 쌍의 대변이 평행하고 그 길이가 같다.

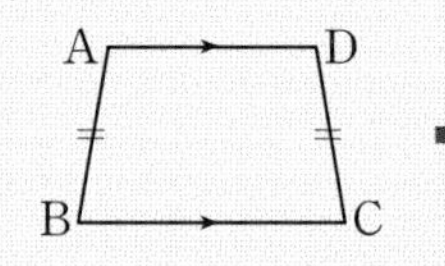

➡ $\overline{AB} /\!/ \overline{DC}$, $\overline{AB}=\overline{DC}$ (○)
$\overline{AD} /\!/ \overline{BC}$, $\overline{AB}=\overline{DC}$ (×)

M2 평행사변형과 넓이 개념강의

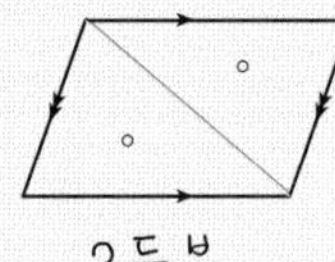
2등분

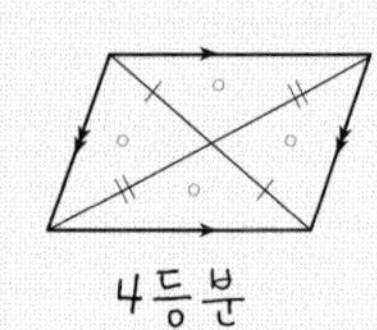
4등분

$\triangle ABP + \triangle CDP = \triangle ADP + \triangle BCP$
(㉠㉡) (㉢㉣) (㉠㉣) (㉡㉢)

$= \frac{1}{2}\square ABCD$

유형 | 평행사변형이 되는 조건

05

다음 중 오른쪽 그림의 □ABCD가 평행사변형이 될 수 없는 것은?

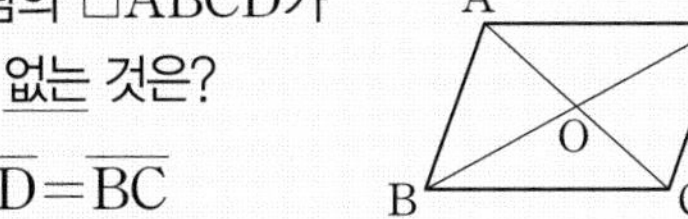

① $\overline{AB}=\overline{DC}$, $\overline{AD}=\overline{BC}$

② $\angle A=\angle C$, $\angle B=\angle D$

③ $\overline{OA}=\overline{OC}$, $\overline{OB}=\overline{OD}$

④ $\overline{AB}/\!/\overline{DC}$, $\overline{AD}/\!/\overline{BC}$

⑤ $\overline{AB}/\!/\overline{DC}$, $\overline{AD}=\overline{BC}$

유형 | 평행사변형임을 설명하기

06

다음 그림과 같은 평행사변형 ABCD에서 두 대각선의 교점을 O라 하고 대각선 BD 위에 $\overline{BE}=\overline{DF}$가 되도록 두 점 E, F를 잡을 때, □AECF가 평행사변형임을 설명하시오.

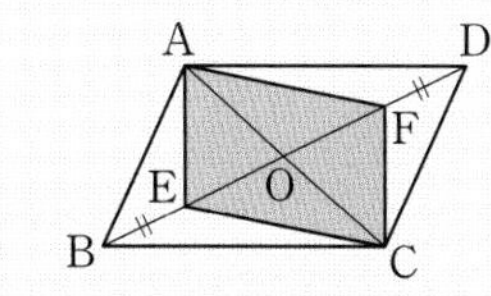

學

05

다음은 $\overline{AB}=\overline{DC}$, $\overline{AD}=\overline{BC}$이면 □ABCD가 평행사변형임을 설명하는 과정이다. (가)~(바)에 알맞은 것을 써넣으시오.

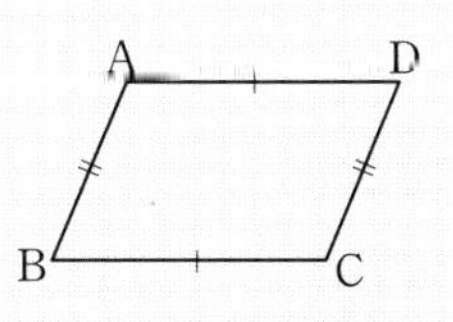

〈 설명 〉

대각선 AC를 그으면

△ABC와 △CDA에서

$\overline{AB}=$ 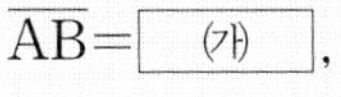 (가) ,

$\overline{BC}=$ 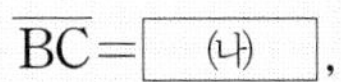 (나) ,

(다) 는 공통이므로

△ABC≡△CDA((라) 합동)

따라서 ∠BAC= (마) 이므로 $\overline{AB}/\!/\overline{DC}$

∠ACB= (바) 이므로 $\overline{AD}/\!/\overline{BC}$

따라서 두 쌍의 대변이 각각 평행하므로 □ABCD는 평행사변형이다.

學

06

다음 그림과 같은 평행사변형 ABCD에서 ∠B와 ∠D의 이등분선이 $\overline{AD}$, $\overline{BC}$와 만나는 점을 각각 E, F라 할 때, □EBFD가 평행사변형임을 설명하시오.

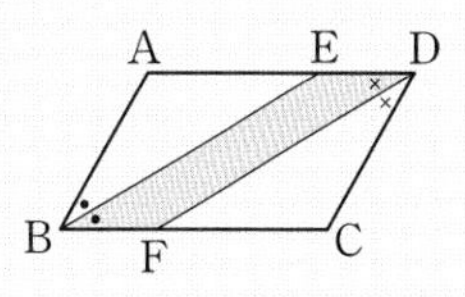

유형 | 평행사변형이 되는 조건의 응용

07

아래 그림의 평행사변형 ABCD에서 $\overline{OA}$, $\overline{OB}$, $\overline{OC}$, $\overline{OD}$의 중점을 각각 E, F, G, H라 할 때, 다음 〈보기〉 중 옳은 것을 모두 고르시오.

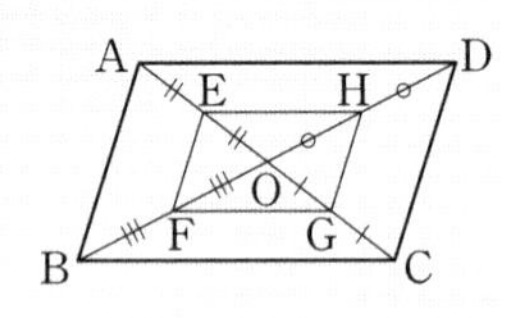

〈 보기 〉

ㄱ. $\overline{AE}=\overline{CG}$ ㄴ. $\overline{EH}=\overline{FG}$
ㄷ. $\overline{EG}=\overline{FH}$ ㄹ. $\overline{EF}/\!/\overline{HG}$

유형 | 평행사변형과 넓이

08

다음 그림과 같은 평행사변형 ABCD에서 $\overline{BC}$, $\overline{DC}$의 연장선 위에 $\overline{BC}=\overline{CE}$, $\overline{DC}=\overline{CF}$가 되도록 점 E, F를 각각 잡았다. △ABC의 넓이가 9 cm^2일 때, □BFED의 넓이를 구하시오.

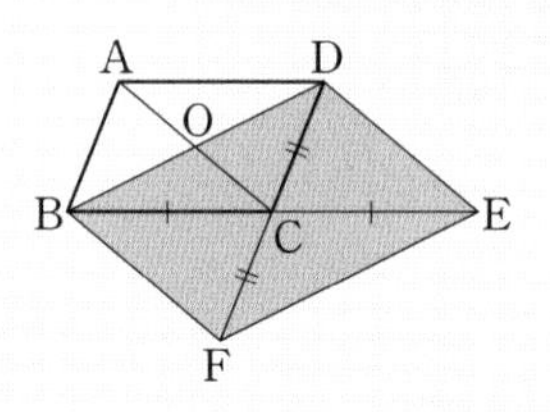

學

07

다음 그림과 같은 평행사변형 ABCD에서 $\overline{AE}$, $\overline{CF}$가 각각 ∠A, ∠C의 이등분선일 때, $\angle x$의 크기는?

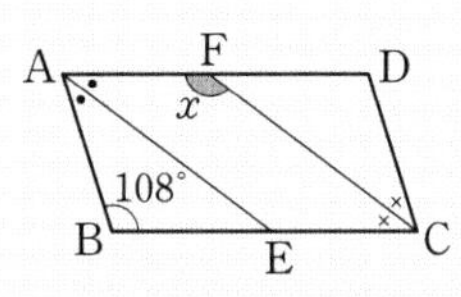

① 108° ② 116° ③ 120°
④ 132° ⑤ 144°

學

08

다음 그림의 평행사변형 ABCD의 넓이는 100 cm^2이다. 대각선 AC 위의 한 점 P에 대하여 $\triangle PBC=18\text{ cm}^2$일 때, △PDA의 넓이는?

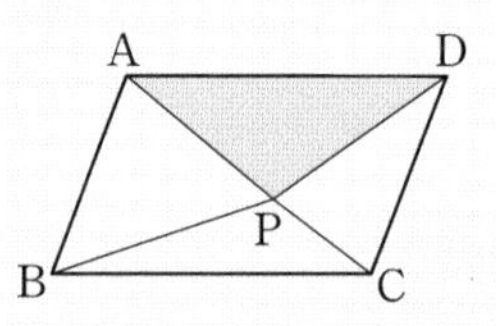

① 24 cm^2 ② 28 cm^2 ③ 32 cm^2
④ 36 cm^2 ⑤ 40 cm^2

+MEMO

라디오 수타
라디오 방송 형식으로 배운 내용을 재미있게 **수학타파**하는 코너

꼭

05

다음은 '한 쌍의 대변이 평행하고, 그 길이가 같은 사각형은 평행사변형이다.'를 설명하는 과정이다. (가)~(마)에 알맞은 것을 써넣으시오.

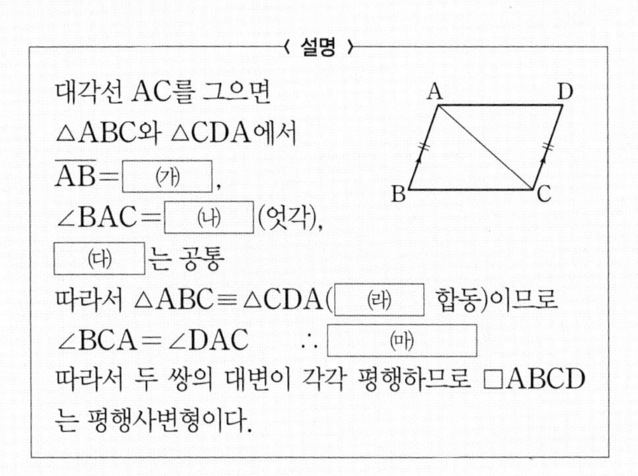

〈 설명 〉

대각선 AC를 그으면
△ABC와 △CDA에서
$\overline{AB}$= (가) ,
∠BAC= (나) (엇각),
(다) 는 공통
따라서 △ABC≡△CDA((라) 합동)이므로
∠BCA=∠DAC ∴ (마)
따라서 두 쌍의 대변이 각각 평행하므로 □ABCD는 평행사변형이다.

꼭

06

다음 그림과 같은 평행사변형 ABCD의 꼭짓점 B, D에서 대각선 AC에 내린 수선의 발을 각각 E, F라 할 때, □EBFD가 평행사변형임을 설명하시오.

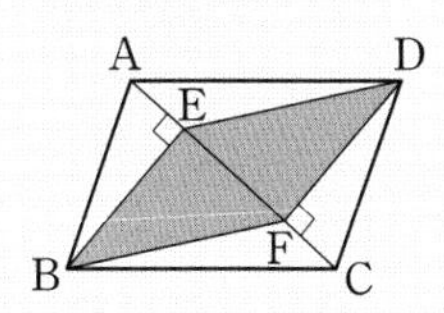

02 평행사변형이 되는 조건

꼭

07

다음 그림과 같은 평행사변형 ABCD의 꼭짓점 B, D에서 대각선 AC에 내린 수선의 발을 각각 E, F라 하자. $\angle FDE=43^\circ$일 때, $\angle BFE$의 크기를 구하시오.

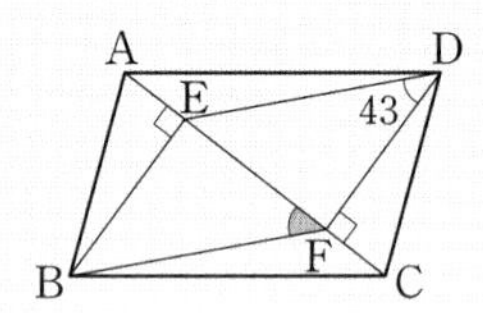

꼭

08

다음 그림과 같은 평행사변형 ABCD의 내부에 한 점 P를 잡았다. $\square ABCD=80\,\text{cm}^2$이고, $\triangle PAB : \triangle PCD=3:2$일 때, $\triangle PCD$의 넓이를 구하시오.

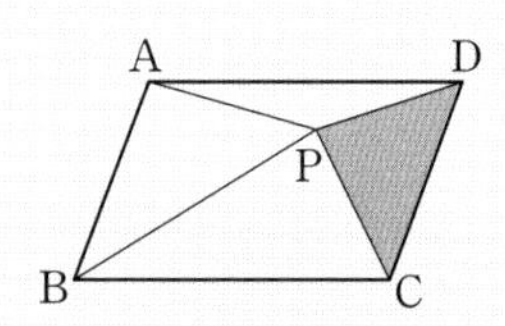

생각 +

다음 그림에서 $\square ABCD$가 평행사변형이 되도록 하는 x, y의 값을 각각 구하시오.

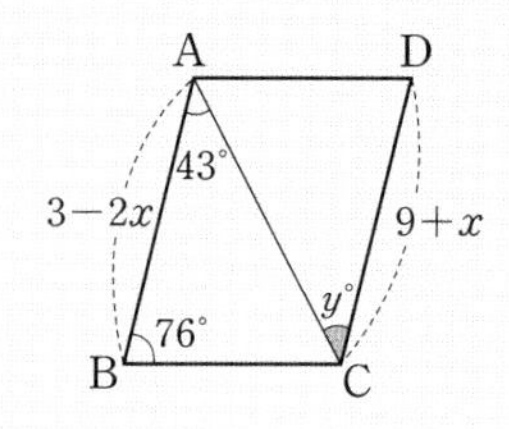

생각++

우리 주위에서 흔히 볼 수 있는 직육면체 모양의 곽티슈에서 윗면의 꼭짓점 네 개 가운데 두 개를 택하고, 아랫면의 꼭짓점 네 개 가운데 두 개를 택하여 만들 수 있는 평행사변형은 모두 몇 개인지 구하시오.

(단, 선택한 네 꼭짓점은 모두 평행사변형의 꼭짓점이다.)

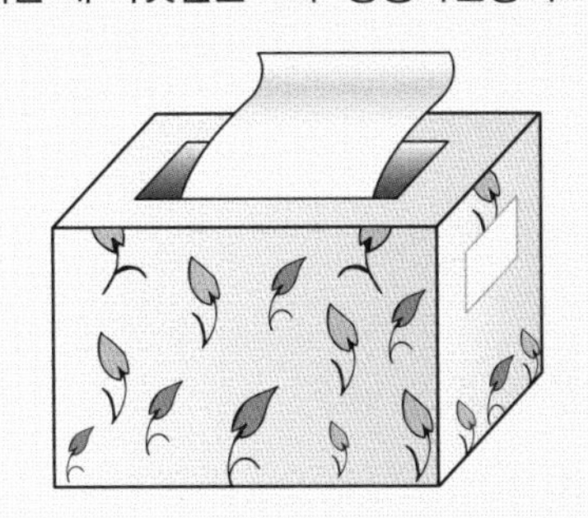

생각+++

아래 그림과 같이 평행사변형 모양의 땅 ABCD는 네 명의 공동 소유이다. 이 땅 내부에 말뚝 P를 박고, 네 꼭짓점 A, B, C, D와 점 P를 이어 땅을 네 조각으로 나누어 가지려고 한다. 다음 중 틀린 말을 하는 사람은 누구인지 말하시오.

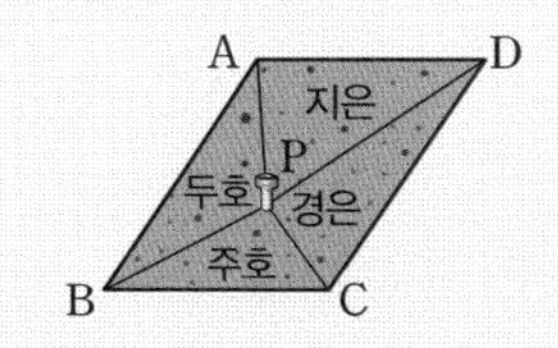

지은: 말뚝 P가 $\overline{AD}$보다 $\overline{BC}$에 가까워야 내가 주호보다 더 많은 땅을 가질 수 있어.

두호: 어디에 말뚝을 박든지 나와 경은이의 땅의 넓이를 합하면 지은이와 주호의 땅의 넓이를 합한 것과 같아.

경은: 말뚝의 위치에 상관없이 나랑 두호의 땅의 넓이는 같게 될 것 같은데?

주호: 그러지 말고, $\overline{AC}$와 $\overline{BD}$의 교점에 말뚝을 박자. 그래야 우리 넷의 땅의 넓이가 모두 같게 되거든.

03 직사각형과 마름모

M1 직사각형 개념강의

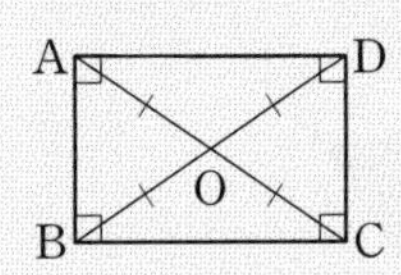

$\triangle ABC \equiv \triangle DCB$ (SAS 합동)

$\therefore \overline{AC}=\overline{DB}$

- 정의(뜻): 네 내각의 크기가 같은 사각형
- 성질 1: 평행사변형
- 성질 2: 두 대각선의 길이는 같다.

➡ $\overline{AC}=\overline{DB}$, $\overline{OA}=\overline{OB}=\overline{OC}=\overline{OD}$

M2 마름모 개념강의

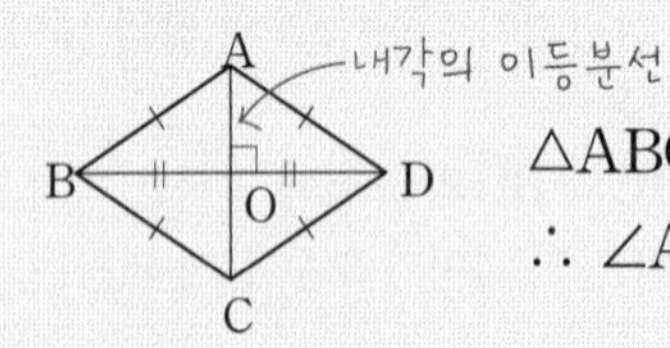

$\triangle ABO \equiv \triangle ADO$ (SSS 합동)

$\therefore \angle AOB=\angle AOD=90^{\circ}$

- 정의(뜻): 네 변의 길이가 같은 사각형
- 성질 1: 평행사변형
- 성질 2: 두 대각선은 직교한다.

수직이등분 ➡ $\overline{AC}\perp\overline{BD}$, $\overline{OA}=\overline{OC}$, $\overline{OB}=\overline{OD}$

M3 평행사변형이 직사각형 또는 마름모가 되는 조건 개념강의

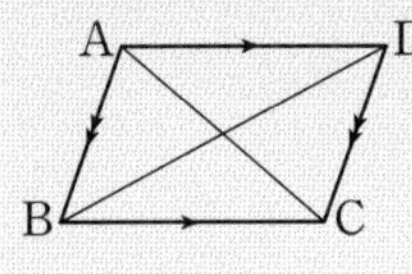

평행사변형

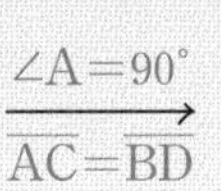

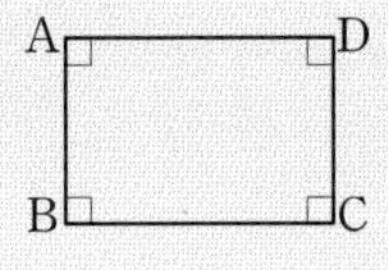

직사각형

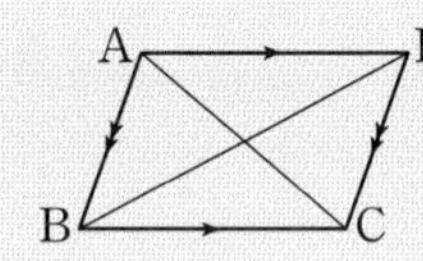

평행사변형

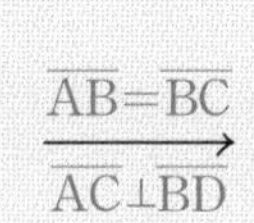

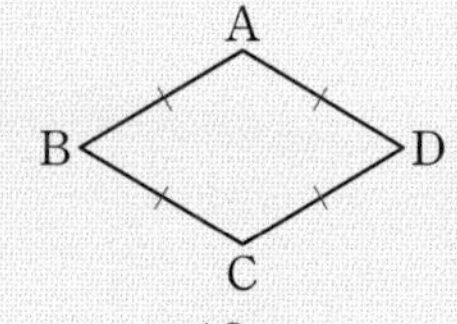

마름모

| 직사각형의 성질

09

다음 그림의 직사각형 ABCD에서 x의 값을 구하시오.

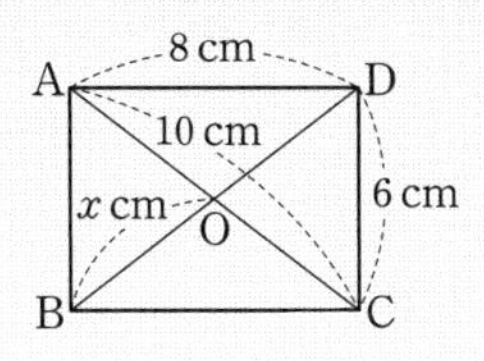

| 마름모의 성질

10

다음 그림의 마름모 ABCD에서 x, y의 값을 각각 구하여라.

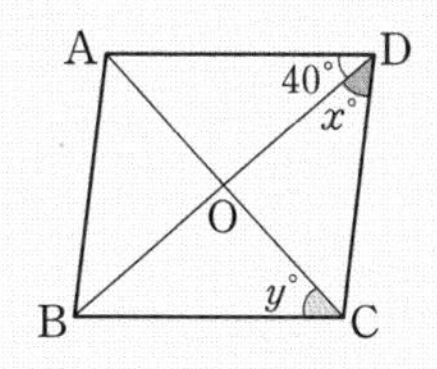

09

다음 그림의 직사각형 ABCD에서 점 O가 두 대각선의 교점이고 $\angle OCD=57°$일 때, $\angle AOD$의 크기를 구하시오.

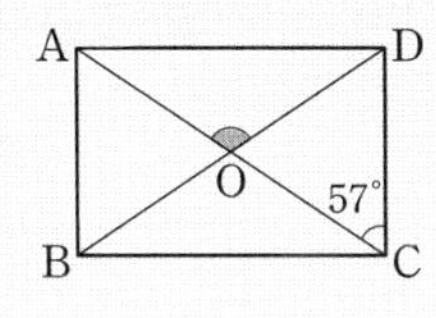

10

다음 그림과 같은 마름모 ABCD에서 $\angle ABD=30°$이고 $\overline{AB}=6$ cm일 때, $\triangle ACD$의 둘레의 길이를 구하시오.

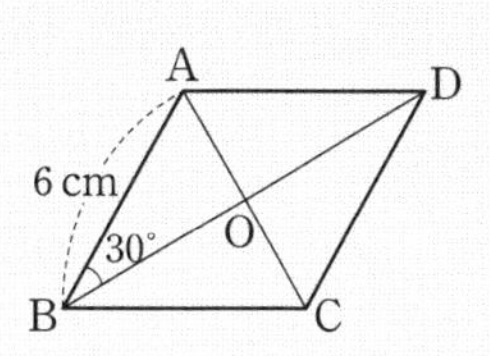

유형 | 평행사변형이 직사각형이 되는 조건

11

다음 중 오른쪽 그림의 평행사변형 ABCD가 직사각형이 되는 조건이 아닌 것은?

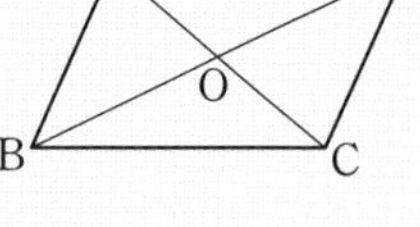

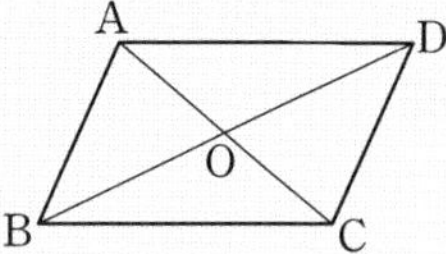

① $\overline{AC}=\overline{BD}$
② $\overline{AO}=\overline{BO}$
③ $\angle A=90^\circ$
④ $\angle B=\angle C$
⑤ $\angle B=\angle D$

유형 | 평행사변형이 마름모가 되는 조건

12

다음 중 오른쪽 그림의 평행사변형 ABCD가 마름모가 되는 조건이 아닌 것은?

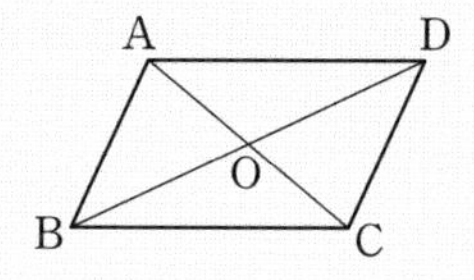

① $\overline{AB}=\overline{AD}$
② $\angle ABO=\angle CBO$
③ $\angle COD=90^\circ$
④ $\angle CBD=\angle CDB$
⑤ $\angle OAD=\angle ODA$

學

11

다음 그림과 같은 □ABCD에서 $\overline{AD}\,/\!/\,\overline{BC}$, $\overline{AD}=\overline{BC}$이고, $\angle OAD=\angle ODA$일 때, □ABCD는 어떤 사각형인지 말하시오.

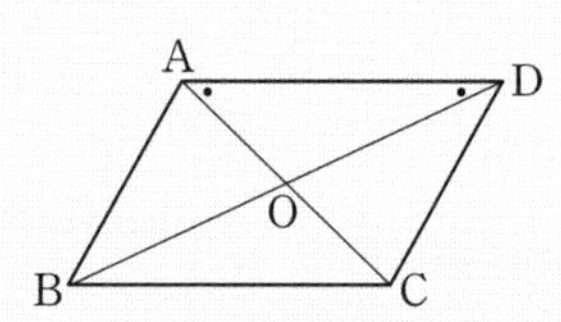

學

12

다음 그림과 같은 평행사변형 ABCD에서 $\overline{AB}=12\,\text{cm}$, $\angle OAD=52^\circ$, $\angle OBC=38^\circ$일 때, $\overline{AD}$의 길이와 $\angle BDC$의 크기를 각각 구하시오.

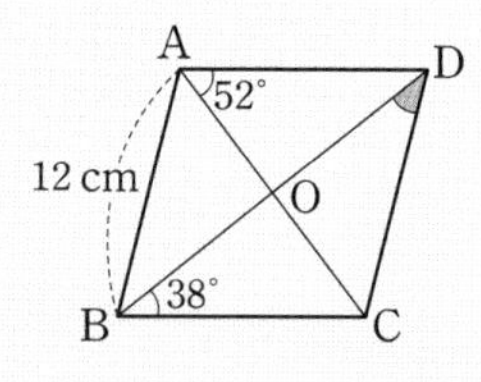

+MEMO

라디오 수타
라디오 방송 형식으로 배운 내용을 재미있게 수학타파하는 코너

꼭

09

다음 그림의 직사각형 ABCD에서 $\overline{\mathrm{BO}}=2x-3$, $\overline{\mathrm{DO}}=1+x$일 때, $\overline{\mathrm{AC}}$의 길이를 구하시오.

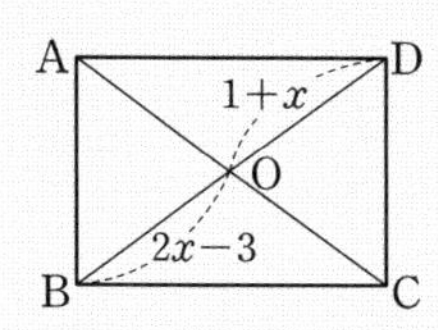

꼭

10

오른쪽 그림의 마름모 ABCD에 대한 설명으로 다음 중 옳지 않은 것은?

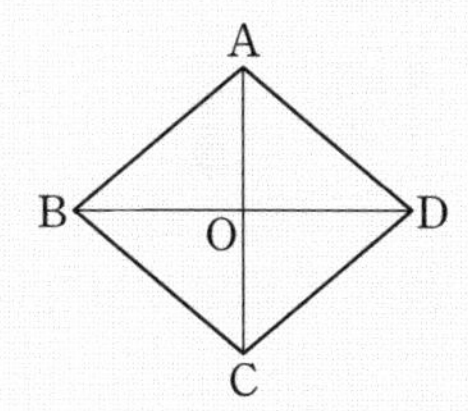

① $\overline{\mathrm{AC}}\perp\overline{\mathrm{BD}}$

② $\overline{\mathrm{AB}}/\!/\overline{\mathrm{CD}}$

③ $\overline{\mathrm{AB}}=\overline{\mathrm{BC}}=\overline{\mathrm{CD}}=\overline{\mathrm{DA}}$

④ $\overline{\mathrm{OA}}=\overline{\mathrm{OB}}=\overline{\mathrm{OC}}=\overline{\mathrm{OD}}$

⑤ $\triangle\mathrm{ABO}\equiv\triangle\mathrm{CBO}\equiv\triangle\mathrm{CDO}\equiv\triangle\mathrm{ADO}$

콕

11

아래 그림과 같은 평행사변형 ABCD가 직사각형이 되는 조건을 다음 〈보기〉에서 모두 고르시오.

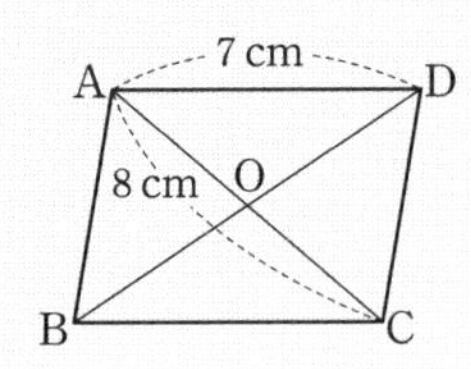

〈 보기 〉

ㄱ. $\overline{BD}=8\,\text{cm}$ ㄴ. $\angle B=90^\circ$
ㄷ. $\overline{BC}=7\,\text{cm}$ ㄹ. $\angle COD=90^\circ$

콕

12

아래 그림의 평행사변형 ABCD에서 다음 조건이 주어졌을 때, 마름모가 되지 않는 것은?

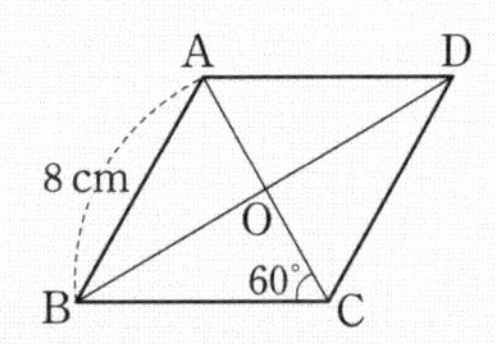

① $\overline{AD}=8\,\text{cm}$ ② $\angle AOD=90^\circ$
③ $\angle ACD=60^\circ$ ④ $\angle ADB=30^\circ$
⑤ $\angle DAB=130^\circ$

생각+

다음 그림과 같은 마름모 ABCD의 한 꼭짓점 A에서 $\overline{BC}$, $\overline{CD}$에 내린 수선의 발을 각각 P, Q라 하자. $\angle B=70^\circ$일 때, $\angle AQP$의 크기는?

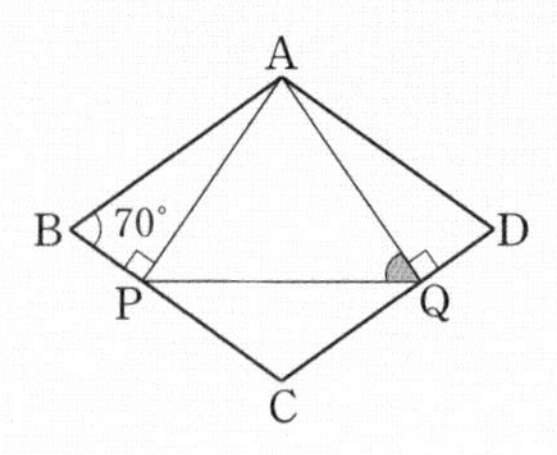

① 55° ② 56° ③ 57°
④ 58° ⑤ 59°

생각++

다음 그림과 같은 직사각형 ABCD에서 $\angle A$의 이등분선이 변 BC와 만나는 점을 E라 하자. $\overline{AB}:\overline{AD}=5:8$일 때, $\triangle ABE$와 $\square AECD$의 넓이의 비는?

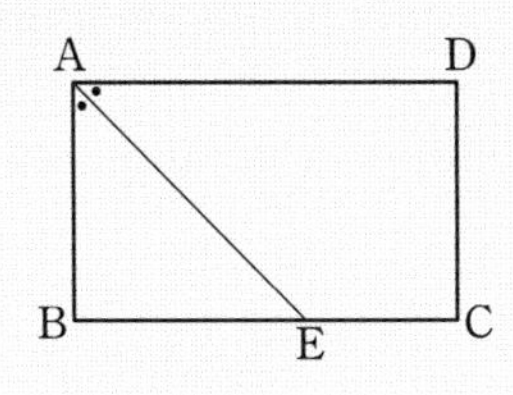

① 5 : 8 ② 5 : 9 ③ 1 : 2
④ 5 : 11 ⑤ 5 : 12

생각+++

다음 그림과 같은 마름모 ABCD의 한 변의 길이는 5이고, $\overline{AC}=6$, $\overline{BD}=8$이다. $\square ABCD$의 내부의 한 점 P에서 네 변에 내린 수선의 길이를 각각 a, b, c, d라 할 때, $a+b+c+d$의 값을 구하시오.

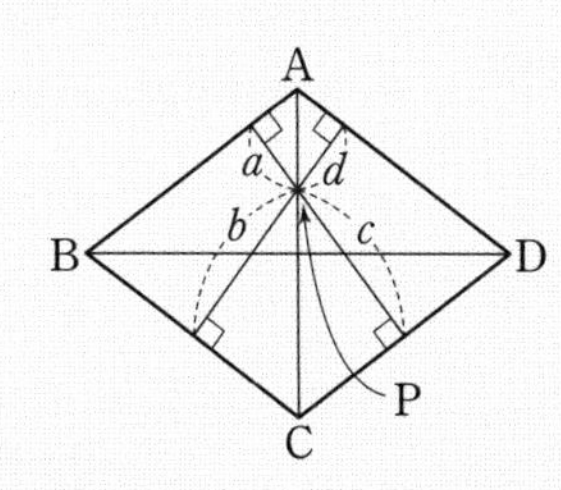

04 정사각형과 등변사다리꼴

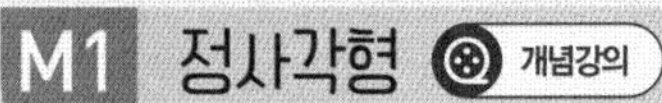

M1 정사각형 개념강의

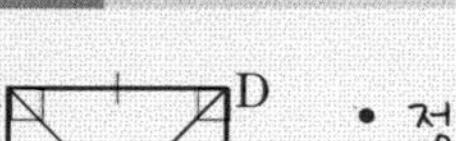

직사각형　　　　　　　　　　마름모

- 정의(뜻): 네 내각의 크기가 모두 같고, 네 변의 길이가 모두 같은 사각형
- 성질: $\overline{AC}=\overline{BD}$, $\overline{AC}\perp\overline{BD}$
  ➡ 두 대각선은 길이가 같고, 서로 다른 것을 수직이등분한다.

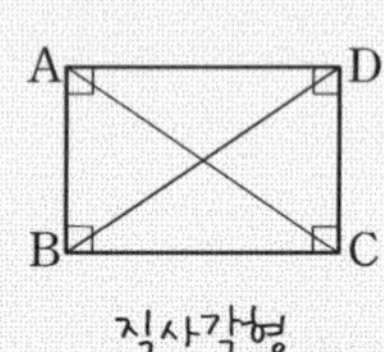

직사각형

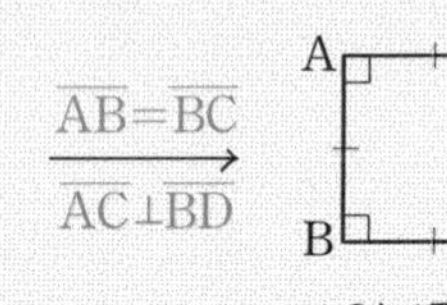

정사각형

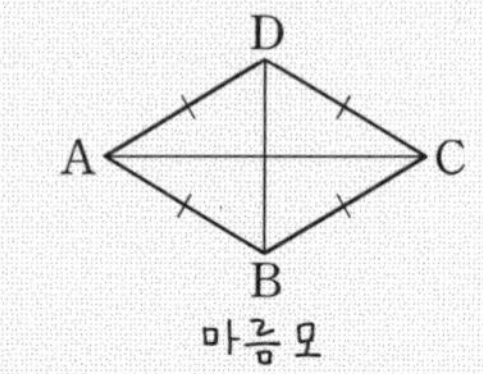

마름모

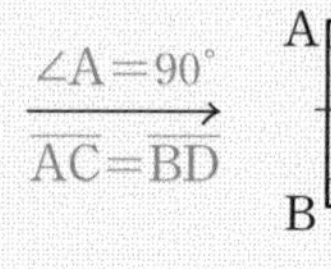

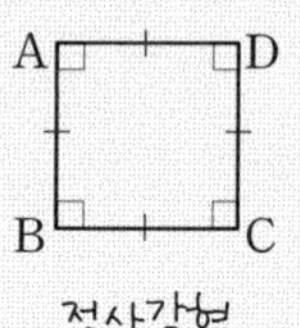

정사각형

M2 등변사다리꼴 개념강의

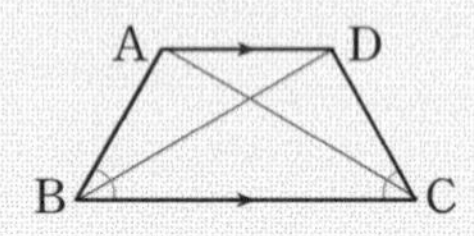

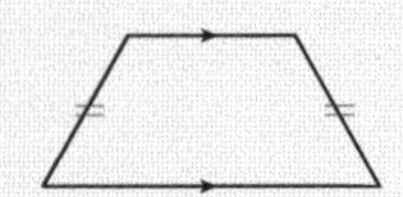

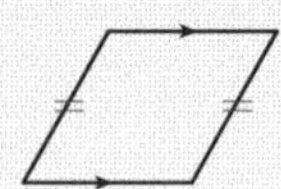

- 정의(뜻): 밑변의 양 끝각의 크기가 같은 사다리꼴
- 성질 1: $\overline{AB}=\overline{DC}$

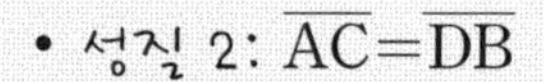

- 성질 2: $\overline{AC}=\overline{DB}$

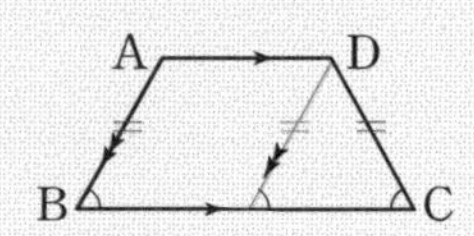

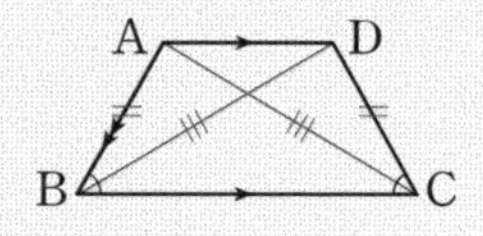

유형 | 정사각형의 성질

13

다음 그림과 같은 정사각형 ABCD의 내부의 한 점 P에 대하여 $\overline{PB}=\overline{PC}=\overline{BC}$일 때, $\angle PDA$의 크기를 구하시오.

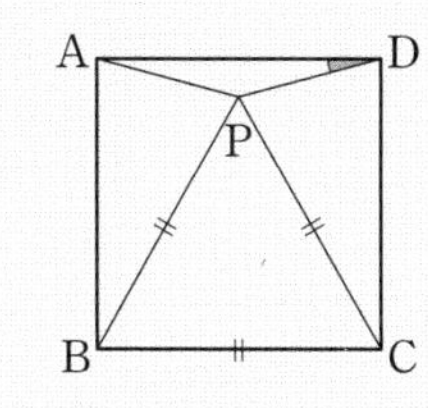

유형 | 정사각형이 되는 조건

14

아래 그림의 직사각형 ABCD가 정사각형이 되기 위한 조건을 다음 〈보기〉에서 모두 고르시오.

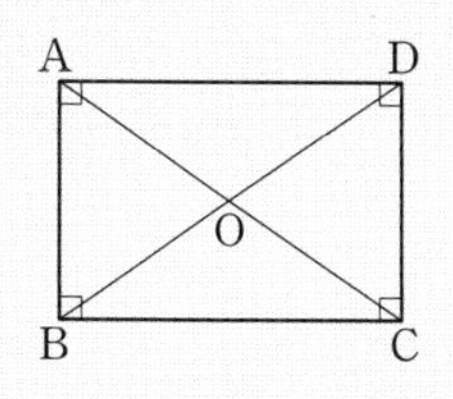

〈 보기 〉

ㄱ. $\overline{AD}=\overline{CD}$　　ㄴ. $\angle AOB=\angle COD$

ㄷ. $\overline{AC}=\overline{BD}$　　ㄹ. $\angle BOC=\angle COD$

13

다음 그림과 같은 정사각형 ABCD에서 $\overline{BE}=\overline{CF}$가 되도록 두 점 E, F를 잡자. $\overline{CE}$와 $\overline{DF}$의 교점을 G라 할 때, $\angle DGE$의 크기는?

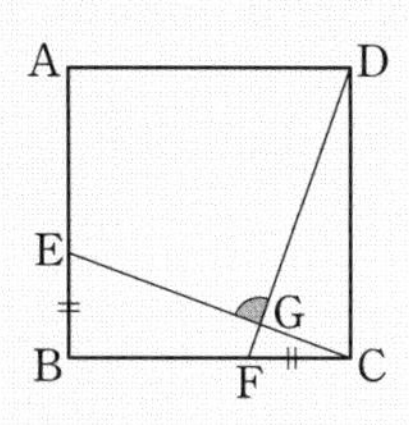

① 84°　② 86°　③ 88°
④ 90°　⑤ 92°

14

다음 중 오른쪽 그림과 같은 마름모 ABCD가 정사각형이 되기 위한 조건이 아닌 것은?

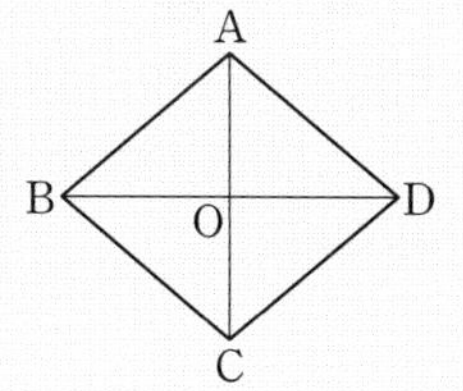

① $\overline{OB}=\overline{OC}$
② $\overline{AC}=\overline{BD}$
③ $\angle C=90^\circ$
④ $\angle ABC=\angle BCD$
⑤ $\angle BCA=\angle DCA$

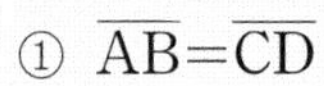

유형 | 등변사다리꼴의 성질

15

오른쪽 그림에서 □ABCD가 $\overline{AD} /\!/ \overline{BC}$인 등변사다리꼴일 때, 다음 중 옳지 않은 것은?

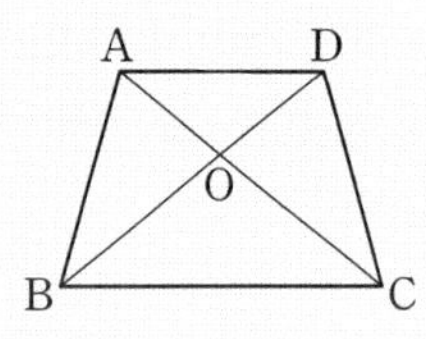

① $\overline{AB}=\overline{CD}$
② $\overline{OB}=\overline{OC}$
③ $\overline{AD}=\overline{CD}$
④ $\angle ABC=\angle DCB$
⑤ $\angle OAB=\angle ODC$

유형 | 등변사다리꼴의 성질의 응용

16

다음 그림과 같이 $\overline{AD} /\!/ \overline{BC}$인 등변사다리꼴 ABCD의 꼭짓점 A에서 $\overline{BC}$에 내린 수선의 발을 E라 하자. $\overline{AD}=7\text{ cm}$, $\overline{BC}=11\text{ cm}$일 때, $\overline{BE}$의 길이를 구하시오.

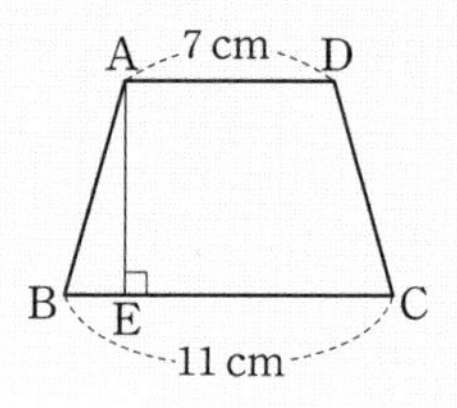

學

15

다음 그림에서 □ABCD는 $\overline{AD} /\!/ \overline{BC}$인 등변사다리꼴이다. $\overline{AD}=\overline{CD}$이고 $\angle ACB=38^\circ$일 때, $\angle CDB$의 크기를 구하시오.

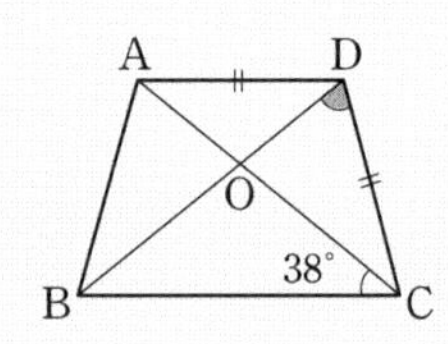

學

16

다음 그림에서 □ABCD는 $\overline{AD} /\!/ \overline{BC}$인 등변사다리꼴이다. $\overline{AB}=5\text{ cm}$, $\overline{AD}=4\text{ cm}$, $\angle A=120^\circ$일 때, □ABCD의 둘레의 길이를 구하시오.

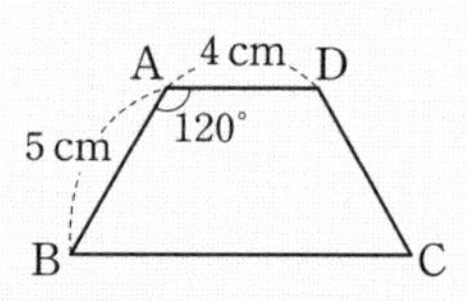

+MEMO

라디오 수타

라디오 방송 형식으로 배운 내용을 재미있게 수학타파하는 코너

꼭

13

다음 그림의 정사각형 ABCD에서 $\angle BAE=21^{\circ}$일 때, $\angle DEC$의 크기는?

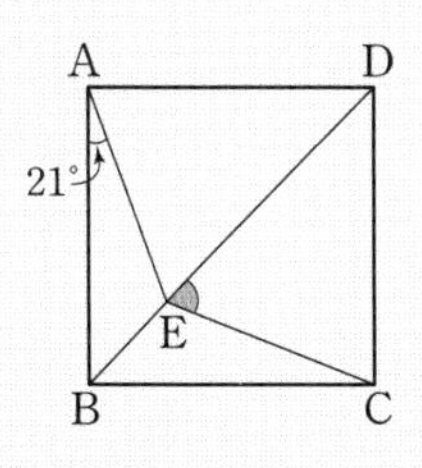

① 66° ② 68° ③ 70°
④ 72° ⑤ 74°

꼭

14

아래 그림과 같은 평행사변형 ABCD가 정사각형이 되기 위한 조건을 다음 〈보기〉에서 모두 고르시오.

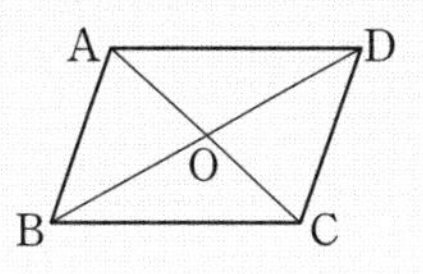

〈 보기 〉

ㄱ. $\overline{AB}=\overline{AD}$, $\overline{AC}\perp\overline{BD}$
ㄴ. $\overline{AC}\perp\overline{BD}$, $\angle B=\angle C$
ㄷ. $\overline{AB}=\overline{AD}$, $\overline{OA}=\overline{OD}$
ㄹ. $\overline{AC}=\overline{BD}$, $\overline{OB}=\overline{OD}$

II 사각형의 성질

꼭

15

다음 그림에서 □ABCD는 $\overline{AD} /\!/ \overline{BC}$인 등변사다리꼴이다. $\overline{AB}=\overline{AD}$이고 $\angle C=82°$일 때, $\angle DBC$의 크기는?

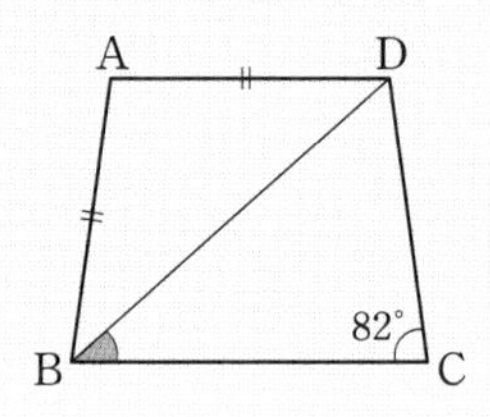

① 41°　② 42°　③ 43°　④ 44°　⑤ 45°

꼭

16

다음 그림과 같이 $\overline{AD} /\!/ \overline{BC}$인 등변사다리꼴 ABCD의 꼭짓점 D에서 $\overline{BC}$에 내린 수선의 발을 E라 하자. $\overline{AD}=5\,cm$, $\overline{CE}=2\,cm$일 때, $\overline{BC}$의 길이는?

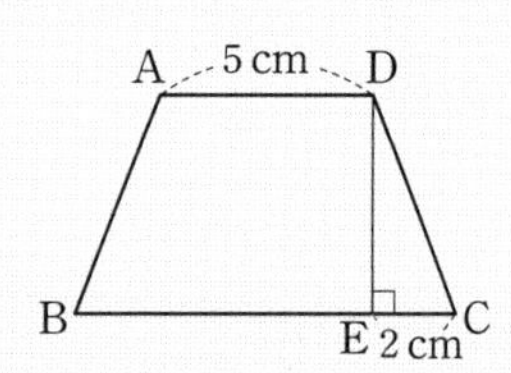

① 7.5 cm　② 8 cm　③ 8.5 cm　④ 9 cm　⑤ 9.5 cm

생각+

다음 그림과 같이 $\overline{AD} /\!/ \overline{BC}$인 등변사다리꼴 □ABCD에서 $\overline{BC}$의 연장선 위에 $\overline{AE} /\!/ \overline{DB}$가 되도록 점 E를 잡자. $\angle ACB=38°$일 때, $\angle x$의 크기를 구하시오.

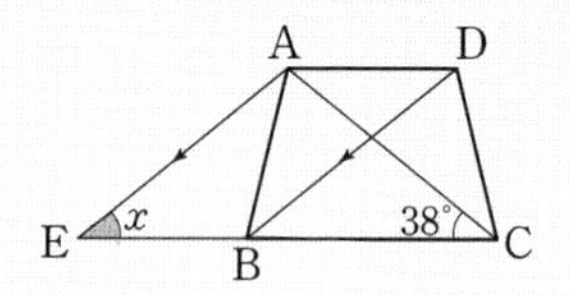

생각 ++

다음 그림과 같이 $\overline{AD} /\!/ \overline{BC}$인 등변사다리꼴 ABCD에서 $\overline{AB}=\overline{AD}=\overline{DC}$, $\overline{BC}=2\overline{AD}$일 때, $\angle ABD$의 크기를 구하시오.

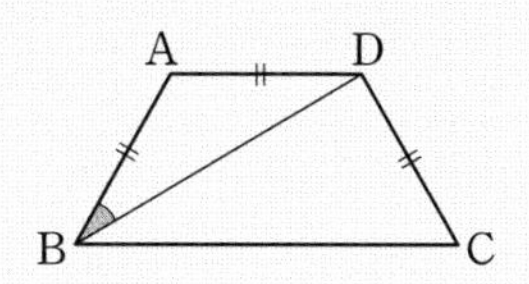

생각 +++

다음 그림과 같이 정사각형 ABCD의 변 BC, CD 위에 $\angle PAQ=45°$, $\angle APQ=60°$가 되도록 점 P, Q를 잡을 때, $\angle AQD$의 크기는?

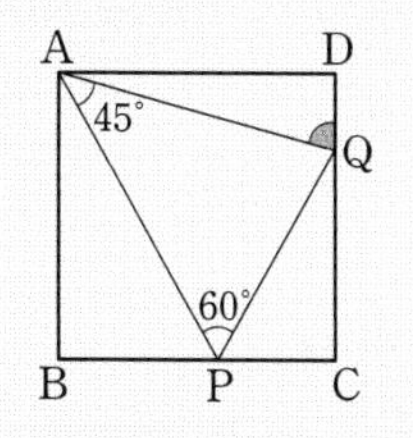

① 65° ② 70° ③ 75°
④ 80° ⑤ 85°

05 사각형 사이의 관계

Mstory1 Mstory2

M1 여러 가지 사각형 사이의 관계 개념강의

사각형 →(ㄱ) 사다리꼴 →(ㄴ) 평행사변형 →(ㄷ) 직사각형 →(ㄹ) 정사각형

평행사변형 →(ㄹ) 마름모 →(ㄷ) 정사각형

ㄱ. $\overline{AD} /\!/ \overline{BC}$

ㄴ. $\overline{AB} /\!/ \overline{DC}$

ㄷ. $\angle B=90^{\circ}$ 또는 $\overline{AC}=\overline{BD}$

ㄹ. $\overline{AB}=\overline{BC}$ 또는 $\overline{AC}\perp\overline{BD}$

M2 여러 가지 사각형의 성질 개념강의

대각선의 성질 \ 사각형의 종류	평행사변형	직사각형	마름모	정사각형	등변사다리꼴
이등분한다.	○	○	○	○	×
길이가 같다.	×	○	×	○	○
직교한다.	×	×	○	○	×
내각을 이등분한다.	×	×	○	○	×

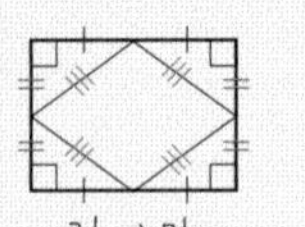
직 → 마

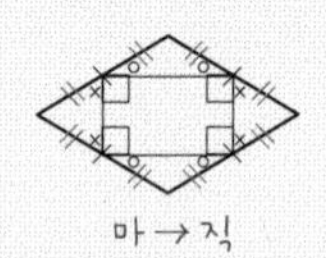
마 → 직

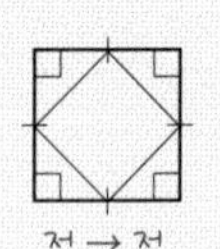
정 → 정

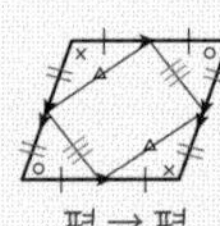
평 → 평

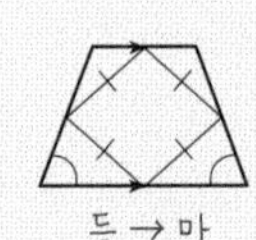
등 → 마

사 → 평

M3 평행선과 삼각형의 넓이 개념강의

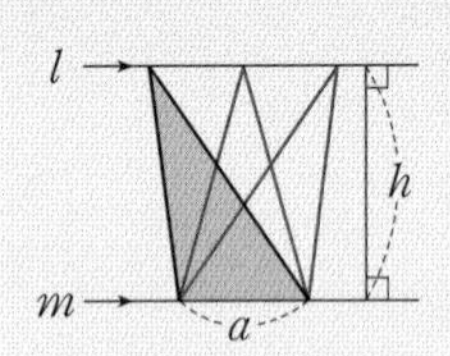

삼각형의 넓이 일정

➡ $\frac{1}{2}ah$

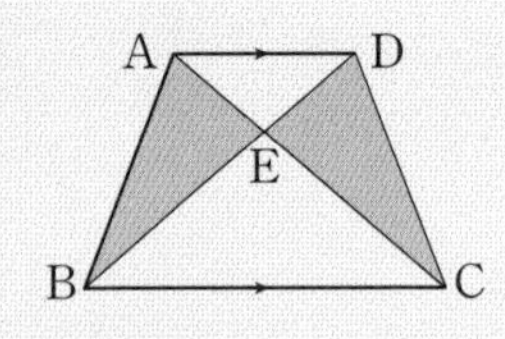

$\triangle ABC-\triangle EBC=\triangle DBC-\triangle EBC$

$\triangle ABE=\triangle DCE$

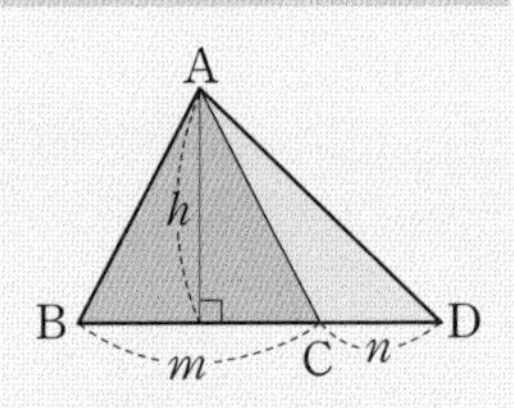

$\triangle ABC : \triangle ACD$

$=\frac{1}{2}mh : \frac{1}{2}nh$

$=m : n$

유형 | 여러 가지 사각형의 판별

17

다음 그림과 같이 평행사변형 ABCD의 네 내각의 이등분선의 교점을 각각 E, F, G, H라 할 때, □EFGH는 어떤 사각형인지 말하시오.

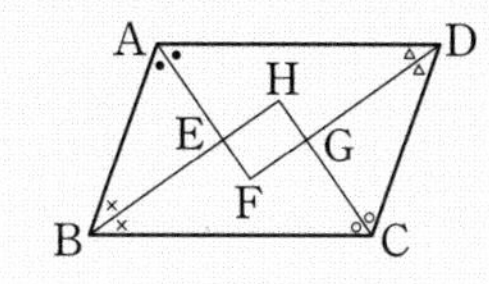

유형 | 대각선의 성질

18

다음 중 두 대각선의 길이가 같은 사각형을 모두 고르면? (정답 2개)

① 사다리꼴 ② 등변사다리꼴
③ 평행사변형 ④ 직사각형
⑤ 마름모

學

17

다음 그림과 같은 평행사변형 ABCD에서 ∠A와 ∠B의 이등분선이 $\overline{BC}$, $\overline{AD}$와 만나는 점을 각각 E, F라 할 때, □ABEF는 어떤 사각형인지 말하시오.

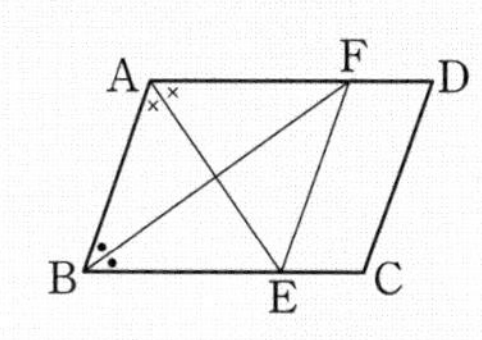

學

18

다음 중 두 대각선이 서로 다른 것을 수직이등분하는 것을 모두 고르면? (정답 2개)

① 평행사변형 ② 등변사다리꼴
③ 직사각형 ④ 마름모
⑤ 정사각형

유형 | 각 변의 중점을 차례로 연결한 사각형

19

다음 그림과 같이 직사각형 ABCD의 각 변의 중점을 각각 E, F, G, H라 할 때, □EFGH의 둘레의 길이는?

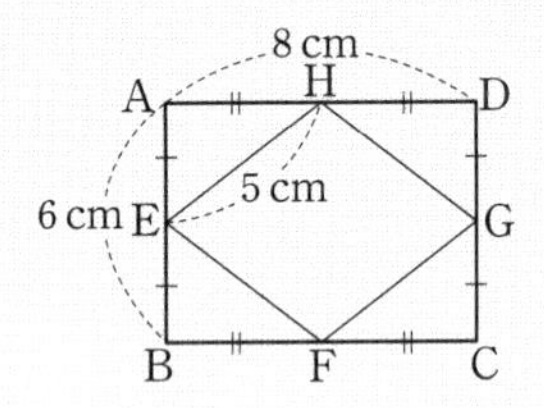

① 18 cm ② 20 cm ③ 22 cm
④ 24 cm ⑤ 26 cm

유형 | 평행선과 삼각형의 넓이

20

다음 그림과 같은 평행사변형 ABCD에서 $\overline{AC} /\!/ \overline{EF}$일 때, 다음 중 넓이가 다른 하나는?

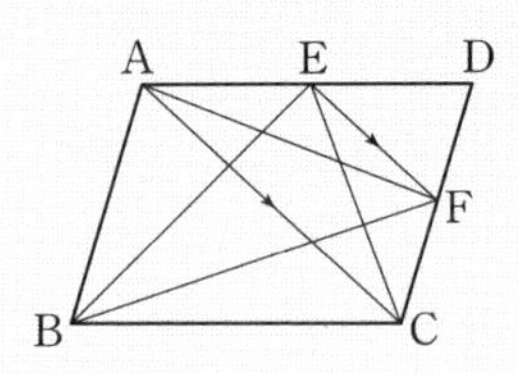

① △ABE ② △BCF ③ △ACE
④ △ACF ⑤ △BFE

學

19

다음 그림에서 점 E, F, G, H는 사각형 ABCD의 각 변의 중점이다. $\angle HEF=73^{\circ}$, $\overline{EH}=9\text{ cm}$, $\overline{EF}=10\text{ cm}$일 때, $\overline{FG}$의 길이와 $\angle EFG$의 크기를 각각 구하시오.

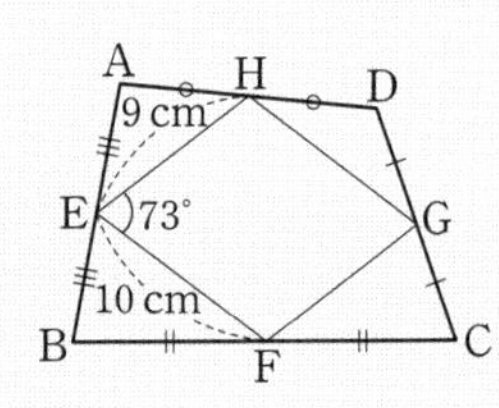

學

20

다음 그림과 같이 □ABCD의 꼭짓점 D를 지나고 $\overline{AC}$와 평행한 직선이 $\overline{BC}$의 연장선과 만나는 점을 E라 할 때, □ABCD의 넓이를 구하시오.

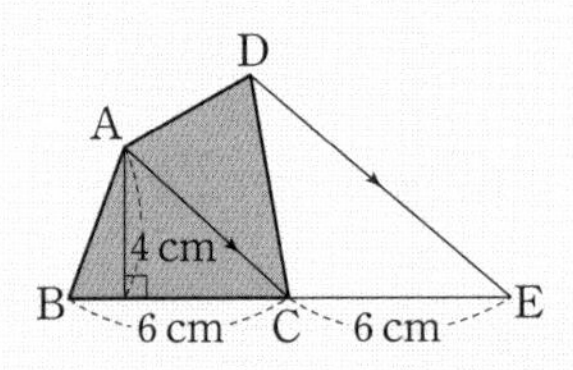

+MEMO

라디오 수타
라디오 방송 형식으로
배운 내용을 재미있게
수학타파하는 코너

꼭

17

다음 그림에서 □ABCD는 평행사변형이고 $2\overline{AB}=\overline{AD}$이다. $\overline{EA}=\overline{AB}=\overline{BF}$일 때, □GHCD가 마름모임을 설명하시오.

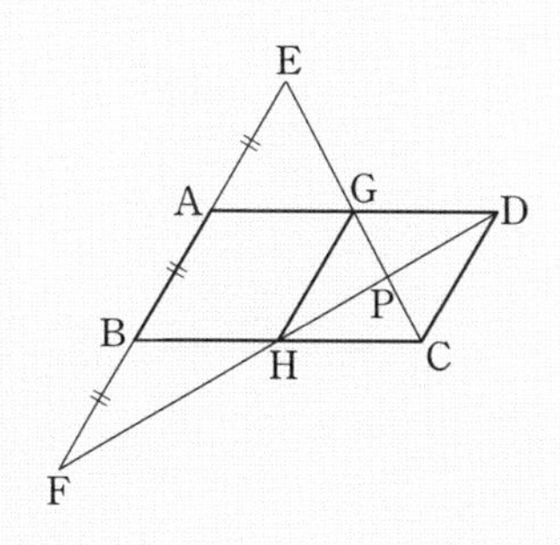

꼭

18

다음 〈보기〉의 사각형 중 두 대각선의 길이가 같은 사각형은 a개, 두 대각선이 서로 다른 것을 이등분하는 사각형은 b개일 때, $a+b$의 값을 구하시오.

〈 보기 〉

ㄱ. 평행사변형　ㄴ. 직사각형　ㄷ. 마름모
ㄹ. 정사각형　ㅁ. 등변사다리꼴

꼭

19

다음 그림에서 □ABCD는 정사각형이고, □EFGH는 □ABCD의 각 변의 중점을 연결한 사각형이다. $\overline{EH}=5\text{ cm}$일 때, □ABCD의 넓이를 구하시오.

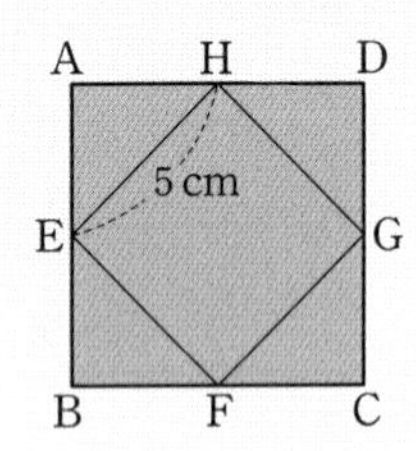

꼭

20

다음 그림의 등변사다리꼴 ABCD에서 $\overline{BO}:\overline{DO}=4:3$이고, △OCD=$24\text{ cm}^2$일 때, △AOD의 넓이는?

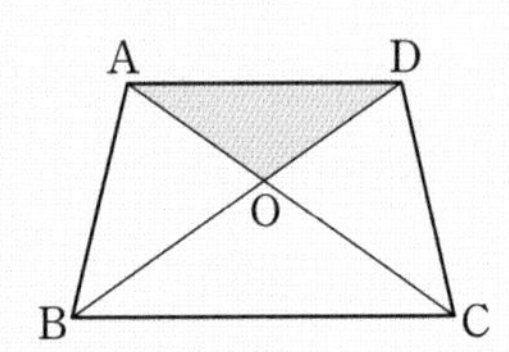

① 16 cm^2 ② 17 cm^2 ③ 18 cm^2
④ 19 cm^2 ⑤ 20 cm^2

생각+

다음 중 각각의 사각형이 되는 조건으로 옳지 않은 것은?

사다리꼴 —①→ 평행사변형 —②→ 직사각형 —④→ 정사각형
평행사변형 —③→ 마름모 —⑤→ 정사각형

① 나머지 한 쌍의 대변도 평행하다.
② 두 대각선의 길이가 같다.
③ 두 대각선이 서로 수직이다.
④ 이웃하는 두 변의 길이가 같다.
⑤ 두 대각선이 서로 다른 것을 이등분한다.

생각 ++

다음 그림에서 $\overline{AD}:\overline{DB}=2:3$, $\overline{BE}:\overline{EC}=1:2$, $\overline{AP}:\overline{PE}=1:10$이다. $\triangle ABC$의 넓이가 $150\,cm^2$일 때, $\triangle ADP$의 넓이를 구하시오.

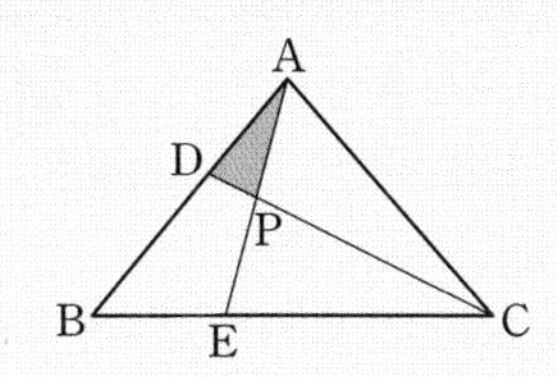

생각 +++

다음 그림과 같은 사각형 모양의 땅을 □ABCD라 하자. □ABCD의 두 대각선 AC, BD는 점 E에서 수직으로 만나고, $\triangle ABE$, $\triangle BCE$, $\triangle CDE$, $\triangle ADE$ 네 개의 삼각형 모양의 땅으로 구분된다. $\triangle ABE$, $\triangle BCE$, $\triangle ADE$의 넓이가 각각 20평, 32평, 35평일 때, $\triangle CDE$의 넓이는 몇 평인지 구하시오.

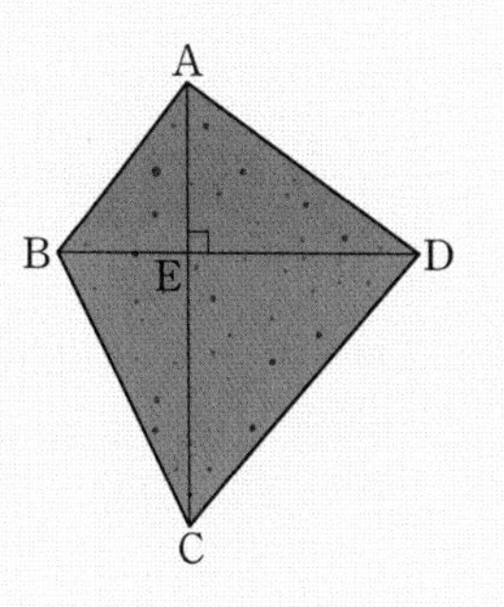

단원 종합 문제

〈1번부터 16번까지는 각 문항당 4점입니다.〉

01

다음 그림과 같은 평행사변형 ABCD에서 $x+y$의 값을 구하시오.

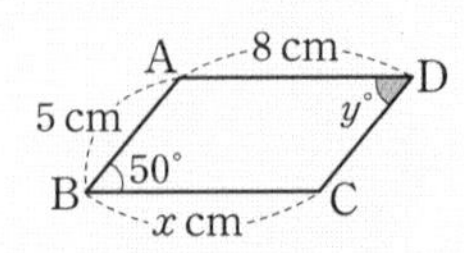

02

다음 그림과 같은 평행사변형 ABCD에서 $\overline{AD}=2x+1$, $\overline{BC}=4x-5$, $\overline{OA}=2x-1$일 때, $\overline{AC}$의 길이는?

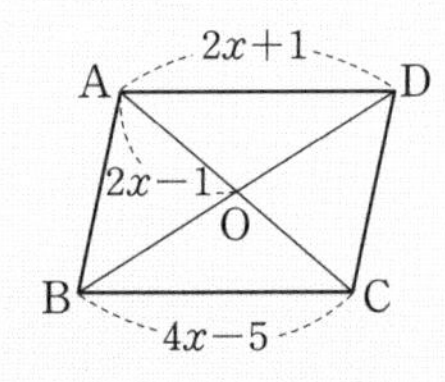

① 6　② 8　③ 10
④ 12　⑤ 14

03

오른쪽 그림과 같은 평행사변형 ABCD의 대각선 AC 위에 $\overline{AE}=\overline{CF}$가 되도록 두 점 E, F를 각각 잡을 때, □EBFD가 평행사변형이 되는 조건으로 가장 알맞은 것은?

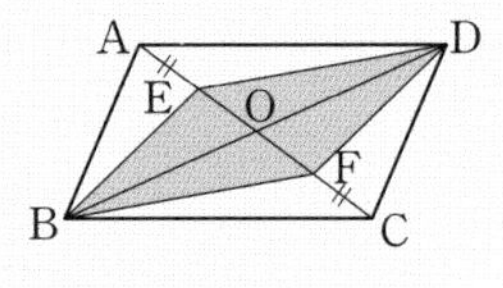

① 두 쌍의 대변이 각각 평행하다.
② 두 쌍의 대변의 길이가 각각 같다.
③ 두 쌍의 대각의 크기가 각각 같다.
④ 두 대각선이 서로 다른 것을 이등분한다.
⑤ 한 쌍의 대변이 평행하고 그 길이가 같다.

04

다음 그림의 평행사변형 ABCD에서 $\overline{BE}$, $\overline{DF}$는 각각 ∠B와 ∠D의 이등분선이고 $\overline{AB}=5$ cm, $\overline{BC}=8$ cm이다. 이때, □ABCD$=k\times$□EBFD를 만족시키는 상수 k의 값을 구하시오.

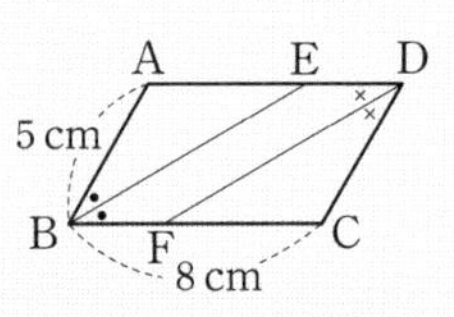

 Tip : 페이지 번호를 클릭하면 스마트매쓰+를 이용하실 수 있어요!

05

다음 그림의 평행사변형 ABCD에서 두 점 M, N은 각각 $\overline{AD}$, $\overline{BC}$의 중점이다. □MPNQ$=17\text{ cm}^2$일 때, □ABCD의 넓이는?

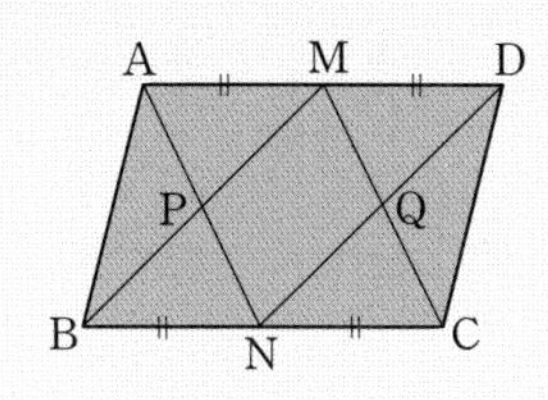

① 60 cm^2 ② 62 cm^2 ③ 64 cm^2
④ 66 cm^2 ⑤ 68 cm^2

06

다음 그림의 직사각형 ABCD에서 $\angle x$의 크기를 구하시오.

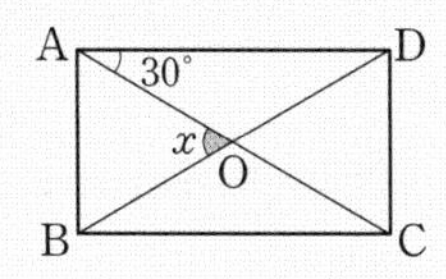

07

마름모 모양의 종이 ABCD를 다음 그림과 같이 접었을 때, $\angle ABC=33°$, $\angle D'EF=126°$이다. $\angle AFD'$의 크기는?

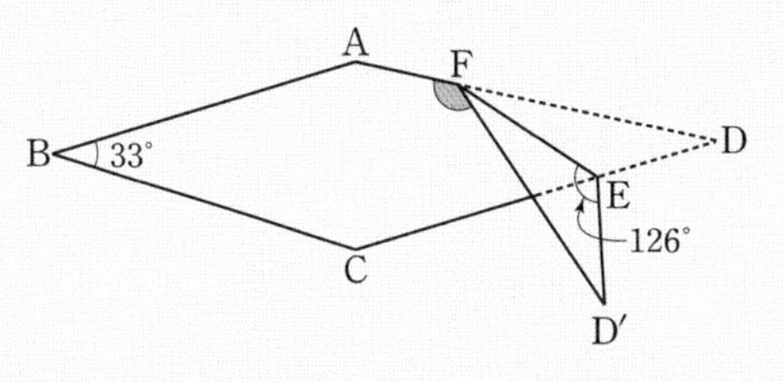

① 136° ② 137° ③ 138°
④ 139° ⑤ 140°

08

다음 그림과 같은 평행사변형 ABCD에서 $\angle ABD=40°$, $\angle ACD=50°$일 때, $\angle x+\angle y$의 크기는?

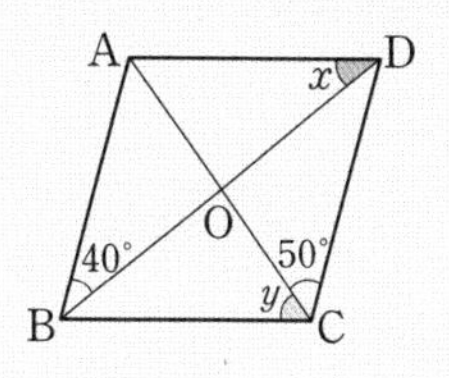

① 78° ② 84° ③ 90°
④ 96° ⑤ 102°

09

다음 그림의 정사각형 ABCD에서 $\angle DAE=17°$일 때, $\angle BEC$의 크기를 구하시오.

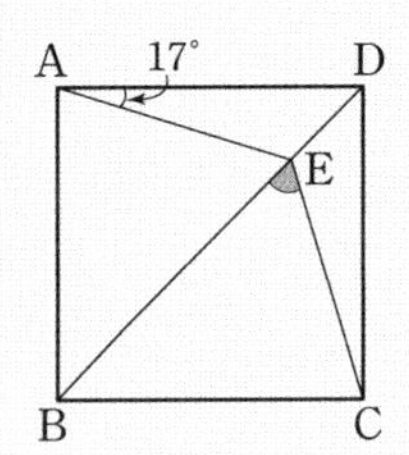

10

다음 그림의 정사각형 ABCD에서 $\angle EOF=90°$, $\overline{CE}=3\,cm$, $\overline{CF}=8\,cm$일 때, $\triangle EOF$의 넓이를 구하시오.

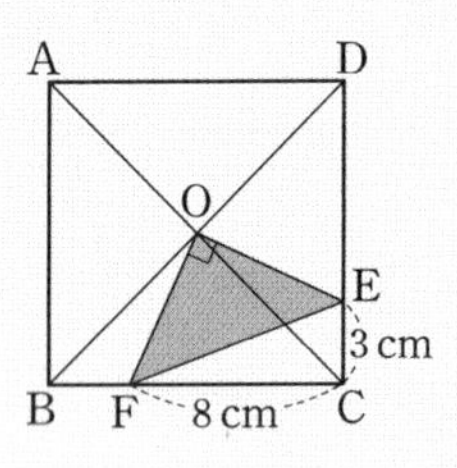

11

다음 그림과 같이 $\overline{AD}/\!/\overline{BC}$인 등변사다리꼴 ABCD에서 $\overline{AB}=\overline{AD}$이고, $\overline{BC}=2\overline{AD}$이다. 두 대각선의 교점을 O라 할 때, $\angle DOC$의 크기를 구하시오.

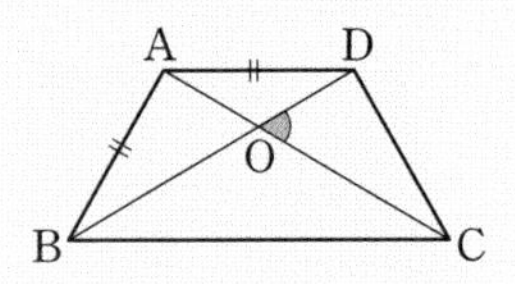

12

다음 설명 중 옳은 것을 모두 고르면? (정답 2개)

① 두 대각선의 길이가 같은 사각형은 직사각형이다.

② 두 대각선이 직교하는 사각형은 마름모이다.

③ 이웃하는 두 변의 길이가 같은 평행사변형은 마름모이다.

④ 두 대각선이 서로 다른 것을 수직이등분하는 직사각형은 정사각형이다.

⑤ 한 쌍의 대각의 크기의 합이 180°인 평행사변형은 마름모이다.

13

다음은 사각형과 그 사각형의 각 변의 중점을 연결하여 만든 사각형을 순서대로 나열한 것이다. 옳지 않은 것은?

① 직사각형 - 마름모
② 마름모 - 직사각형
③ 사각형 - 등변사다리꼴
④ 평행사변형 - 평행사변형
⑤ 등변사다리꼴 - 마름모

14

다음 그림과 같이 $\overline{AD}/\!/\overline{BC}$인 등변사다리꼴 ABCD의 각변의 중점을 E, F, G, H라 할 때, □EFGH의 둘레의 길이를 구하시오.

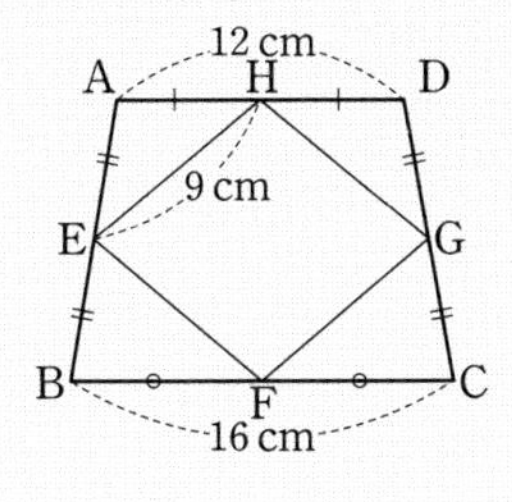

15

다음 그림의 등변사다리꼴 ABCD에서 △AOD=16 cm², △ACD=40 cm²일 때, △ABC의 넓이를 구하시오.

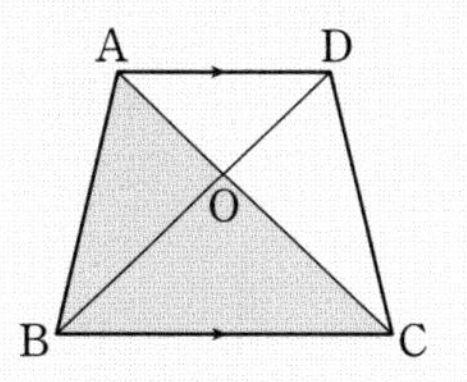

16

다음 그림에서 △ABF=18, △BEF=9, △AFD=12일 때, □DFEC의 넓이는?

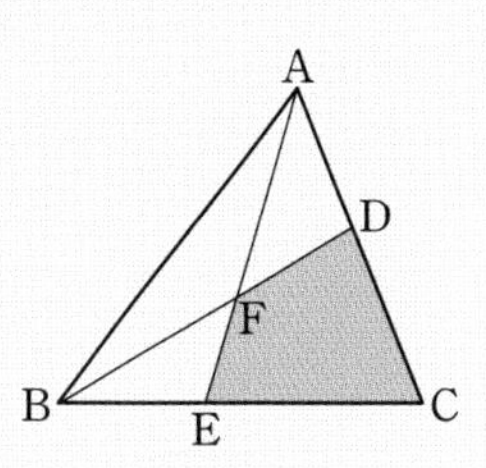

① 27 ② $\frac{55}{2}$ ③ 28
④ $\frac{57}{2}$ ⑤ 29

독심술

17

아래 그림과 같이 □ABCD의 꼭짓점 A에서 $\overline{BD}$에 평행한 선을 그어 $\overline{BC}$의 연장선과의 교점을 E라 할 때, 다음 물음에 답하시오. [총 6점]

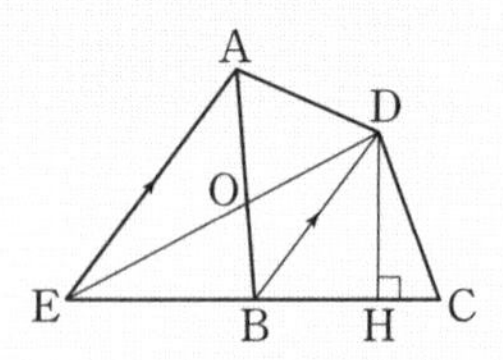

(1) △ABD와 넓이가 같은 삼각형을 말하시오. [3점]

(2) □ABCD=$120\,cm^2$, $\overline{DH}=10\,cm$일 때, $\overline{EC}$의 길이를 구하시오. [3점]

18

다음 그림과 같은 평행사변형 ABCD에서 점 E는 $\overline{CD}$의 중점이고, 점 A에서 $\overline{BE}$에 내린 수선의 발을 H라 하자. ∠DAH=75°일 때, ∠DHE의 크기를 구하시오. [10점]

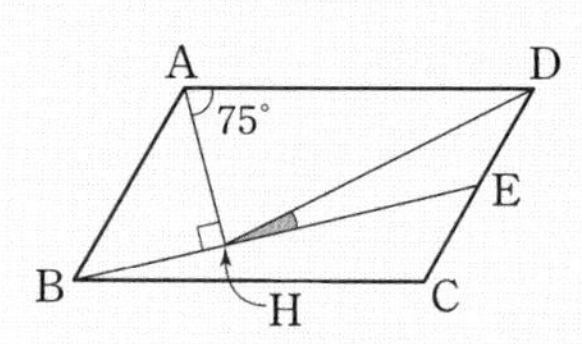

19

다음 그림과 같이 $\overline{AB}=10$인 평행사변형 ABCD에서 $\overline{AC}=\overline{BD}$, $\overline{AC}\perp\overline{BD}$이다. $\angle FBE=\frac{1}{2}\angle ABC$일 때, $\triangle DFE$의 둘레의 길이를 구하시오. [10점]

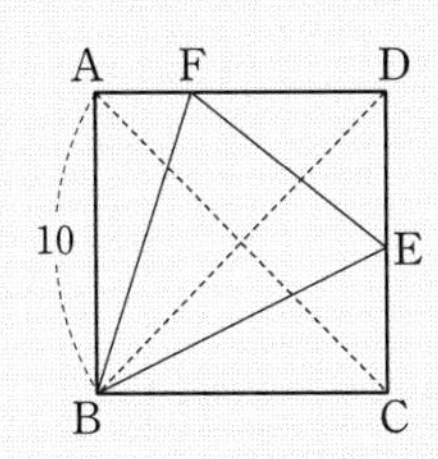

20

다음 그림의 평행사변형 ABCD에서 $\overline{AP}:\overline{PE}=2:3$이고, $\triangle PBC=18\,cm^2$일 때, $\triangle APD$의 넓이를 구하시오. [10점]

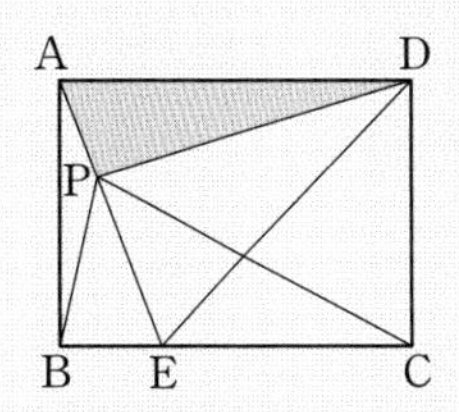

Ⅱ 사각형의 성질

III

도형의 닮음

☑ 학습 계획 및 성취도 체크

· 유형 이해도에 따라 □ 안에 O, △, X를 표시합니다.

· 시험 전에 X 표시한 유형은 반드시 한 번 더 풀어 봅니다.

01 닮은 도형의 성질

	학습 계획	1차 학습	2차 학습
유형 01 닮은 도형	/	☐	☐
유형 02 평면도형에서의 닮음의 성질	/	☐	☐
유형 03 평면도형에서의 닮음비의 활용	/	☐	☐
유형 04 입체도형에서의 닮음의 성질	/	☐	☐

02 삼각형의 닮음 조건

	학습 계획	1차 학습	2차 학습
유형 05 삼각형의 닮음 조건	/	☐	☐
유형 06 SAS 닮음 조건의 응용	/	☐	☐
유형 07 AA 닮음 조건의 응용	/	☐	☐
유형 08 직각삼각형의 닮음	/	☐	☐

III 도형의 닮음

1 도형의 닮음

(1) 닮음: 한 도형을 일정한 비율로 확대 또는 축소하여 다른 도형과 합동이 될 때, 이 두 도형은 서로 닮음인 관계에 있다고 한다.

(2) 닮은 도형: 닮음인 관계가 있는 두 도형

(3) 닮음의 기호: 오른쪽 그림과 같이 △ABC와 △DEF가 서로 닮은 도형일 때, 이것을 기호 ∽를 써서 △ABC∽△DEF와 같이 나타낸다.

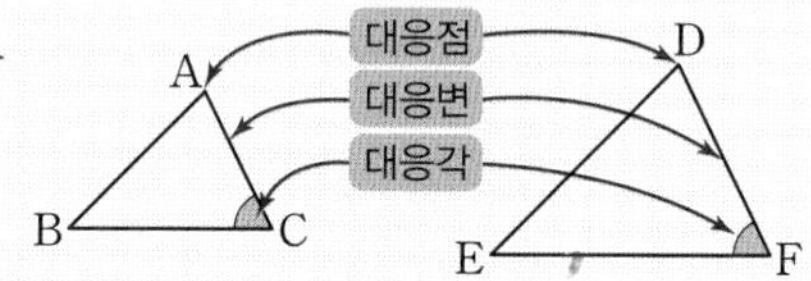

2 닮은 도형의 성질

(1) 평면도형에서의 닮음의 성질: 서로 닮은 두 평면도형에서

① 대응변의 길이의 비는 일정하다.

➡ $\overline{AB} : \overline{A'B'} = \overline{BC} : \overline{B'C'} = \overline{AC} : \overline{A'C'}$

② 대응각의 크기는 각각 같다.

➡ $\angle A = \angle A'$, $\angle B = \angle B'$, $\angle C = \angle C'$

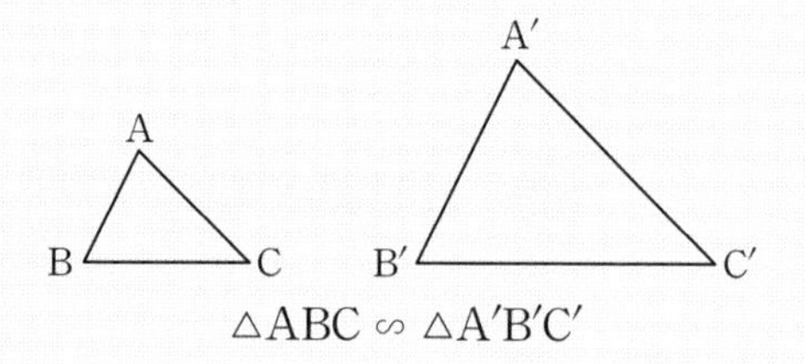

△ABC ∽ △A′B′C′

(2) 평면도형에서 닮음비: 서로 닮은 두 평면도형에서 대응변의 길이의 비

(3) 입체도형에서 닮음의 성질: 서로 닮은 두 입체도형에서

① 대응하는 모서리의 길이의 비는 일정하다.

➡ $\overline{AB} : \overline{A'B'} = \overline{BC} : \overline{B'C'} = \overline{AC} : \overline{A'C'} = \cdots$

② 대응하는 면은 서로 닮은 도형이다.

➡ △ABC ∽ △A′B′C′, □ADEB ∽ A′D′E′B′, ⋯

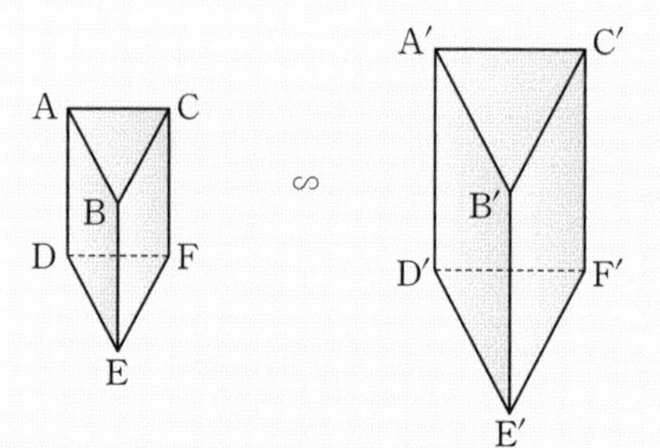

3 삼각형의 닮음 조건

두 삼각형은 다음 조건 중 어느 한 조건을 만족하면 서로 닮음이다.

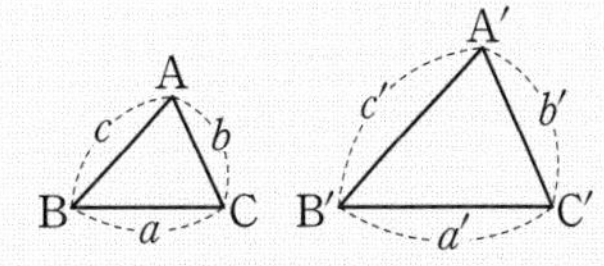

(1) SSS 닮음

세 쌍의 대응변의 길이의 비가 같다.

➡ $a : a' = b : b' = c : c'$

(2) SAS 닮음

두 쌍의 대응변의 길이의 비가 같고, 그 끼인 각의 크기가 같다.

➡ $b : b' = c : c'$, $\angle A = \angle A'$

(3) AA 닮음

두 쌍의 대응각의 크기가 각각 같다.

➡ $\angle B = \angle B'$, $\angle C = \angle C'$

4 직각삼각형의 닮음

$\angle A = 90°$인 직각삼각형 ABC에서 $\overline{AD} \perp \overline{BC}$일 때

$\triangle ABC \backsim \triangle DBA \backsim \triangle DAC$(AA 닮음)이고 다음이 성립한다.

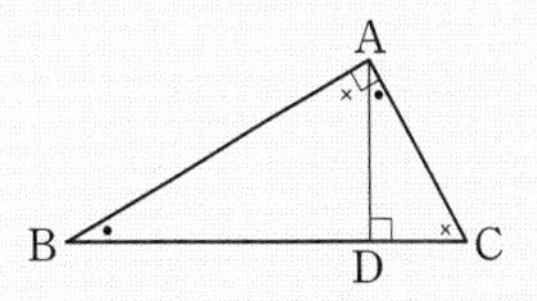

(1) $\triangle ABC \backsim \triangle DBA$이므로

$\overline{BC} : \overline{AB} = \overline{AB} : \overline{BD}$ ➡ $\overline{AB}^2 = \overline{BD} \times \overline{BC}$

(2) $\triangle ABC \backsim \triangle DAC$이므로

$\overline{BC} : \overline{AC} = \overline{AC} : \overline{CD}$ ➡ $\overline{AC}^2 = \overline{CD} \times \overline{CB}$

(3) $\triangle DBA \backsim \triangle DAC$이므로

$\overline{BD} : \overline{AD} = \overline{AD} : \overline{CD}$ ➡ $\overline{AD}^2 = \overline{BD} \times \overline{CD}$

(4) $\triangle ABC$의 넓이이므로

$\frac{1}{2} \times \overline{AB} \times \overline{AC} = \frac{1}{2} \times \overline{BC} \times \overline{AD}$ ➡ $\overline{AB} \times \overline{AC} = \overline{BC} \times \overline{AD}$

01 닮은 도형의 성질

Mstory1 Mstory2

M1 닮은 도형 개념강의

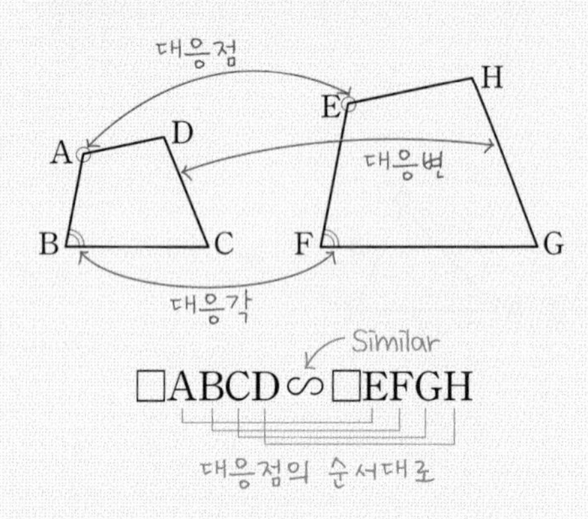

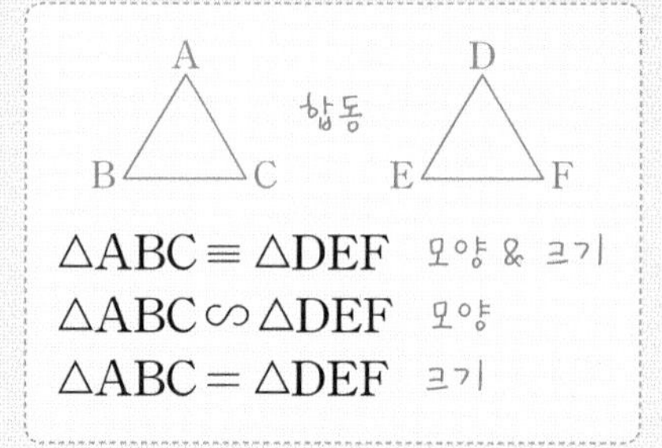

$\triangle ABC \equiv \triangle DEF$ 모양 & 크기

$\triangle ABC \backsim \triangle DEF$ 모양

$\triangle ABC = \triangle DEF$ 크기

M2 닮은 도형의 성질 개념강의

〈평면도형〉

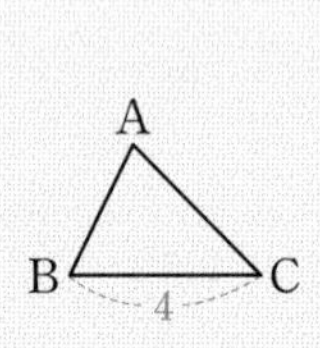

∽

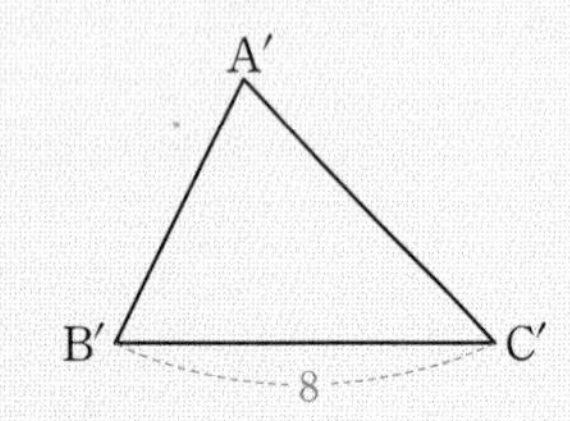

닮음비($4:8=1:2$)

- 대응변의 길이의 비는 일정
  $\overline{AB}:\overline{A'B'}=\overline{BC}:\overline{B'C'}=\overline{AC}:\overline{A'C'}$
- 대응각의 크기는 서로 같다.
  $\angle A=\angle A'$, $\angle B=\angle B'$, $\angle C=\angle C'$

〈입체도형〉

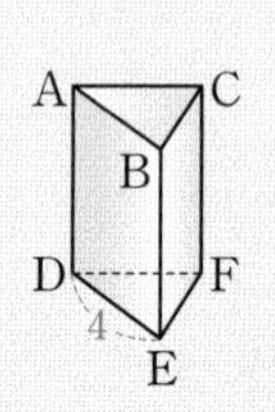

∽

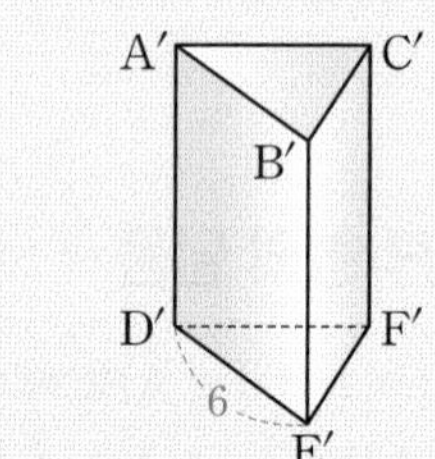

닮음비($4:6=2:3$)

- 대응하는 모서리의 길이의 비는 일정
- 대응하는 면은 서로 닮은 도형이다.

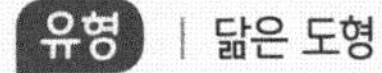

유형 | 닮은 도형

01

다음 〈보기〉 중 항상 닮은 도형인 것을 모두 고르시오.

〈 보기 〉

ㄱ. 두 구	ㄴ. 두 정사각기둥
ㄷ. 두 정육면체	ㄹ. 두 등변사다리꼴
ㅁ. 두 마름모	ㅂ. 두 직각이등변삼각형

유형 | 평면도형에서의 닮음의 성질

02

아래 그림에서 □ABCD∽□EFGH일 때, 다음 중 옳지 않은 것은?

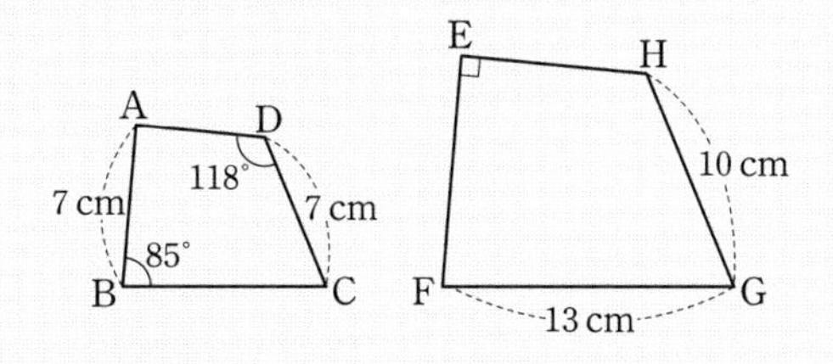

① $\overline{AD}:\overline{EH}=7:10$

② $\overline{EF}=10$ cm

③ $\angle A=90°$

④ $\angle G=57°$

⑤ □ABCD와 □EFGH의 닮음비는 7 : 10이다.

學

01

다음 중 항상 닮은 도형이라고 할 수 없는 것은?

① 넓이가 같은 두 직사각형

② 중심각의 크기가 같은 두 부채꼴

③ 한 내각의 크기가 같은 두 마름모

④ 한 예각의 크기가 같은 두 직각삼각형

⑤ 꼭지각의 크기가 같은 두 이등변삼각형

學

02

다음 그림에서 $\triangle ABC \backsim \triangle DEF$이고, $\overline{AC}=7$ cm, $\overline{DE}=6$ cm, $\overline{BC}=a$ cm, $\overline{DF}=b$ cm일 때, $\overline{AB}$, $\overline{EF}$의 길이를 a, b를 이용하여 각각 나타내시오.

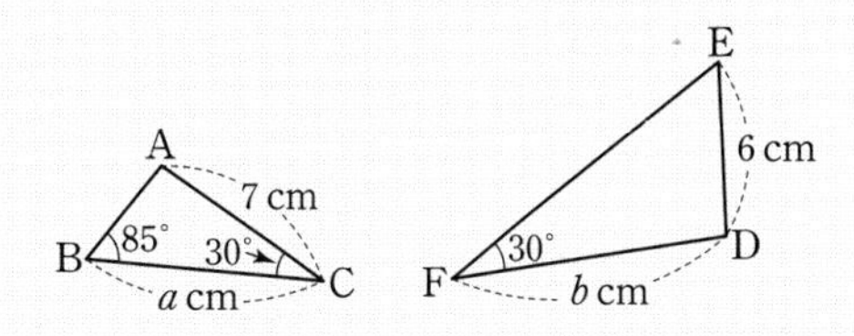

Ⅲ 도형의 닮음

유형 | 평면도형에서의 닮음비의 활용

03

다음 그림에서 $\triangle ABC \backsim \triangle DEF$이고 닮음비가 $3:2$일 때, $\triangle ABC$와 $\triangle DEF$의 둘레의 길이의 합을 구하시오.

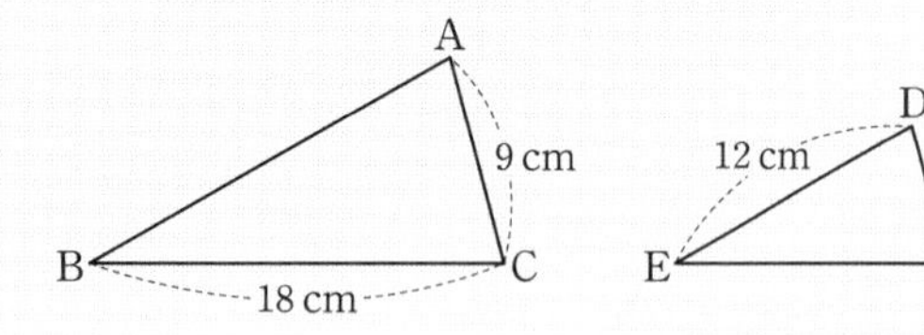

유형 | 입체도형에서의 닮음의 성질

04

다음 그림에서 두 직육면체는 서로 닮은 도형이다. $\overline{AB}$에 대응하는 모서리가 $\overline{IJ}$일 때, $x-y$의 값을 구하시오.

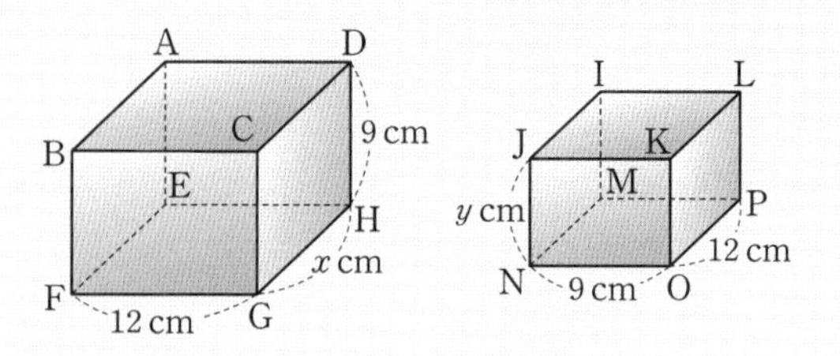

學

03

원 O와 원 O′의 반지름의 길이의 비가 $3:4$이고, 원 O′의 반지름의 길이가 12 cm일 때, 원 O의 둘레의 길이는?

① 14π cm ② 15π cm ③ 16π cm
④ 18π cm ⑤ 20π cm

04

다음 그림에서 두 삼각기둥은 서로 닮은 도형이다. $\triangle ABC \backsim \triangle GHI$일 때, $x+y$의 값을 구하시오.

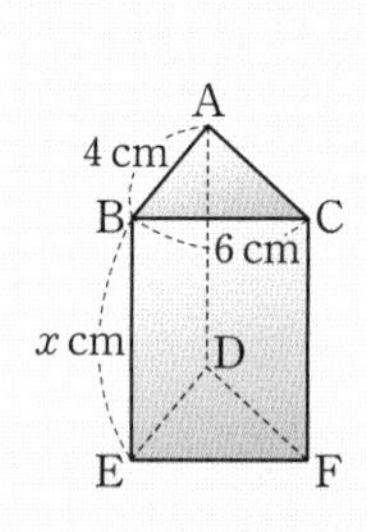

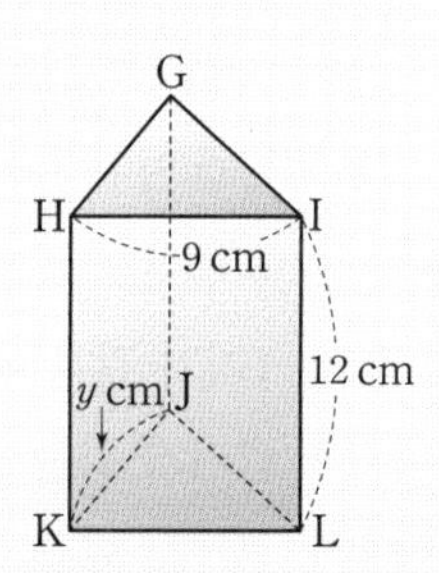

+MEMO

라디오 수타

라디오 방송 형식으로 배운 내용을 재미있게 수학타파하는 코너

꼼

01

다음 〈보기〉 중 항상 닮은 도형인 것을 모두 고르시오.

〈 보기 〉

ㄱ. 이웃하는 변의 길이의 비가 같은 두 직사각형
ㄴ. 한 내각의 크기가 같은 두 평행사변형
ㄷ. 세 각의 크기가 같은 직각삼각형
ㄹ. 한 변의 길이가 같은 두 이등변삼각형

꼼

02

아래 그림에서 □ABCD∽□EFGH일 때, 다음 중 옳지 않은 것은?

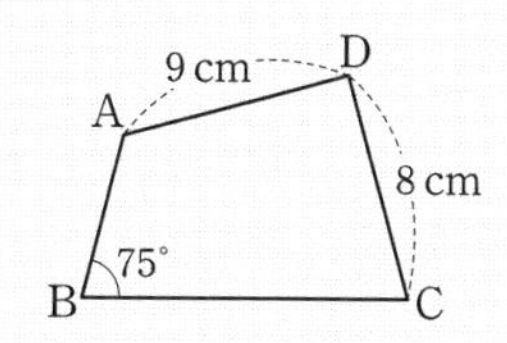

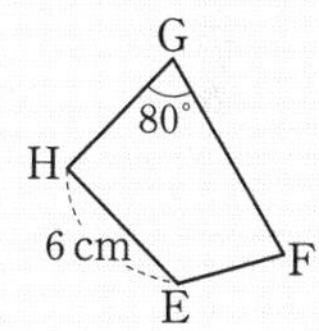

① $\overline{CD}:\overline{GH}=3:2$이다.

② $\overline{HG}$의 길이는 $\frac{16}{3}$ cm이다.

③ ∠F의 크기는 75°이다.

④ ∠C의 크기는 80°이다.

⑤ □ABCD와 □EFGH의 닮음비는 4 : 3이다.

꼭

03

다음 그림에서 □ABCD∽□EFGH이고 닮음비가 1 : 2일 때, □EFGH의 둘레의 길이는?

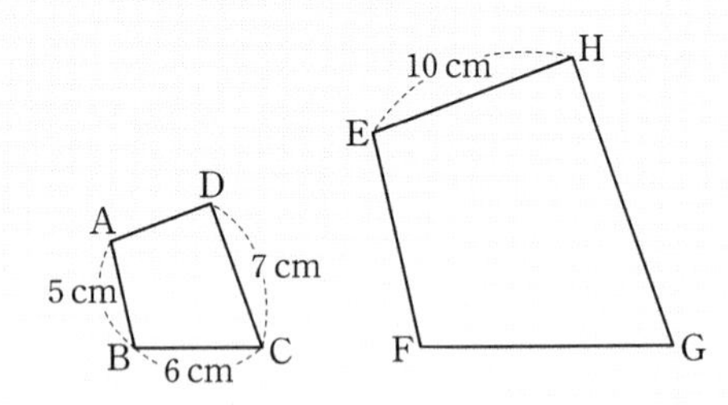

① 45 cm ② 46 cm ③ 47 cm
④ 48 cm ⑤ 49 cm

꼭

04

다음 그림에서 두 사각뿔대는 서로 닮은 도형이다. $\overline{AB}$와 $\overline{IJ}$가 서로 대응하는 모서리일 때, $y-x$의 값은?

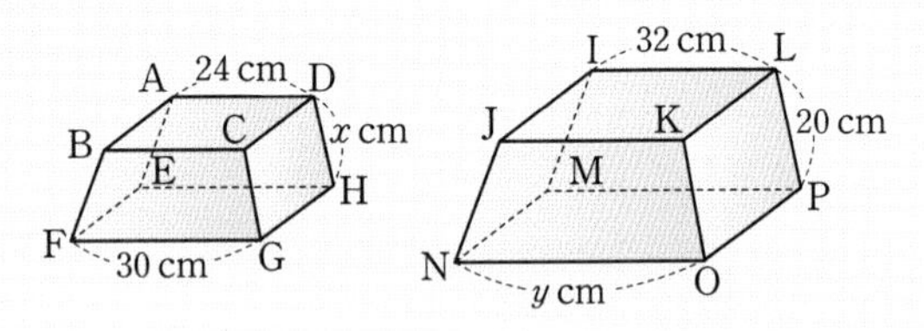

① 21 ② 23 ③ 25
④ 27 ⑤ 29

생각+

다음 그림은 어느 항공사에서 새로 출시한 주력 항공기이다.

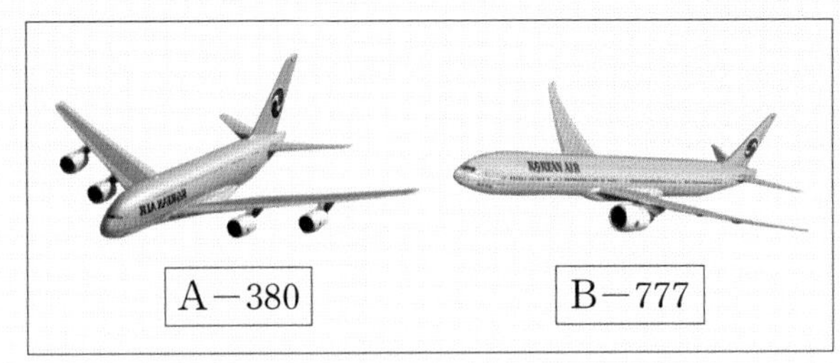

〈출처: 대한항공(http://kr.koreanair.com)〉

기존 여객기 중 최대 규모인 A－380과 종이 없는 설계로 유명한 쌍발 제트 여객기 B－777의 모형 항공기의 동체 길이와 날개 폭을 각각 줄자로 재어보았더니 다음과 같았다. 모형은 $\frac{1}{1000}$로 축소 제작되었다고 할 때, 두 항공기의 실제 동체 길이의 차와 실제 날개 폭의 차는 각각 몇 m인지 구하시오.

	동체 길이	날개 폭
A－380	7.30 cm	8.00 cm
B－777	6.37 cm	6.48 cm

생각 ++

다음 그림과 같은 원뿔 모양의 그릇에 물을 부어서 그릇의 높이의 $\frac{2}{5}$만큼을 채웠을 때, 수면의 넓이를 구하시오.

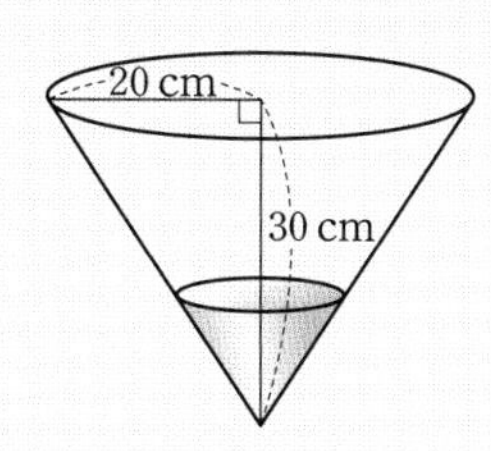

생각 +++

다음 그림과 같이 직사각형 ABCD의 폭을 일정하게 줄여 직사각형의 EFGH를 만들 때, 직사각형 ABCD와 직사각형 EFGH가 닮음인지 아닌지 말하시오.

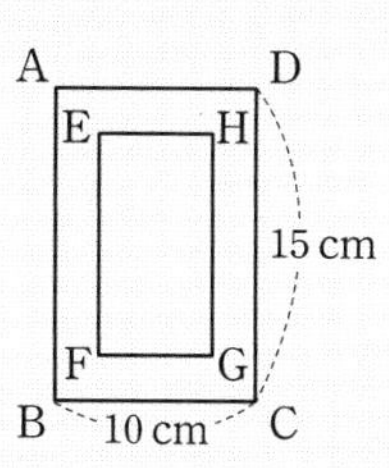

III 도형의 닮음

02 삼각형의 닮음 조건

Mstory1 Mstory2

M1 삼각형의 닮음 조건 개념강의

$\triangle ABC \backsim \triangle DEF$

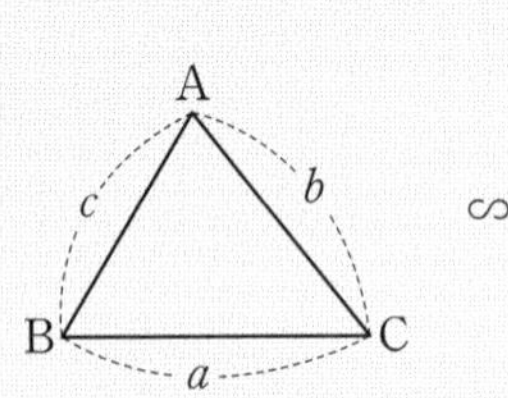

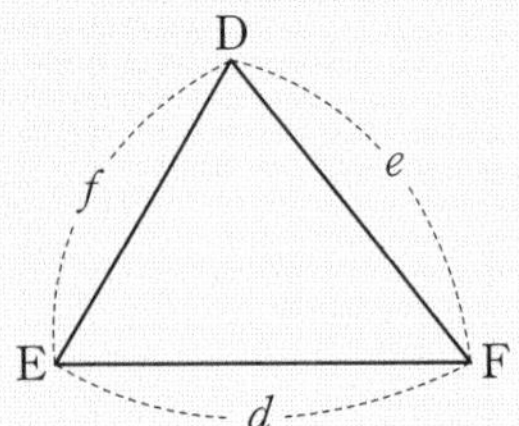

- $a:d=b:e=c:f$ $\left(\dfrac{a}{d}=\dfrac{b}{e}=\dfrac{c}{f}\right)$
  ➡ SSS 닮음
- $a:d=b:e$, $\angle C=\angle F$
  ➡ SAS 닮음 꼭 끼인각
- $\angle A=\angle D$, $\angle B=\angle E$
  ➡ AA 닮음 ⟵ 닮음비는 알 수 없다.

M2 직각삼각형의 닮음 개념강의

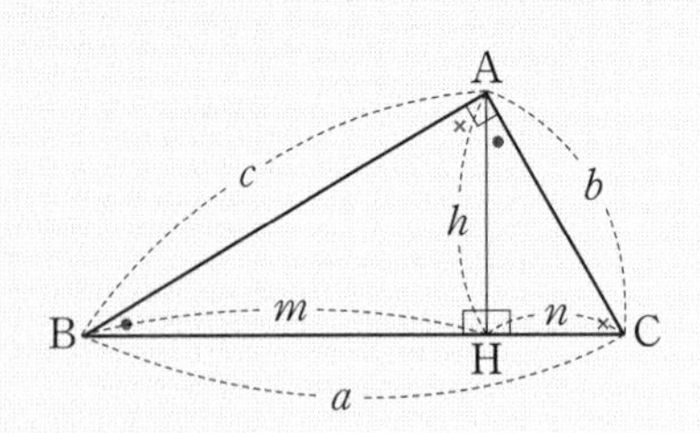

- $\triangle ABC \backsim \triangle HBA$
  $\overline{AB}:\overline{HB}=\overline{CB}:\overline{AB}$
  $\overline{AB}^2=\overline{HB}\times\overline{CB}$
  $\therefore c^2=ma$
- $\triangle ABC \backsim \triangle HAC$
  $\overline{AC}:\overline{HC}=\overline{BC}:\overline{AC}$
  $\overline{AC}^2=\overline{HC}\times\overline{BC}$
  $\therefore b^2=na$
- $\triangle ABH \backsim \triangle CAH$
  $\overline{AH}:\overline{CH}=\overline{BH}:\overline{AH}$
  $\overline{AH}^2=\overline{BH}\times\overline{CH}$
  $\therefore h^2=mn$

- $b^2+c^2=na+ma$
  $=a(m+n)=a^2$
  $\therefore b^2+c^2=a^2$
- $\triangle ABC=\dfrac{1}{2}bc$
  $\triangle ABC=\dfrac{1}{2}ah$
  $\therefore bc=ah$(소)

유형 | 삼각형의 닮음 조건

05

다음 그림의 $\triangle ABC$와 $\triangle DEF$가 반드시 닮은 도형이 되는 경우가 아닌 것은?

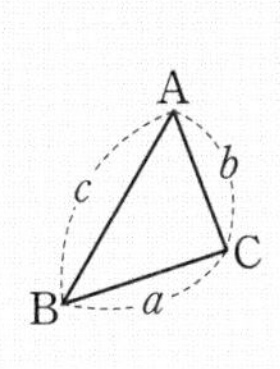

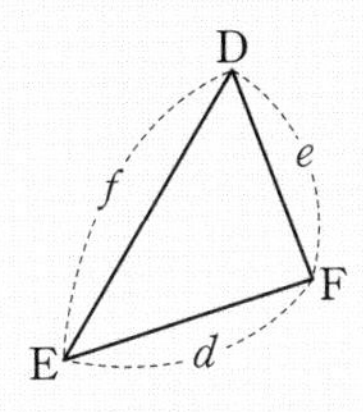

① $a:d=b:e=c:f$

② $b:e=c:f$, $\angle A=\angle D$

③ $\angle B=\angle E$, $\angle C=\angle F$

④ $a:d=b:e$, $\angle B=\angle E$

⑤ $\frac{a}{d}=\frac{b}{e}=\frac{c}{f}$

유형 | SAS 닮음 조건의 응용

06

다음 그림과 같은 $\triangle ABC$에서 $\overline{AB}$의 길이는?

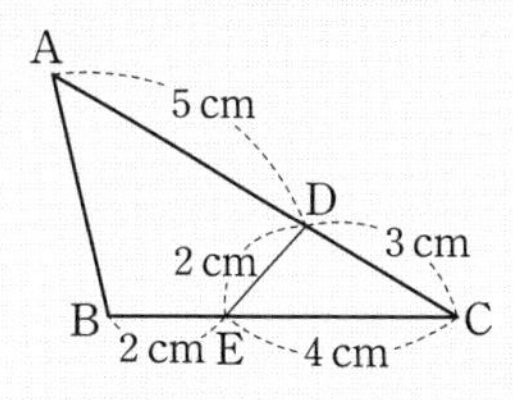

① 3 cm ② $\frac{10}{3}$ cm ③ $\frac{7}{2}$ cm

④ 4 cm ⑤ $\frac{9}{2}$ cm

05

아래 그림의 $\triangle ABC$와 $\triangle DEF$가 닮은 도형이 되려면 다음 중 어느 조건을 추가해야 하는가?

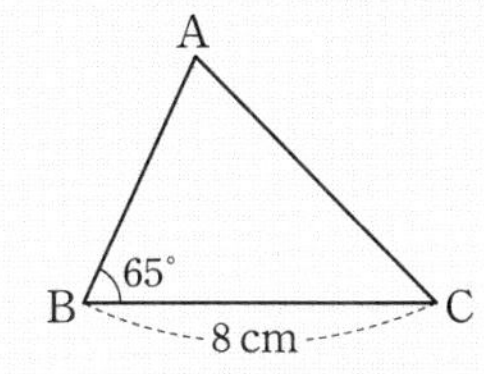

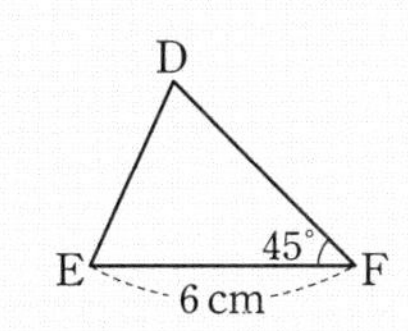

① $\overline{AB}=4$ cm, $\overline{DE}=3$ cm

② $\angle A=70°$, $\angle E=65°$

③ $\overline{AC}=8$ cm, $\overline{DF}=6$ cm

④ $\angle C=45°$, $\angle E=60°$

⑤ $\overline{AB}=6$ cm, $\angle C=45°$

06

아래 그림과 같은 $\triangle ABC$에서 $\overline{BD}:\overline{CE}$를 가장 간단한 자연수의 비로 나타내시오.

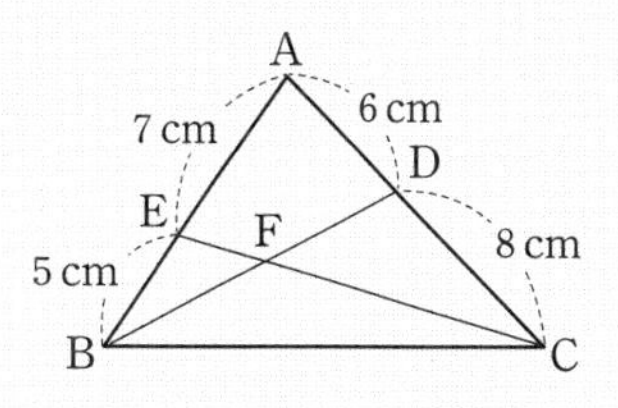

유형 | AA 닮음 조건의 응용

07

다음 그림에서 $\angle ABC=\angle EDC$이고, $\overline{AC}=6\text{ cm}$, $\overline{BE}=10\text{ cm}$, $\overline{CE}=2\text{ cm}$일 때, $\overline{DC}$의 길이를 구하시오.

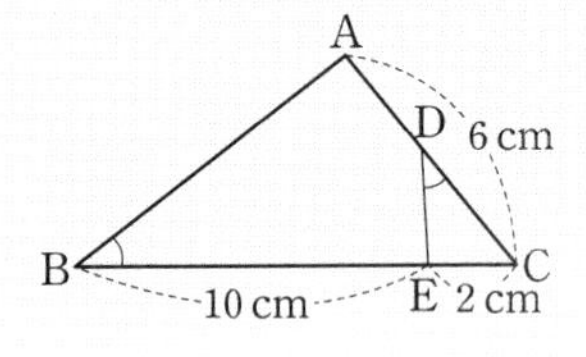

07

아래 그림과 같은 $\triangle ABC$에서 $\overline{AB}\perp\overline{CE}$, $\overline{AC}\perp\overline{BD}$일 때, 다음 중 나머지 삼각형과 닮음이 아닌 것은?

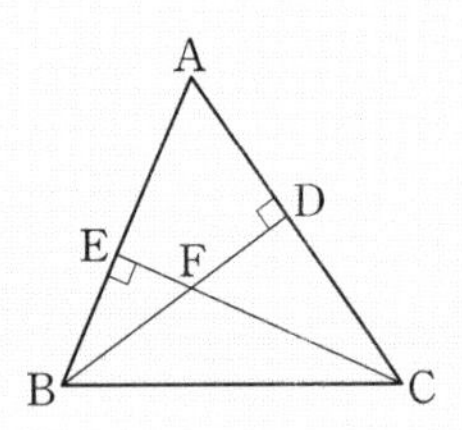

① $\triangle ABD$ ② $\triangle ACE$ ③ $\triangle FBE$
④ $\triangle FCD$ ⑤ $\triangle BCD$

유형 | 직각삼각형의 닮음

08

아래 그림과 같이 $\angle A=90^\circ$인 직각삼각형 ABC에서 $\overline{AD}\perp\overline{BC}$일 때, 다음 중 옳지 않은 것은?

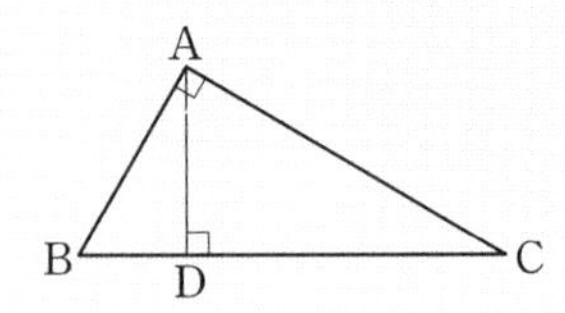

① $\triangle ABC \backsim \triangle DBA$
② $\triangle DBA \backsim \triangle DAC$
③ $\overline{AB}^2=\overline{BC}\times\overline{BD}$
④ $\overline{AC}^2=\overline{AD}\times\overline{CB}$
⑤ $\overline{AD}^2=\overline{BD}\times\overline{CD}$

08

다음 그림과 같이 $\angle A=90^\circ$인 직각삼각형 ABC에서 $\overline{AD}\perp\overline{BC}$이고 $\overline{AB}=20\text{ cm}$, $\overline{BD}=16\text{ cm}$일 때, $\overline{AC}$, $\overline{AD}$의 길이를 각각 구하시오.

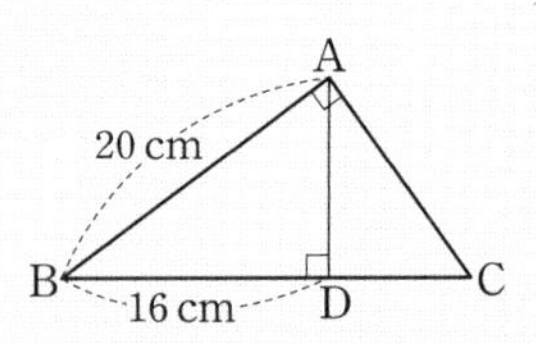

+MEMO

라디오 수타
라디오 방송 형식으로 배운 내용을 재미있게 **수학타파**하는 코너

꼭

05

다음 중 서로 닮은 삼각형을 찾고, 그때의 닮음 조건을 말하시오.

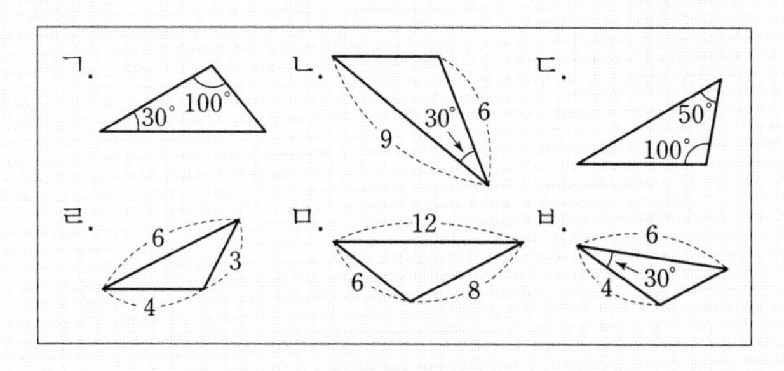

꼭

06

다음 그림과 같은 $\triangle ABC$에서 $\overline{DE}$의 길이는?

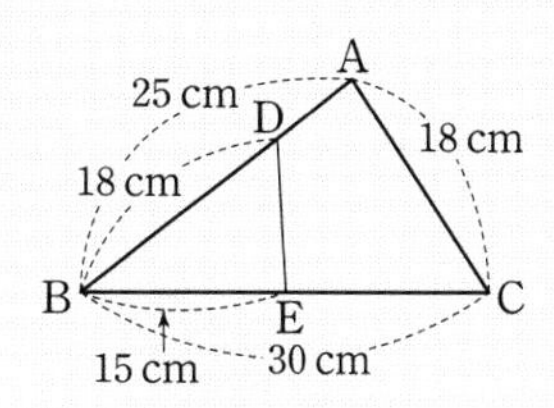

① 9 cm ② $\frac{48}{5}$ cm ③ 10 cm

④ $\frac{52}{5}$ cm ⑤ $\frac{54}{5}$ cm

꼭

07

다음 그림과 같이 평행사변형 ABCD에서 변 BC 위의 점 E와 꼭짓점 A를 이은 선분이 대각선 BD와 만나는 점을 F라 하자. $\overline{AD}=8\,cm$, $\overline{AF}=4\,cm$, $\overline{EF}=3\,cm$일 때, $\overline{CE}$의 길이를 구하시오.

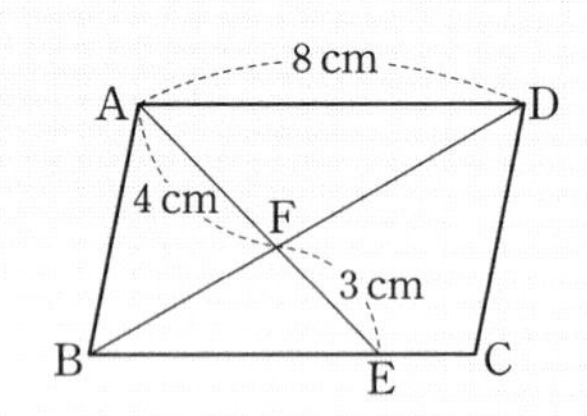

꼭

08

다음 그림과 같이 $\angle A=90^\circ$인 직각삼각형 ABC에서 $\overline{AD}\perp\overline{BC}$일 때, $\triangle ABD$의 넓이는?

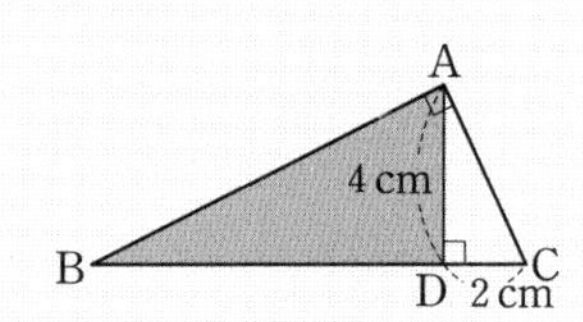

① $12\,cm^2$ ② $14\,cm^2$ ③ $15\,cm^2$
④ $16\,cm^2$ ⑤ $18\,cm^2$

생각+

다음 그림과 같은 직사각형 ABCD에서 $\overline{BD}$와 $\overline{EF}$가 서로 다른 것을 수직이등분하고, $\overline{AB}=12\,cm$, $\overline{BC}=16\,cm$, $\overline{BO}=10\,cm$일 때, $\overline{EF}$의 길이를 구하시오.

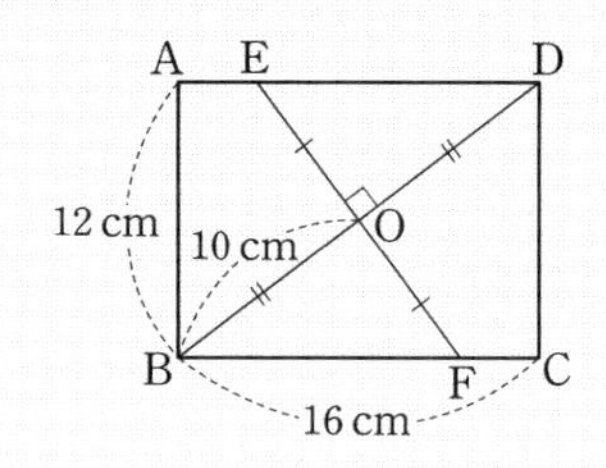

다음 그림과 같이 $\angle A=90^\circ$인 직각삼각형 ABC에서 점 M은 $\overline{BC}$의 중점이다. 점 A에서 $\overline{BC}$에 내린 수선의 발을 D라 하고, 점 D에서 $\overline{AM}$에 내린 수선의 발을 E라 할 때, $\overline{DE}$의 길이를 구하시오.

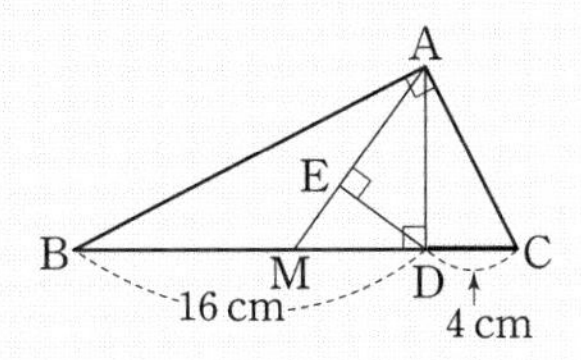

생각 +++

다음 그림과 같이 정삼각형 ABC를 $\overline{DE}$를 접는 선으로하여 꼭짓점 A가 $\overline{BC}$ 위의 점 A′에 오도록 접을 때, $\overline{CE}$의 길이는?

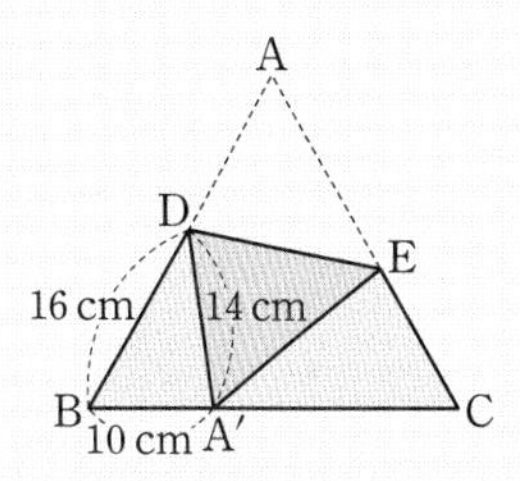

① $\frac{23}{2}$ cm ② 12 cm ③ $\frac{25}{2}$ cm

④ 13 cm ⑤ $\frac{27}{2}$ cm

Ⅲ 도형의 닮음

확인평가 질문

단원 종합 문제

〈1번부터 16번까지는 각 문항당 4점입니다.〉

01

다음 중 항상 닮은 도형이라 할 수 없는 것은?

① 두 원
② 두 정사각형
③ 두 직각이등변삼각형
④ 두 등변사다리꼴
⑤ 중심각의 크기가 같은 두 부채꼴

02

아래 그림과 같이 A4 용지를 반으로 자르면 A5, A5 용지를 다시 반으로 자르면 A6가 된다. A4 용지, A5 용지, A6 용지가 모두 서로 닮은 도형일 때, A4 용지와 A6 용지의 닮음비를 가장 간단한 자연수의 비로 나타내시오.

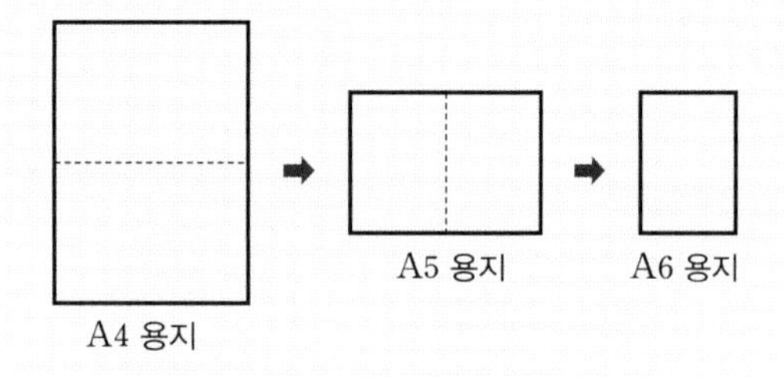

03

다음 그림에서 $\triangle ABC \backsim \triangle A'B'C'$일 때, x, y의 값을 각각 구하시오.

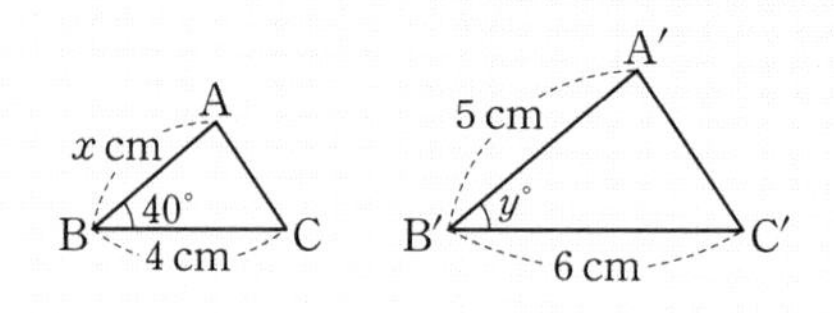

04

다음 그림에서 두 원기둥 A, B가 서로 닮은 도형일 때, 원기둥 B의 밑면의 넓이를 구하시오.

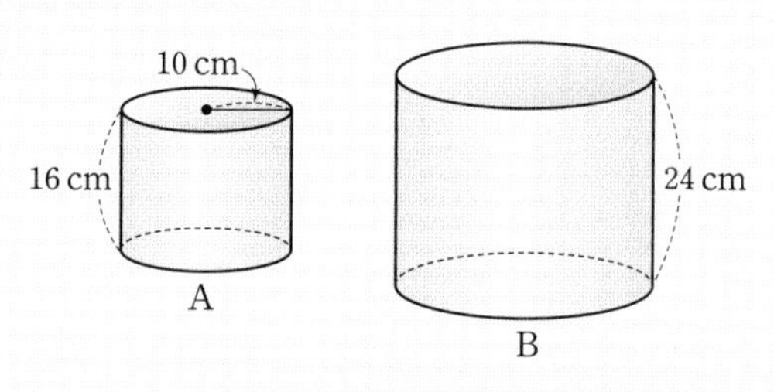

05

다음 중 △ABC와 △DEF가 반드시 닮은 도형이 되는 경우가 아닌 것은?

① $\frac{\overline{AB}}{\overline{DE}}=\frac{\overline{BC}}{\overline{EF}}=\frac{\overline{AC}}{\overline{DF}}$

② $\overline{AB}:\overline{DE}=\overline{BC}:\overline{EF}$, $\angle B=\angle E$

③ $2\overline{BC}=\overline{EF}$, $2\overline{AC}=\overline{DF}$, $\angle A=\angle D$

④ $\overline{AC}=4\overline{DF}$, $\angle B=\angle E$, $\angle C=\angle F$

⑤ $\angle A=40°$, $\angle F=60°$, $\angle B=\angle E=80°$

06

다음 그림의 평행사변형 ABCD에서 $\overline{BE}:\overline{EC}=1:2$인 점을 E, $\overline{AC}$와 $\overline{DE}$의 교점을 F, $\overline{BF}$의 연장선과 $\overline{CD}$의 교점을 G라 할 때, $\overline{DG}:\overline{GC}$를 가장 작은 자연수의 비로 나타내시오.

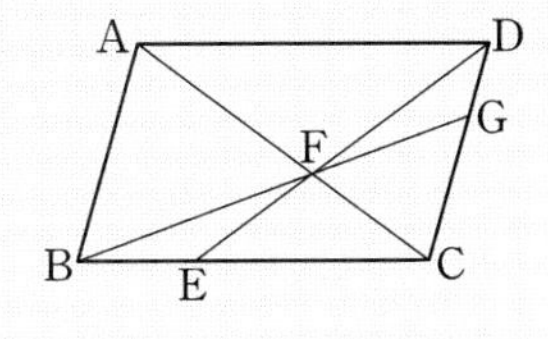

07

다음 그림과 같은 △ABC에서 ∠B=∠ACD이고 $\overline{AD}=8$ cm, $\overline{BD}=10$ cm, $\overline{BC}=11$ cm, $\overline{AC}=12$ cm 일 때, $\overline{CD}$의 길이를 구하시오.

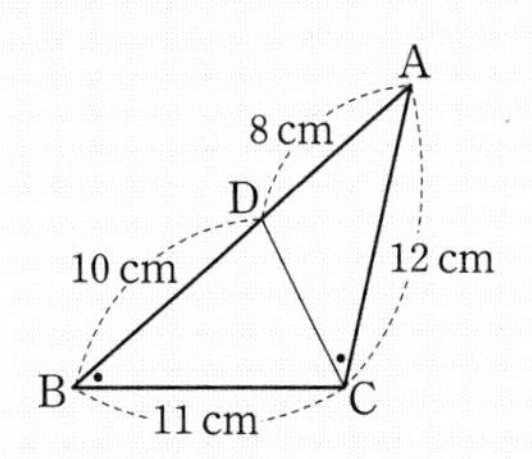

08

다음 그림과 같은 △ABC에서 $\overline{AC}$의 길이는?

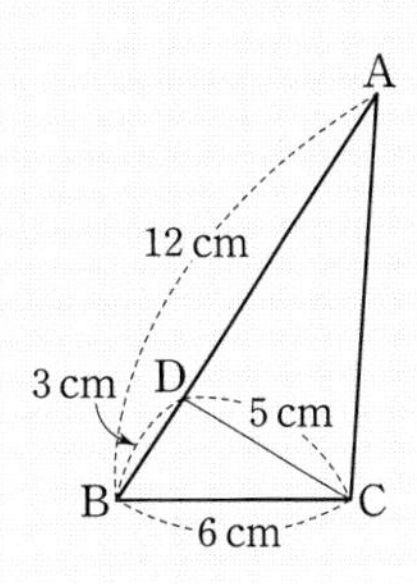

① 8 cm ② 8.5 cm ③ 9 cm
④ 9.5 cm ⑤ 10 cm

09

다음 그림과 같이 한 변의 길이가 10 cm인 정사각형 ABCD에서 두 대각선의 교점을 O라 하고, $\overline{OC}$ 위에 $\overline{CE}:\overline{EO}=3:2$가 되도록 점 E를 잡는다. $\overline{BE}$의 연장선과 $\overline{CD}$의 교점을 F라 할 때, $\overline{CF}$의 길이를 구하시오.

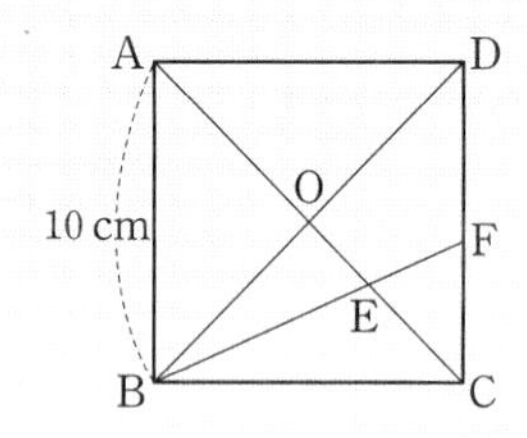

10

다음 그림과 같이 정삼각형 ABC에서 $\overline{BD}:\overline{DC}=2:1$이 되도록 $\overline{BC}$ 위에 점 D를 잡고 $\overline{AD}$를 한 변으로 하는 정삼각형 AED를 만들었다. $\overline{AB}$와 $\overline{DE}$의 교점을 F라 하고, $\overline{AC}$의 길이를 a라 할 때, $\overline{BF}$의 길이를 a를 사용하여 나타내시오.

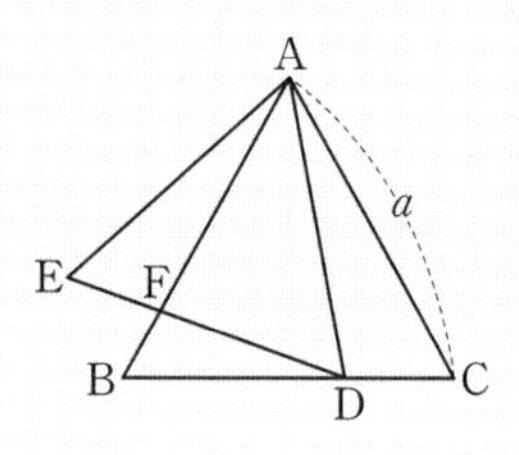

11

다음 그림과 같이 직사각형 ABCD에서 변 AD와 변 BC 위에 각각 점 E, F를 잡아 □AFCE가 마름모가 되도록 할 때, 이 마름모의 대각선 AC와 EF의 길이의 비는?

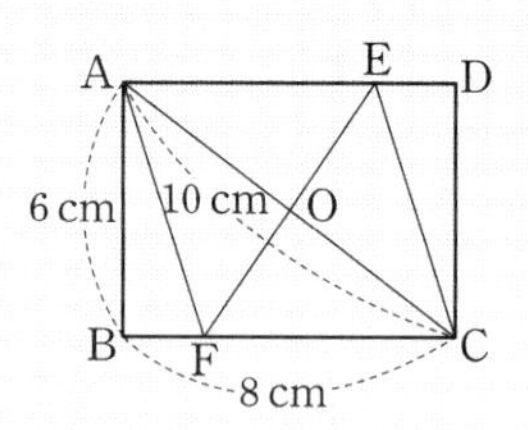

① 2 : 1 ② 3 : 2 ③ 4 : 3
④ 5 : 4 ⑤ 6 : 5

12

다음 그림과 같이 큰 정사각형의 내부에 5개의 색칠한 정사각형을 겹치지 않게 놓았을 때, 색칠한 부분의 넓이의 합을 구하시오.
(단, 귀퉁이에 놓인 작은 4개의 정사각형은 모두 합동이다.)

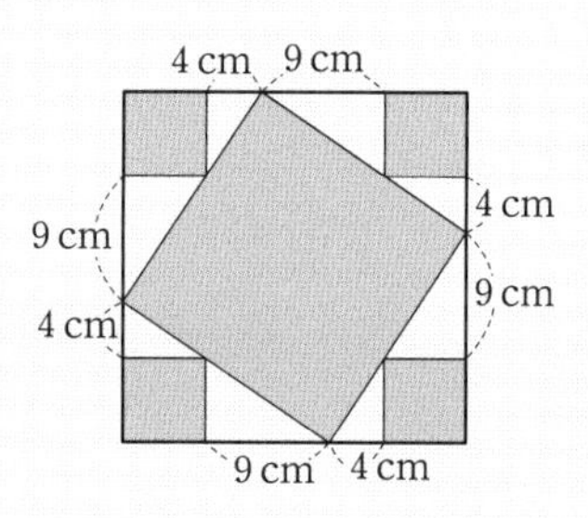

13

다음 그림과 같이 $\angle A=90°$인 직각삼각형 ABC에서 $\overline{AD}\perp\overline{BC}$이고 $\overline{AB}=20$, $\overline{AD}=12$, $\overline{AC}=15$일 때, x, y의 값을 각각 구하시오.

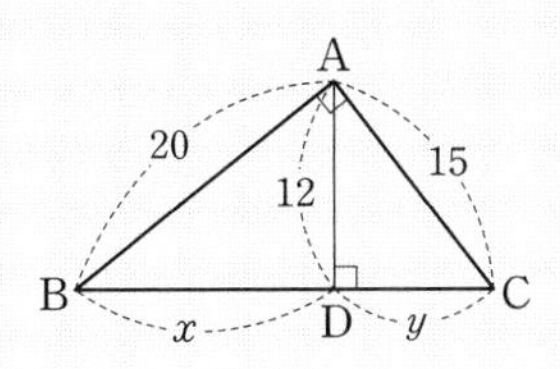

14

다음 그림과 같이 $\angle A=90°$인 직각삼각형 ABC에서 $\overline{BM}=\overline{CM}$, $\overline{AD}\perp\overline{BC}$, $\overline{DH}\perp\overline{AM}$일 때, $\overline{HM}$의 길이를 구하시오.

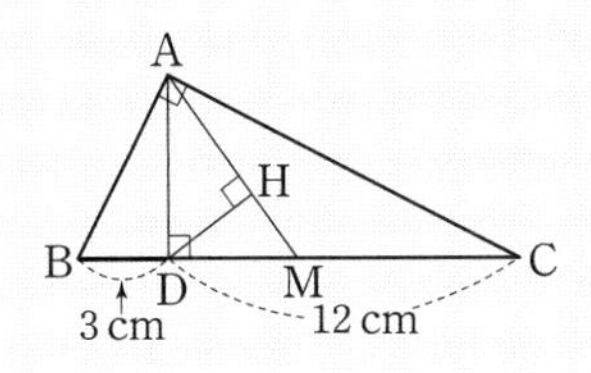

15

다음 그림과 같이 직사각형 모양의 종이 ABCD를 대각선 BD를 접는 선으로 하여 접었다. $\overline{AD}$와 $\overline{BC'}$의 교점을 E라 하고 점 E에서 $\overline{BD}$에 내린 수선의 발을 F라 할 때, $\overline{EF}$의 길이를 구하시오.

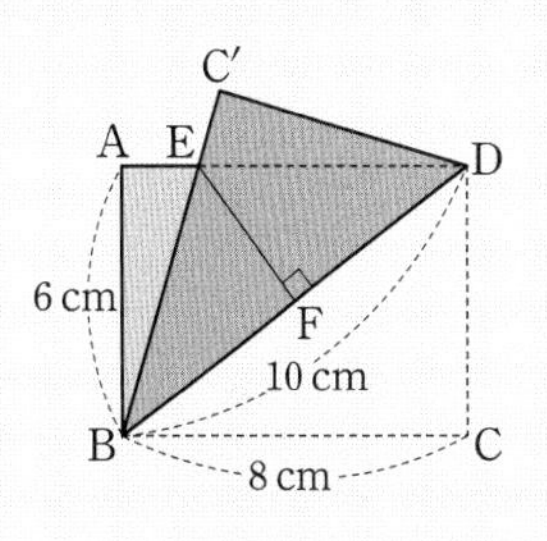

16

다음 그림과 같이 정사각형 ABCD를 선분 EF를 접는 선으로 하여 꼭짓점 A가 $\overline{BC}$ 위의 점 A′에 오도록 접었을 때, $\overline{GD'}$의 길이는?

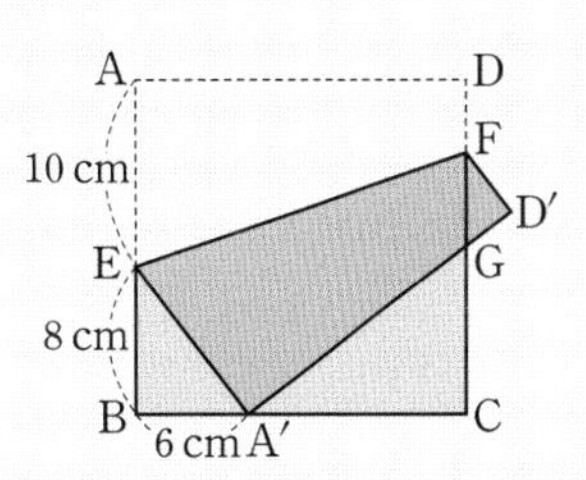

① 1 cm ② 2 cm ③ 3 cm
④ 4 cm ⑤ 5 cm

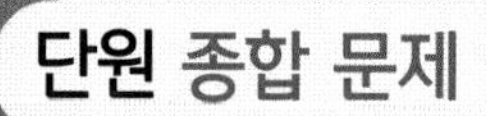

독심술

17

아래 그림과 같이 $\angle A=90^\circ$인 직각삼각형 ABC에서 $\overline{DE}$를 접는 선으로 하여 점 C가 점 C′에 오도록 접었다. $\overline{AC}=16\,cm$, $\overline{BC}=20\,cm$, $\overline{CD}=8\,cm$일 때, 다음 물음에 답하시오. [총 6점]

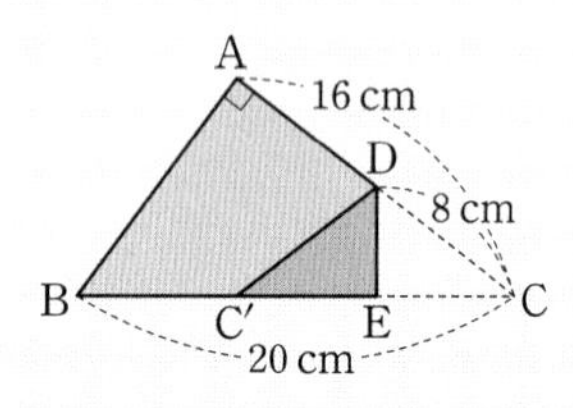

(1) △ABC와 닮음인 삼각형을 찾아 기호로 나타내고, 그때의 닮음 조건을 말하시오. [3점]

(2) $\overline{BC'}$의 길이를 구하시오. [3점]

18

다음 그림과 같이 △ABC와 그 외부에 한 점 P가 있다. 점 Q가 △ABC의 변을 따라 1바퀴 움직일 때, 선분 PQ의 중점 R가 그리는 도형의 둘레의 길이를 구하시오. [10점]

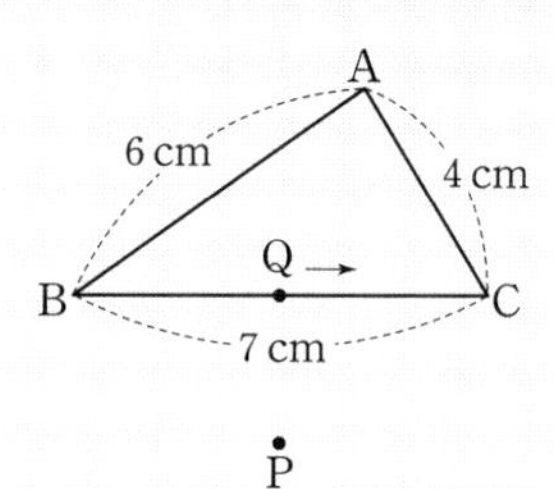

19

다음 그림과 같은 $\triangle ABC$에서
$\angle BAE = \angle CBF = \angle ACD$, $\overline{AB} = 9\,cm$,
$\overline{BC} = 10\,cm$, $\overline{CA} = 8\,cm$일 때, $\overline{DF} : \overline{EF}$를 가장 간단한 자연수의 비로 나타내시오. [10점]

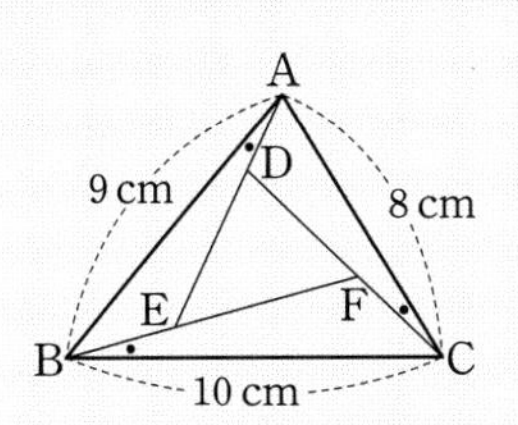

20

다음 그림과 같은 평행사변형 ABCD에서
$\overline{DE} : \overline{EC} = 4 : 1$이고, $\overline{BD}$와 $\overline{AE}$의 교점을 F, $\overline{AE}$의 연장선과 $\overline{BC}$의 연장선의 교점을 G라 할 때,
$\overline{AF} : \overline{FE} : \overline{EG}$를 가장 간단한 자연수의 비로 나타내시오.

[10점]

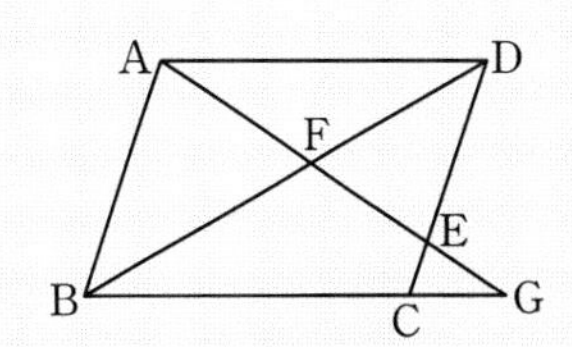

IV

닮음의 활용

☑ 학습 계획 및 성취도 체크

· 유형 이해도에 따라 □ 안에 ○, △, X를 표시합니다.

· 시험 전에 X 표시한 유형은 반드시 한 번 더 풀어 봅니다.

01 삼각형과 평행선

	학습 계획	1차 학습	2차 학습
유형 01 삼각형에서 평행선 사이의 선분의 길이의 비	/	☐	☐
유형 02 선분의 길이의 비를 이용하여 평행선 찾기	/	☐	☐
유형 03 삼각형의 내각의 이등분선	/	☐	☐
유형 04 삼각형의 외각의 이등분선	/	☐	☐

02 평행선 사이의 선분의 길이의 비

	학습 계획	1차 학습	2차 학습
유형 05 평행선 사이의 선분의 길이의 비	/	☐	☐
유형 06 사다리꼴에서의 평행선과 선분의 길이의 비	/	☐	☐
유형 07 사다리꼴과 평행선의 응용	/	☐	☐
유형 08 평행선과 선분의 길이의 비의 응용	/	☐	☐

03 삼각형의 두 변의 중점을 연결한 선분

	학습 계획	1차 학습	2차 학습
유형 09 삼각형의 두 변의 중점을 연결한 선분의 성질(1)	/	☐	☐
유형 10 삼각형의 두 변의 중점을 연결한 선분의 성질(2)	/	☐	☐
유형 11 사다리꼴에서 두 변의 중점을 연결한 선분	/	☐	☐
유형 12 사각형의 각 변의 중점을 연결하여 만든 사각형	/	☐	☐

04 삼각형의 무게중심

	학습 계획	1차 학습	2차 학습
유형 13 삼각형의 무게중심	/	☐	☐
유형 14 삼각형의 무게중심과 닮음비의 응용	/	☐	☐
유형 15 삼각형의 무게중심과 넓이	/	☐	☐
유형 16 평행사변형에서 삼각형의 무게중심	/	☐	☐

05 넓이의 비와 부피의 비

	학습 계획	1차 학습	2차 학습
유형 17 닮은 도형의 넓이의 비	/	☐	☐
유형 18 닮은 도형의 부피의 비	/	☐	☐
유형 19 닮은 도형의 활용	/	☐	☐
유형 20 축도와 축척	/	☐	☐

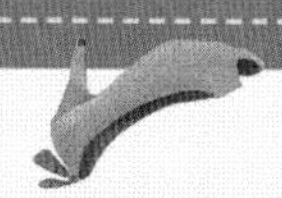

닮음의 활용

1 삼각형과 평행선

1. 삼각형에서 평행선과 선분의 길이의 비: $\triangle ABC$에서 $\overline{AB}$, $\overline{AC}$ 또는 그 연장선 위에 각각 점 D, E를 잡을 때

(1) $\overline{BC} /\!/ \overline{DE}$이면

$\overline{AD} : \overline{AB} = \overline{AE} : \overline{AC} = \overline{DE} : \overline{BC}$

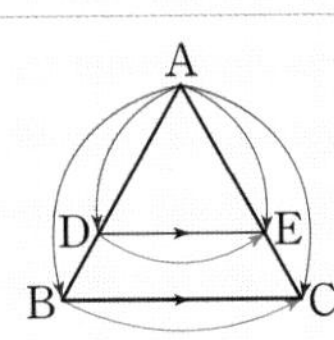

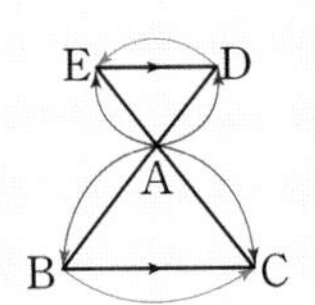

(2) $\overline{BC} /\!/ \overline{DE}$이면

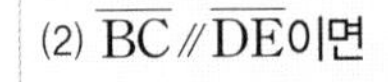
$\overline{AD} : \overline{DB} = \overline{AE} : \overline{EC}$

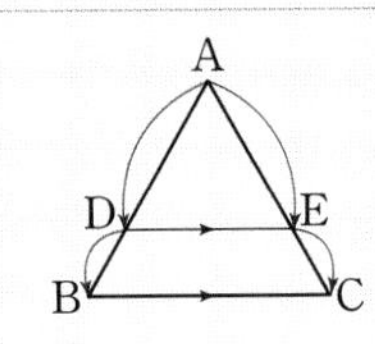

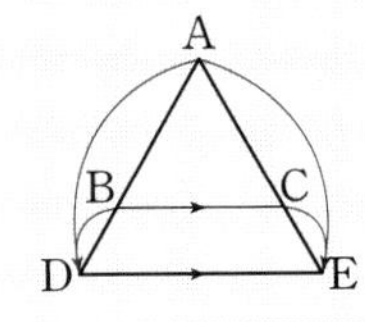

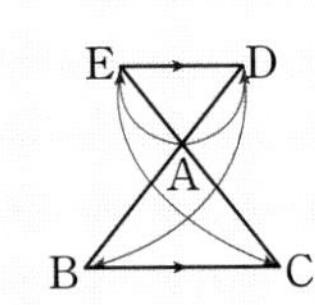

2. 삼각형의 각의 이등분선

(1) 삼각형의 내각의 이등분선과 변의 길이

$\triangle ABC$에서 $\angle A$의 이등분선과 $\overline{BC}$의 교점을 D라 하면

$\overline{AB} : \overline{AC} = \overline{BD} : \overline{CD}$

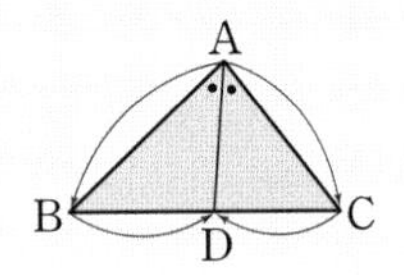

(2) 삼각형의 외각의 이등분선과 변의 길이

$\triangle ABC$에서 $\angle A$의 외각의 이등분선과 $\overline{BC}$의 연장선의 교점을 D라 하면

$\overline{AB} : \overline{AC} = \overline{BD} : \overline{CD}$

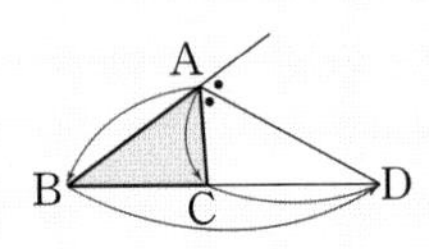

2 평행선 사이의 길이

1. 평행선 사이의 선분의 길이의 비

세 개 이상의 평행선이 다른 두 직선과 만나서 생기는 선분의 길이의 비는 같다.

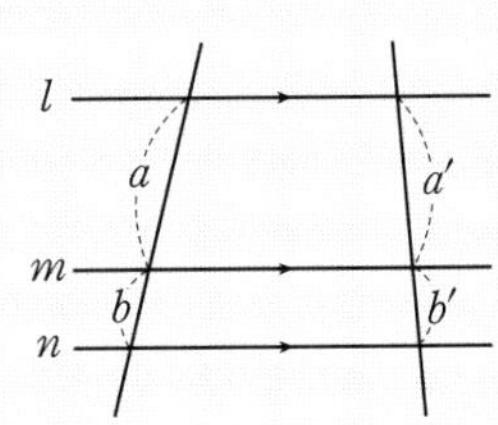

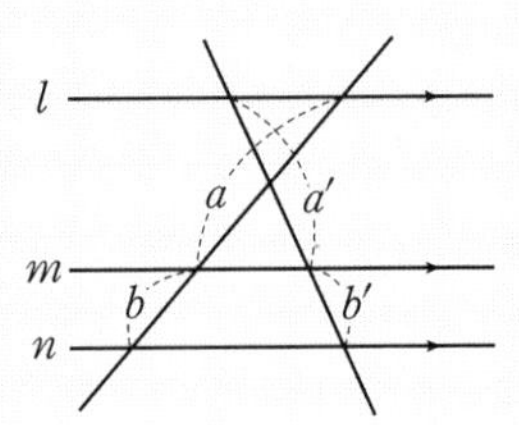

➡ $l /\!/ m /\!/ n$이면 $a : b = a' : b'$ 또는 $a : a' = b : b'$

2. 사다리꼴에서 평행선과 선분의 길이의 비

$\overline{AD} /\!/ \overline{BC}$인 사다리꼴 ABCD에서 $\overline{EF} /\!/ \overline{BC}$이고,
$\overline{AD}=a$, $\overline{BC}=b$, $\overline{AE}=m$, $\overline{EB}=n$일 때,

$$\overline{EF}=\frac{an+bm}{m+n}$$

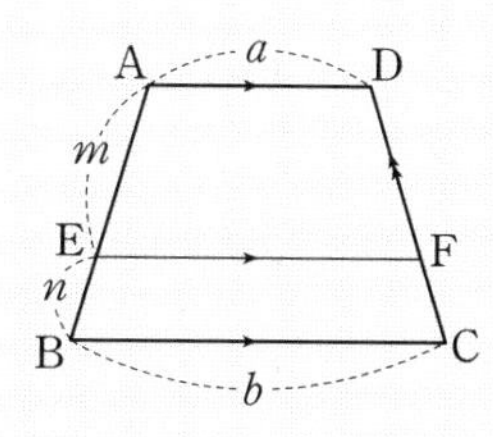

3. 평행선과 선분의 길이의 비의 응용

$\overline{AC}$와 $\overline{BD}$의 교점을 E라 하고, $\overline{AB} /\!/ \overline{EF} /\!/ \overline{DC}$, $\overline{AB}=a$, $\overline{CD}=b$일 때,

(1) $\overline{EF}=\frac{ab}{a+b}$

(2) $\overline{AE}:\overline{EC}=\overline{BE}:\overline{ED}=\overline{BF}:\overline{FC}=a:b$

참고 $\overline{AB} /\!/ \overline{DC}$이므로 $\overline{BE}:\overline{DE}=a:b$

$\overline{EF} /\!/ \overline{DC}$이므로 $a:(a+b)=\overline{EF}:b$ $\quad \therefore \overline{EF}=\frac{ab}{a+b}$

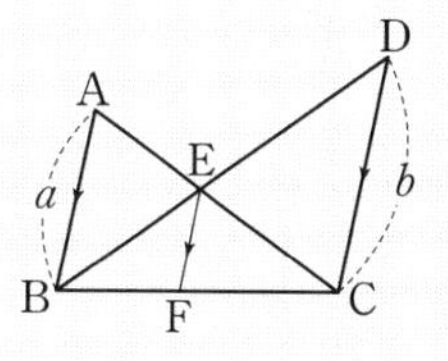

3 삼각형의 두 변의 중점을 연결한 선분

1. 삼각형의 두 변의 중점을 연결한 선분(1)

삼각형의 두 변의 중점을 연결한 선분은 나머지 한 변과 평행하고,

그 길이는 나머지 한 변의 길이의 $\frac{1}{2}$이다.

➡ △ABC에서 $\overline{AM}=\overline{MB}$, $\overline{AN}=\overline{NC}$이면

$\overline{MN} /\!/ \overline{BC}$, $\overline{MN}=\frac{1}{2}\overline{BC}$

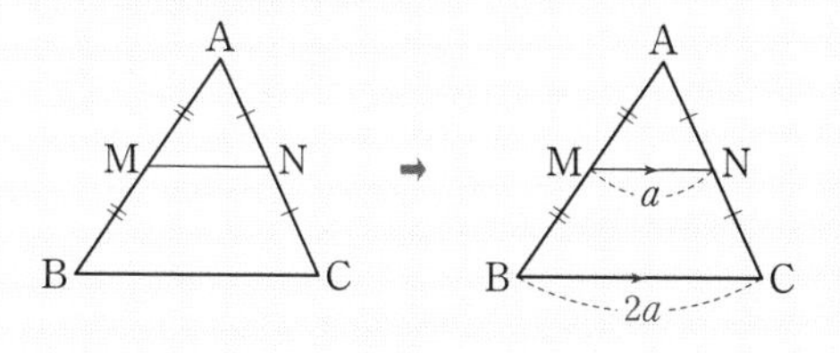

2. 삼각형의 두 변의 중점을 연결한 선분(2)

삼각형의 한 변의 중점을 지나고, 다른 한 변에 평행한 직선은
나머지 한 변의 중점을 지난다.

➡ △ABC에서 $\overline{AM}=\overline{MB}$, $\overline{MN} /\!/ \overline{BC}$이면

$\overline{AN}=\overline{CN}$, $\overline{MN}=\frac{1}{2}\overline{BC}$

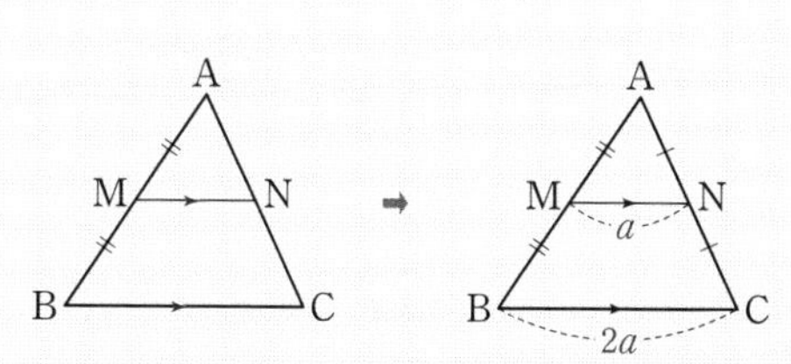

IV 닮음의 활용

3. 사다리꼴에서 두 변의 중점을 연결한 선분의 활용

$\overline{AD} /\!/ \overline{BC}$인 사다리꼴 ABCD에서 $\overline{AM}=\overline{MB}$, $\overline{DN}=\overline{NC}$일 때,

(1) $\overline{AD} /\!/ \overline{MN} /\!/ \overline{BC}$

(2) $\overline{MN}=\overline{MP}+\overline{PN}=\frac{1}{2}(a+b)$

(3) $\overline{PQ}=\overline{MQ}-\overline{MP}=\frac{1}{2}(b-a)$ (단, $b>a$)

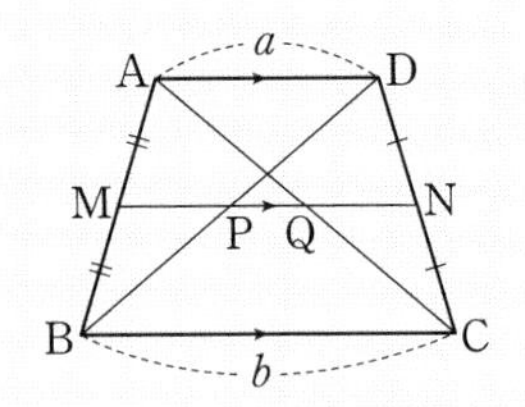

4 삼각형의 중선과 무게중심

1. 삼각형의 중선

(1) 삼각형의 중선

삼각형의 한 꼭짓점과 그 대변의 중점을 이은 선분을 중선이라 한다.

(2) 삼각형의 중선의 성질

삼각형의 중선은 그 삼각형의 넓이를 이등분한다.

➡ $\overline{AD}$가 중선이면 $\triangle ABD=\triangle ACD$

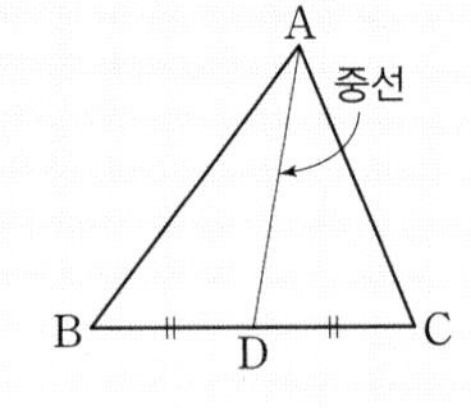

참고 ① $\triangle ABC$에서 점 D가 $\overline{BC}$ 위의 점일 때
$\triangle ABD=\triangle ACD$이면 $\overline{AD}$는 중선이다.
② 점 P가 중선 AD 위의 점이면
$\triangle PBD=\triangle PCD$, $\triangle ABP=\triangle ACP$

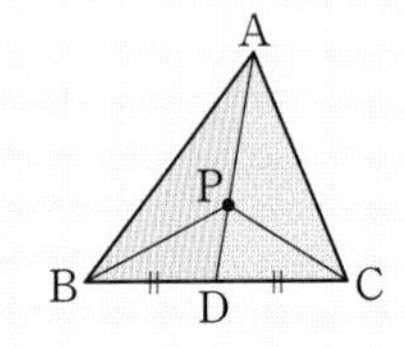

2. 삼각형의 무게중심

(1) 삼각형의 무게중심

삼각형의 세 중선은 한 점에서 만나고, 이 교점을 무게중심이라 한다.

(2) 삼각형의 무게중심은 세 중선의 길이를 각 꼭짓점으로부터 각각 2 : 1로 나눈다.

➡ $\triangle ABC$의 무게중심을 G라 하면
$\overline{AG}:\overline{GD}=\overline{BG}:\overline{GE}=\overline{CG}:\overline{GF}=2:1$

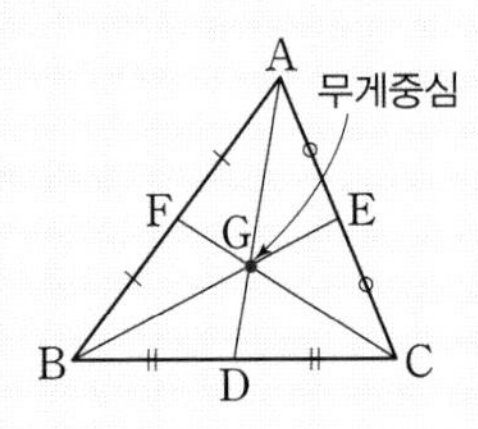

3. 삼각형의 무게중심과 넓이

점 G가 △ABC의 무게중심일 때

(1) 삼각형의 무게중심과 세 꼭짓점을 이어서 생기는 3개의 삼각형의 넓이는 모두 같다.

➡ $\triangle ABG = \triangle CAG = \triangle BCG = \frac{1}{3}\triangle ABC$

(2) 삼각형의 세 중선에 의하여 나누어지는 6개의 삼각형의 넓이는 모두 같다.

➡ $\triangle AFG = \triangle BGF = \triangle BDG = \triangle CGD = \triangle CEG = \triangle AGE = \frac{1}{6}\triangle ABC$

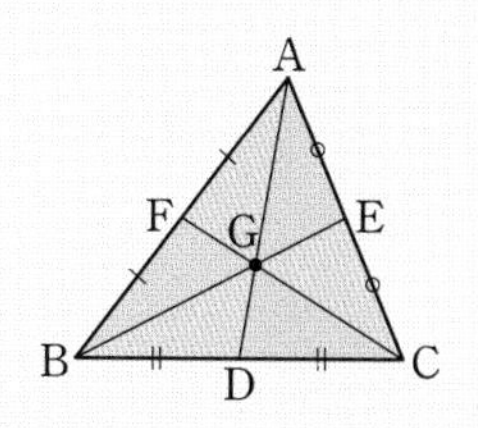

5 닮은 도형의 넓이의 비와 부피의 비

1. 닮은 두 평면도형의 넓이의 비

두 평면도형이 닮음이고 닮음비가 $m : n$이면

(1) 둘레의 길이의 비는 $m : n$

(2) 넓이의 비는 $m^2 : n^2$

2. 닮은 두 입체도형의 겉넓이의 비와 부피의 비

두 입체도형이 닮음이고 닮음비가 $m : n$이면

(1) 겉넓이의 비는 $m^2 : n^2$

(2) 부피의 비는 $m^3 : n^3$

3. 닮음의 활용

직접 측정하기 어려운 거리나 높이 등은 도형의 닮음을 이용하여 축도를 그려서 구할 수 있다.

(1) **축도**: 어떤 도형을 일정한 비율로 줄인 그림

(2) **축척**: 축도에서 실제 도형을 줄인 비율

➡ $(\text{축척}) = \frac{(\text{축도에서의 길이})}{(\text{실제 길이})}$, $(\text{실제 길이}) = \frac{(\text{축도에서의 길이})}{(\text{축척})}$,

$(\text{축도에서의 길이}) = (\text{실제 길이}) \times (\text{축척})$

01 삼각형과 평행선

Mstory1 Mstory2

M1 삼각형에서 평행선과 선분의 길이의 비 개념강의

(1)

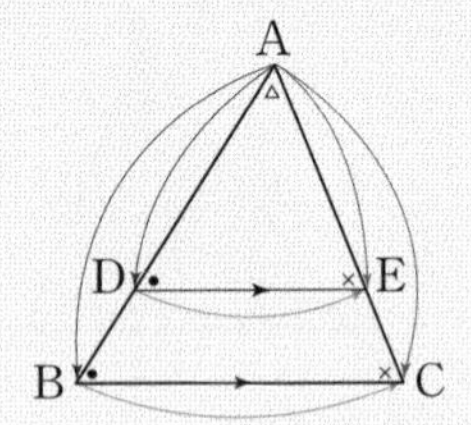

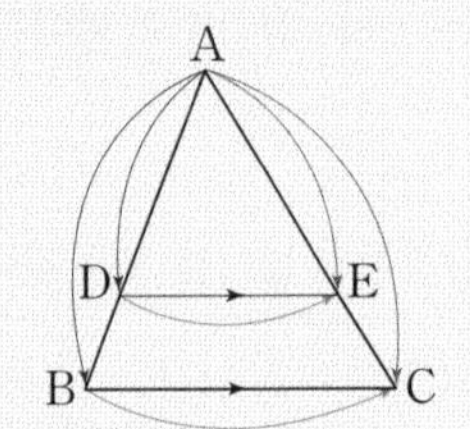

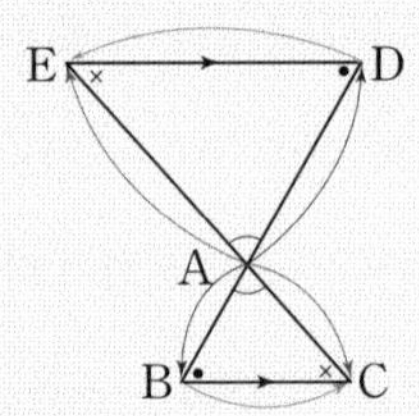

- $\overline{BC} \mathbin{/\!/} \overline{DE}$이면 $\overline{AB}:\overline{AD}=\overline{AC}:\overline{AE}=\overline{BC}:\overline{DE}$
- $\overline{AB}:\overline{AD}=\overline{AC}:\overline{AE}$이면 $\overline{BC} \mathbin{/\!/} \overline{DE}$

(2)

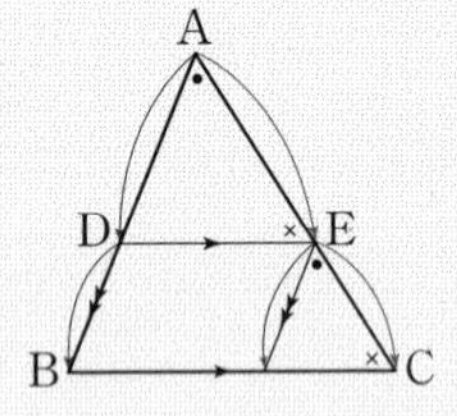

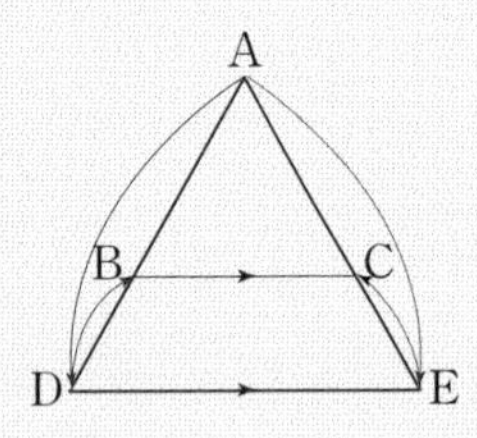

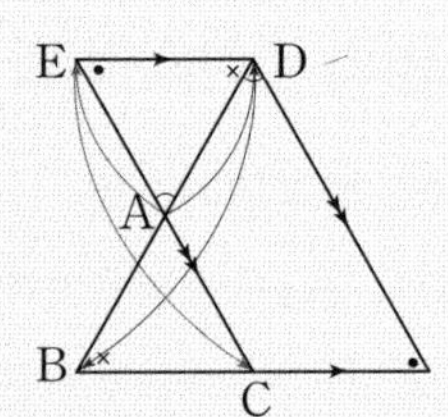

- $\overline{BC} \mathbin{/\!/} \overline{DE}$이면 $\overline{AD}:\overline{DB}=\overline{AE}:\overline{EC}(\neq \overline{DE}:\overline{BC})$
- $\overline{AD}:\overline{DB}=\overline{AE}:\overline{EC}$이면 $\overline{BC} \mathbin{/\!/} \overline{DE}$

M2 삼각형의 각의 이등분선 개념강의

〈내각의 이등분선〉

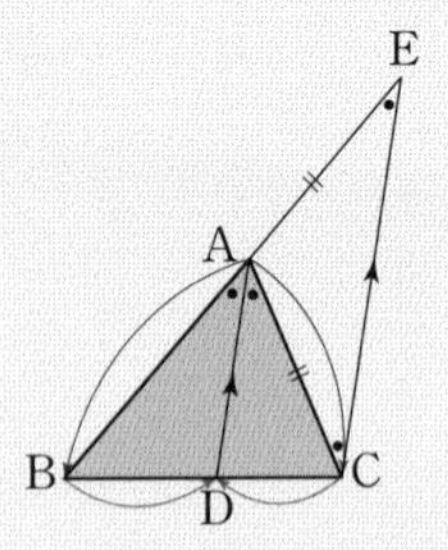

- $\overline{BA}:\overline{AC}=\overline{BD}:\overline{DC}$

〈외각의 이등분선〉

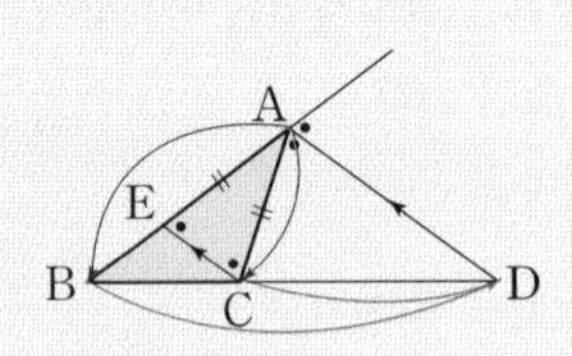

- $\overline{BA}:\overline{AC}=\overline{BD}:\overline{DC}$

유형 | 삼각형에서 평행선 사이의 선분의 길이의 비

01

다음 그림과 같은 △ABC에서 $\overline{BC} /\!/ \overline{DE}$일 때, $x+y$의 값은?

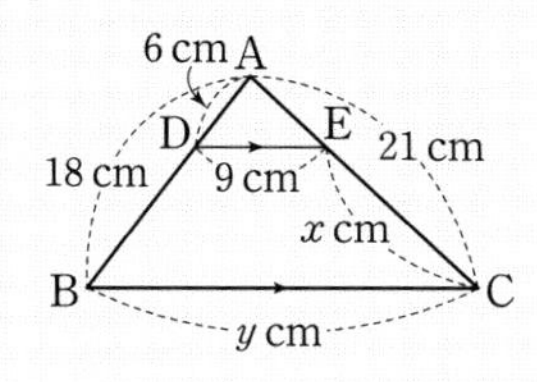

① 41 ② 42 ③ 43 ④ 44 ⑤ 45

유형 | 선분의 길이의 비를 이용하여 평행선 찾기

02

다음 〈보기〉 중 $\overline{BC} /\!/ \overline{DE}$인 것을 모두 고르시오.

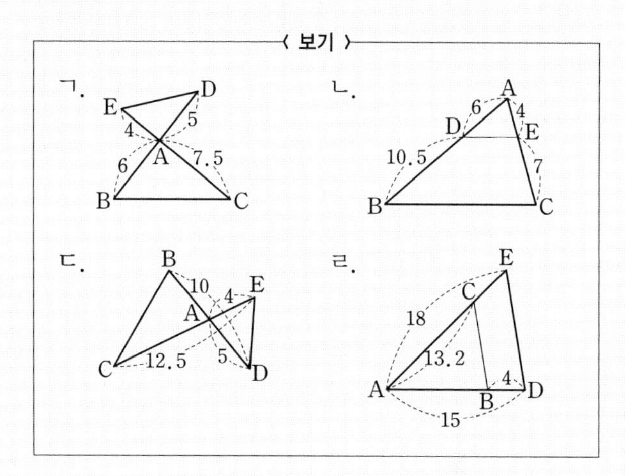

學

01

다음 그림과 같은 △ABC에서 $\overline{BC} /\!/ \overline{DE}$일 때, $x-y$의 값을 구하시오.

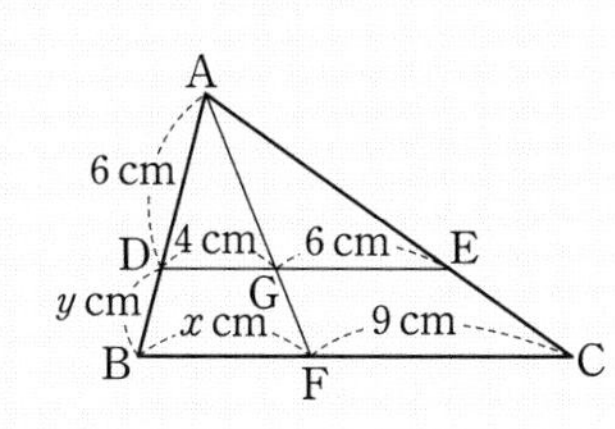

學

02

아래 그림과 같은 △ABC에 대하여 다음 중 옳은 것은?

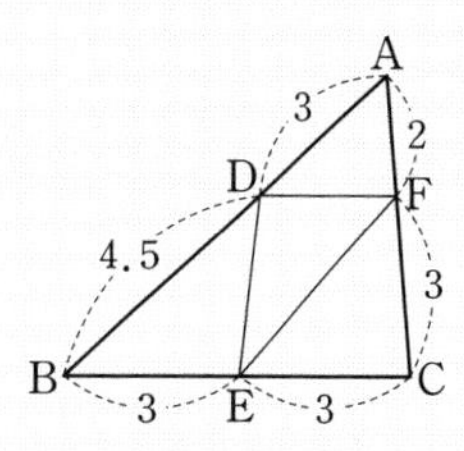

① $\overline{AB} /\!/ \overline{FE}$ ② $\overline{AC} /\!/ \overline{DE}$
③ $\triangle CFE \backsim \triangle CAB$ ④ $\triangle ABC \backsim \triangle ADF$
⑤ $\overline{DF} : \overline{BC} = 2 : 3$

| 삼각형의 내각의 이등분선

03

다음 그림의 $\triangle ABC$에서 $\angle BAD=\angle CAD$이고 $\triangle ACD$의 넓이가 $20\,cm^2$일 때, $\triangle ABD$의 넓이를 구하시오.

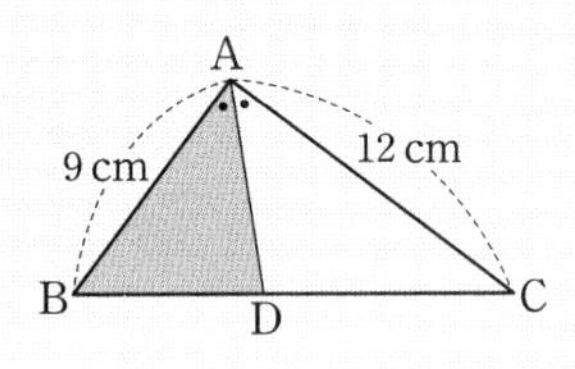

| 삼각형의 외각의 이등분선

04

다음 그림과 같은 $\triangle ABC$에서 $\overline{AD}$가 $\angle A$의 외각의 이등분선일 때, $\overline{BD}$의 길이를 구하시오.

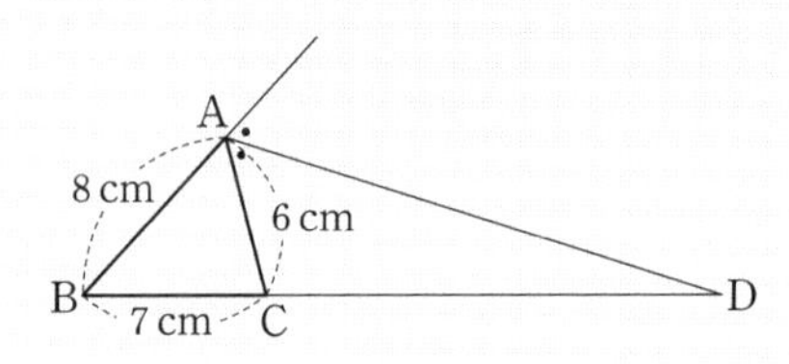

03

다음 그림의 $\triangle ABC$에서 $\overline{AE}$, $\overline{CD}$가 각각 $\angle A$, $\angle C$의 이등분선일 때, $\overline{AD}$의 길이는?

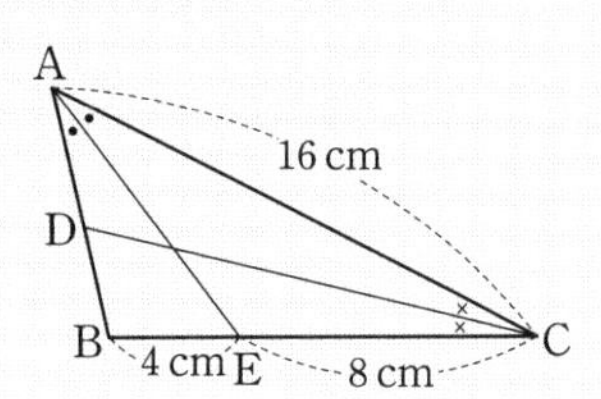

① $\frac{31}{7}$ cm ② $\frac{32}{7}$ cm ③ $\frac{33}{7}$ cm
④ $\frac{34}{7}$ cm ⑤ 5 cm

04

다음 그림과 같은 $\triangle ABC$에서 $\angle A$의 외각의 이등분선과 $\overline{BC}$의 연장선과의 교점을 D, 점 C를 지나면서 $\overline{AD}$에 평행한 직선이 $\overline{AB}$와 만나는 점을 F라 할 때, $\overline{AC}$의 길이를 구하시오.

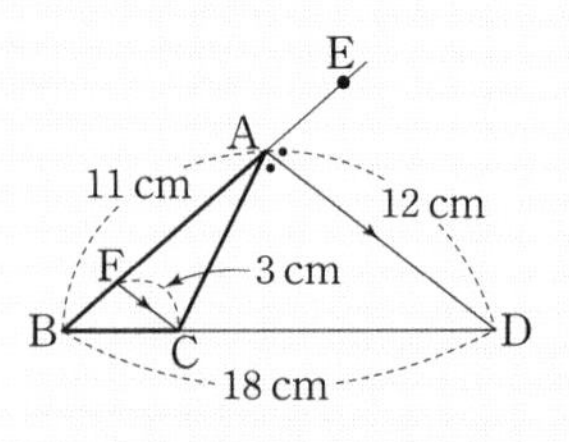

+MEMO

라디오 수타

라디오 방송 형식으로 배운 내용을 재미있게 수학타파하는 코너

꿀팁

01

다음 그림에서 점 D, E는 각각 $\overline{AB}$, $\overline{AC}$의 연장선 위의 점이고 $\overline{BC} /\!/ \overline{ED}$, $\overline{AC} /\!/ \overline{GF}$일 때, $\overline{GF}$의 길이를 구하시오.

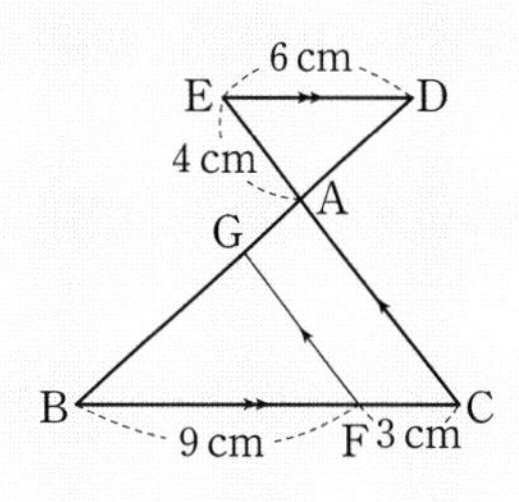

꿀팁

02

다음 〈보기〉 중 아래 그림의 △ABC에 대한 설명으로 옳은 것을 모두 고르시오.

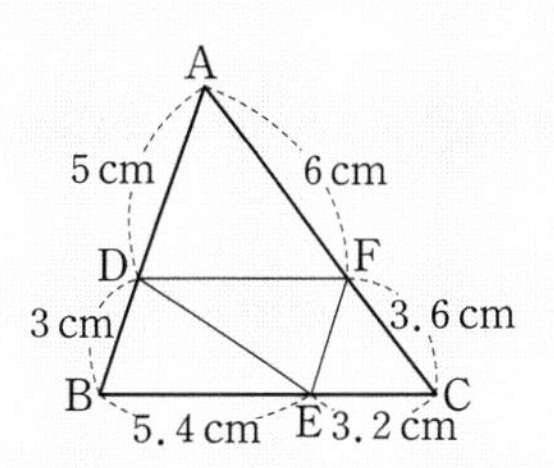

〈 보기 〉

ㄱ. $\overline{DF} /\!/ \overline{BC}$　　ㄴ. $\overline{AB} /\!/ \overline{FE}$

ㄷ. $\angle FEC = \angle ABC$　　ㄹ. $\angle AFD = \angle DEB$

ㅁ. $\triangle FEC \backsim \triangle ABC$　　ㅂ. $\triangle ADF \backsim \triangle ABC$

IV 닮음의 활용

꼭

03

다음 그림의 $\triangle ABC$에서 $\overline{AD}$는 $\angle A$의 이등분선이고 $\overline{AC} /\!/ \overline{ED}$이다. $\overline{AB}=6\,cm$, $\overline{AC}=4\,cm$일 때, $\overline{DE}$의 길이를 구하시오.

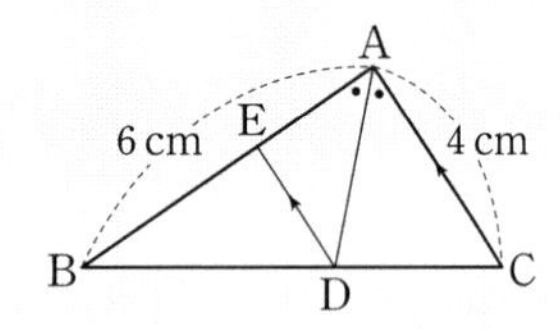

꼭

04

다음 그림과 같은 $\triangle ABC$에서 $\angle B$의 외각의 이등분선과 $\overline{AC}$의 연장선과의 교점을 D라 하자. $\overline{AB}=4\,cm$, $\overline{BC}=6\,cm$, $\overline{AD}=10\,cm$일 때, $\overline{AC}$의 길이는?

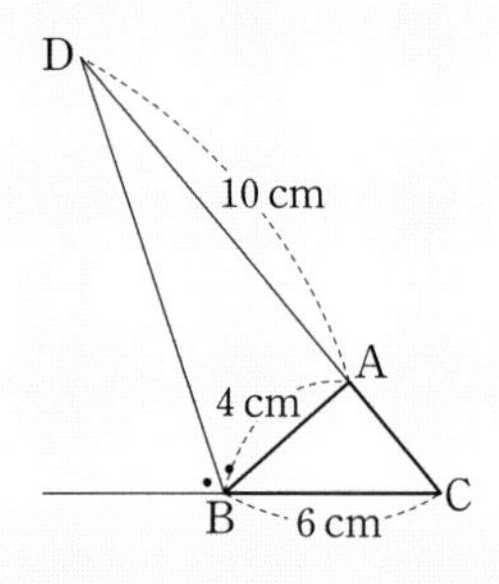

① 4 cm ② 4.5 cm ③ 5 cm
④ 5.5 cm ⑤ 6 cm

생각 +

다음 그림에서 $\overline{DF} /\!/ \overline{BC}$, $\overline{DE} /\!/ \overline{BF}$이다. $\overline{AE} : \overline{EF}=2:1$이고, $\overline{AF}=6\,cm$일 때, $\overline{FC}$의 길이를 구하시오.

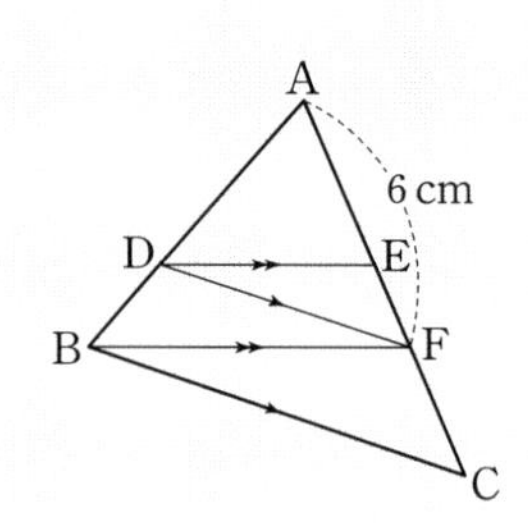

생각++

운동장에서 놀던 태희는 우연히 개미 한 마리가 폭이 일정한 계단을 오르는 모습을 지켜보게 되었다. 다음 그림과 같이 계단의 A 지점에서 B 지점까지 최단거리인 길로 올라가고 있는 개미는 계단의 모서리 Q 지점을 거쳐 지나간다. A 지점에서 Q 지점까지 가는 데 10초, Q 지점에서 B 지점까지 가는 데 15초가 걸렸고, 계단의 높이 AP가 20 cm라 할 때, 계단의 폭 PC의 길이를 구하시오.

(단, 개미의 속력은 일정하고, 직선으로 움직인다.)

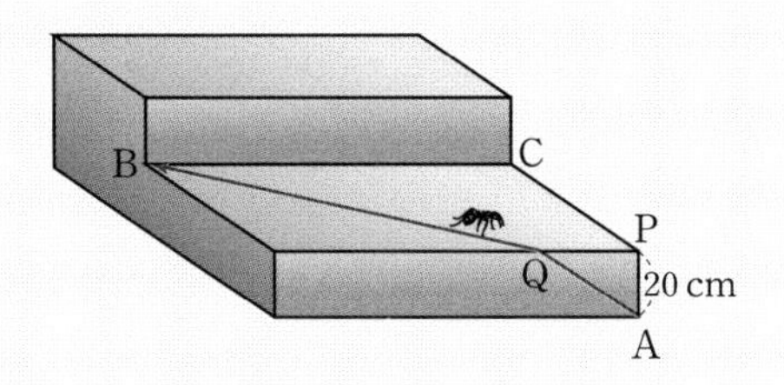

다음 그림과 같은 $\triangle ABC$에서 $\overline{AD}$, $\overline{AE}$가 각각 $\angle A$의 내각과 외각의 이등분선일 때, $\overline{CE}$의 길이는?

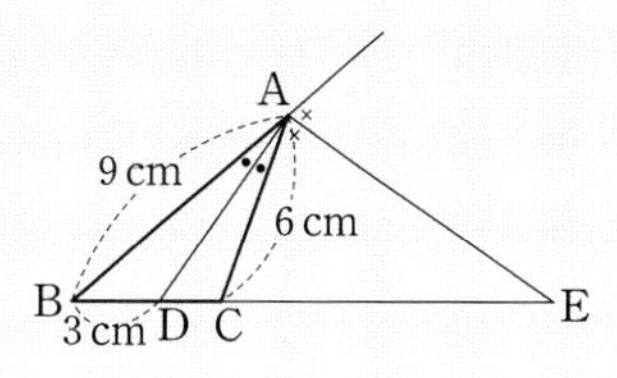

① 10 cm ② 10.5 cm ③ 11 cm
④ 11.5 cm ⑤ 12 cm

02 평행선 사이의 선분의 길이의 비

M1 평행선 사이의 선분의 길이의 비 개념강의

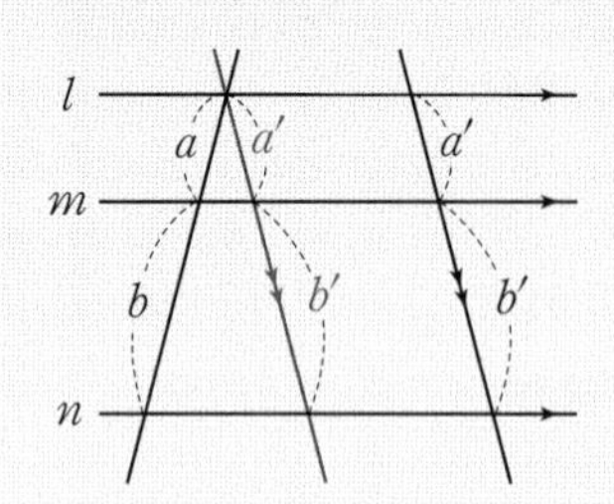

$l /\!/ m /\!/ n$일 때

$a : b = a' : b'$

$a : a' = b : b'$

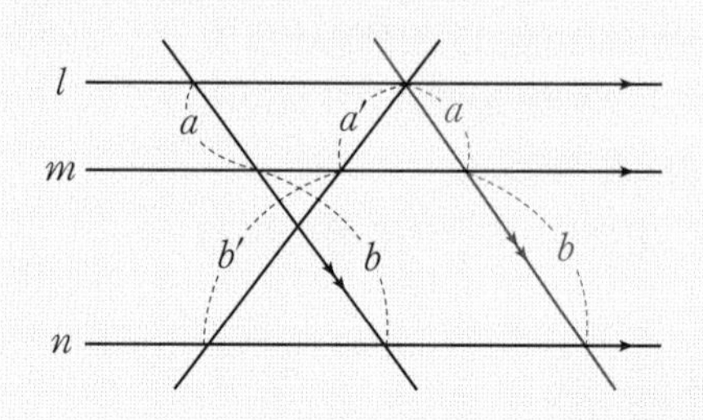

$l /\!/ m /\!/ n$일 때

$a : b = a' : b'$

$a : a' = b : b'$

M2 사다리꼴에서의 평행선과 선분의 길이의 비 개념강의

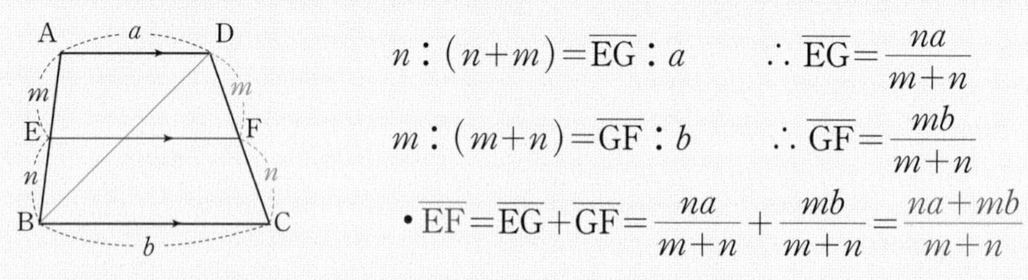

$n : (n+m) = \overline{EG} : a \qquad \therefore \overline{EG} = \dfrac{na}{m+n}$

$m : (m+n) = \overline{GF} : b \qquad \therefore \overline{GF} = \dfrac{mb}{m+n}$

• $\overline{EF} = \overline{EG} + \overline{GF} = \dfrac{na}{m+n} + \dfrac{mb}{m+n} = \dfrac{na+mb}{m+n}$

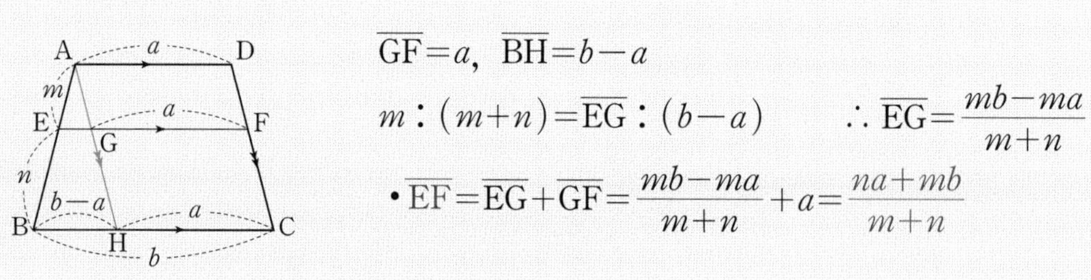

$\overline{GF} = a,\ \overline{BH} = b-a$

$m : (m+n) = \overline{EG} : (b-a) \qquad \therefore \overline{EG} = \dfrac{mb-ma}{m+n}$

• $\overline{EF} = \overline{EG} + \overline{GF} = \dfrac{mb-ma}{m+n} + a = \dfrac{na+mb}{m+n}$

유형 | 평행선 사이의 선분의 길이의 비

05

다음 그림에서 $l \,/\!/\, m \,/\!/\, n$일 때, $x+5y$의 값은?

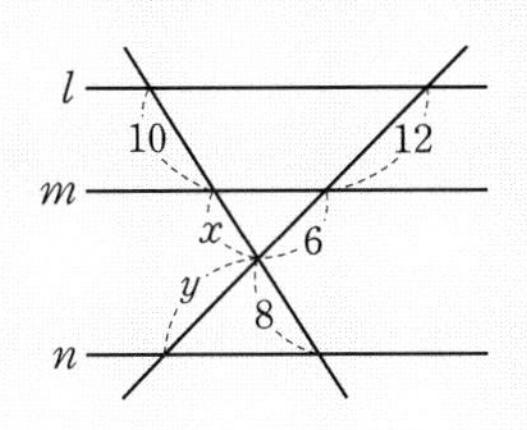

① 51 ② 53 ③ 55
④ 57 ⑤ 59

유형 | 사다리꼴에서의 평행선과 선분의 길이의 비

06

다음 그림과 같은 사다리꼴 ABCD에서 $\overline{AD} \,/\!/\, \overline{EF} \,/\!/\, \overline{BC}$이고 $\overline{EF}$와 $\overline{AC}$의 교점을 G라 할 때, $\overline{EF}$의 길이를 구하시오.

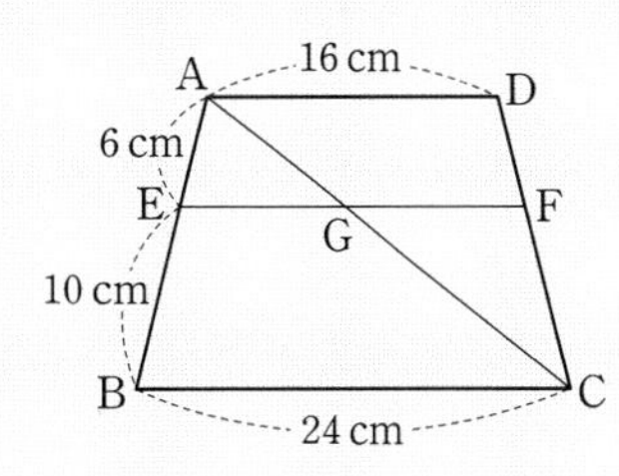

學

05

다음 그림에서 $l \,/\!/\, m \,/\!/\, n \,/\!/\, p$일 때, $a+b-c$의 값은?

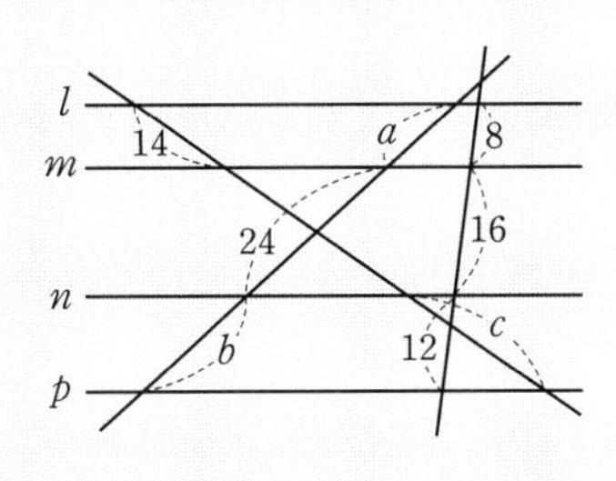

① 8 ② 9 ③ 10
④ 11 ⑤ 12

06

다음 그림의 사다리꼴 ABCD에서 $\overline{AD} \,/\!/\, \overline{EF} \,/\!/\, \overline{BC}$이다. $\overline{AD}=\overline{AE}=8\text{ cm}$, $\overline{EB}=\overline{EF}=12\text{ cm}$일 때, $\overline{BC}$의 길이는?

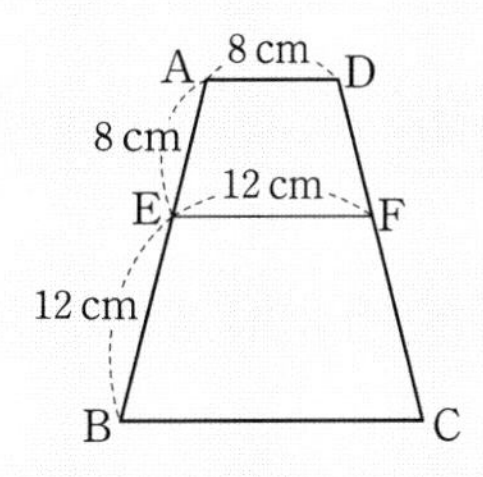

① 15 cm ② 16 cm ③ 17 cm
④ 18 cm ⑤ 19 cm

유형 | 사다리꼴과 평행선의 응용

07

다음 그림과 같이 $\overline{AD}/\!/\overline{BC}$인 사다리꼴 ABCD에서 두 대각선의 교점 O를 지나고 $\overline{BC}$와 평행한 직선이 $\overline{AB}$, $\overline{DC}$와 만나는 점을 각각 E, F라 할 때, $\overline{EF}$의 길이를 구하시오.

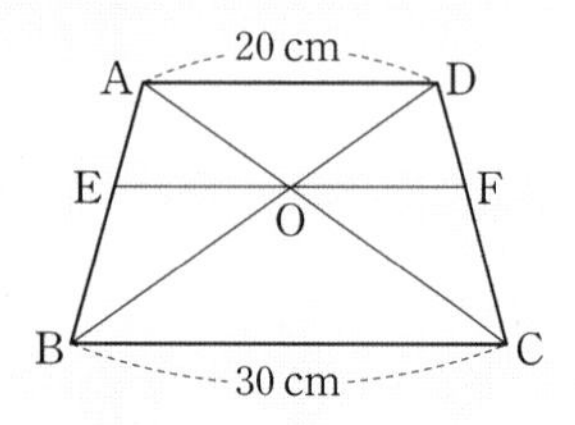

유형 | 평행선과 선분의 길이의 비의 응용

08

다음 그림에서 $\overline{AB}/\!/\overline{EF}/\!/\overline{DC}$일 때, $\overline{EF}$와 $\overline{BF}$의 길이를 각각 구하시오.

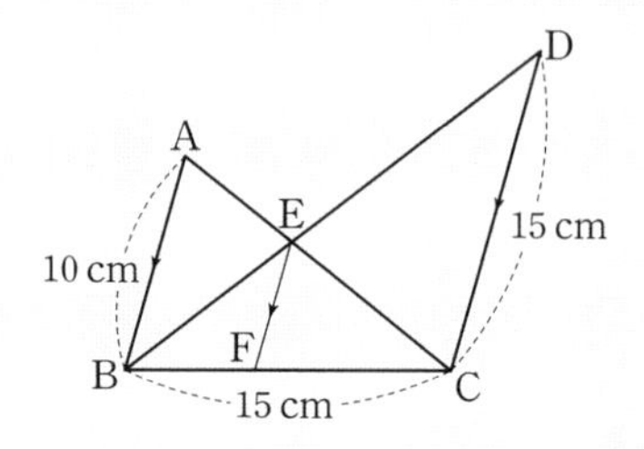

學

07

다음 그림과 같이 $\overline{AD}/\!/\overline{BC}$이고, $\overline{AD}=a$, $\overline{BC}=b$인 사다리꼴 ABCD에서 두 대각선의 교점 O를 지나고 $\overline{BC}$와 평행한 직선이 $\overline{AB}$, $\overline{DC}$와 만나는 점을 각각 E, F라 할 때, $\overline{EF}=\frac{2ab}{a+b}$임을 보이시오.

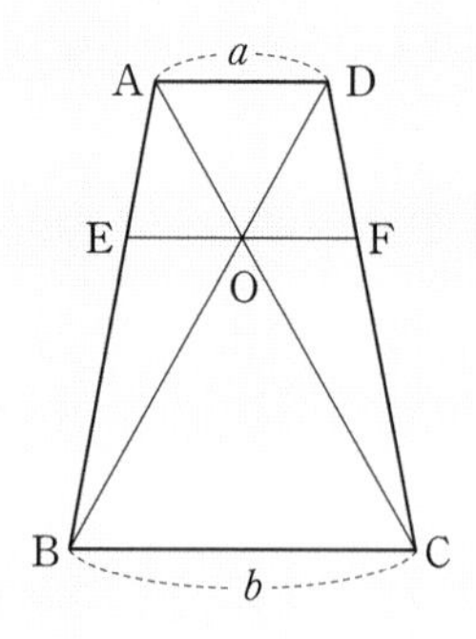

學

08

다음 그림에서 $\overline{AB}/\!/\overline{PQ}/\!/\overline{CD}$, $\overline{BP}=\overline{PM}$, $\overline{BQ}=\overline{QN}$일 때, $\overline{MN}$의 길이는?

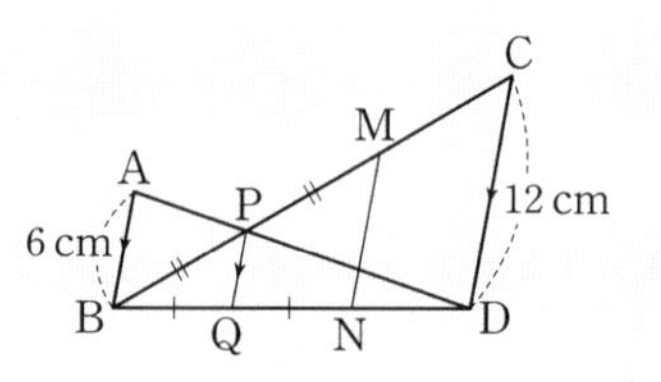

① 7 cm ② $\frac{29}{4}$ cm ③ $\frac{15}{2}$ cm
④ $\frac{31}{4}$ cm ⑤ 8 cm

+MEMO

라디오 수타

라디오 방송 형식으로 배운 내용을 재미있게 수학타파하는 코너

꼭

05

다음 그림에서 $l /\!/ m /\!/ n$일 때, $x-y$의 값은?

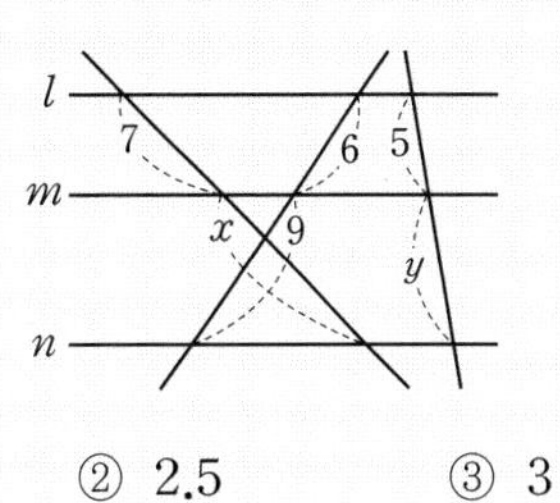

① 2　　② 2.5　　③ 3
④ 3.5　　⑤ 4

꼭

06

다음 그림과 같은 사다리꼴 ABCD에서 $\overline{AD} /\!/ \overline{EF} /\!/ \overline{BC}$이다. $\overline{AD}=12$, $\overline{BC}=16$, $\overline{AB}=10$, $\overline{AE}=a$일 때, $\overline{EF}$의 길이를 a에 대한 식으로 나타내시오.

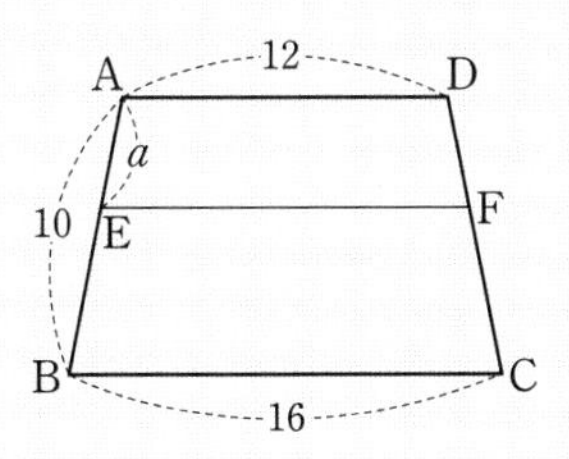

02 평행선 사이의 선분의 길이의 비

꼭

07

다음 그림과 같이 $\overline{AD} /\!/ \overline{BC}$인 사다리꼴 ABCD에서 두 대각선의 교점 O를 지나고 $\overline{BC}$와 평행한 직선이 $\overline{AB}$, $\overline{DC}$와 만나는 점을 각각 E, F라 할 때, $\overline{EF}$의 길이를 구하시오.

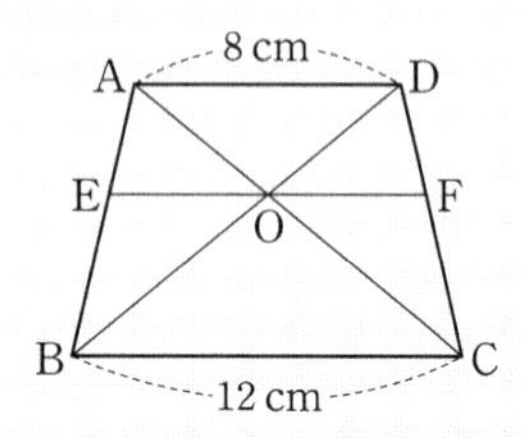

꼭

08

다음 그림에서 $\angle ABD = \angle BDC = 90°$일 때, $\triangle EBD$의 넓이를 구하시오.

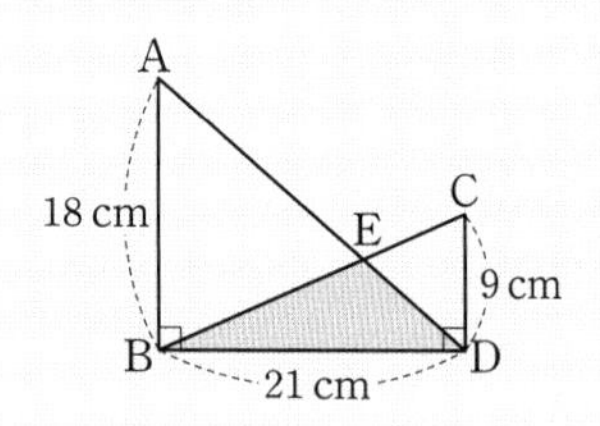

생각+

다음 그림과 같은 사다리꼴 ABCD에서 $\overline{AD} /\!/ \overline{EF} /\!/ \overline{BC}$이고 $2\overline{AE} = 3\overline{EB}$일 때, $\overline{MN}$의 길이는?

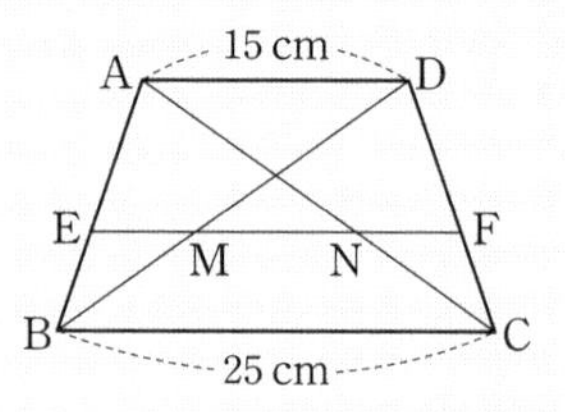

① 8 cm ② 9 cm ③ 10 cm
④ 11 cm ⑤ 12 cm

생각++

다음 그림과 같이 각 틀의 높이가 일정하고 평행한 뜀틀의 각각의 틀에 대하여 위에서 두 번째에 있는 틀의 윗변의 길이는 65 cm이고, 위에서 네 번째에 있는 틀의 아랫변의 길이는 125 cm이다. 이때, 위에서 두 번째에 있는 틀의 아랫변의 길이는 몇 cm인지 구하시오.

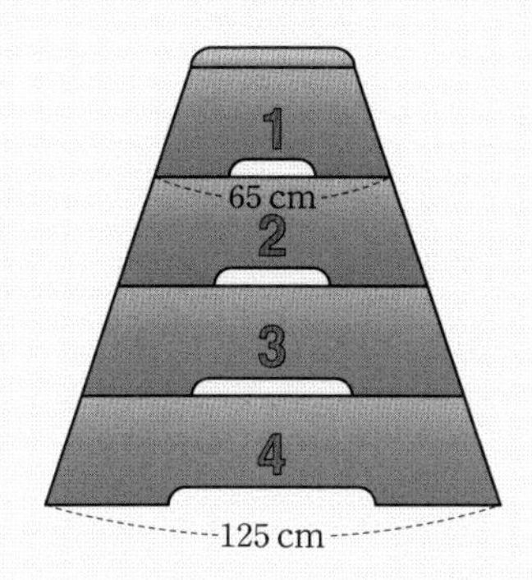

다음 내용이 옳은지, 옳지 않은지 설명하시오.

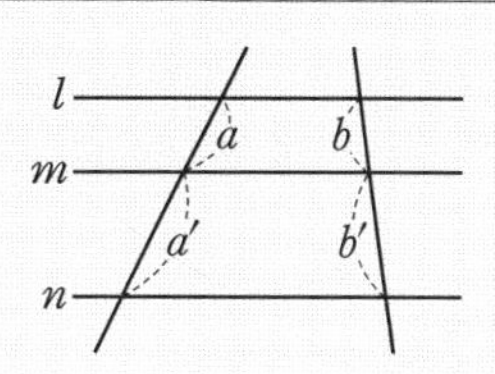

세 직선 l, m, n이 다른 두 직선과 만나서 생긴 선분의 길이의 비가 $a : a'=b : b'$이면 세 직선 l, m, n은 평행하다.

IV 닮음의 활용

03 삼각형의 두 변의 중점을 연결한 선분

M1 삼각형의 두 변의 중점을 연결한 선분의 성질 (1), (2) 개념강의

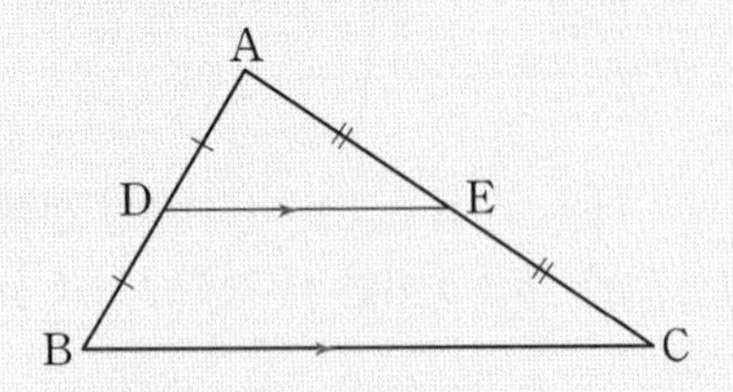

$\triangle ABC \backsim \triangle ADE$ (SAS 닮음)

- $\overline{DE} /\!/ \overline{BC}$
- $\overline{DE} = \frac{1}{2}\overline{BC}$

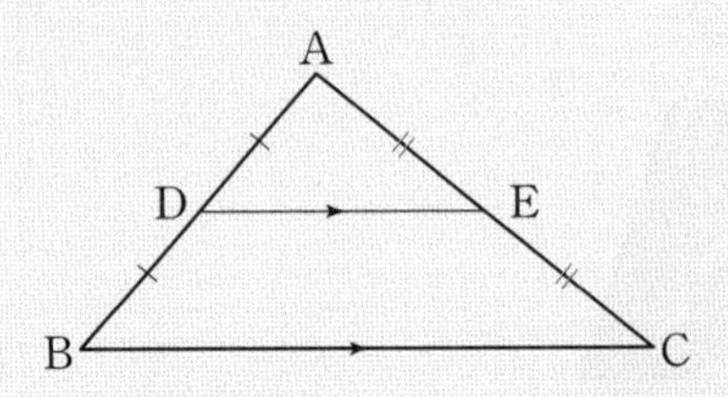

$\triangle ABC \backsim \triangle ADE$ (AA 닮음)

- $\overline{AE} = \overline{EC}$
- $\overline{DE} = \frac{1}{2}\overline{BC}$

M2 사다리꼴에서의 활용 개념강의

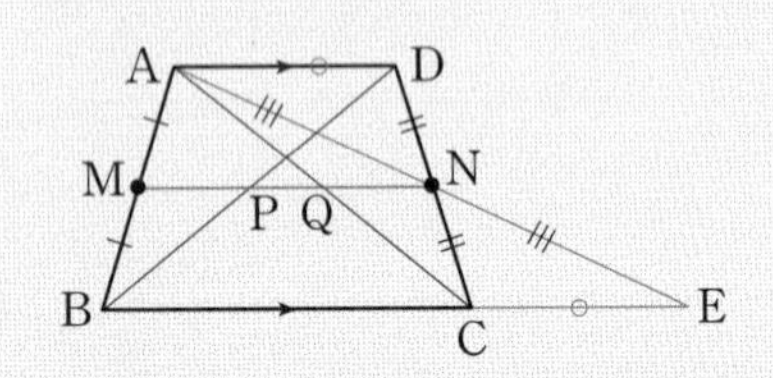

$\triangle ADN \equiv \triangle ECN$ (ASA 합동)

- $\overline{AD} /\!/ \overline{MN} /\!/ \overline{BC}$
- $\overline{MN} = \frac{\overline{BC} + \overline{AD}}{2}$
- $\overline{PQ} = \overline{MQ} - \overline{MP}$

$= \frac{\overline{BC}}{2} - \frac{\overline{AD}}{2} = \frac{\overline{BC} - \overline{AD}}{2}$ ($\overline{BC} > \overline{AD}$)

M3 사각형의 중점 연결 개념강의

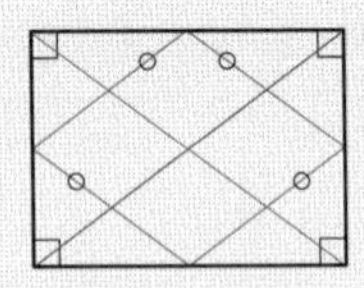

직사각형 → 마름모

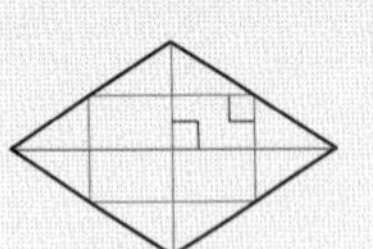

마름모 → 직사각형

정사각형 → 정사각형

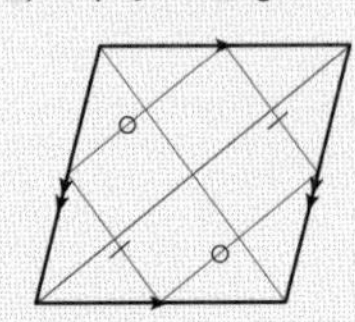

평행사변형 → 평행사변형

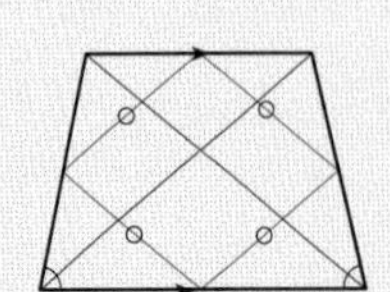

등변사다리꼴 → 마름모

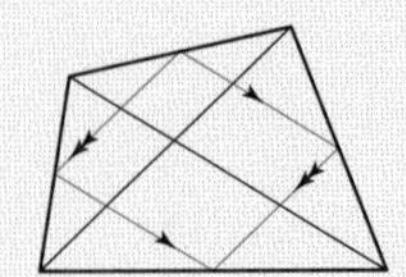

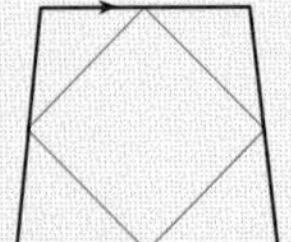

사각형 → 평행사변형

 | 삼각형의 두 변의 중점을 연결한 선분의 성질(1)

09

다음 그림에서 점 M, N, P, Q는 각각 $\overline{AB}$, $\overline{AC}$, $\overline{DB}$, $\overline{DC}$의 중점이다. $\overline{MN}=8\text{ cm}$일 때, $\overline{PQ}+\overline{BC}$의 길이는?

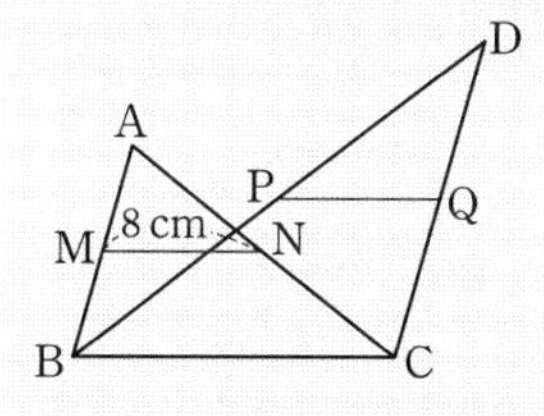

① 12 cm ② 16 cm ③ 20 cm
④ 24 cm ⑤ 28 cm

 | 삼각형의 두 변의 중점을 연결한 선분의 성질(2)

10

아래 그림과 같은 △ABC에서 점 D는 $\overline{BC}$의 중점이고 $\overline{DE} /\!/ \overline{AC}$일 때, 다음을 구하시오.

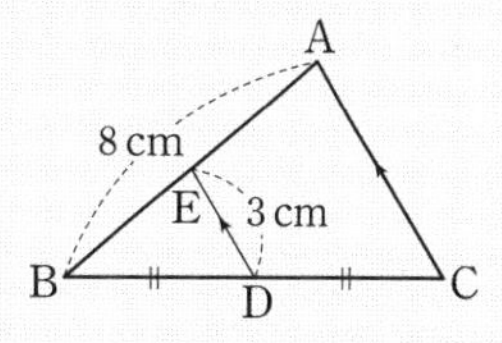

(1) $\overline{AC}$의 길이

(2) $\overline{EA}$의 길이

09

다음 그림과 같은 △ABC에서 $\overline{AD}=\overline{CD}$, $\overline{AE}=\overline{EF}=\overline{FB}$이다. $\overline{DE}=10\text{ cm}$일 때, $\overline{GC}$의 길이는?

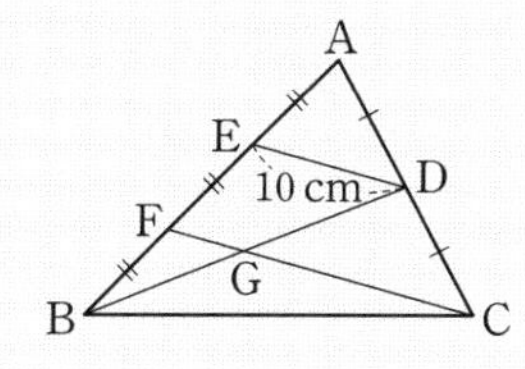

① 11 cm ② 12 cm ③ 13 cm
④ 14 cm ⑤ 15 cm

10

다음 그림과 같이 $\overline{AD} /\!/ \overline{BC}$인 등변사다리꼴 ABCD에서 $\overline{AM}=\overline{MD}$, $\overline{MP} /\!/ \overline{DC}$, $\overline{PN} /\!/ \overline{AB}$이다. $\overline{MP}=6\text{ cm}$일 때, $\overline{PN}$의 길이를 구하시오.

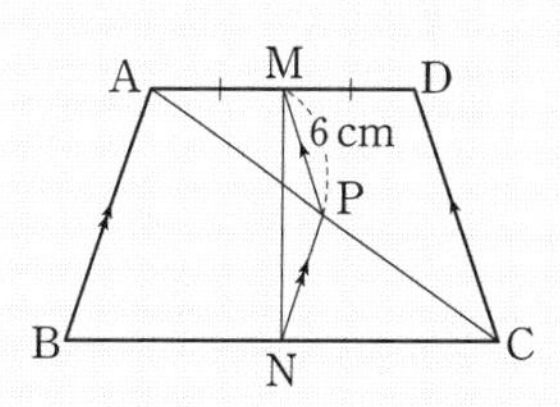

IV 닮음의 활용

유형 | 사다리꼴에서 두 변의 중점을 연결한 선분

11

다음 그림과 같이 $\overline{AD} /\!/ \overline{BC}$인 사다리꼴 ABCD에서 $\overline{AB}$, $\overline{DC}$의 중점을 각각 M, N이라 할 때, x, y의 값을 각각 구하시오.

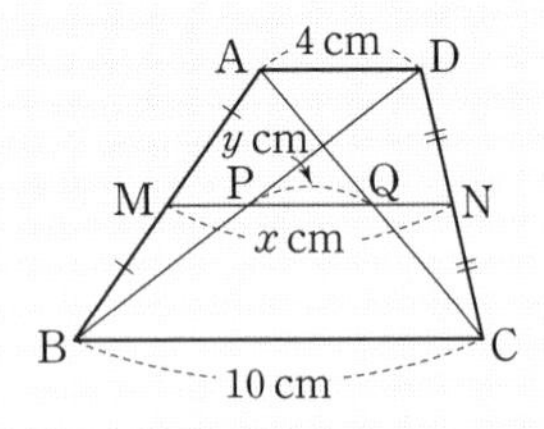

유형 | 사각형의 각 변의 중점을 연결하여 만든 사각형

12

다음 그림과 같은 □ABCD의 네 변의 중점을 각각 E, F, G, H라 하자. $\overline{AC}=12$ cm, $\overline{BD}=10$ cm일 때, □EFGH의 둘레의 길이를 구하시오.

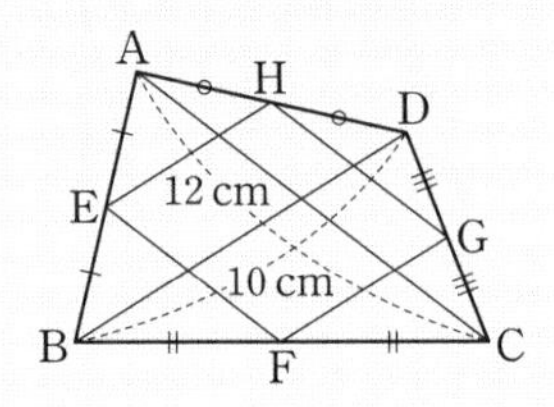

11

다음 그림과 같이 $\overline{AD} /\!/ \overline{BC}$인 사다리꼴 ABCD에서 $\overline{AB}$, $\overline{DC}$의 중점을 각각 M, N이라 하자. $\overline{AC} /\!/ \overline{MP}$이고 $\overline{BP}=7$ cm, $\overline{MN}=13$ cm일 때, $\overline{AD}$의 길이는?

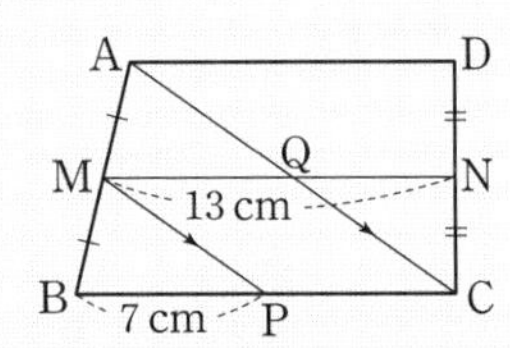

① 10 cm ② 10.5 cm ③ 11 cm
④ 11.5 cm ⑤ 12 cm

12

다음 그림과 같은 마름모 ABCD에서 네 변의 중점을 각각 E, F, G, H라 하자. $\overline{AC}=8$ cm, $\overline{BD}=10$ cm일 때, □EFGH의 넓이를 구하시오.

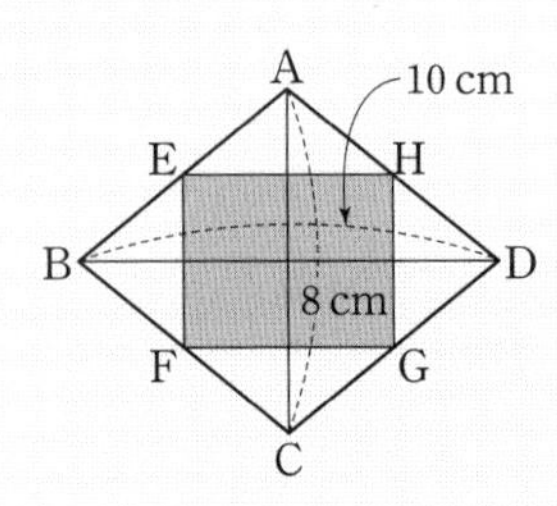

+MEMO

라디오 수타

라디오 방송 형식으로
배운 내용을 재미있게
수학타파하는 코너

꼭

09

다음 그림의 □ABCD에서 $\overline{AD}$, $\overline{BC}$의 중점을 각각 E, F라 하고, 대각선 AC, BD의 중점을 각각 G, H라 하자. $\overline{AB}=8\,\mathrm{cm}$, $\overline{CD}=9\,\mathrm{cm}$일 때, □EHFG의 둘레의 길이를 구하시오.

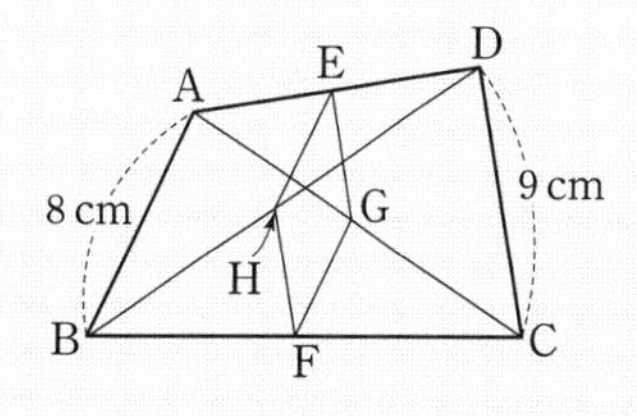

꼭

10

다음 그림과 같은 △ABC에서 점 D는 $\overline{BC}$의 중점이고, $\overline{AE}=\overline{ED}$, $\overline{BF}\,/\!/\,\overline{DG}$이다. $\overline{DG}=4\,\mathrm{cm}$일 때, $\overline{BE}$의 길이를 구하시오.

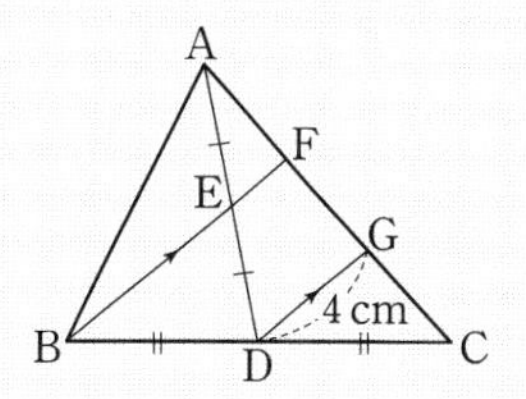

03 삼각형의 두 변의 중점을 연결한 선분

11

다음 그림과 같이 $\overline{AD} /\!/ \overline{BC}$인 사다리꼴 ABCD에서 $\overline{AB}$, $\overline{DC}$의 중점을 각각 M, N이라 하자. $\overline{MP} : \overline{PQ} = 5 : 2$, $\overline{AD} + \overline{BC} = 72\,\text{cm}$일 때, $\overline{BC}$의 길이를 구하시오.

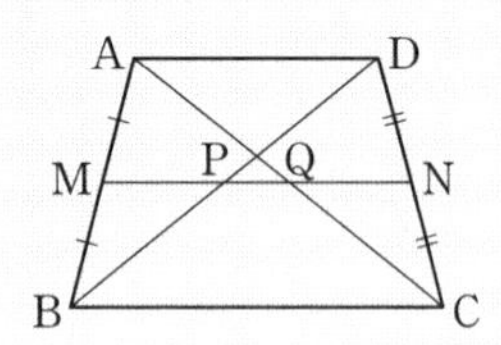

12

다음 그림과 같이 $\overline{AD} /\!/ \overline{BC}$인 등변사다리꼴 ABCD의 네 변의 중점을 각각 P, Q, R, S라 하자. $\overline{AC} = 13\,\text{cm}$일 때, □PQRS의 둘레의 길이를 구하시오.

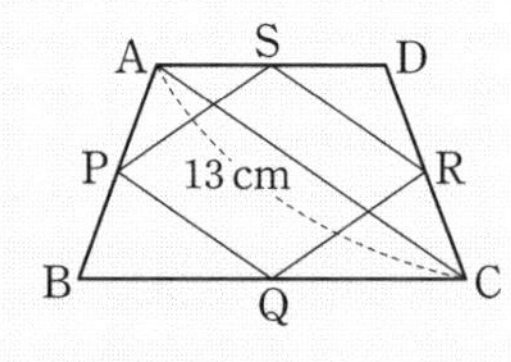

생각+

다음 그림과 같이 △ABC의 각 변의 중점을 잡아 △DEF를 그리고, △DEF에서 각 변의 중점을 잡아 △GHI를 그렸다. △GHI의 둘레의 길이가 $11\,\text{cm}$일 때, △ABC의 둘레의 길이를 구하시오.

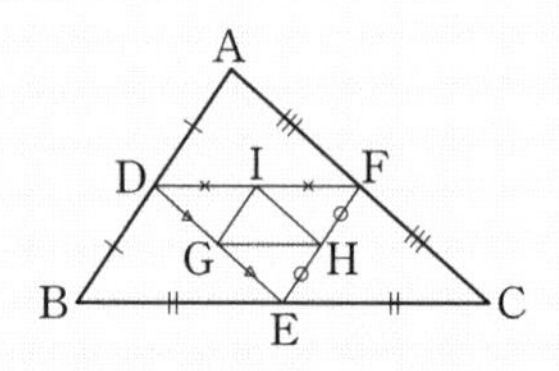

생각 ++

다음 그림과 같이 $\overline{AB}=\overline{AC}=15\,\text{cm}$인 이등변삼각형 ABC에서 꼭지각의 이등분선이 $\overline{BC}$와 만나는 점을 D라 하자. $\overline{AD}$의 중점을 E, $\overline{CE}$의 연장선이 $\overline{AB}$와 만나는 점을 F라 할 때, $\overline{AF}$의 길이는?

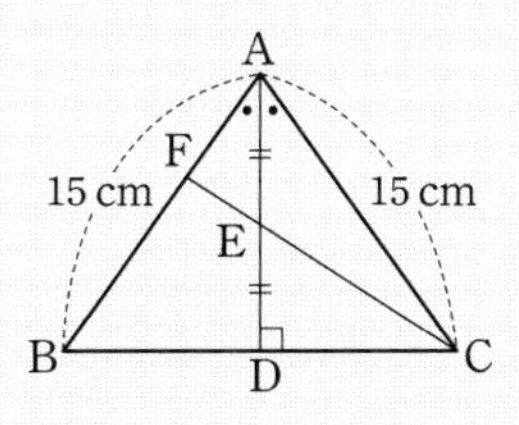

① 3 cm ② 4 cm ③ 5 cm
④ 6 cm ⑤ 7 cm

다음 그림에서 $\overline{AD}/\!/\overline{BC}$이고, 점 M, N은 각각 $\overline{AC}$, $\overline{DB}$의 중점이다. $\overline{AD}=5\,\text{cm}$, $\overline{BC}=12\,\text{cm}$일 때, $\overline{MN}$의 길이를 구하시오.

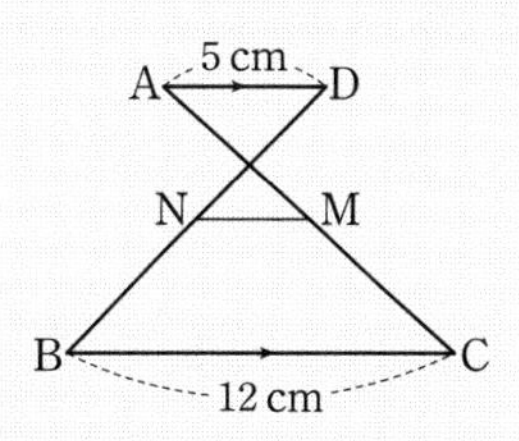

04 삼각형의 무게중심

M1 삼각형의 중선과 무게중심 개념강의

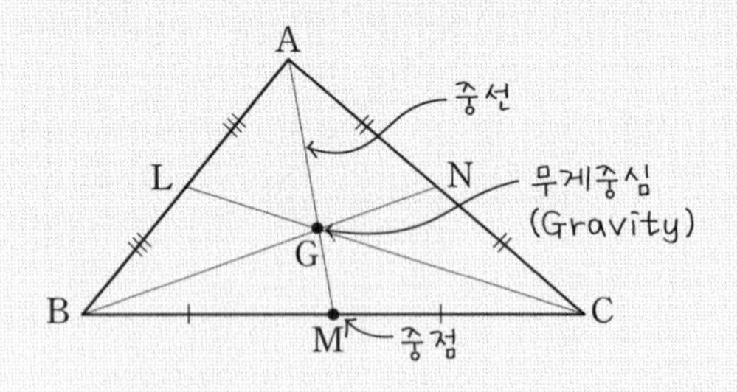

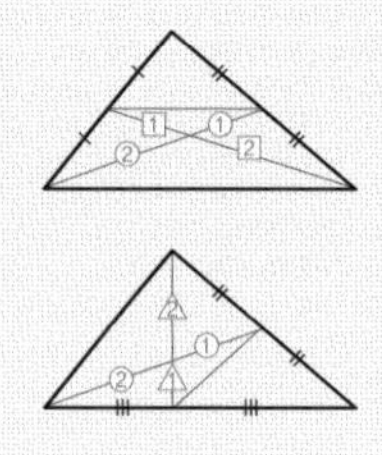

• $\overline{GA}:\overline{GM}=\overline{GB}:\overline{GN}=\overline{GC}:\overline{GL}=2:1$

M2 삼각형의 무게중심과 넓이 개념강의

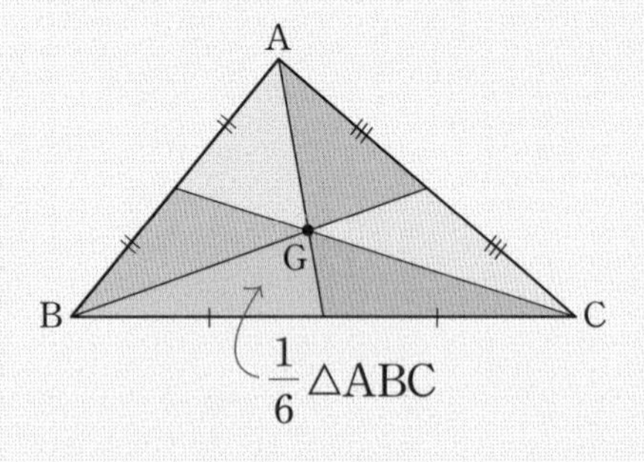

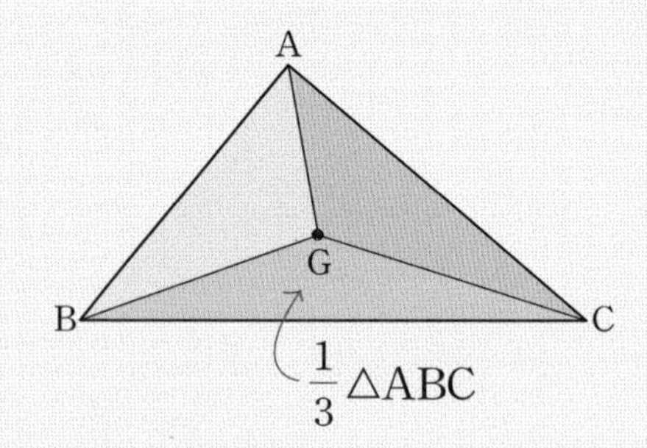

M3 평행사변형에서 삼각형의 무게중심 개념강의

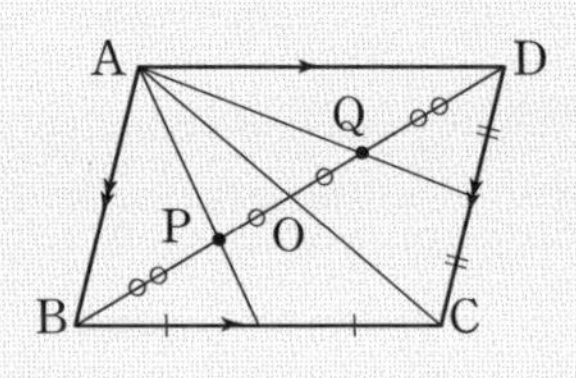

• 점 P는 △ABC의 무게중심
• 점 Q는 △ACD의 무게중심
➡ $\overline{BP}=\overline{PQ}=\overline{QD}=\frac{1}{3}\overline{BD}$

용어사전
• 무게중심 center of gravity
• 중선 (中 가운데, 線 선) median line

유형 | 삼각형의 무게중심

13

다음 그림에서 점 G는 $\triangle ABC$의 무게중심일 때, x, y의 값을 각각 구하시오.

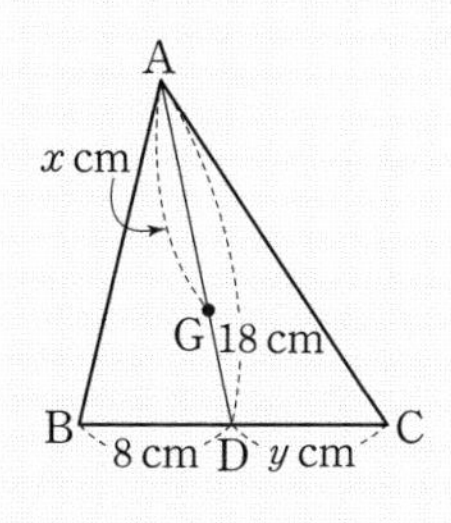

유형 | 삼각형의 무게중심과 닮음비의 응용

14

다음 그림과 같이 $\overline{AB}=\overline{AC}$인 이등변삼각형 ABC에서 밑변 BC의 중점을 D라 하자. $\triangle ABD$와 $\triangle ADC$의 무게중심을 각각 G, G′이라 하고 $\overline{BC}=24$ cm일 때, $\overline{GG'}$의 길이는?

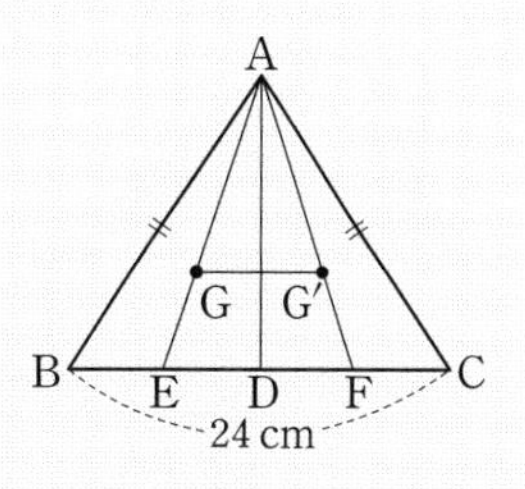

① 6 cm ② 7 cm ③ 8 cm
④ 9 cm ⑤ 10 cm

學

13

다음 그림에서 점 G는 $\triangle ABC$의 무게중심이고, $\overline{MN}=\overline{CN}$이다. $\overline{BG}=20$일 때, $x+y$의 값은?

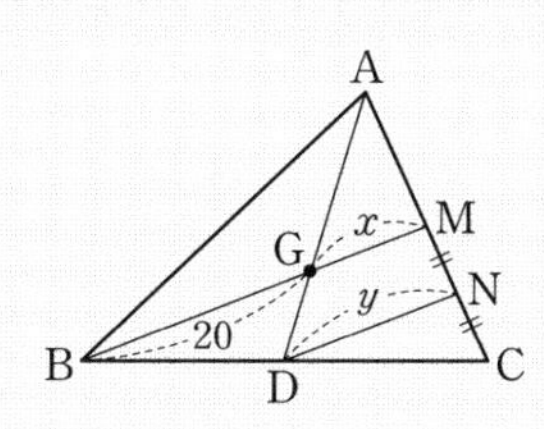

① 22 ② 25 ③ 28
④ 31 ⑤ 34

學

14

다음 그림의 평행사변형 ABCD에서 점 G, G′은 각각 $\triangle ABC$와 $\triangle DBC$의 무게중심이다. $\overline{BC}=21$ cm일 때, $\overline{GG'}$의 길이를 구하시오.

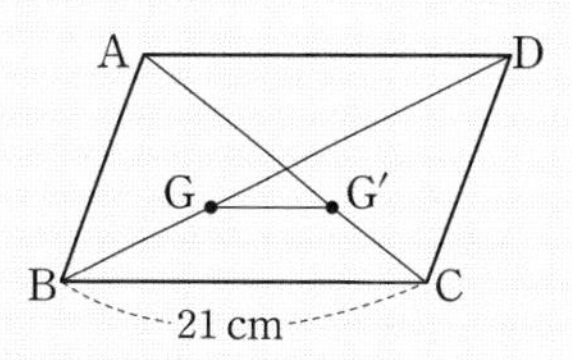

유형 | 삼각형의 무게중심과 넓이

15

다음 그림과 같은 △ABC에서 $\overline{AE}=\overline{EB}$, $\overline{BD}=\overline{DC}$이고, $\overline{AD}$와 $\overline{CE}$의 교점을 G라 하자. △ABC의 넓이가 57 cm^2일 때, △AGC와 □GEBD의 넓이의 합은?

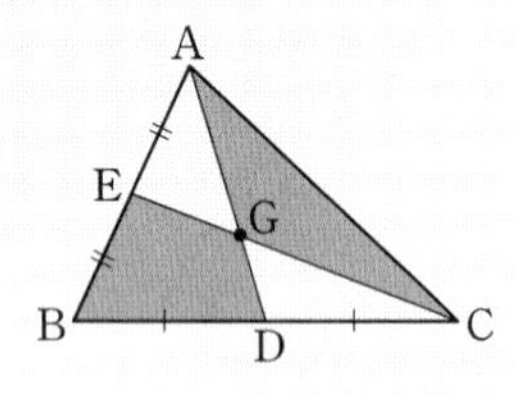

① 36 cm^2 ② 37 cm^2 ③ 38 cm^2
④ 39 cm^2 ⑤ 40 cm^2

유형 | 평행사변형에서 삼각형의 무게중심

16

다음 그림의 평행사변형 ABCD에서 두 점 M, N은 각각 $\overline{AD}$, $\overline{BC}$의 중점이다. □ABCD$=60\text{ cm}^2$일 때, △PBO의 넓이를 구하시오.

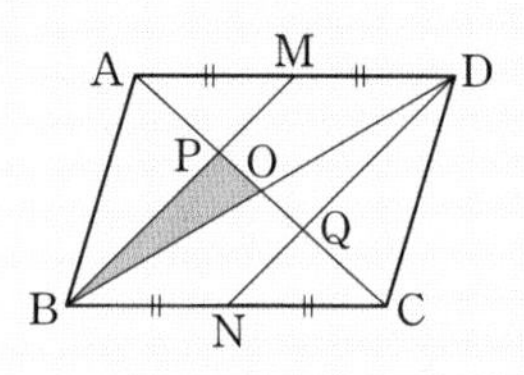

15

다음 그림에서 점 G는 △ABC의 무게중심이고, $\overline{BD}=\overline{DG}$, $\overline{GE}=\overline{EC}$이다. △ABC$=36\text{ cm}^2$일 때, 색칠한 부분의 넓이는?

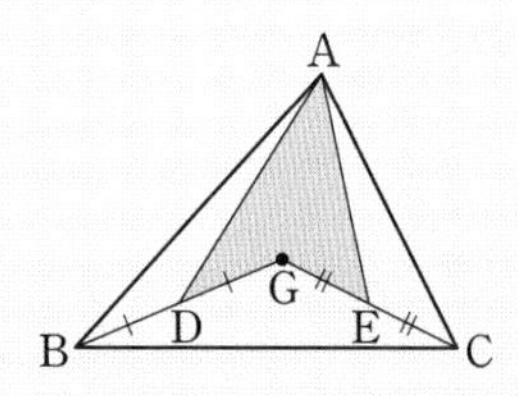

① 10 cm^2 ② 11 cm^2 ③ 12 cm^2
④ 13 cm^2 ⑤ 14 cm^2

16

다음 그림과 같은 평행사변형 ABCD에서 $\overline{BC}$, $\overline{DC}$의 중점을 각각 M, N이라 하자. $\overline{BD}$와 $\overline{AM}$, $\overline{AN}$의 교점을 각각 P, Q라 할 때, △APQ와 오각형 PMCNQ의 넓이의 비를 가장 간단한 자연수의 비로 나타내시오.

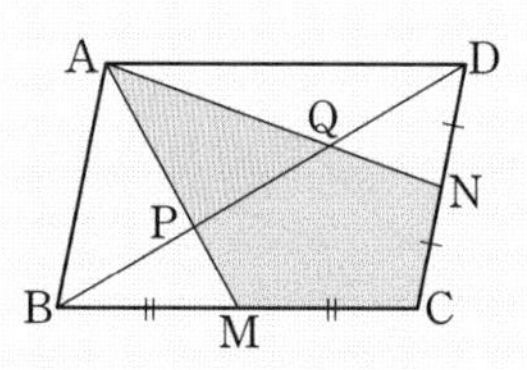

+MEMO

라디오 수타

라디오 방송 형식으로 배운 내용을 재미있게 수학타파하는 코너

꼭

13

다음 그림에서 점 G는 $\triangle ABC$의 무게중심이다. $\overline{GD}$를 지름으로 하는 원 O의 넓이가 $9\pi\ cm^2$일 때, $\overline{AG}$를 지름으로 하는 원 O′의 넓이를 구하시오.

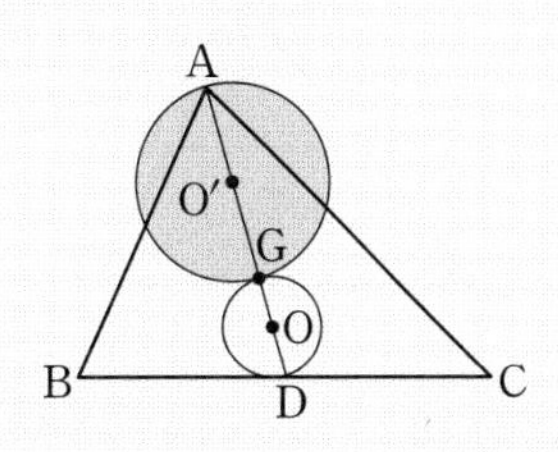

꼭

14

다음 그림의 $\triangle ABC$에서 밑변 BC의 중점을 D라 하고 $\triangle ABD$와 $\triangle ADC$의 무게중심을 각각 G, G′이라 하자. $\overline{BC}=18\ cm$일 때, $\overline{GG'}$의 길이를 구하시오.

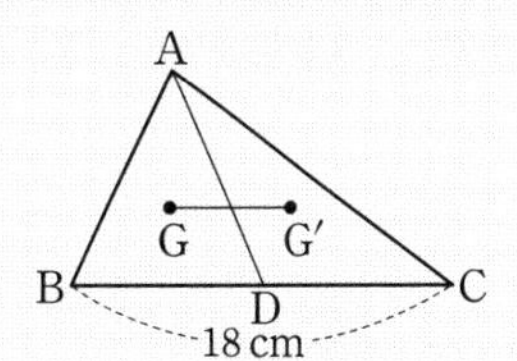

꼭

15

아래 그림에서 점 G는 $\triangle ABC$의 무게중심이고, $\triangle ABC=72\,cm^2$일 때, 다음 중 옳지 않은 것은?

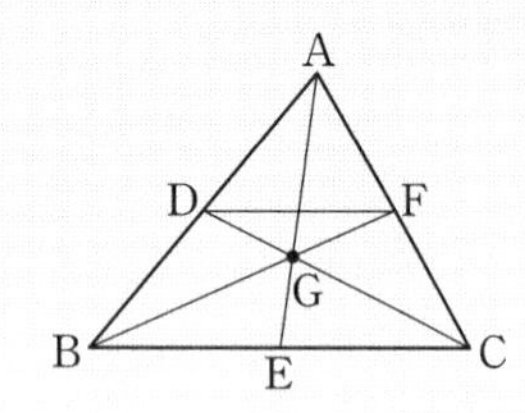

① $\triangle ABF=36\,cm^2$

② $\triangle GBC=24\,cm^2$

③ $\triangle CFG=12\,cm^2$

④ $\square ADGF=36\,cm^2$

⑤ $\triangle GAB+\square CFGE=48\,cm^2$

꼭

16

다음 그림과 같은 평행사변형 ABCD에서 각 변의 중점을 P, Q, R, S라 하자. $\triangle AFS=7\,cm^2$일 때, $\square AECF$의 넓이를 구하시오.

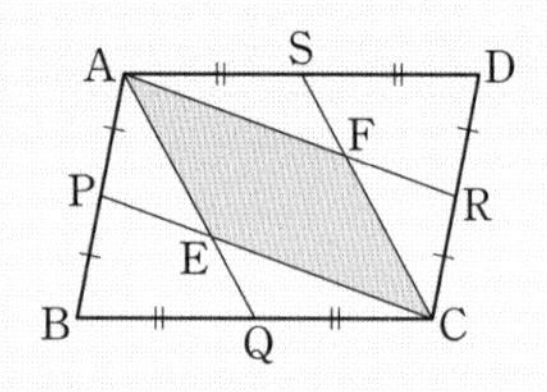

생각+

다음 그림과 같은 평행사변형 ABCD에서 $\overline{BC}$, $\overline{CD}$의 중점을 각각 M, N이라 하고, $\overline{BD}$와 $\overline{AM}$, $\overline{AN}$의 교점을 각각 P, Q라 하자. $\overline{PQ}=4\,cm$일 때, $\overline{MN}$의 길이는?

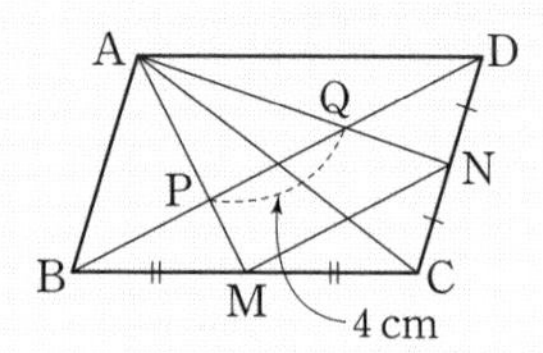

① 5 cm ② 6 cm ③ 7 cm
④ 8 cm ⑤ 9 cm

생각++

다음 그림에서 점 G는 $\triangle ABC$의 무게중심이다. $\overline{EF} /\!/ \overline{BC}$, $\triangle GDF = 8\,cm^2$일 때, $\triangle FDC$의 넓이는?

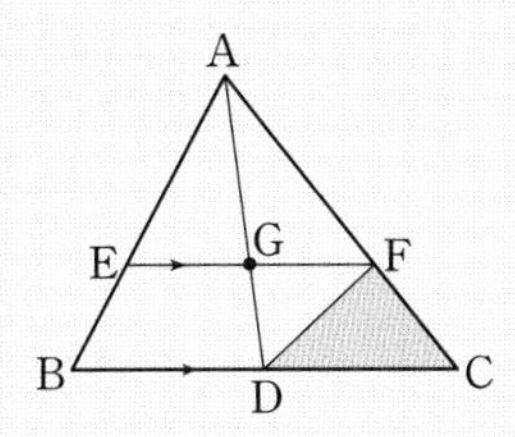

① $10\,cm^2$ ② $12\,cm^2$ ③ $14\,cm^2$
④ $16\,cm^2$ ⑤ $18\,cm^2$

생각+++

삼각형의 세 중선은 한 점에서 만나고 이 점을 무게중심이라 한다. 다각형은 2개 이상의 삼각형으로 분할하여 무게중심을 구할 수 있다.

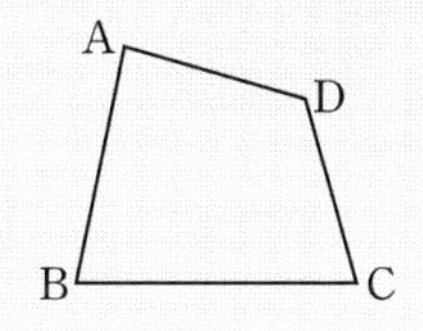

❶ □ABCD에 $\overline{AC}$를 그어 $\triangle ABC$와 $\triangle ACD$의 무게중심 P와 P′을 각각 구하고, $\overline{PP'}$을 긋는다.

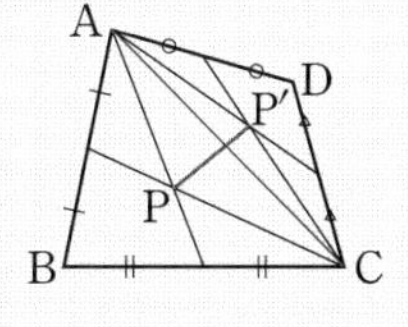

❷ □ABCD에 $\overline{BD}$를 그어 $\triangle ABD$와 $\triangle BCD$의 무게중심 Q와 Q′을 각각 구하고, $\overline{QQ'}$을 긋는다.

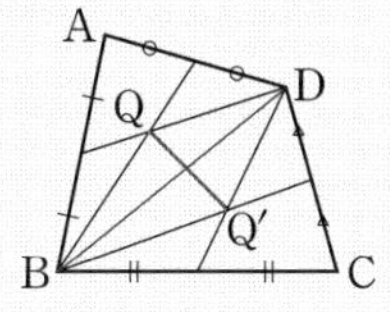

❸ $\overline{PP'}$과 $\overline{QQ'}$의 교점 G가 □ABCD의 무게중심이다.

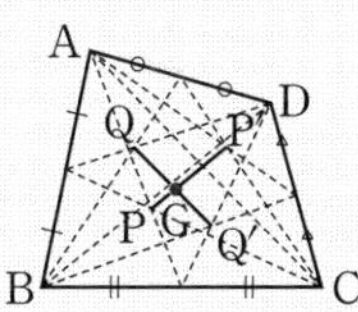

위 방법을 이용하여 다음과 같은 □ABCD의 무게중심 G를 찾으시오.

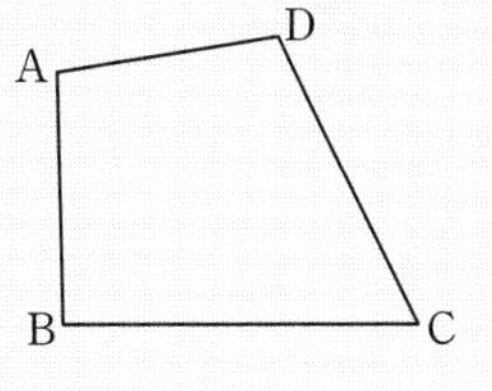

IV 닮음의 활용

05 넓이의 비와 부피의 비

M1 넓이의 비와 부피의 비 개념강의

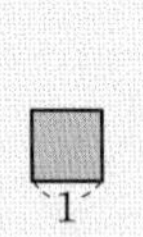
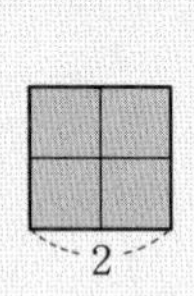
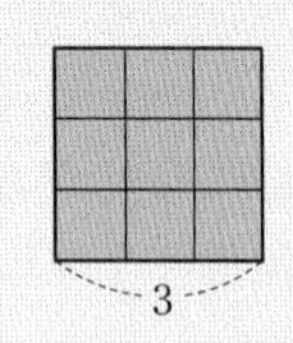

- 둘레의 길이의 비 $4:8:12=1:2:3$
- 넓이의 비 $1:4:9=1^2:2^2:3^2$
- 닮음비$(m:n)$ ┌ 둘레의 길이의 비 ➡ $m:n$
  └ 넓이의 비 ➡ $m^2:n^2$

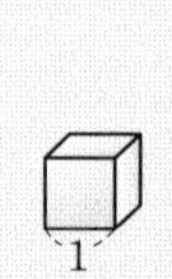
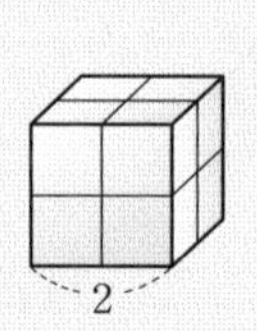
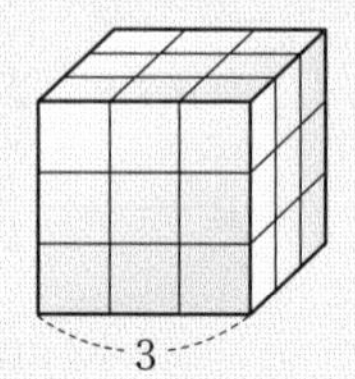

- 겉넓이의 비
  $6:24:54=1:4:9=1^2:2^2:3^2$
- 부피의 비 $1:8:27=1^3:2^3:3^3$
- 닮음비$(m:n)$ ┌ 겉넓이의 비 ➡ $m^2:n^2$
  └ 부피의 비 ➡ $m^3:n^3$

M2 축도와 축척 개념강의

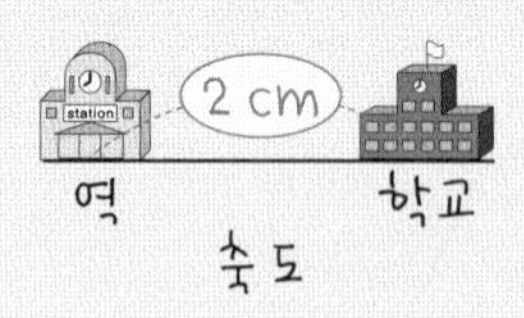
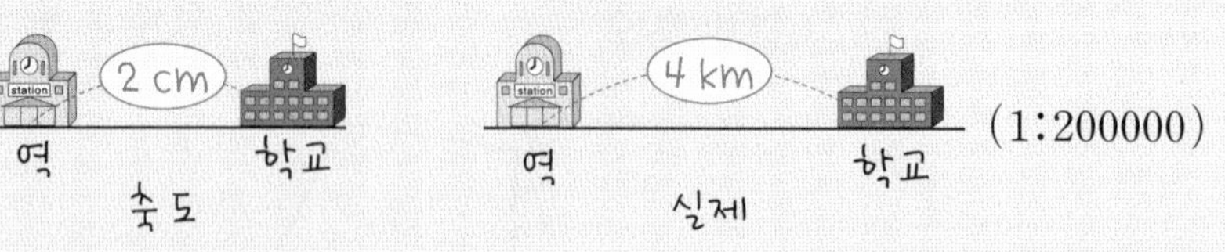

- $(\text{축척})=\dfrac{(\text{축도 거리})}{(\text{실제 거리})}=\dfrac{2\,\text{cm}}{4\,\text{km}}=\dfrac{2\,\text{cm}}{400000\,\text{cm}}=\dfrac{1}{200000}$
- $(\text{축도 거리})=(\text{실제 거리})\times(\text{축척})=400000\times\dfrac{1}{200000}=2(\text{cm})$
- $(\text{실제 거리})=\dfrac{(\text{축도 거리})}{(\text{축척})}=2\div\dfrac{1}{200000}=400000(\text{cm})=4(\text{km})$

유형 | 닮은 도형의 넓이의 비

17

다음 그림과 같이 한 점에서 접하는 세 원의 중심을 각각 O, O′, O″이라 하자. 점 O를 중심으로 하는 원의 넓이가 $5\pi\ \mathrm{cm}^2$일 때, 색칠한 부분의 넓이를 구하시오.

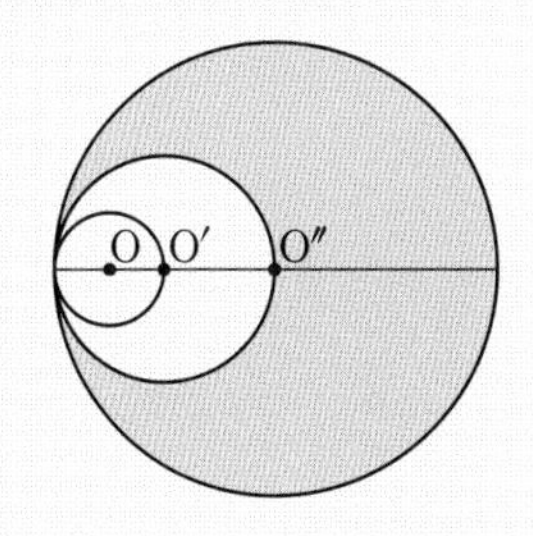

| 닮은 도형의 부피의 비

18

다음 그림의 두 원기둥 A, B가 서로 닮은 도형이다. B의 부피가 $162\pi\ \mathrm{cm}^3$일 때, A의 부피를 구하시오.

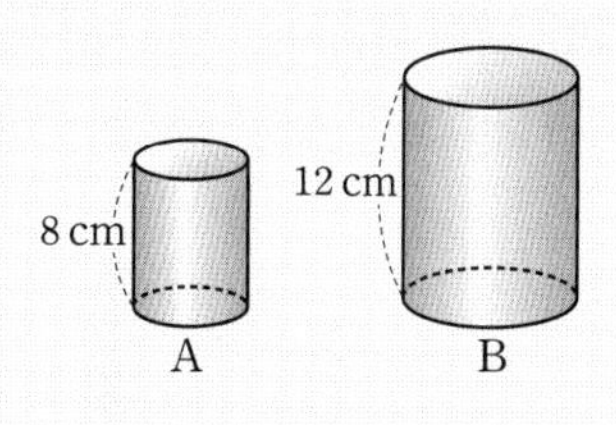

17

다음 그림과 같이 닮음비가 3 : 4인 두 개의 상자가 있다. 작은 상자의 겉면을 빈틈없이 칠하는 데 135 mL의 페인트가 필요하다고 할 때, 큰 상자의 겉면을 모두 칠하는 데 필요한 페인트의 양은?

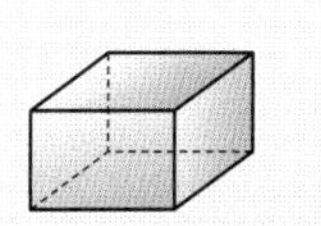
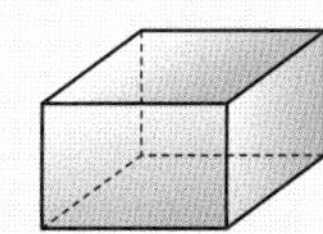

① 160 mL ② 180 mL ③ 200 mL
④ 220 mL ⑤ 240 mL

18

다음 그림과 같은 구 모양의 두 풍선 A, B의 반지름의 길이가 각각 15 cm, 30 cm이다. A 풍선을 부는 데 걸린 시간이 2분이었다면 B 풍선을 부는 데 걸린 시간을 구하시오. (단, 풍선의 부피는 부는 시간에 정비례한다.)

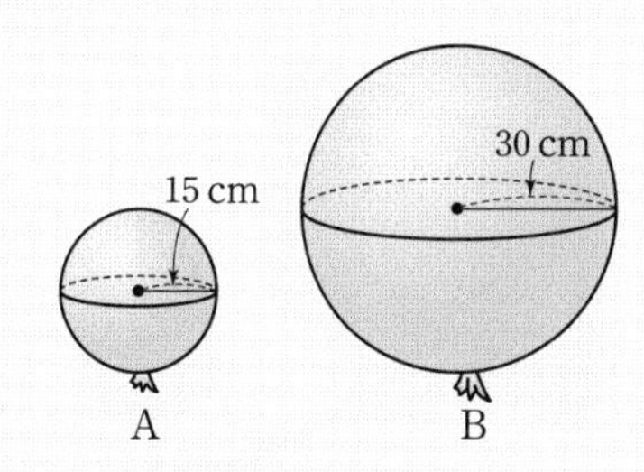

유형 | 닮은 도형의 활용

19

어떤 탑의 높이를 재기 위하여 탑의 그림자 끝점 A에서 1 m 떨어진 지점 B에 길이가 0.8 m인 막대를 세웠더니 그 그림자의 끝이 탑의 그림자의 끝과 일치하였다. 막대와 탑 사이의 거리가 5 m일 때, 탑의 높이를 구하시오.

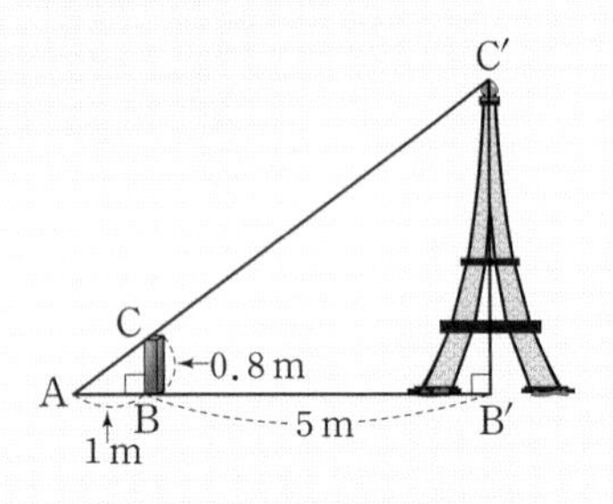

유형 | 축도와 축척

20

축척이 $\frac{1}{3000}$ 인 지도에서 길이가 6 cm인 두 지점 사이의 실제 거리를 구하시오.

19

다음 그림과 같이 나무의 그림자의 일부가 담장에 생겼다. $\overline{BC}=2.4$ m, $\overline{CD}=1.6$ m이고 같은 위치, 같은 시간에 길이가 1 m인 막대의 그림자의 길이가 1.5 m일 때, 나무의 높이를 구하시오. (단, 담장과 지면은 수직이다.)

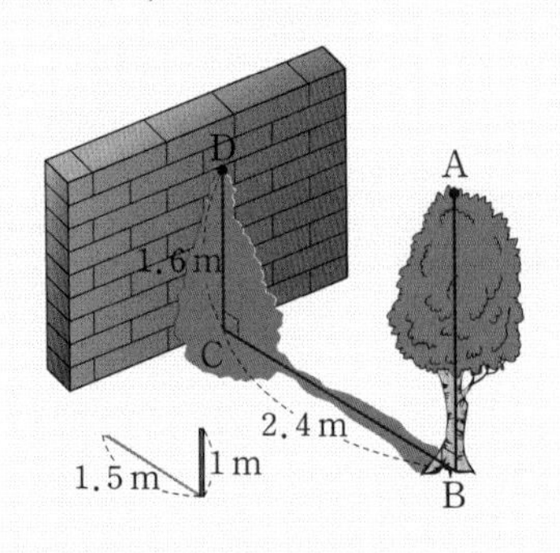

20

다음 그림은 어느 강의 축척이 $\frac{1}{2000}$ 인 축도를 그린 것이다. $\overline{BC} /\!/ \overline{DE}$일 때, A, B 두 지점 사이의 실제 거리는?

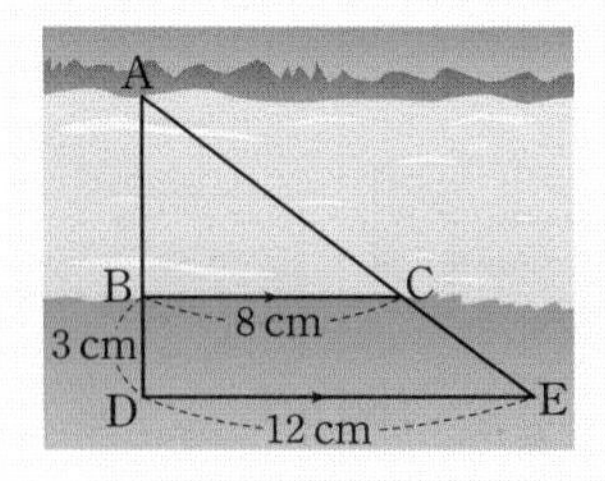

① 100 m ② 105 m ③ 110 m
④ 115 m ⑤ 120 m

+MEMO

라디오 수타
라디오 방송 형식으로
배운 내용을 재미있게
수학타파하는 코너

꼭

17

다음 그림과 같이 정사각형 ABCD의 내부에 정사각형 EFGH가 있다. 두 정사각형의 한 변의 길이의 비가 5 : 2일 때, 정사각형 EFGH와 색칠한 부분의 넓이의 비를 가장 간단한 자연수의 비로 나타내시오.

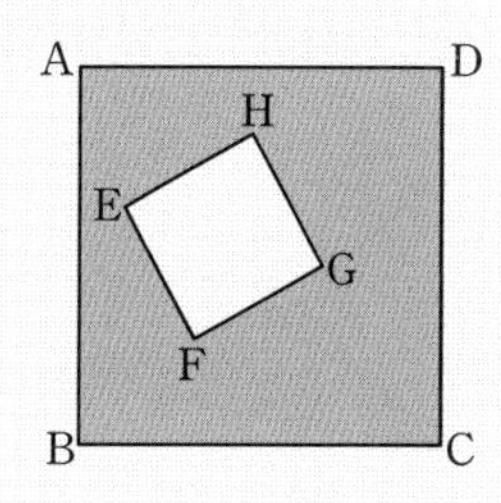

꼭

18

다음 그림과 같이 높이가 24 cm인 원뿔 모양의 그릇에 216 mL의 물을 부었더니 바닥에서 수면까지의 높이가 18 cm가 되었다. 이때, 이 그릇에 물을 가득 채우려면 몇 mL의 물을 더 부어야 하는지 구하시오.

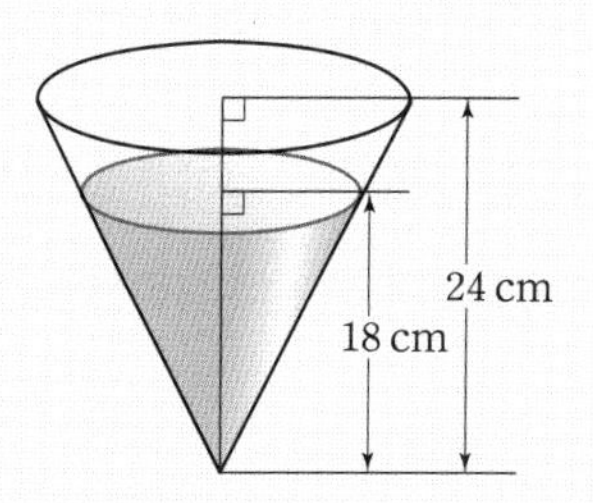

꼭

19

다음 그림과 같이 밑면의 가로의 길이가 50 m인 피라미드의 높이를 재기 위하여 길이가 1 m인 막대기의 그림자가 1.8 m가 될 때, 피라미드의 그림자가 있는 모서리부터 그림자의 끝까지의 거리를 측정하였더니 65 m이었다. 이 피라미드의 높이는? (단, 피라미드는 정사각뿔 모양이다.)

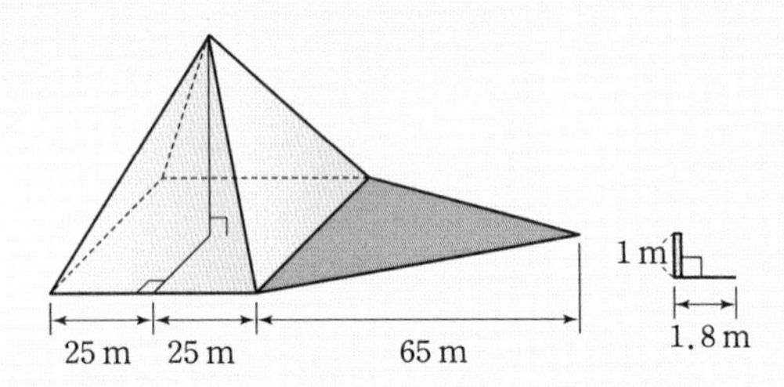

① 50 m ② 60 m ③ 70 m
④ 80 m ⑤ 90 m

꼭

20

축척이 $\frac{1}{500000}$인 지도에서 길이가 8 cm인 두 지점 사이를 시속 50 km로 왕복하는 데 걸리는 시간을 구하시오.

생각+

다음 그림과 같이 직사각형 모양의 슬라이드 필름은 영사기 렌즈로부터 9 cm 떨어진 곳에 있고, 스크린은 필름으로부터 441 cm 떨어진 곳에 있다. 스크린에 비친 영상의 넓이는 필름의 넓이의 몇 배인가?

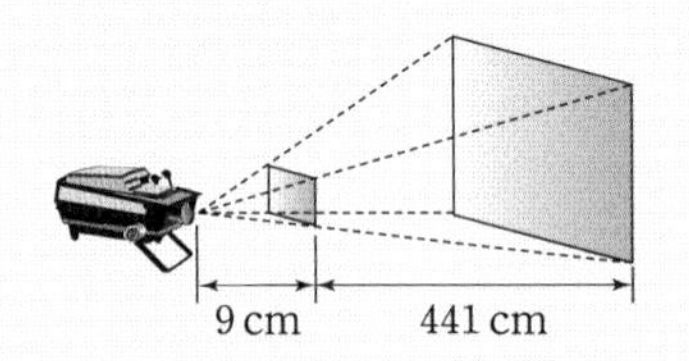

① 2.5배 ② 25배 ③ 250배
④ 2500배 ⑤ 25000배

생각++

다음 그림과 같이 원뿔의 높이를 3등분하여 밑면에 평행한 두 평면으로 잘라 원뿔 1개와 원뿔대 2개를 만들었다. 세 입체도형을 각각 A, B, C라 할 때, A, B, C의 부피의 비를 가장 간단한 자연수의 비로 나타내시오.

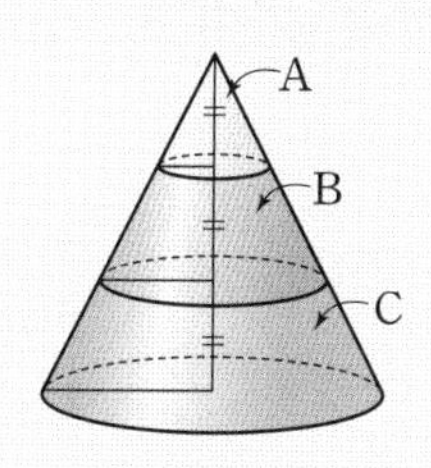

생각+++

민수는 크기가 같은 정육면체 모양의 상자 A, B, C 안에 각 상자에 꼭 맞는 구 모양의 초콜릿을 각각 담았다. 각 상자를 위에서 바라본 모양이 다음 그림과 같을 때, 각각의 상자 안에 들어 있는 초콜릿의 양의 비를 구하시오.
(단, 한 상자 안에는 크기와 모양이 같은 초콜릿을 넣는다.)

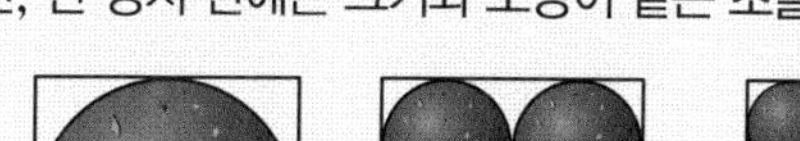
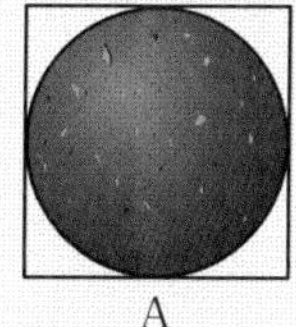
A
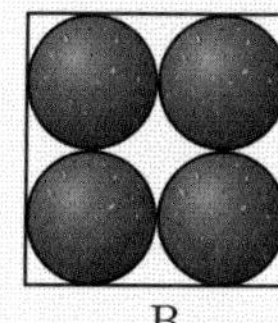
B

C

IV 닮음의 활용

단원 종합 문제

〈1번부터 16번까지는 각 문항당 4점입니다.〉

01

다음 그림과 같은 △ABC에서 $\overline{DE} /\!/ \overline{AF}$, $\overline{DF} /\!/ \overline{AC}$이다. $\overline{BF}=12\,\text{cm}$, $\overline{FC}=9\,\text{cm}$일 때, $\overline{EF}$의 길이를 구하시오.

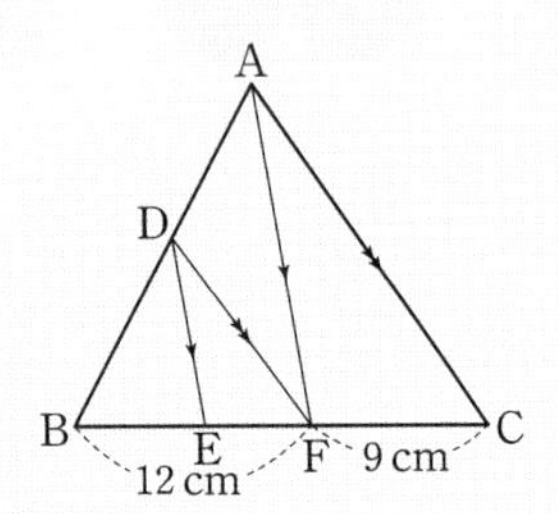

02

다음 그림과 같은 △ABC에서 $\overline{BC} /\!/ \overline{DE}$일 때, $\overline{DG}$의 길이는?

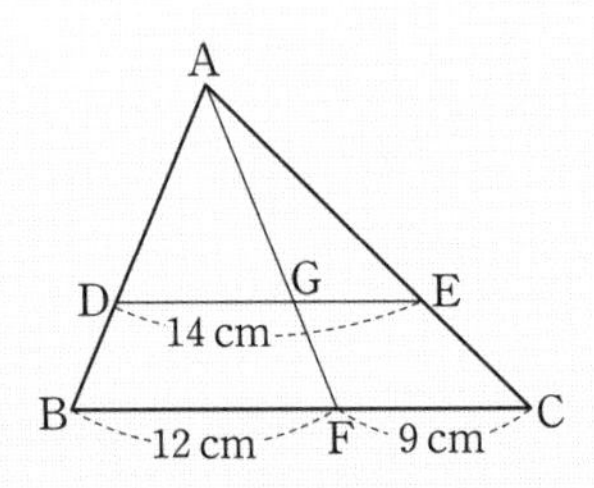

① 7 cm　② 8 cm　③ 9 cm
④ 10 cm　⑤ 11 cm

03

다음 그림의 △ABC에서 $\overline{BE}$, $\overline{CD}$는 각각 ∠B, ∠C의 이등분선이다. △ABC의 넓이가 $30S\,\text{cm}^2$일 때, △BCE의 넓이를 구하시오.

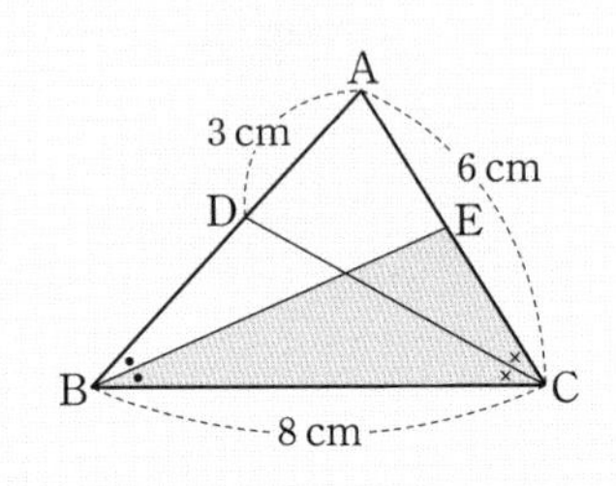

04

다음 그림의 △ABC에서 ∠A의 외각의 이등분선과 $\overline{BC}$의 연장선과의 교점을 D라 하자. $\overline{AB}=3\,\text{cm}$, $\overline{BC}=4\,\text{cm}$, $\overline{BD}=6\,\text{cm}$일 때, $\overline{AC}$의 길이를 구하시오.

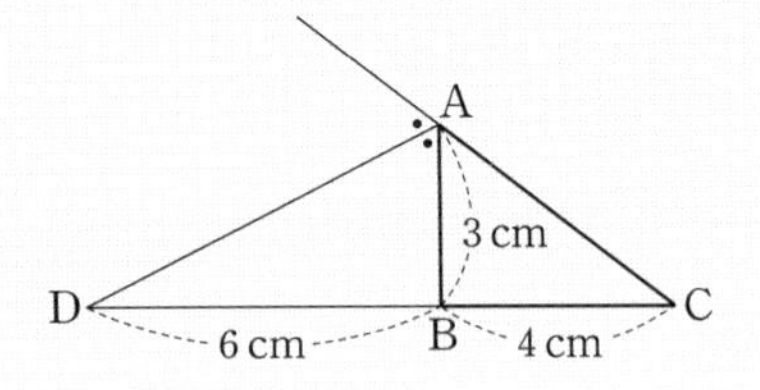

05

다음 그림에서 $l /\!/ m /\!/ n$이고, $\overline{AB}=4$ cm, $\overline{BC}=8$ cm, $\overline{DE}=3$ cm일 때, $\overline{EF}$의 길이는?

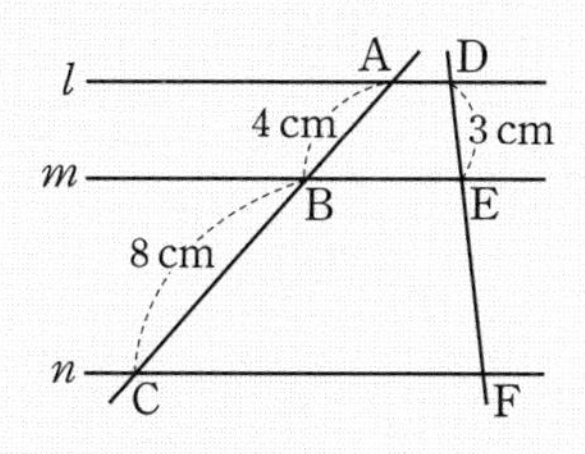

① 5 cm ② 5.5 cm ③ 6 cm
④ 6.5 cm ⑤ 7 cm

06

다음 그림과 같은 사다리꼴 ABCD에서 $\overline{AD} /\!/ \overline{EF} /\!/ \overline{BC}$일 때, $x+y$의 값을 구하시오.

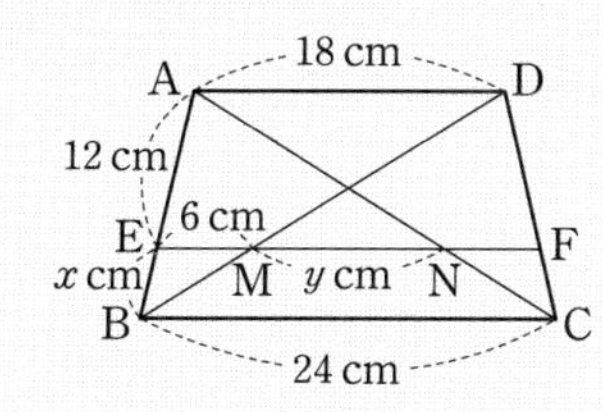

07

다음 그림에서 $\overline{AB}$, $\overline{PH}$, $\overline{DC}$는 모두 $\overline{BC}$와 수직이고, $\overline{AB}=6$ cm, $\overline{DC}=9$ cm일 때, $\overline{PH}$의 길이를 구하시오.

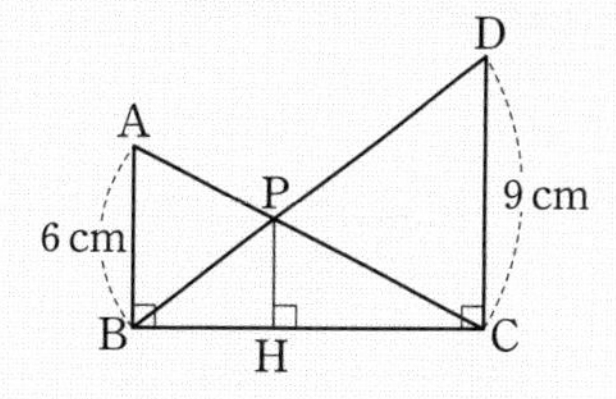

08

다음 그림과 같이 한 모서리의 길이가 7 cm인 정사면체에서 점 P, Q, R, S는 각각 네 모서리 AC, AD, BD, BC의 중점이다. 이때, □PQRS의 둘레의 길이를 구하시오.

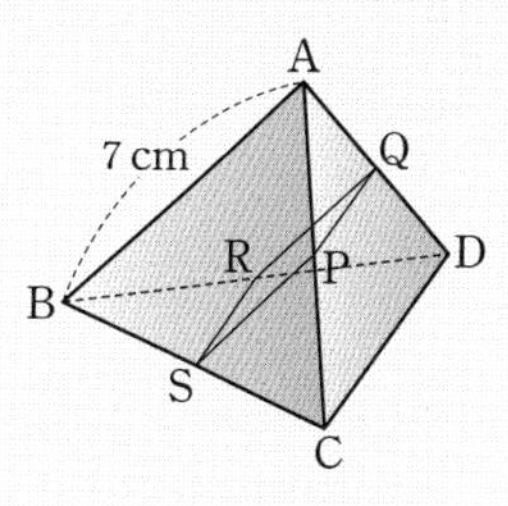

09

다음 그림과 같이 $\overline{AD} /\!/ \overline{BC}$인 등변사다리꼴 ABCD에서 점 E, F, G는 각각 $\overline{AD}$, $\overline{BC}$, $\overline{BD}$의 중점이다. $\angle ABD=30°$, $\angle BDC=80°$일 때, $\angle GFE$의 크기를 구하시오.

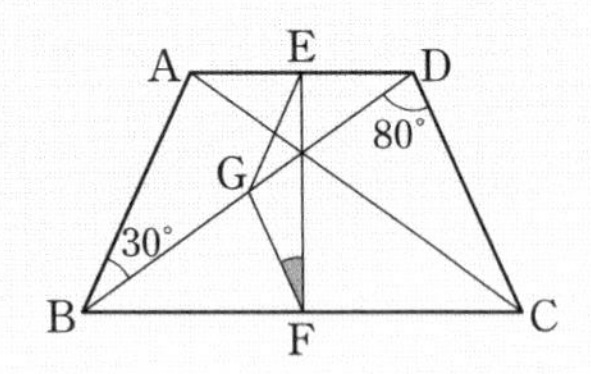

10

다음 그림과 같이 $\overline{AD} /\!/ \overline{BC}$인 사다리꼴 ABCD에서 $\overline{AB}$, $\overline{DC}$의 중점을 각각 M, N이라 하자. $\overline{BD} /\!/ \overline{PN}$이고 $\overline{MN}=10\text{ cm}$, $\overline{PC}=7\text{ cm}$일 때, $\overline{AD}$의 길이는?

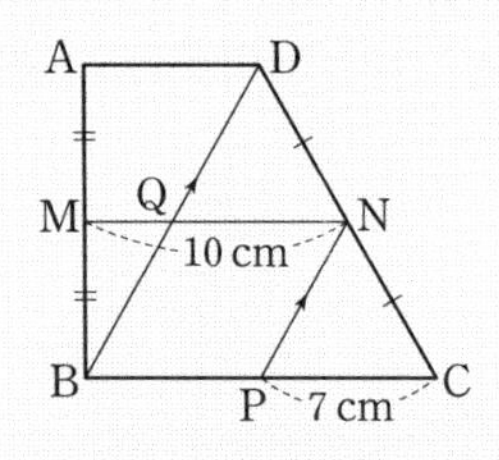

① 5 cm ② 6 cm ③ 7 cm
④ 8 cm ⑤ 9 cm

11

다음 그림에서 점 G는 △ABC의 무게중심이고, $\overline{BC} /\!/ \overline{EF}$, $\overline{GF}=2\text{ cm}$일 때, $\overline{AD}$의 길이는?

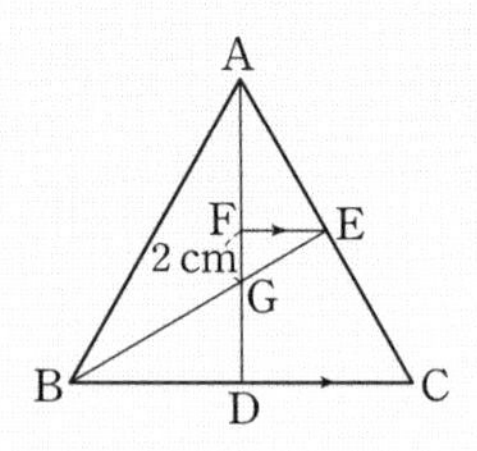

① 11 cm ② 12 cm ③ 13 cm
④ 14 cm ⑤ 15 cm

12

다음 그림의 □ABCD에서 △ABD, △ABC, △BCD, △ACD의 무게중심을 각각 G_1, G_2, G_3, G_4라 하자.

(□ABCD의 둘레의 길이)$\times k$
$=$(□$G_1G_2G_3G_4$의 둘레의 길이)

일 때, 상수 k의 값은?

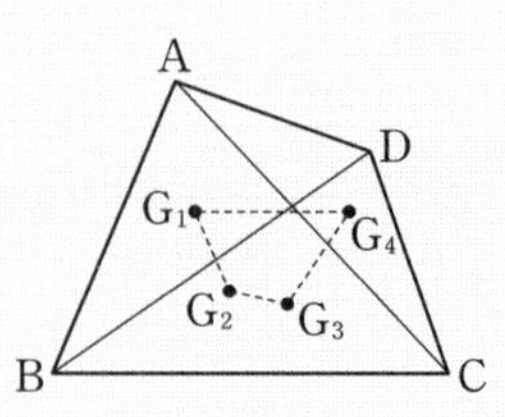

① $\frac{1}{5}$ ② $\frac{1}{4}$ ③ $\frac{1}{3}$
④ $\frac{2}{5}$ ⑤ $\frac{2}{3}$

13

다음 그림에서 점 G, G′은 각각 △ABC와 △GBC의 무게중심일 때, $\overline{AG}:\overline{GG'}:\overline{G'D}$를 가장 간단한 자연수의 비로 나타내시오.

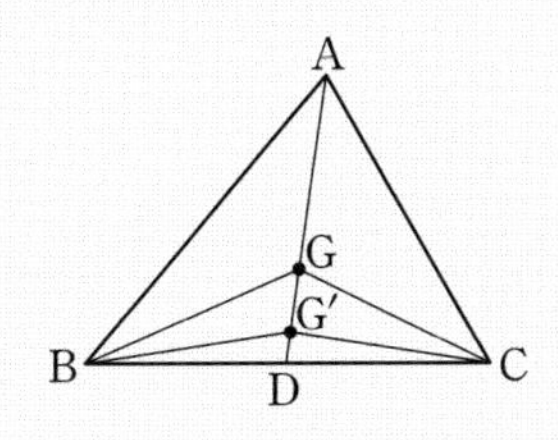

14

다음 그림과 같이 크기가 같은 정육면체 모양의 두 상자 A, B가 있다. A 상자에는 큰 구슬 1개가 꼭 맞게 들어가고, B 상자에는 크기가 같은 작은 구슬 8개가 꼭 맞게 들어간다. 두 상자 A, B 안에 들어 있는 구슬 전체의 겉넓이의 비를 가장 간단한 자연수의 비로 나타내시오.

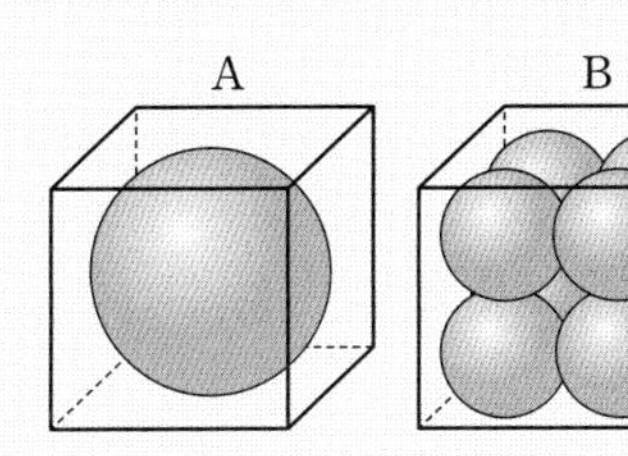

15

다음 그림과 같이 서로 닮음인 두 개의 컵이 있다. 작은 컵의 높이는 큰 컵의 $\frac{5}{6}$이고, 큰 컵에는 컵의 부피의 $\frac{1}{3}$에 해당하는 물 $288\,\text{cm}^3$가 들어 있다. 이때, 작은 컵의 부피는?

① $420\,\text{cm}^3$ ② $440\,\text{cm}^3$ ③ $460\,\text{cm}^3$
④ $480\,\text{cm}^3$ ⑤ $500\,\text{cm}^3$

16

실제 넓이가 $2\,\text{km}^2$인 토지가 있다. 축척이 $\frac{1}{5000}$인 지도에서 이 토지의 넓이는?

① $40\,\text{cm}^2$ ② $80\,\text{cm}^2$ ③ $400\,\text{cm}^2$
④ $800\,\text{cm}^2$ ⑤ $1000\,\text{cm}^2$

독심술

17

아래 그림의 직사각형 ABCD에서 점 M은 $\overline{BC}$의 중점이다. $\triangle PQR=5\,cm^2$일 때, 다음 물음에 답하시오. [총 6점]

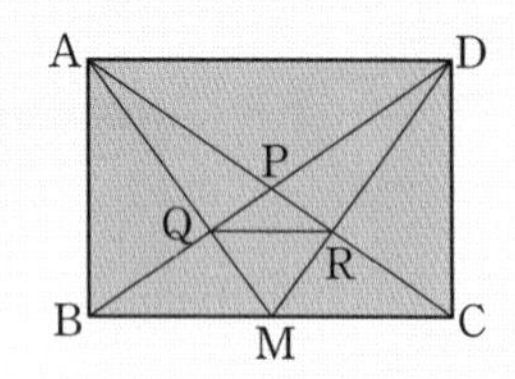

(1) $\triangle PQR : \triangle PBC$를 가장 간단한 자연수의 비로 나타내시오. [2점]

(2) $\triangle PBC$의 넓이를 구하시오. [2점]

(3) $\square ABCD$의 넓이를 구하시오. [2점]

18

다음 그림과 같은 $\triangle ABC$에서 $\overline{AD}$, $\overline{AE}$가 각각 $\angle A$의 내각과 외각의 이등분선일 때, $\triangle ABD$와 $\triangle ADE$의 넓이의 비를 가장 간단한 자연수의 비로 나타내시오. [10점]

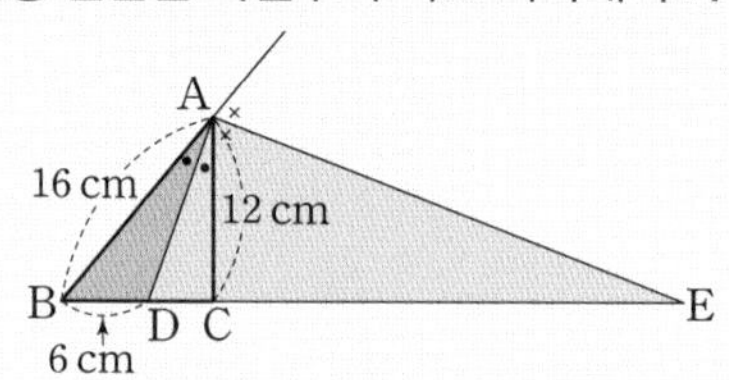

19

다음 그림과 같은 $\triangle ABC$에서 $\overline{AD}=\overline{CD}$, $\overline{BE}=\overline{EF}=\overline{FC}$이다. $\overline{BD}$와 $\overline{AE}$, $\overline{AF}$의 교점을 각각 P, Q라 하자. $\overline{PE}=4\,\text{cm}$일 때, $\overline{AP}$의 길이를 구하시오. [10점]

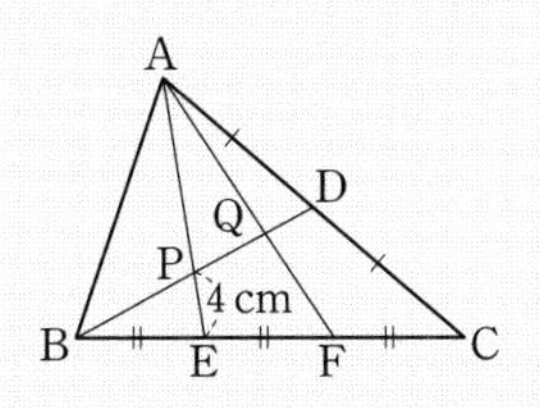

20

크기가 다른 닮은 세 원기둥 모양의 빵으로 다음 그림과 같은 3단 케이크를 만들려고 한다. 세 원기둥의 밑넓이의 비가 $4:9:16$이고, 제일 아래에 놓일 빵을 만들기 위해 640 g의 반죽이 필요하다고 할 때, 3단 케이크를 만들기 위해 필요한 반죽의 총 양을 구하시오. [10점]

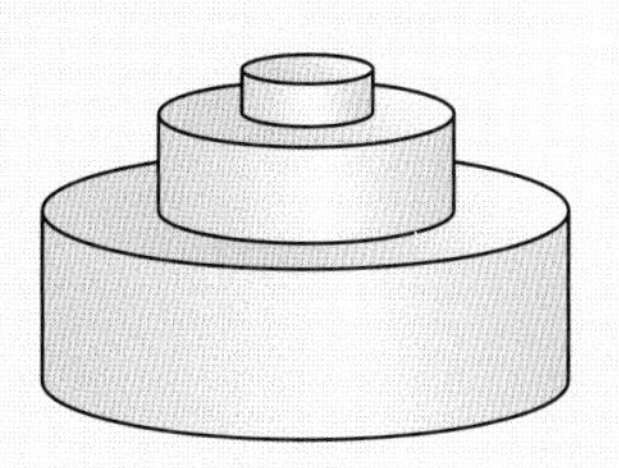

피타고라스 정리

☑ 학습 계획 및 성취도 체크

· 유형 이해도에 따라 □ 안에 ○, △, X를 표시합니다.

· 시험 전에 X 표시한 유형은 반드시 한 번 더 풀어 봅니다.

01 피타고라스 정리

	학습 계획	1차 학습	2차 학습
유형 01 직각삼각형의 변의 길이 구하기	/	☐	☐
유형 02 피타고라스 정리 설명하기(1)	/	☐	☐
유형 03 피타고라스 정리 설명하기(2)	/	☐	☐
유형 04 피타고라스 정리를 이용한 직각삼각형의 성질	/	☐	☐

02 피타고라스 정리의 응용

	학습 계획	1차 학습	2차 학습
유형 05 직각삼각형이 되는 조건	/	☐	☐
유형 06 히포크라테스의 원의 넓이	/	☐	☐
유형 07 피타고라스 정리의 응용	/	☐	☐
유형 08 최단거리 구하기	/	☐	☐

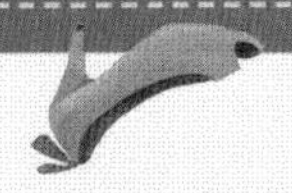

V 피타고라스 정리

1 피타고라스 정리

1. 피타고라스 정리

(1) 피타고라스 정리

직각삼각형에서 직각을 낀 두 변의 길이를 각각 a, b라 하고, 빗변의 길이를 c라 하면

$a^2+b^2=c^2$

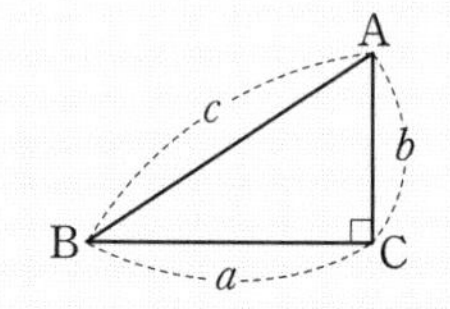

(2) 피타고라스 정리의 설명(피타고라스의 설명)

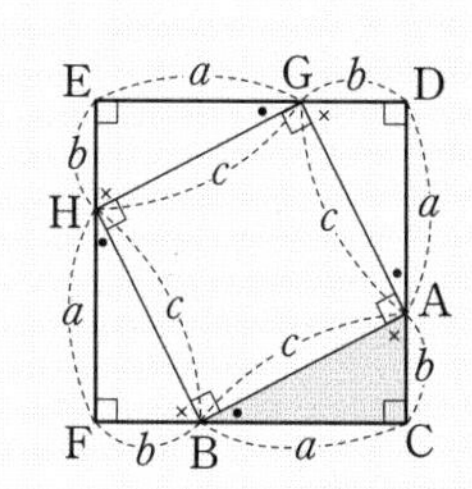

직각삼각형 ABC에서 두 변 CA, CB를 연장하여 한 변의 길이가 $a+b$인 정사각형 CDEF를 만들면

① $\triangle ABC \equiv \triangle GAD \equiv \triangle HGE \equiv \triangle BHF$(SAS 합동)

② □AGHB는 정사각형

③ □CDEF $=$ □AGHB $+4\times\triangle ABC$

$(a+b)^2=c^2+4\times\frac{1}{2}ab$

$\therefore a^2+b^2=c^2$

(3) 직각삼각형이 되는 조건

세 변의 길이가 각각 a, b, c인 삼각형 ABC에서

$a^2+b^2=c^2$

인 관계가 성립하면 이 삼각형은 빗변의 길이가 c인 직각삼각형이다.

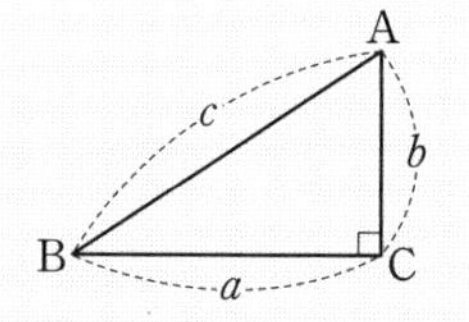

(4) 삼각형의 변의 길이에 대한 각의 크기

삼각형 ABC에서 $\overline{AB}=c$, $\overline{BC}=a$, $\overline{CA}=b$이고, c가 가장 긴 변의 길이일 때,

① $c^2<a^2+b^2$ ➡ $\angle C<90^\circ$ ➡ $\triangle ABC$는 예각삼각형

② $c^2=a^2+b^2$ ➡ $\angle C=90^\circ$ ➡ $\triangle ABC$는 직각삼각형

③ $c^2>a^2+b^2$ ➡ $\angle C>90^\circ$ ➡ $\triangle ABC$는 둔각삼각형

2. 피타고라스 정리의 응용

(1) □ABCD의 두 대각선이 서로 직교할 때

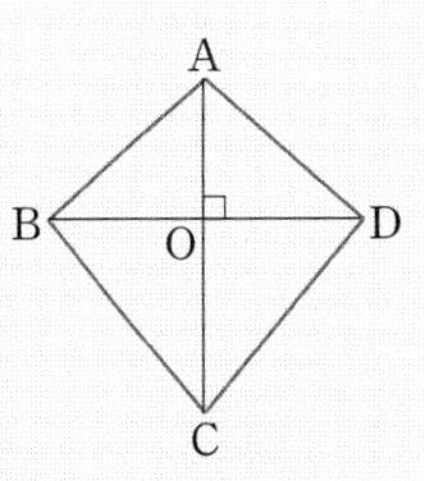

$$\overline{AB}^2+\overline{CD}^2=\overline{AD}^2+\overline{BC}^2$$

➡ $\overline{AB}^2+\overline{CD}^2=(\overline{AO}^2+\overline{BO}^2)+(\overline{CO}^2+\overline{DO}^2)$

$=(\overline{AO}^2+\overline{DO}^2)+(\overline{BO}^2+\overline{CO}^2)$

$=\overline{AD}^2+\overline{BC}^2$

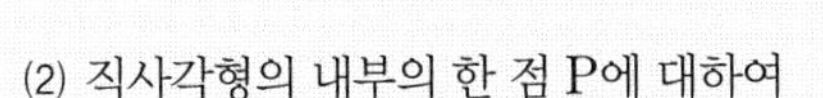

(2) 직사각형의 내부의 한 점 P에 대하여

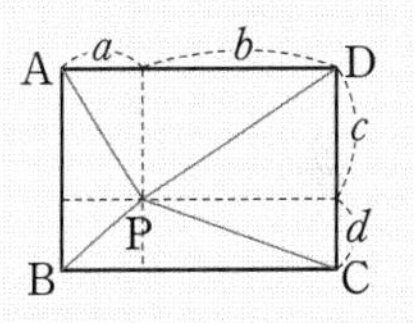

$$\overline{AP}^2+\overline{CP}^2=\overline{BP}^2+\overline{DP}^2$$

➡ $\overline{AP}^2+\overline{CP}^2=(a^2+c^2)+(b^2+d^2)$

$=(a^2+d^2)+(b^2+c^2)$

$=\overline{BP}^2+\overline{DP}^2$

(3) $\angle A=90°$인 직각삼각형 ABC에서 점 D, E가 각각 $\overline{AB}$, $\overline{AC}$ 위에 있을 때

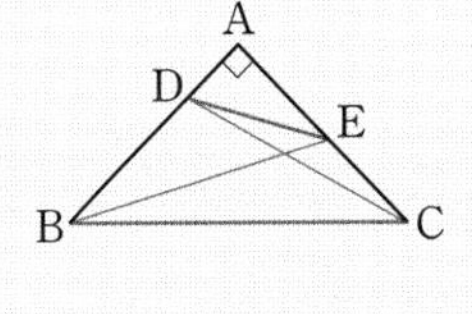

$$\overline{DE}^2+\overline{BC}^2=\overline{BE}^2+\overline{CD}^2$$

➡ △ADE에서 $\overline{AD}^2+\overline{AE}^2=\overline{DE}^2$ …①

△ABC에서 $\overline{AB}^2+\overline{AC}^2=\overline{BC}^2$ …②

△ABE에서 $\overline{AB}^2+\overline{AE}^2=\overline{BE}^2$ …③

△ADC에서 $\overline{AD}^2+\overline{AC}^2=\overline{CD}^2$ …④

①+②를 하면 $\overline{AD}^2+\overline{AE}^2+\overline{AB}^2+\overline{AC}^2=\overline{DE}^2+\overline{BC}^2$

③+④를 하면 $\overline{AB}^2+\overline{AE}^2+\overline{AD}^2+\overline{AC}^2=\overline{BE}^2+\overline{CD}^2$

$\therefore \overline{DE}^2+\overline{BC}^2=\overline{BE}^2+\overline{CD}^2$

(4) 직각삼각형에서 피타고라스 정리의 응용

$\angle A=90°$인 직각삼각형 ABC에서 $\overline{AD}\perp\overline{BC}$일 때,

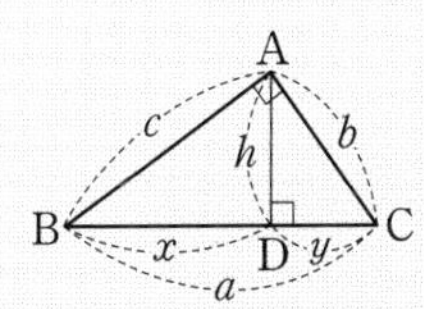

① 피타고라스 정리를 이용 ➡ $a^2=b^2+c^2$

② 직각삼각형의 닮음을 이용 ➡ $c^2=ax$, $b^2=ay$, $h^2=xy$

③ 직각삼각형의 넓이를 이용 ➡ $bc=ah$

01 피타고라스 정리

Mstory1 Mstory2

M1 피타고라스 정리 개념강의

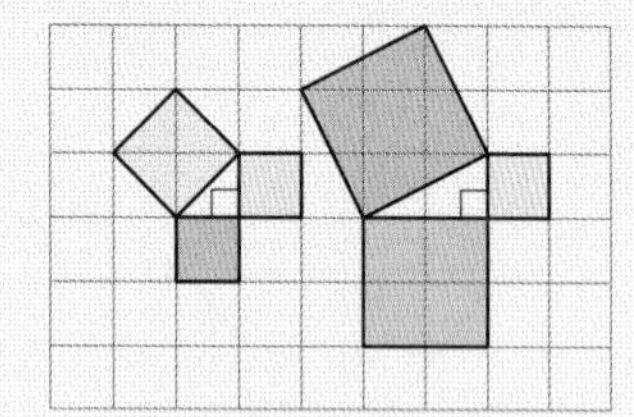

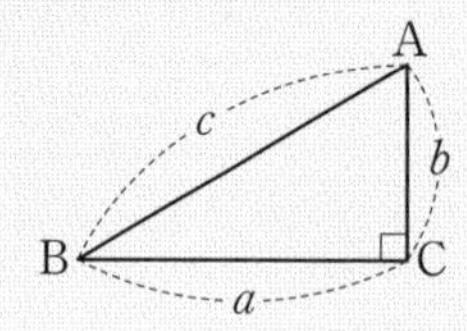

$c^2=a^2+b^2$

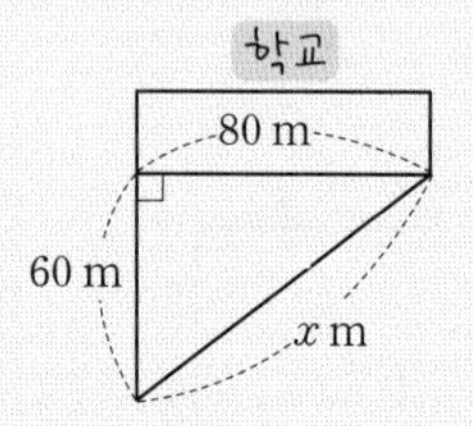

$x^2=60^2+80^2$

$x^2=3600+6400=10000$

$\therefore x=100(\text{m})(\because x>0)$

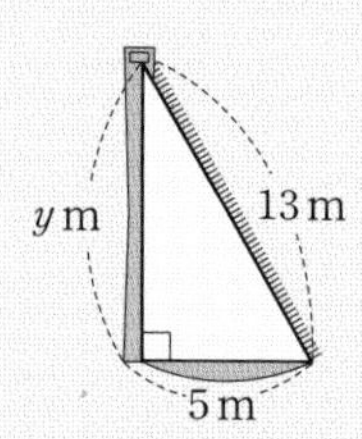

$y^2+5^2=13^2$

$y^2=169-25=144$

$\therefore y=12(\text{m})(\because y>0)$

M2 피타고라스 정리의 설명 개념강의

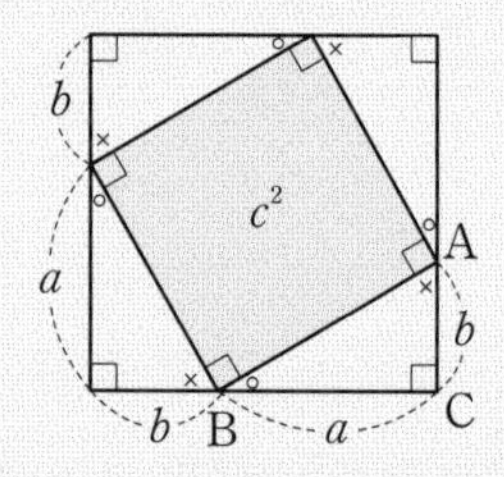

$\frac{1}{2}ab\times4+c^2=(a+b)^2$

$2ab+c^2=a^2+2ab+b^2$

$\therefore c^2=a^2+b^2$

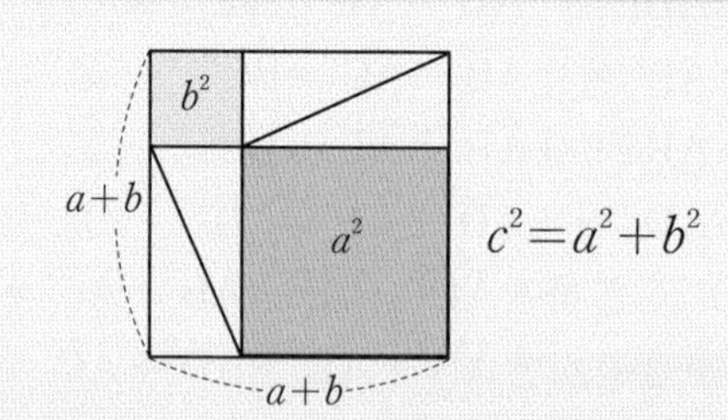

$c^2=a^2+b^2$

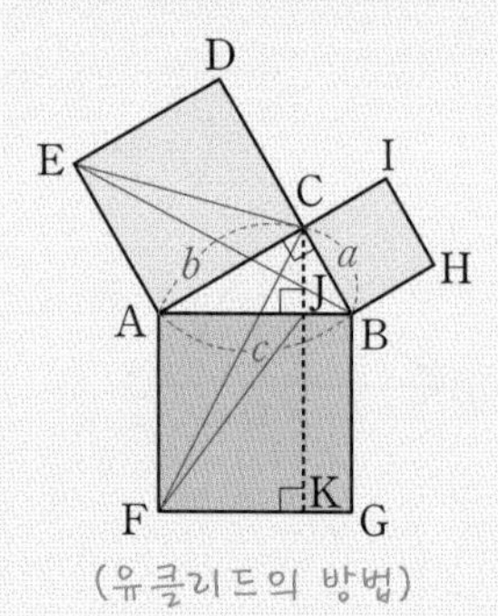

(유클리드의 방법)

$\triangle$EAB$\equiv\triangle$CAF (SAS 합동)

$\quad\|\qquad\quad\|$

$\triangle$EAC$=\triangle$JAF

$\downarrow\times2\qquad\downarrow\times2$

$\square$EACD$=\square$JAFK

마찬가지로

$\square$ICBH$=\square$JKGB $\qquad\therefore a^2+b^2=c^2$

유형 | 직각삼각형의 변의 길이 구하기

01

다음 그림과 같은 $\triangle ABC$에서 $\overline{AD} \perp \overline{BC}$일 때, $\overline{AB}$의 길이는?

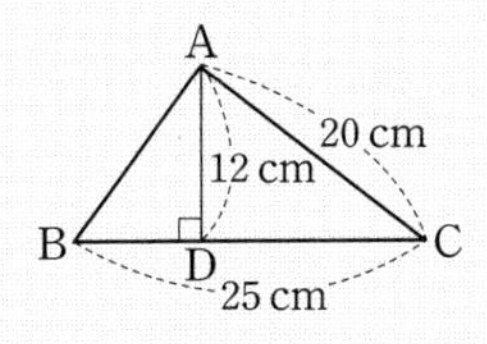

① 9 cm ② 12 cm ③ 15 cm
④ 18 cm ⑤ 21 cm

유형 | 피타고라스 정리 설명하기(1)

02

오른쪽 그림은 합동인 직각삼각형 4개를 이용하여 정사각형 ABCD를 만든 것이다. 이를 이용하여 다음과 같이 피타고라스 정리를 설명할 때, (가)~(마)에 알맞은 것을 써넣으시오.

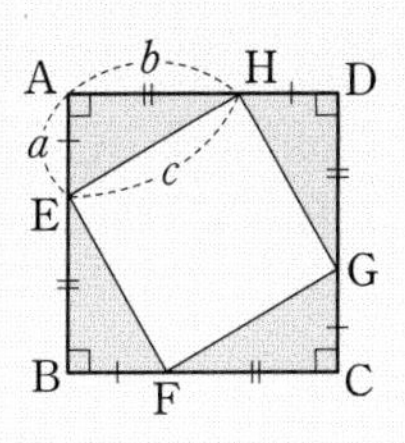

$\triangle AEH \equiv \triangle BFE \equiv \triangle CGF \equiv \triangle DHG$

((가) 합동)

$\angle EFG = 180^\circ - (\angle EFB + \angle GFC) =$ (나)

따라서 □EFGH는 (다) 이다.

이때, □ABCD=□EFGH+4△EBF이므로

(라) $= c^2 + 4 \times \frac{1}{2}ab$

$\therefore a^2 + b^2 =$ (마)

學

01

다음 표의 각 행은 c를 빗변으로 하는 직각삼각형의 세 변 a, b, c의 길이를 나타낸 것이다. 표의 빈칸에 알맞은 수를 써넣으시오.

a	b	c
3	㉠	5
5	12	㉡
㉢	8	10
7	㉣	25
8	15	㉤

學

02

다음 그림에서 □ABCD는 한 변의 길이가 5 cm인 정사각형이고 $\overline{AH} = \overline{BE} = \overline{CF} = \overline{DG} = 3$ cm일 때, □EFGH의 넓이를 구하시오.

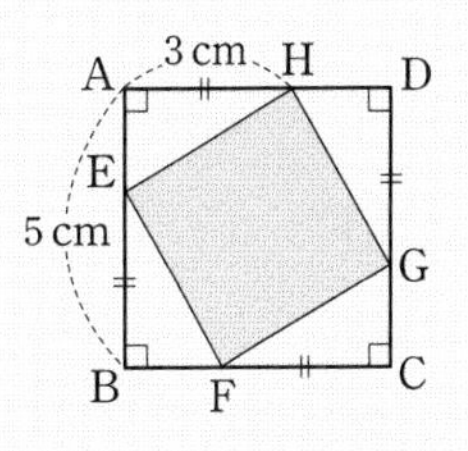

| 피타고라스 정리 설명하기(2)

03

다음 그림은 직각삼각형 ABC의 각 변을 한 변으로 하는 정사각형을 그린 것이다. □ADEB$=4\,\text{cm}^2$, □BFGC$=36\,\text{cm}^2$일 때, □ACHI의 넓이를 구하시오.

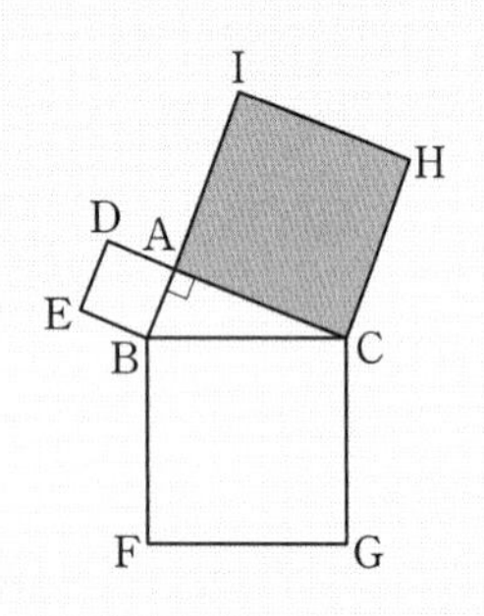

03

아래 그림과 같이 직각삼각형 ABC의 세 변을 각각 한 변으로 하는 정사각형을 그렸을 때, 다음 중 옳지 않은 것은?

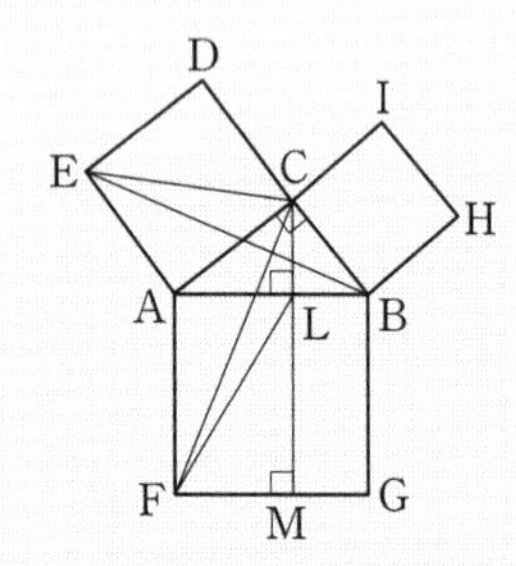

① △EAB≡△CAF
② △EAC=△AFL
③ □ACDE=□AFML
④ △ABC=△AFL
⑤ 2△AFL=□ACDE

| 피타고라스 정리를 이용한 직각삼각형의 성질

04

다음 그림과 같은 직각삼각형 ABC에서 $\overline{AH}\perp\overline{BC}$일 때, $\overline{BH}$의 길이를 구하시오.

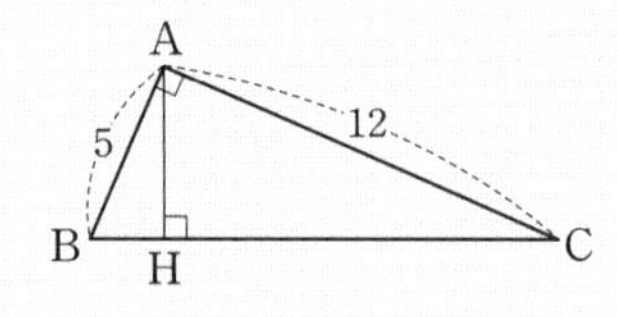

04

다음 그림과 같이 $\angle A=90^\circ$인 직각삼각형 ABC에서 점 M은 $\overline{BC}$의 중점이고 $\overline{AH}\perp\overline{BC}$, $\overline{HN}\perp\overline{AM}$이다. $\overline{AB}=15$, $\overline{AC}=20$일 때, $\overline{HN}$의 길이를 구하시오.

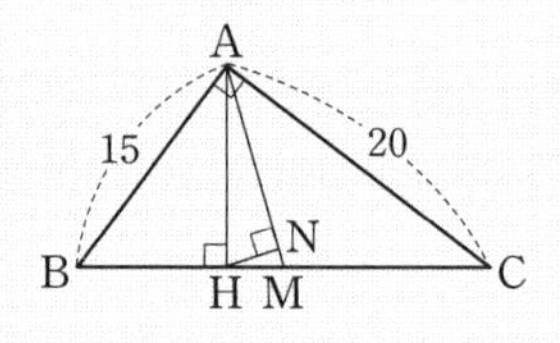

+MEMO

라디오 수타

라디오 방송 형식으로 배운 내용을 재미있게 수학타파하는 코너

꿀

01

지면에서 수직으로 서 있던 높이 5 m의 나무가 다음 그림과 같이 부러졌다. 지면에서부터 부러진 부분까지의 높이를 구하시오.

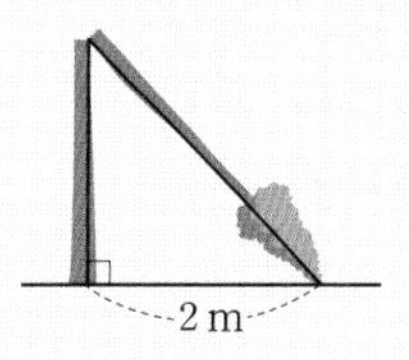

꿀

02

아래 그림에서 사각형 ABCD는 한 변의 길이가 13 cm인 정사각형이다. 다음 중 옳지 않은 것은?

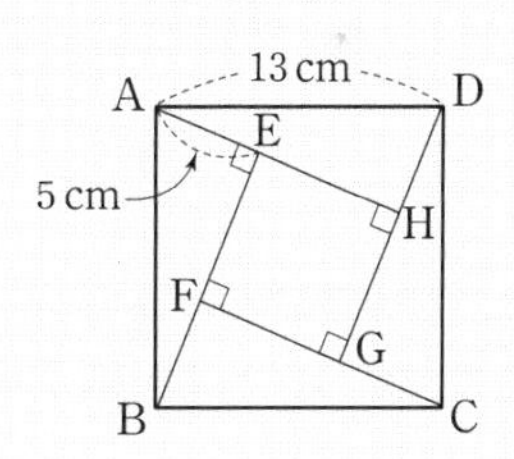

① $\overline{CG}=5\text{ cm}$

② $\overline{AH}=12\text{ cm}$

③ $\overline{EF}=7\text{ cm}$

④ $\triangle BCF=30\text{ cm}^2$

⑤ $\square ABCD=6\square EFGH$

Ⅴ 피타고라스 정리

꼭

03

오른쪽 그림과 같이 $\angle A=90°$인 직각삼각형 ABC에서 $\overline{AB}$, $\overline{BC}$, $\overline{CA}$를 각각 한 변으로 하는 세 개의 정사각형을 그렸다. 다음 〈보기〉에서 $\triangle EBC$와 넓이가 같은 것은 모두 몇 개인지 구하시오.

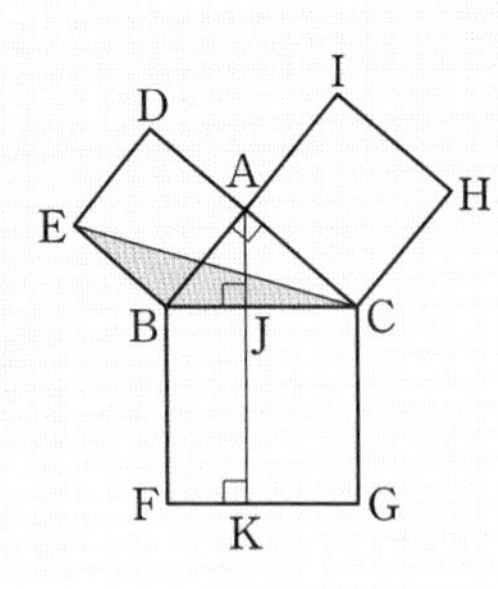

〈 보기 〉

ㄱ. $\triangle EBA$ ㄴ. $\triangle ABF$ ㄷ. $\triangle BCH$

ㄹ. $\triangle JKC$ ㅁ. $\triangle ABC$ ㅂ. $\frac{1}{2}\square BFKJ$

꼭

04

다음 그림과 같이 원점에서 직선 $3x+4y-12=0$에 내린 수선의 발을 H라 할 때, $\overline{OH}$의 길이를 구하시오.

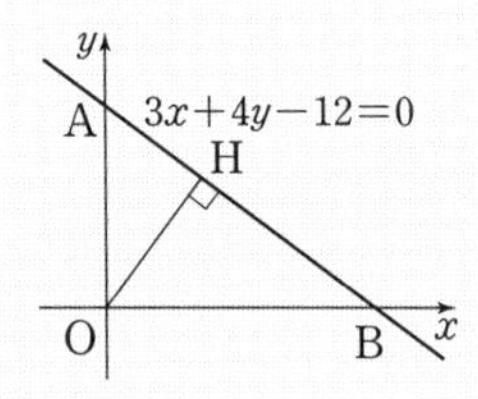

생각 ➕

다음 그림은 $\angle A=90°$인 직각삼각형 ABC와 변 BC를 한 변으로 하는 정사각형 BDEC를 그린 것이다. $\overline{AG}\perp\overline{DE}$이고 $\overline{BD}=15\text{ cm}$, $\triangle AEC=72\text{ cm}^2$일 때, $\overline{AB}$의 길이는?

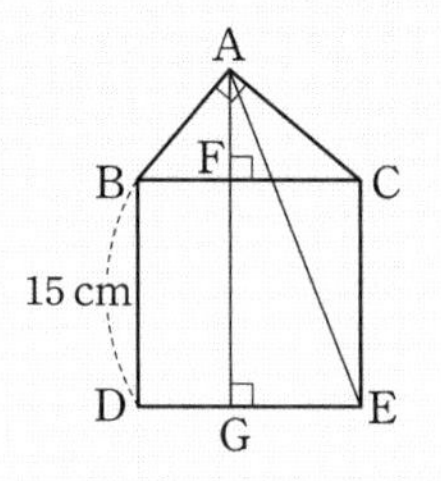

① 8 cm ② 9 cm ③ 10 cm ④ 11 cm ⑤ 12 cm

생각++

다음 그림은 합동인 4개의 직각삼각형을 맞추어 정사각형 ABCD를 만든 것이다. 이를 이용하여 피타고라스 정리를 설명하시오.

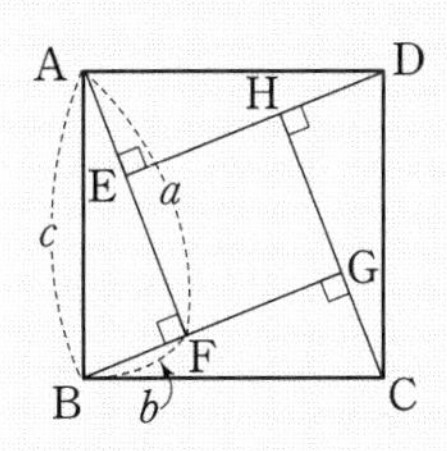

생각+++

미국 제 20대 대통령 가필드(James Abram Garfield, 1831~1881)는 수학에 흥미와 재능을 가지고 있었다. 의원 시절 그는 토론 중에 사다리꼴의 넓이를 이용하여 피타고라스 정리를 보이는 방법을 발견했고, 이는 곧 뉴 잉글랜드 교육잡지에 기재되었다.

다음은 가필드가 오른쪽 그림을 이용하여 피타고라스 정리를 보이는 과정이다. (가)~(라)에 알맞은 것을 써넣으시오.

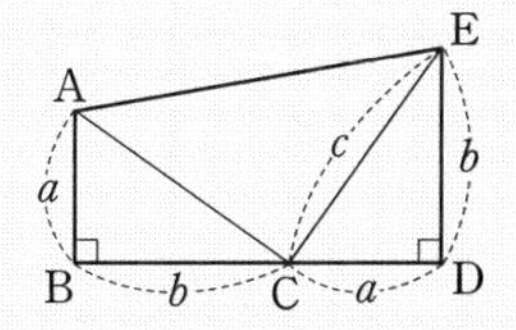

$\triangle ABC \equiv$ [(가)] (SAS 합동)이므로
$\angle ACB + \angle ECD = \angle ACB + \angle CAB$
$\therefore \angle ACE =$ [(나)]
$\square ABDE = \triangle ABC + \triangle ACE + \triangle CDE$이므로
[(다)] $= \frac{1}{2}ab \times 2 +$ [(라)]
$\therefore a^2 + b^2 = c^2$

02 피타고라스 정리의 응용

Mstory1 Mstory2

M1 직각삼각형이 되는 조건 개념강의

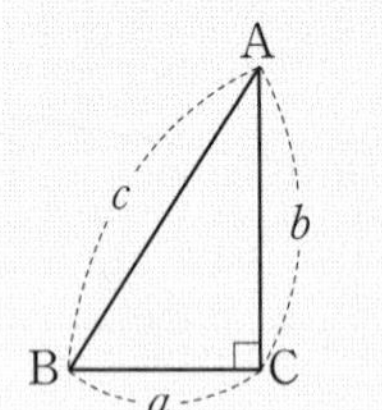

역 $c^2=a^2+b^2$

피타고라스의 수

(3, 4, 5), (5, 12, 13), (8, 15, 17)
(6, 8, 10), (9, 12, 15), (12, 16, 20), (7, 24, 25)

• c가 가장 긴 변일 때,

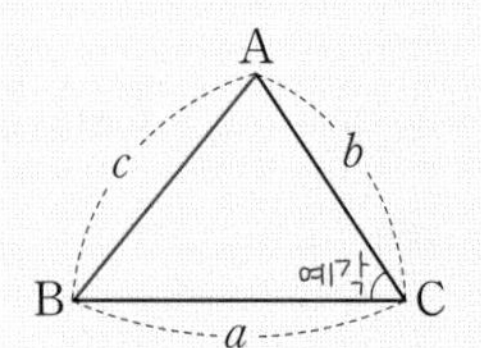

$c^2<a^2+b^2 \Leftrightarrow \angle C<90°$
예각삼각형

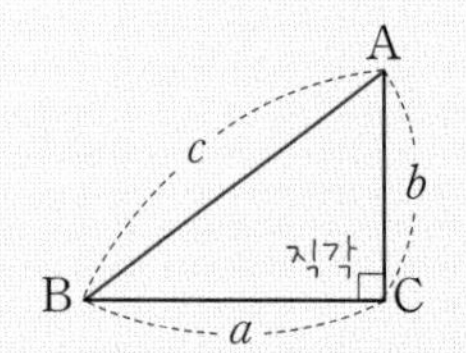

$c^2=a^2+b^2 \Leftrightarrow \angle C=90°$
직각삼각형

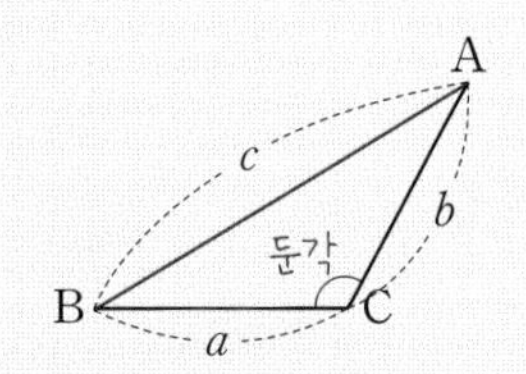

$c^2>a^2+b^2 \Leftrightarrow \angle C>90°$
둔각삼각형

M2 피타고라스 정리의 응용 개념강의

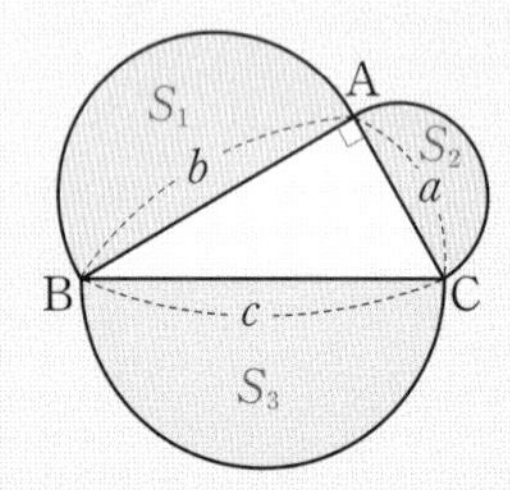

$$S_1+S_2=S_3$$

$$\frac{1}{2}\times\pi\times\left(\frac{b}{2}\right)^2+\frac{1}{2}\times\pi\times\left(\frac{a}{2}\right)^2$$

$$=\frac{1}{8}\pi(b^2+a^2)=\frac{1}{8}\pi c^2=\frac{1}{2}\pi\left(\frac{c}{2}\right)^2$$

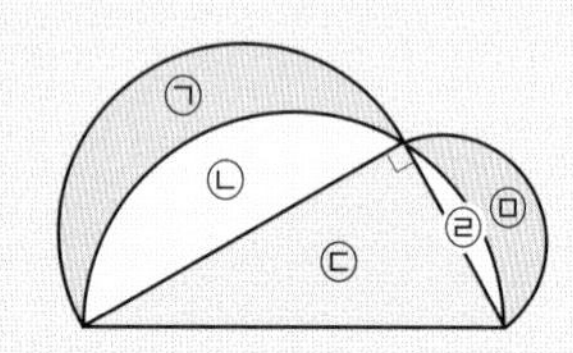

㉠㉡+㉣㉤=㉡㉢
㉣
㉠+㉤=㉢

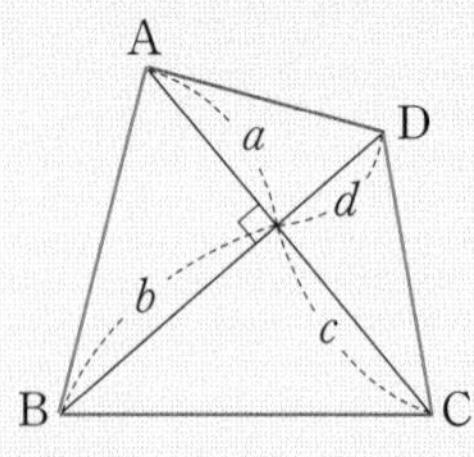

$\overline{AD}^2+\overline{BC}^2=\overline{AB}^2+\overline{DC}^2$
$a^2+d^2+b^2+c^2$ $a^2+b^2+c^2+d^2$

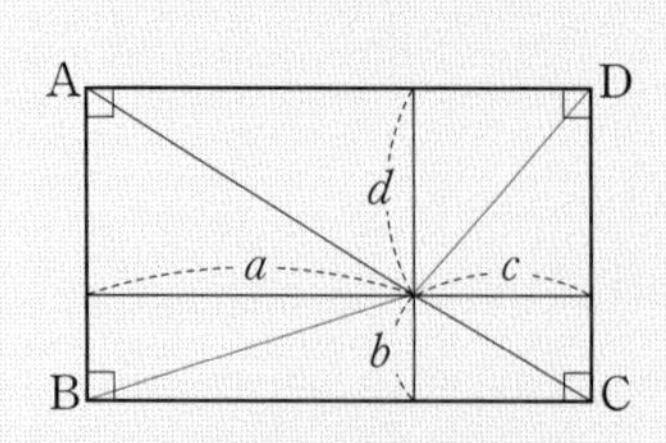

$\overline{PA}^2+\overline{PC}^2=\overline{PB}^2+\overline{PD}^2$
$a^2+d^2+b^2+c^2$ $a^2+b^2+c^2+d^2$

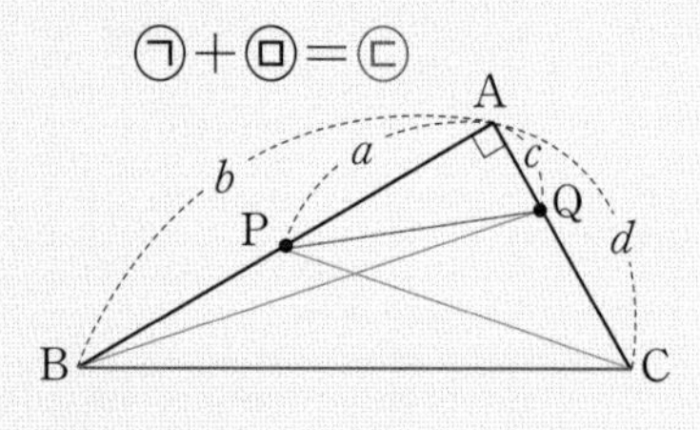

$\overline{PQ}^2+\overline{BC}^2=\overline{PC}^2+\overline{QB}^2$
$a^2+c^2+b^2+d^2$ $a^2+d^2+b^2+c^2$

유형 | 직각삼각형이 되는 조건

05

세 변의 길이가 다음과 같은 삼각형 중에서 직각삼각형인 것은?

① 3, 4, 6 ② 5, 11, 13
③ 8, 15, 17 ④ 7, 23, 25
⑤ 6, 9, 12

 | 히포크라테스의 원의 넓이

06

다음 그림과 같이 $\angle A=90^\circ$인 직각삼각형 ABC의 각 변을 지름으로 하는 세 반원의 넓이를 각각 P, Q, R라 하자. $\overline{BC}=16\,cm$일 때, $P+Q+R$의 값은?

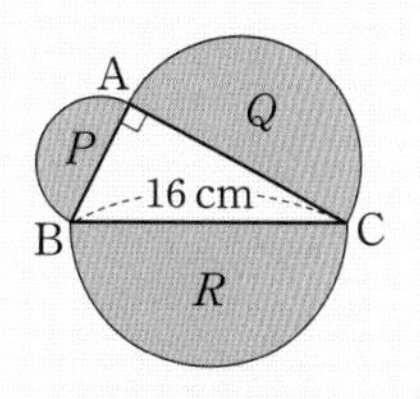

① $60\pi\,cm^2$ ② $64\pi\,cm^2$ ③ $68\pi\,cm^2$
④ $72\pi\,cm^2$ ⑤ $76\pi\,cm^2$

05

세 변의 길이가 각각 5 cm, 12 cm, x cm인 삼각형이 둔각삼각형이 되도록 하는 자연수 x의 개수를 구하시오. (단, $x>12$)

06

다음 그림과 같이 $\angle A=90^\circ$인 직각삼각형 ABC에서 $\overline{AB}$, $\overline{BC}$, $\overline{CA}$를 지름으로 하는 반원을 각각 그렸다. $\overline{AB}=8\,cm$, $\overline{BC}=17\,cm$일 때, 색칠한 부분의 넓이를 구하시오.

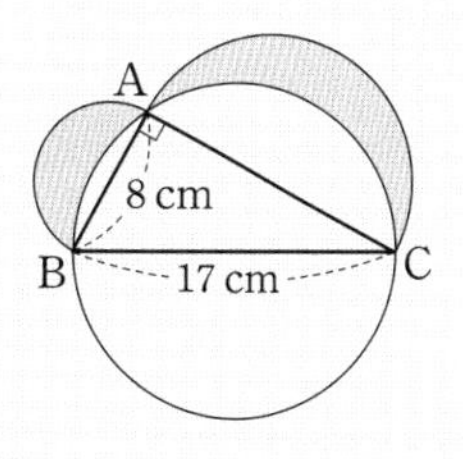

V 피타고라스 정리

유형 | 피타고라스 정리의 응용

07

다음 그림과 같이 □ABCD의 두 대각선이 점 O에서 직교하고 $\overline{AD}=10$, $\overline{BC}=9$, $\overline{CD}=12$일 때, $\overline{AB}^2$의 값을 구하시오.

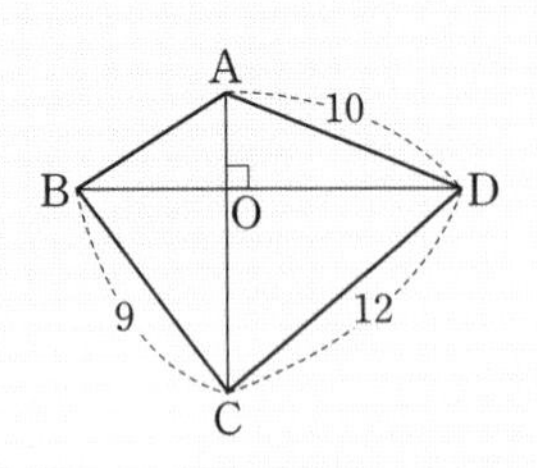

유형 | 최단거리 구하기

08

다음 그림과 같은 직육면체의 꼭짓점 B에서 출발하여 모서리 CG, DH를 지나 점 E에 이르는 최단거리를 구하시오.

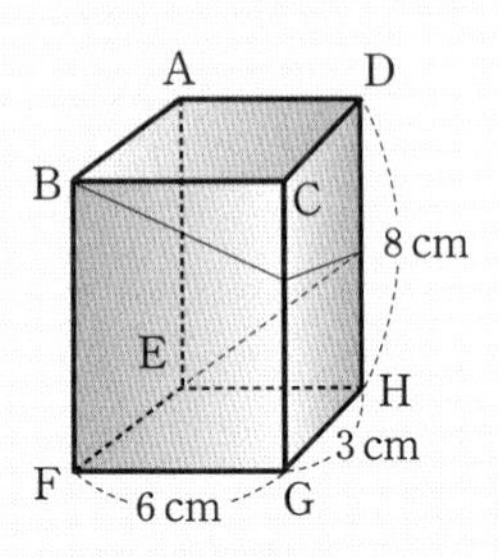

07

다음 그림과 같이 직사각형 ABCD의 내부에 한 점 P가 있다. $\overline{AP}=4$, $\overline{DP}=5$일 때, $\overline{CP}^2-\overline{BP}^2$의 값을 구하시오.

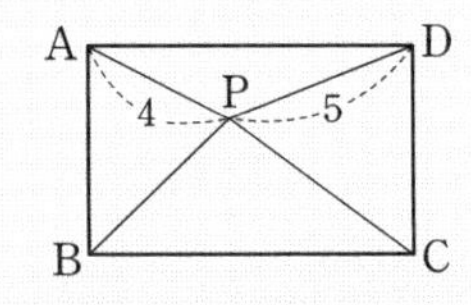

08

다음 그림에서 점 P가 $\overline{BC}$ 위를 움직일 때, $\overline{AP}+\overline{DP}$의 최솟값을 구하시오.

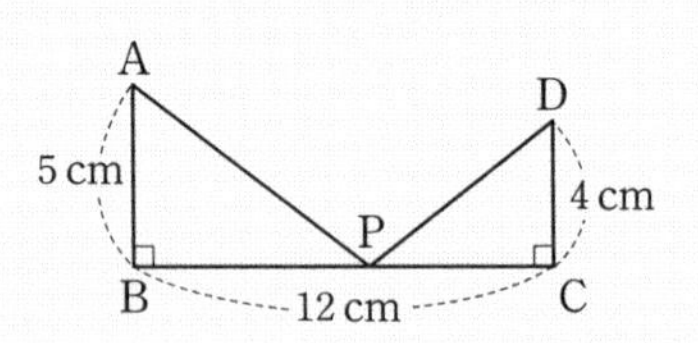

+MEMO

라디오 수타
라디오 방송 형식으로 배운 내용을 재미있게 수학타파하는 코너

꼭

05

세 변의 길이가 각각 9, a, 11인 삼각형이 예각삼각형이 되도록 하는 모든 자연수 a의 값의 합은? (단, $a<11$)

① 30 ② 34 ③ 38
④ 42 ⑤ 46

꼭

06

다음 그림과 같이 원에 내접하는 직사각형의 각 변과 대각선을 지름으로 하는 반원을 그릴 때, 색칠한 부분의 넓이를 구하시오.

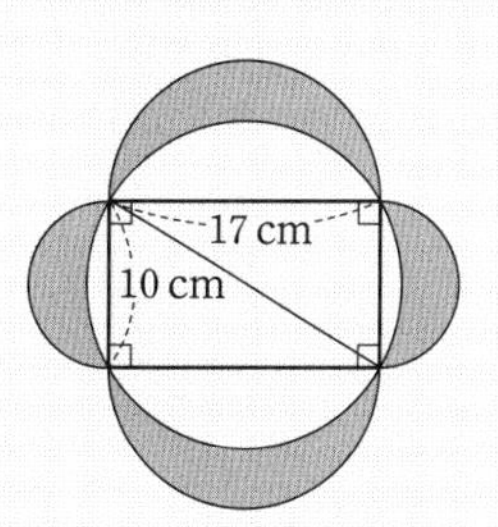

꼭

07

다음 그림과 같이 $\angle C=90^{\circ}$인 직각삼각형 ABC에서 점 D, E는 각각 $\overline{BC}$, $\overline{AC}$의 중점이고, 점 G는 $\overline{AD}$, $\overline{BE}$의 교점이다. $\overline{AB}=10$일 때, $\overline{AD}^2+\overline{BE}^2$의 값을 구하시오.

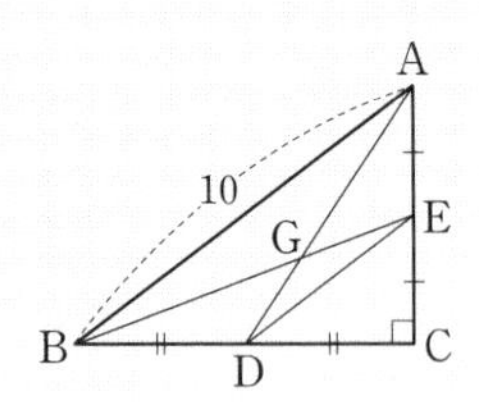

꼭

08

다음 그림과 같이 높이가 9π cm이고, 밑면인 원의 둘레의 길이가 6π cm인 원기둥이 있다. 원기둥의 점 B에서 출발하여 원기둥의 옆면을 두 바퀴 돌아 점 A에 이르는 최단 거리는?

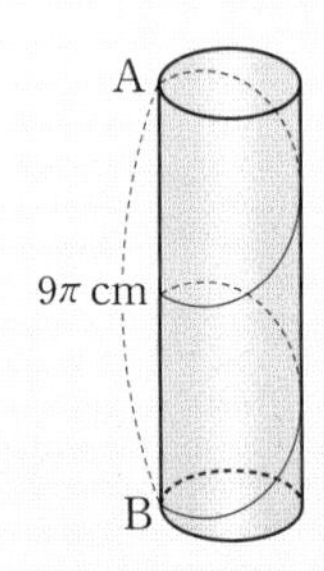

① 12π cm ② 13π cm ③ 14π cm
④ 15π cm ⑤ 16π cm

생각 +

5, 6, 7, 8, 9의 자연수가 각각 적힌 5장의 카드가 있다. 이 중에서 3장을 뽑아 카드에 적힌 숫자를 세 변의 길이로 하는 삼각형을 만들 때 둔각삼각형의 개수를 구하시오.

생각++

다음 그림과 같은 직사각형 ABCD에서 $\overline{AD} /\!/ \overline{PQ} /\!/ \overline{BC}$이고 $\overline{CQ}=5$, $\overline{DQ}=7$일 때, $\overline{AP}^2-\overline{BP}^2$의 값을 구하시오.

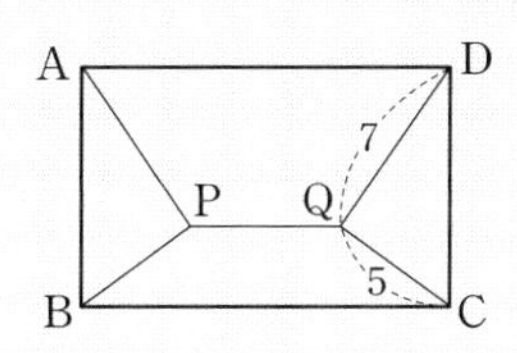

생각+++

△ABC에서 ∠A, ∠B, ∠C의 대변의 길이를 각각 a, b, c라 할 때, 다음 중 옳지 않은 것은?

① $c^2=a^2+b^2$이면 $\angle C=90°$이다.
② $a^2>b^2+c^2$이면 $\angle B<90°$이다.
③ $a^2=b^2+c^2$이면 $\angle A=90°$인 직각삼각형이다.
④ $b^2<a^2+c^2$이면 ∠B가 예각인 예각삼각형이다.
⑤ $b^2>a^2+c^2$이면 ∠B가 둔각인 둔각삼각형이다.

단원 종합 문제

〈1번부터 16번까지는 각 문항당 4점입니다.〉

01

다음 그림에서 $\angle BAC=\angle DEC=90^\circ$이고 $\overline{AB}=3$, $\overline{AD}=25$, $\overline{DE}=7$일 때, $\overline{BD}$의 길이를 구하시오.

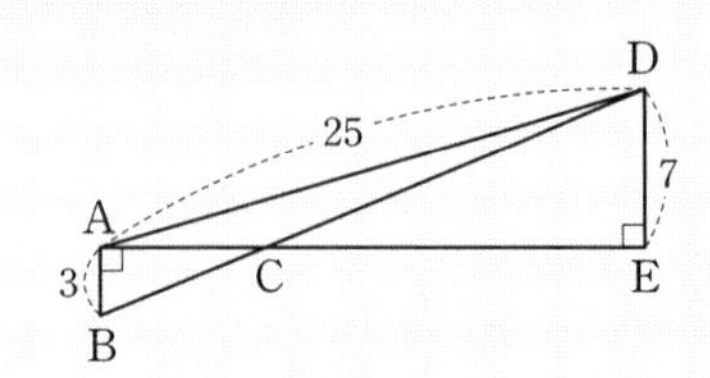

02

다음 그림에서 색칠한 부분을 직선 l을 회전축으로 하여 1회전시킬 때 만들어지는 입체도형의 부피는?

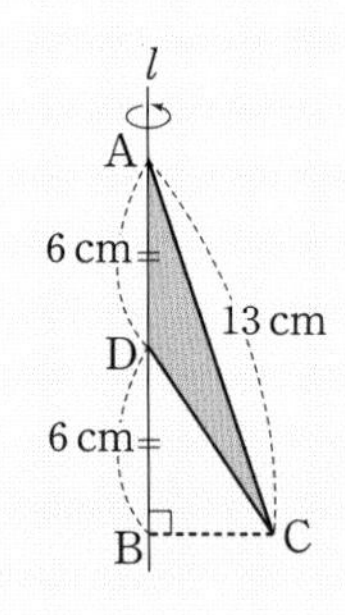

① $45\pi\ cm^3$ ② $48\pi\ cm^3$ ③ $50\pi\ cm^3$
④ $52\pi\ cm^3$ ⑤ $55\pi\ cm^3$

03

다음 그림과 같이 $\overline{AB}=\overline{AC}=8\ cm$인 직각이등변삼각형 ABC에 대하여 $\overline{AB}\,/\!/\,\overline{CD}$이고 $\overline{BE}=10\ cm$일 때, $\triangle AED$의 넓이는?

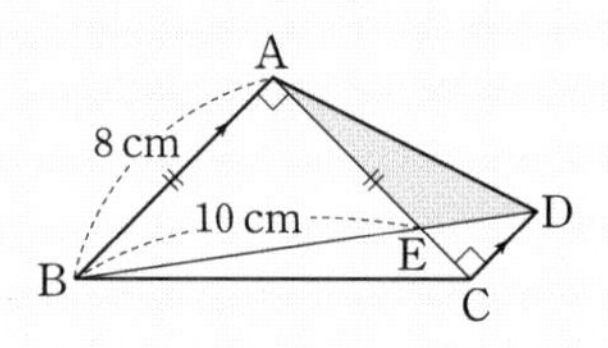

① $6\ cm^2$ ② $7\ cm^2$ ③ $8\ cm^2$
④ $9\ cm^2$ ⑤ $10\ cm^2$

04

다음 그림과 같이 $\angle B=90^\circ$인 직각삼각형 ABC에 원 I가 내접한다. 원 I의 둘레의 길이는?

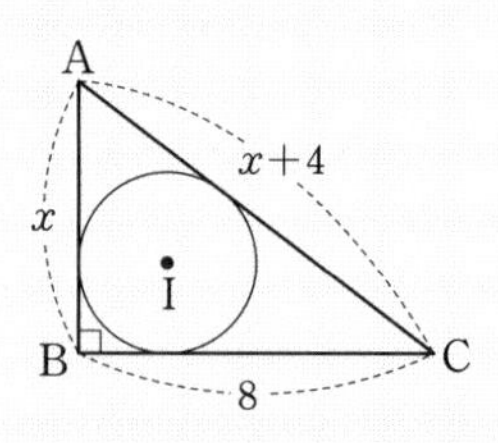

① 2π ② 4π ③ 6π
④ 8π ⑤ 10π

05

다음 그림과 같은 정사각형 ABCD에서 $a=3$, $b=5$일 때, □EFGH의 넓이를 구하시오.

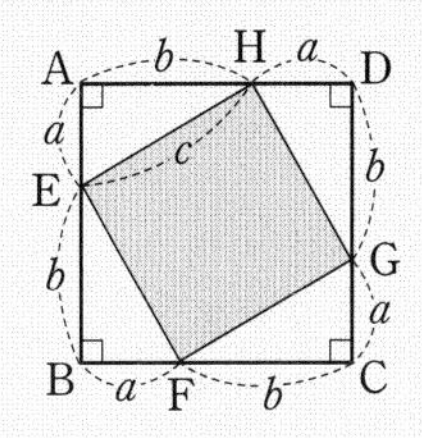

06

다음 그림은 직각삼각형 ABC의 각 변을 한 변으로 하는 세 정사각형을 그린 것이다. △ABC의 넓이가 24 cm^2이고 □ACHI의 넓이가 64 cm^2일 때, 색칠한 부분의 넓이는?

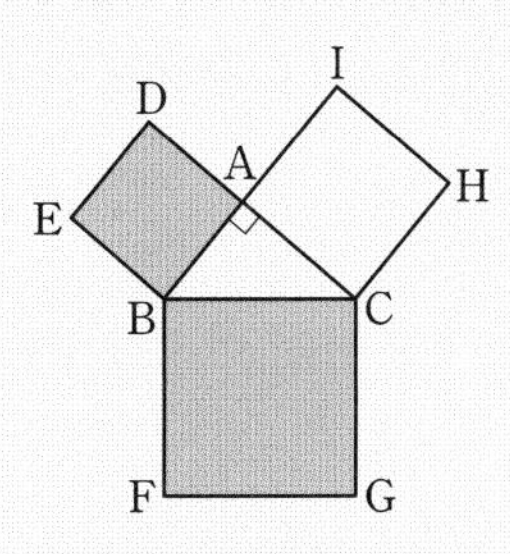

① 130 cm^2 ② 132 cm^2 ③ 134 cm^2
④ 136 cm^2 ⑤ 138 cm^2

07

다음 그림에서 $\overline{AE}=4$이고 정사각형 EFGH의 넓이는 4일 때, 정사각형 ABCD의 넓이를 구하시오.

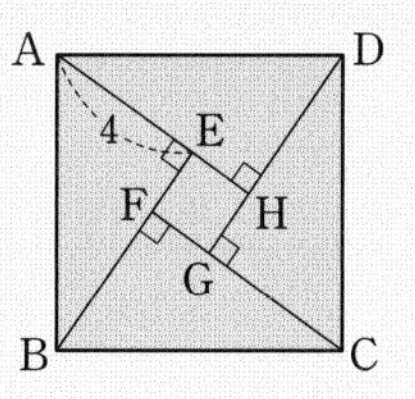

08

다음 그림과 같이 $\angle A=90°$인 직각삼각형 ABC에서 점 M은 $\overline{BC}$의 중점이고, $\overline{AH}\perp\overline{BC}$, $\overline{AM}\perp\overline{HN}$이다. $\overline{BH}=3\text{ cm}$, $\overline{CH}=9\text{ cm}$일 때, $\overline{AN}$의 길이를 구하시오.

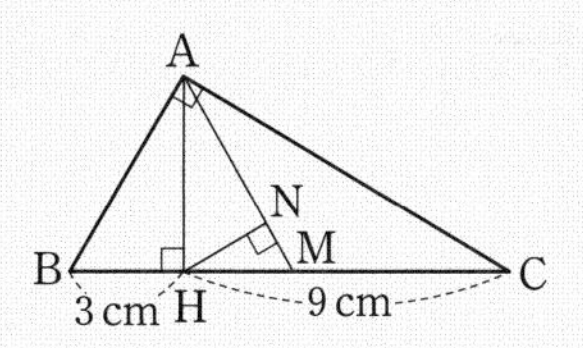

09

다음 그림과 같이 가로, 세로의 길이가 각각 20 cm, 15 cm인 직사각형 ABCD의 두 꼭짓점 A, C에서 대각선 BD에 내린 수선의 발을 각각 E, F라 할 때, $\overline{EF}$의 길이를 구하시오.

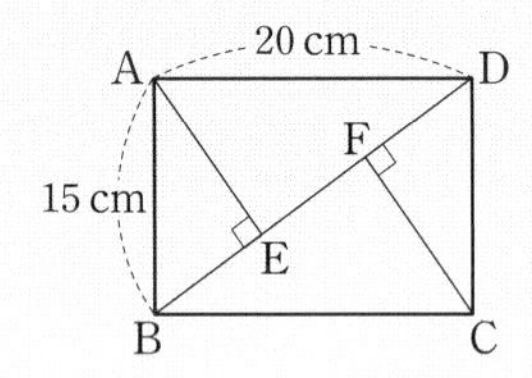

10

세 변의 길이가 8 cm, 15 cm, 17 cm인 삼각형의 넓이를 구하시오.

11

다음 중 $\overline{AB}=3$ cm, $\overline{BC}=5$ cm, $\overline{CA}=7$ cm인 삼각형 ABC에 대한 설명으로 옳은 것은?

① $\angle A<90^\circ$인 예각삼각형
② $\angle A>90^\circ$인 둔각삼각형
③ $\angle B<90^\circ$인 예각삼각형
④ $\angle B>90^\circ$인 둔각삼각형
⑤ $\angle C<90^\circ$인 예각삼각형

12

세 변의 길이가 4 cm, 5 cm, a cm인 삼각형이 둔각삼각형이 되기 위한 자연수 a의 값을 모두 구하시오.

13

다음 그림과 같이 $\angle A=90°$인 직각삼각형 ABC의 각 변을 지름으로 하는 세 반원을 그렸다. $\overline{AB}=4$, $\overline{BC}=8$일 때, $\overline{AC}$를 지름으로 하는 반원의 넓이는?

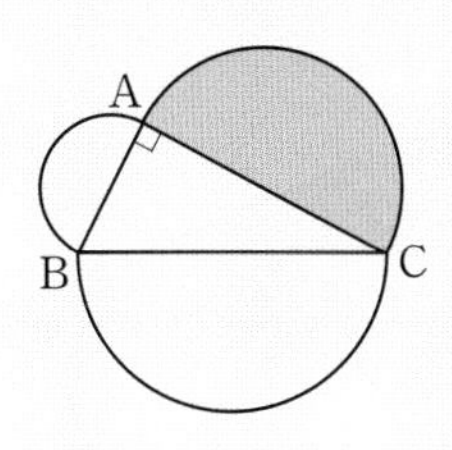

① 4π ② 5π ③ 6π
④ 7π ⑤ 8π

14

다음 그림과 같이 원에 내접하는 정사각형 ABCD의 각 변을 지름으로 하는 반원을 그렸다. 정사각형의 대각선의 길이가 6일 때, 색칠한 부분의 넓이를 구하시오.

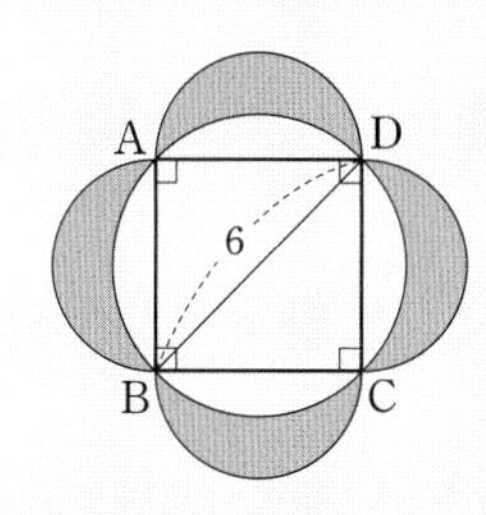

15

다음 그림과 같이 $\overline{AD}/\!/\overline{BC}$인 등변사다리꼴 ABCD의 두 대각선이 직교할 때, $\overline{CD}^2$의 값을 구하시오.

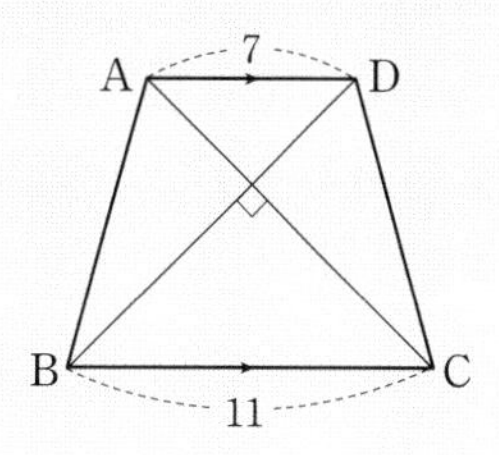

16

다음 그림과 같이 밑면의 지름의 길이가 15 cm인 원기둥에서 점 P를 출발하여 옆면을 따라 점 Q에 이르는 최단거리를 구하시오.

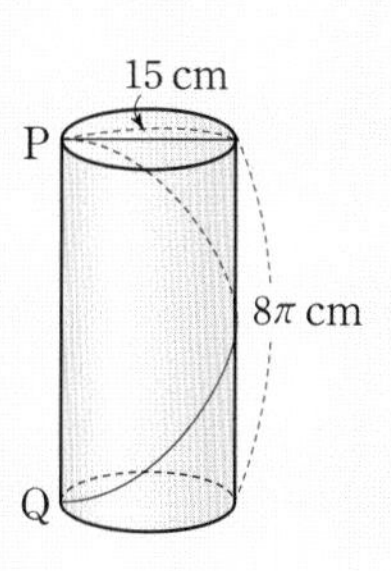

V 피타고라스 정리

독심술

17

아래 그림은 $\angle C=90^{\circ}$, $\overline{AC}=\overline{BC}=10\,cm$인 직각이등변삼각형 ABC를 점 A가 변 BC의 중점 M에 오도록 접은 것이다. 다음 물음에 답하시오. [총 6점]

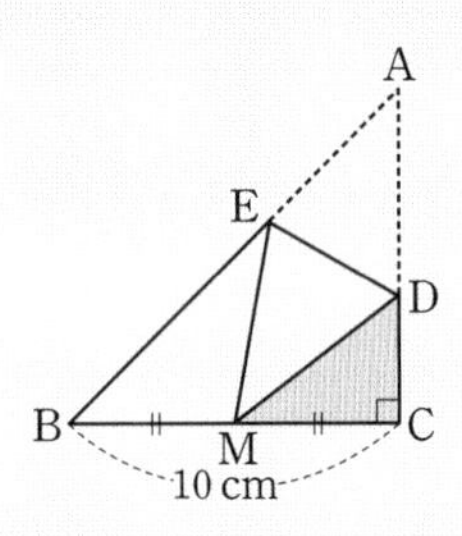

(1) $\overline{CD}=x\,cm$라 할 때, $\overline{MD}$의 길이를 x에 대한 식으로 나타내시오. [2점]

(2) $\overline{MD}^2=\overline{MC}^2+\overline{CD}^2$임을 이용하여 $\overline{CD}$의 길이를 구하시오. [2점]

(3) $\triangle DMC$의 넓이를 구하시오. [2점]

18

다음 그림의 삼각형 ABC는 $\angle B=90^{\circ}$이고 $\overline{AB}=5$, $\overline{AC}=13$인 직각삼각형이다. $\angle A$의 이등분선과 $\overline{BC}$의 교점을 D라 할 때, $\triangle ADC$의 넓이를 구하시오. [10점]

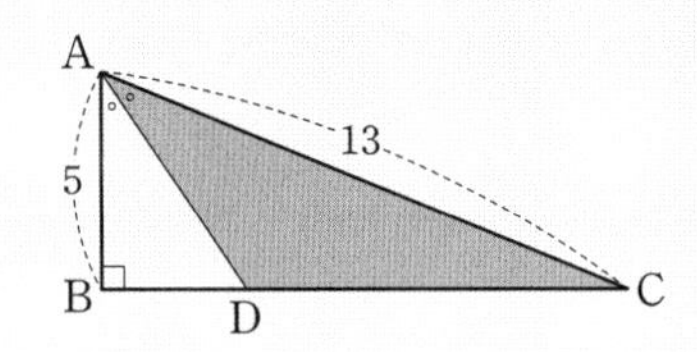

19

직사각형 모양의 상자에서 거북이는 P지점에서 출발하여 다음 그림과 같이 움직인 후 Q지점에 도착했다. 이때, 거북이가 움직인 최단거리를 구하시오. [10점]

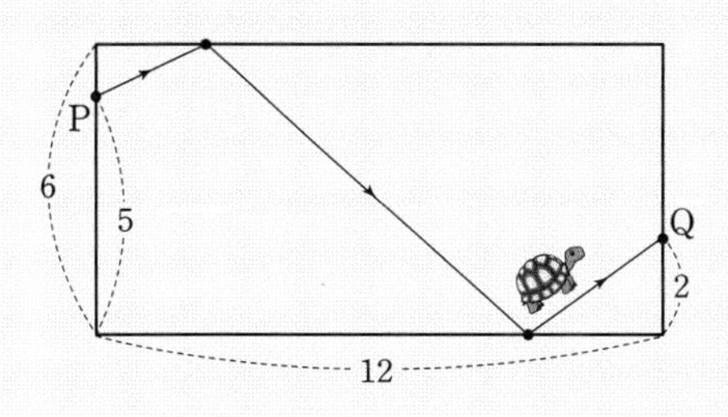

20

다음 그림과 같이 세 변의 길이가 각각 13 cm, 20 cm, 21 cm인 △ABC의 넓이를 구하시오. [10점]

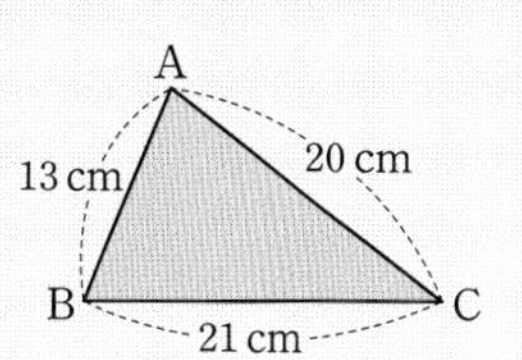

Ⅵ

확률

☑ 학습 계획 및 성취도 체크

· 유형 이해도에 따라 □ 안에 ○, △, X를 표시합니다.

· 시험 전에 X 표시한 유형은 반드시 한 번 더 풀어 봅니다.

01 경우의 수

	학습 계획	1차 학습	2차 학습
유형 01 동전 던지기	/	☐	☐
유형 02 주사위 던지기	/	☐	☐
유형 03 윷가락 던지기	/	☐	☐
유형 04 금액 지불하기	/	☐	☐

02 합의 법칙과 곱의 법칙

	학습 계획	1차 학습	2차 학습
유형 05 숫자 뽑기	/	☐	☐
유형 06 물건 선택하기	/	☐	☐
유형 07 신호 보내기	/	☐	☐
유형 08 길 선택하기	/	☐	☐

03 여러 가지 경우의 수

	학습 계획	1차 학습	2차 학습
유형 09 한 줄로 줄 세우기	/	☐	☐
유형 10 정수 만들기	/	☐	☐
유형 11 대표 뽑기	/	☐	☐
유형 12 색칠하기	/	☐	☐

04 확률의 뜻과 성질

	학습 계획	1차 학습	2차 학습
유형 13 확률의 뜻(1)	/	☐	☐
유형 14 확률의 뜻(1)	/	☐	☐
유형 15 확률의 성질	/	☐	☐
유형 16 어떤 사건이 일어나지 않을 확률	/	☐	☐

05 확률의 계산

	학습 계획	1차 학습	2차 학습
유형 17 사건 A 또는 사건 B가 일어날 확률	/	☐	☐
유형 18 두 사건 A와 B가 동시에 일어날 확률	/	☐	☐
유형 19 연속하여 뽑는 경우의 확률	/	☐	☐
유형 20 여러 가지 확률	/	☐	☐

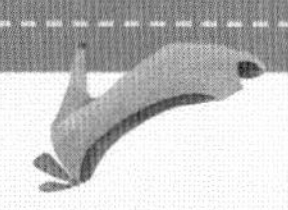

확률

1 경우의 수

1 사건과 경우의 수

(1) 사건: 실험이나 관찰에 의하여 나타나는 결과

(2) 경우의 수: 어떤 사건이 일어날 수 있는 모든 가짓수

주의 경우의 수를 구할 때는 모든 경우를 빠짐없이, 중복되지 않게 구한다.

2. 사건 A 또는 사건 B가 일어나는 경우의 수

두 사건 A, B가 동시에 일어나지 않을 때, 사건 A가 일어나는 경우의 수가 m이고 사건 B가 일어나는 경우의 수가 n이면

(사건 A 또는 사건 B가 일어나는 경우의 수)$=m+n$

참고 '~또는', '~이거나'라는 표현이 있는 경우에 적용한다.

3. 두 사건 A와 B가 동시에 일어나는 경우의 수

두 사건 A, B가 서로 영향을 미치지 않을 때, 사건 A가 일어나는 경우의 수가 m이고 사건 B가 일어나는 경우의 수가 n이면

(두 사건 A, B가 동시에 일어나는 경우의 수)$=m\times n$

참고 '동시에', '그리고', '~와', '~하고 나서'라는 표현이 있는 경우에 적용한다.

2 여러 가지 경우의 수

1. 한 줄로 세우는 경우의 수

(1) n명을 한 줄로 세우는 경우의 수 ➡ $n\times(n-1)\times(n-2)\times\cdots\times3\times2\times1$

(2) n명 중에서 2명을 뽑아 한 줄로 세우는 경우의 수 ➡ $n\times(n-1)$

(3) n명 중에서 3명을 뽑아 한 줄로 세우는 경우의 수 ➡ $n\times(n-1)\times(n-2)$

2. 한 줄로 세울 때 이웃하여 세우는 경우의 수

(이웃하는 것을 하나로 묶어서 한 줄로 세우는 경우의 수)$\times$(묶음 안에서 자리를 바꾸는 경우의 수)

주의 이웃하는 것을 묶어서 생각할 때, 묶음 안에서 자리를 바꾸는 경우의 수를 곱하는 것을 잊지 않도록 한다.

3 정수를 만드는 경우의 수

1. 0을 포함하지 않는 경우

0이 아닌 서로 다른 한 자리의 숫자가 각각 적힌 n장의 카드 중에서

(1) 2장을 뽑아 만들 수 있는 두 자리의 정수의 개수

➡ $n\times(n-1)$(개)

(2) 3장을 뽑아 만들 수 있는 세 자리의 정수의 개수

➡ $n\times(n-1)\times(n-2)$(개)

2. 0을 포함하는 경우

0을 포함한 서로 다른 한 자리의 숫자가 각각 적힌 n장의 카드 중에서

(1) 2장을 뽑아 만들 수 있는 두 자리의 정수의 개수

➡ $(n-1)\times(n-1)$(개)

(2) 3장을 뽑아 만들 수 있는 세 자리의 정수의 개수

➡ $(n-1)\times(n-1)\times(n-2)$(개)

주의 n장의 카드 중에 0이 포함된 경우는 제일 앞자리에는 0이 올 수 없으므로 맨 앞자리에 올 수 있는 숫자는 $(n-1)$개이다.

4 대표를 뽑는 경우의 수

1. n명 중에서 자격이 다른 2명을 뽑는 경우의 수

➡ $n\times(n-1)$ (뽑는 순서와 관계가 있다.)

2. n명 중에서 자격이 같은 2명을 뽑는 경우의 수

➡ $\frac{n\times(n-1)}{2}$ (뽑는 순서와 관계가 없다.)

참고 n명 중에서 자격이 다른 3명을 뽑는 경우의 수 ➡ $n\times(n-1)\times(n-2)$

n명 중에서 자격이 같은 3명을 뽑는 경우의 수 ➡ $\frac{n\times(n-1)\times(n-2)}{3\times2\times1}$

VI 확률

5 확률의 뜻

1. 확률: 같은 조건 아래에서 실험이나 관찰을 여러 번 반복할 때, 어떤 사건이 일어나는 상대도수가 일정한 값에 가까워지면 이 일정한 값을 그 사건이 일어날 확률이라 한다.

2. 사건 A가 일어날 확률: 어떤 실험이나 관찰에서 각각의 경우가 일어날 가능성이 같다고 할 때, 일어날 수 있는 모든 경우의 수를 n, 어떤 사건 A가 일어날 경우의 수를 a라 하면 사건 A가 일어날 확률 p는

$$p=\frac{(\text{사건 }A\text{가 일어나는 경우의 수})}{(\text{모든 경우의 수})}=\frac{a}{n}$$

참고 확률은 어떤 사건이 일어날 가능성을 수로 나타낸 것이다.

6 확률의 기본 성질

1. 확률의 성질

(1) 어떤 사건이 일어날 확률을 p라 하면 $0\le p\le 1$이다.

(2) 반드시 일어나는 사건의 확률은 1이다.

(3) 절대로 일어날 수 없는 사건의 확률은 0이다.

예 한 개의 주사위를 던져 나오는 눈의 수가 1 이상일 확률은 1이고, 1보다 작을 확률은 0이다.

2. 어떤 사건이 일어나지 않을 확률

사건 A가 일어날 확률을 p라 하면

(사건이 일어나지 않을 확률)$=1-p$

참고 사건 A가 일어날 확률을 p, 사건 A가 일어나지 않을 확률을 q라 하면 $p+q=1$이다.

주의 '적어도 하나는 ~일 확률'을 구하는 문제는 어떤 사건이 일어나지 않을 확률을 이용하여 푼다.

7 확률의 계산

1. 사건 A 또는 사건 B가 일어날 확률 - 확률의 덧셈

두 사건 A와 B가 동시에 일어나지 않을 때, 사건 A가 일어날 확률을 p, 사건 B가 일어날 확률을 q라 하면

(사건 A 또는 사건 B가 일어날 확률)$=p+q$

참고 '또는', '~이거나'와 같은 표현이 있으면 확률의 덧셈을 이용한다.

2. 두 사건 A와 B가 동시에 일어날 확률 - 확률의 곱셈

두 사건 A와 B가 서로 영향을 주지 않을 때, 사건 A가 일어날 확률을 p, 사건 B가 일어날 확률을 q라 하면

(두 사건 A와 B가 동시에 일어날 확률)$=p\times q$

참고 '동시에', '그리고', '~와', '~하고 나서'와 같은 표현이 있으면 확률의 곱셈을 이용한다.

8 여러 가지 확률

1. 연속하여 뽑는 경우의 확률

(1) 꺼낸 것을 다시 넣고 연속하여 뽑는 경우의 확률

처음에 뽑을 때와 나중에 뽑을 때의 조건이 같다.

➡ 처음에 뽑은 것을 나중에 다시 뽑을 수 있으므로 처음 사건이 나중 사건에 영향을 주지 않는다.

(2) 꺼낸 것을 다시 넣지 않고 연속하여 뽑는 경우의 확률

처음에 뽑을 때와 나중에 뽑을 때의 조건이 다르다.

➡ 처음에 뽑은 것을 나중에 다시 뽑을 수 없으므로 처음 사건이 나중 사건에 영향을 준다.

2. 도형에서의 확률

도형과 관련된 확률에서 모든 경우의 수는 도형의 전체 넓이로, 어떤 사건이 일어나는 경우의 수는 도형에서 해당하는 부분의 넓이로 생각한다. 즉,

$$(\text{도형에서의 확률})=\frac{(\text{해당하는 부분의 넓이})}{(\text{도형의 전체 넓이})}$$

01 경우의 수

Mstory1 Mstory2

M1 경우의 수 개념강의

- 주사위를 던질 때, 짝수의 눈이 나오는 경우의 수
- 동전을 던질 때, 앞면이 나오는 경우의 수

시행 (실험, 관찰)	사건 (결과)	경우의 수 (가짓수)
주사위를 던진다.	짝수(2, 4, 6)	3
동전을 던진다.	앞면(H)	1

M2 윷놀이에서의 경우의 수 개념강의

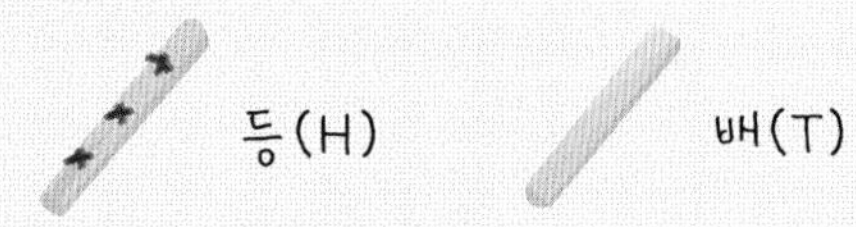

모	도	개	걸	윷
H H H H	H H H T	H H T T	H T T T	T T T T
1	4	6	4	1

〈수형도〉

- H
  - H
    - H
      - H 모
      - T 도
    - T
      - H 도
      - T 개
  - T
    - H
      - H 도
      - T 개
    - T
      - H 개
      - T 걸
- T
  - H
    - H
      - H 도
      - T 개
    - T
      - H 개
      - T 걸
  - T
    - H
      - H 개
      - T 걸
    - T
      - H 걸
      - T 윷

〈파스칼의 삼각형〉

1
1 1
1 2 1
1 3 3 1
1 4 6 4 1
⋮

유형 | 동전 던지기

01

한 개의 동전을 두 번 던질 때, 앞면과 뒷면이 각각 한 번씩 나오는 경우의 수는?

① 1 ② 2 ③ 3
④ 4 ⑤ 5

유형 | 주사위 던지기

02

한 개의 주사위를 두 번 던질 때, 눈의 수의 합이 8이 되는 경우의 수는?

① 3 ② 4 ③ 5
④ 6 ⑤ 7

學

01

서로 다른 동전 세 개를 동시에 던질 때, 앞면이 2개, 뒷면이 1개 나오는 경우의 수를 구하시오.

學

02

크기가 서로 다른 두 개의 주사위를 동시에 던질 때, 나오는 눈의 수의 차가 3이 되는 경우의 수를 구하시오.

유형 | 윷가락 던지기

03

서로 다른 4개의 윷가락을 동시에 던질 때, 모와 윷이 나오는 경우를 순서쌍으로 각각 (H, H, H, H), (T, T, T, T)와 같이 나타낼 수 있다고 한다. 도가 나오는 모든 경우를 순서쌍으로 나타내시오.

유형 | 금액 지불하기

04

100원짜리와 50원짜리 동전이 각각 6개씩 있을 때, 300원을 지불하는 방법은 모두 몇 가지인가?

(단, 두 가지 동전을 각각 1개 이상 사용한다.)

① 1가지 ② 2가지 ③ 3가지
④ 4가지 ⑤ 5가지

03

서로 다른 4개의 윷가락을 동시에 던진다. 윷가락의 등이 나오는 경우를 H, 배가 나오는 경우를 T라 할 때, 개가 나오는 모든 경우를 순서쌍으로 나타내시오.

04

종욱이는 500원짜리, 100원짜리, 50원짜리 동전을 각각 8개씩 가지고 있다. 1000원하는 음료수를 사려고 할 때, 지불하는 방법의 수를 구하시오.

+MEMO

라디오 수타

라디오 방송 형식으로
배운 내용을 재미있게
수학타파하는 코너

꼽

01

서로 다른 동전 세 개를 동시에 던질 때, 일어나는 모든 경우의 수는?

① 4　　② 6　　③ 8
④ 10　　⑤ 12

꼽

02

1부터 12까지의 숫자가 각각 적힌 정십이면체 모양의 주사위를 한 번 던질 때, 다음을 구하시오.

(1) 3의 배수의 눈이 나오는 경우의 수

(2) 12의 약수의 눈이 나오는 경우의 수

(3) 소수의 눈이 나오는 경우의 수

꼭

03

서로 다른 4개의 윷가락을 동시에 던질 때, 다음을 구하시오.

(1) 걸이 나오는 경우의 수

(2) 윷이 나오는 경우의 수

꼭

04

500원짜리 동전 2개와 100원짜리 동전 3개가 있다. 두 가지 동전을 각각 한 개 이상 사용하여 지불할 수 있는 금액의 모든 경우의 수를 구하시오.

생각 +

다음 문장을 시행, 사건, 경우의 수로 구분하시오.

45 이하의 자연수가 각각 적힌 45개의 공이 들어 있는 주머니에서 한 개의 공을 꺼낼 때, 5의 배수가 적힌 공이 나오는 가짓수는 9이다.

생각++

상혁이는 초콜릿 6개를 주영, 잔디, 은민 세 친구에게 나누어 주려고 한다. 한 사람에게 한 개 이상씩 나누어 줄 때, 나누어 주는 방법의 수를 구하시오.

엘리베이터를 타는 대신 계단을 이용하는 계단오르기는 일상에서 쉽게 접할 수 있는 운동이다. 아파트에 사는 은영이가 다이어트를 위해 다음 그림과 같은 5개의 계단에서 계단오르기 운동을 하려고 한다. 은영이가 한 걸음에 1계단 또는 2계단을 올라갈 수 있을 때, 다음을 구하시오.

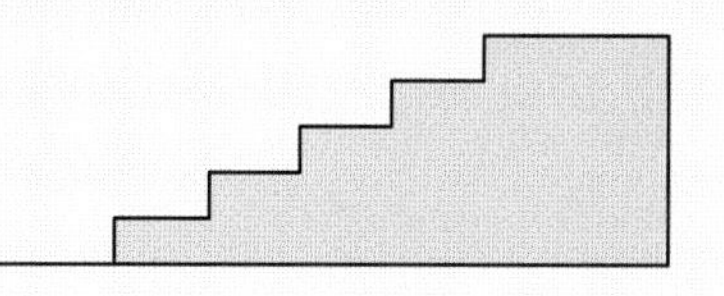

(1) 5개의 계단을 다섯 걸음에 올라가는 경우의 수

(2) 5개의 계단을 네 걸음에 올라가는 경우의 수

(3) 5개의 계단을 세 걸음에 올라가는 경우의 수

(4) 5개의 계단을 올라가는 모든 경우의 수

02 합의 법칙과 곱의 법칙  

Mstory1 Mstory2

M1 사건 A 또는 사건 B가 일어나는 경우의 수 개념강의

①~㊺ 하나를 꺼낼 때

(1) 10의 배수 또는 9의 배수

10, 20, 30, 40 (+) 9, 18, 27, 36, 45 $4+5=9$

(2) 10의 배수 또는 8의 배수

10, 20, 30, ㊵ 8, 16, 24, 32, ㊵ $4+5-1=8$

- 사건 A: m, 사건 B: n (동시에 ×)

사건 A 또는 사건 B가 일어나는 경우의 수: $m+n$

(또는: ~이거나)

M2 두 사건 A와 B가 동시에 일어나는 경우의 수 개념강의

동전 1개 H, T	주사위 1개 1, 2, 3, 4, 5, 6	동시에 던질 때 (×)
H → 1, 2, 3, 4, 5, 6	T → 1, 2, 3, 4, 5, 6	$2\times6=12$

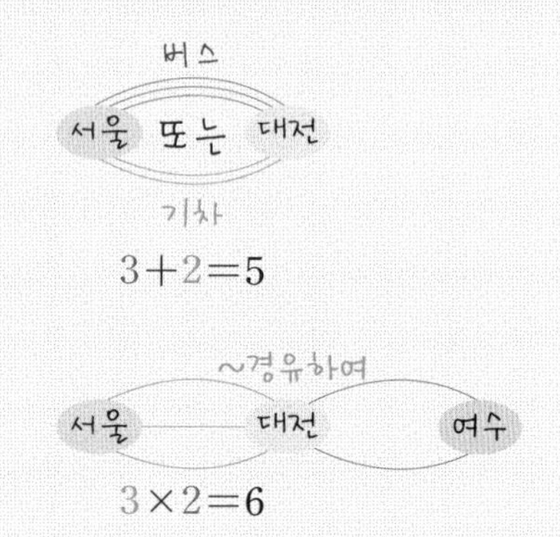

- 사건 A: m, 사건 B: n

사건 A, B가 동시에 일어나는 경우의 수: $m\times n$

(동시에: 그리고)

유형 | 숫자 뽑기

05

상자 속에는 0에서 9까지의 수가 각각 적힌 10개의 공이 들어 있다. 이 상자에서 두 개의 공을 차례로 꺼낼 때, 두 공에 적힌 수의 합이 6 또는 7인 경우의 수는?

(단, 꺼낸 공은 다시 넣지 않는다.)

① 10 ② 11 ③ 12
④ 13 ⑤ 14

유형 | 물건 선택하기

06

편의점에서 삼각김밥을 구입하면 음료수를 할인해 주는 행사를 하고 있다. 삼각김밥은 전주비빔밥과 제육덮밥의 2종류, 음료수는 우유, 커피, 콜라, 주스의 4종류가 있을 때, 삼각김밥과 음료수를 각각 한 종류씩 사는 경우의 수를 구하시오.

學

05

1에서 10까지의 수가 각각 적힌 10장의 카드 중에서 한 장의 카드를 뽑을 때, 그 카드에 적힌 수가 소수 또는 3의 배수가 나오는 경우의 수는?

① 3 ② 4 ③ 5
④ 6 ⑤ 7

學

06

재영이는 흰색, 회색, 빨간색 티셔츠 3벌과 검은색, 분홍색, 흰색, 파란색 바지 4벌을 가지고 있다. 티셔츠와 바지를 각각 한 벌씩 짝지어 입는 경우의 수를 구하시오.

(단, 같은 색의 티셔츠와 바지는 짝지어 입지 않는다.)

유형 | 신호 보내기

07

다음 그림과 같은 3개의 전등을 켜거나 끄는 것으로 신호를 보낼 때, 한 번에 신호를 보낼 수 있는 방법은 모두 몇 가지인가? (단, 모두 꺼진 경우는 신호로 생각하지 않는다.)

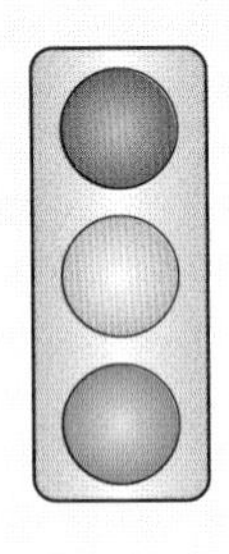

① 4가지 ② 5가지 ③ 6가지
④ 7가지 ⑤ 8가지

유형 | 길 선택하기

08

다음 그림과 같이 집, 편의점, 학교 세 지점 사이에 길이 있다. 집에서 학교까지 가는 방법의 수를 구하시오.

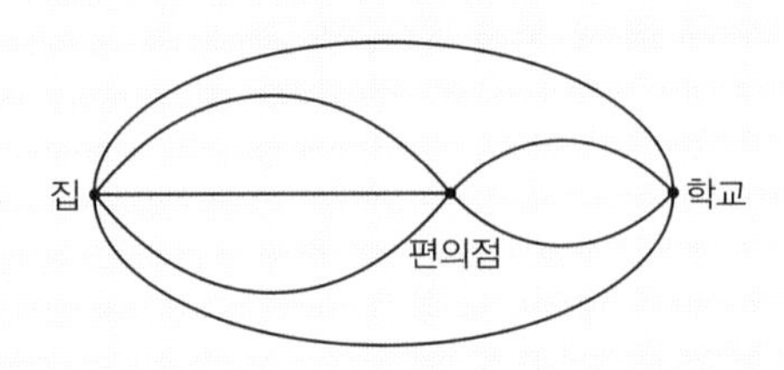

學

07

다음 그림과 같이 4개의 꼬마 전구가 있다. 불이 켜지고 꺼지는 위치에 따라 서로 다른 신호를 나타낸다고 할 때, 가능한 신호는 모두 몇 가지인지 구하시오.

(단, 모두 꺼진 경우도 신호로 생각한다.)

08

다음 그림과 같은 길이 있을 때, 집에서 공원까지 왕복하는 방법의 수를 구하시오.

(단, 문방구와 슈퍼마켓은 한 번씩만 지나갈 수 있다.)

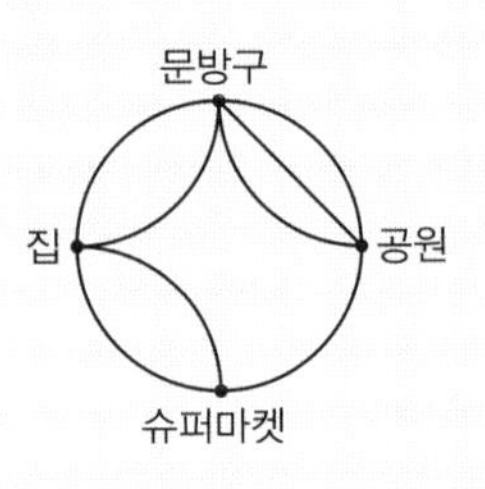

+MEMO

라디오 수타

라디오 방송 형식으로 배운 내용을 재미있게 수학타파하는 코너

꼼

05

1에서 20까지의 수가 각각 적힌 20장의 카드가 있다. 이 카드 중에서 임의로 한 장을 뽑을 때, 카드에 적힌 수가 3의 배수 또는 5의 배수가 나오는 경우의 수는?

① 7 ② 8 ③ 9
④ 10 ⑤ 11

꼼

06

영민이네 동네 서점에서는 4가지 종류의 국사 문제집과 5가지 종류의 영어 문제집, 6가지 종류의 수학 문제집을 판매하고 있다. 영민이가 이 서점에서 국사 문제집, 영어 문제집, 수학 문제집을 각각 한 권씩 사는 방법은 모두 몇 가지인가?

① 60가지 ② 80가지 ③ 100가지
④ 120가지 ⑤ 140가지

02 합의 법칙과 곱의 법칙

꼭

07

다음 그림과 같이 다섯 개의 칸에 0, 1을 각각 하나씩 써넣어 암호를 만들려고 한다. 같은 숫자를 여러 번 사용할 수 있을 때, 만들 수 있는 암호의 개수는?

(단, 모두 0을 써넣는 경우도 암호로 생각한다.)

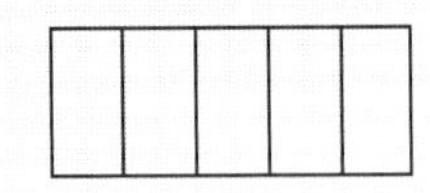

① 16개 ② 24개 ③ 32개
④ 40개 ⑤ 48개

꼭

08

서울, 대전, 대구, 부산의 네 도시를 연결하는 도로가 다음 그림과 같을 때, 서울에서 부산까지 가는 방법의 수는?

(단, 한 번 지나간 도시는 다시 지나지 않는다.)

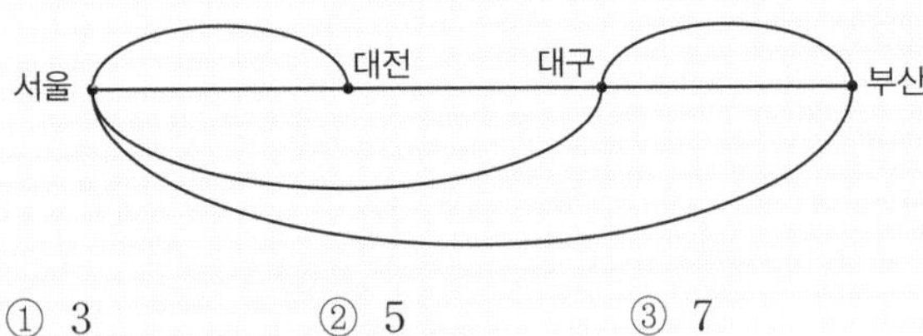

① 3 ② 5 ③ 7
④ 9 ⑤ 11

생각 +

꼭짓점 A를 출발점으로 하여 주사위를 던져 나온 눈의 수만큼 말을

'A → B → C → D → E → A → B → ⋯'

의 순서로 이동시킨다. 주사위를 두 번 던져 말이 점 A에 위치해 있는 경우의 수를 구하시오.

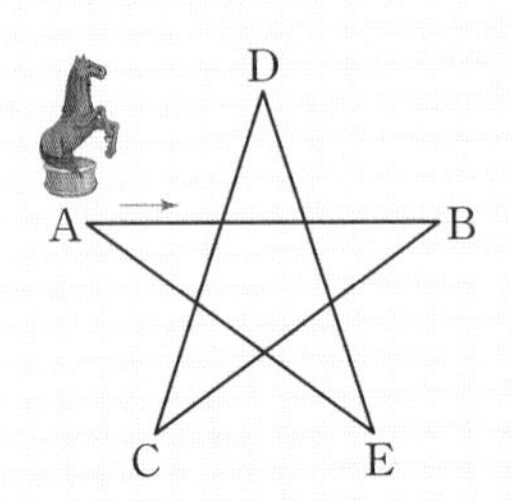

생각 ++

태리, 재원, 현수 세 사람이 가위바위보를 할 때, 승부가 결정되는 경우의 수를 구하시오.

아래 그림과 같이 가장 작은 정사각형의 한 변의 길이가 1인 바둑판 모양의 길을 로봇 청소기가 다음 규칙을 따라 이동한다.

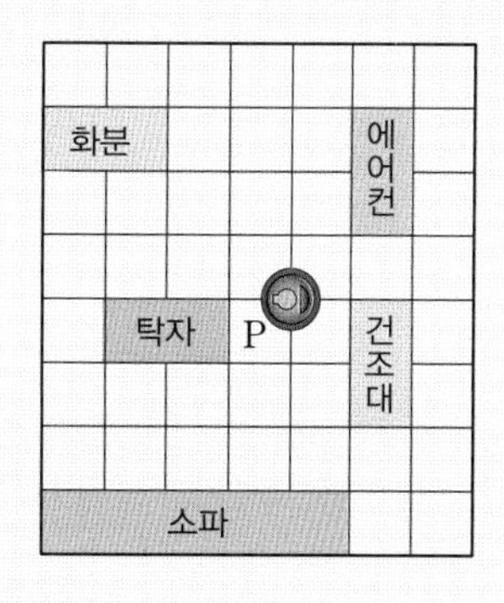

[규칙]
(가) 한 번에 1만큼씩 이동한다.
(나) 한 번 지나온 지점은 다시 지나지 않는다.
(다) 놓여진 물건을 관통하여 지날 수 없다.

이 로봇 청소기가 P지점에서 출발하여 세 번 움직일 때, 가능한 모든 경로의 수를 구하시오.

03 여러 가지 경우의 수

Mstory1

Mstory2

M1 한 줄로 세우는 경우의 수 개념강의

a, b, c, d, e를 한 줄로 세우는 경우의 수

(1) 2명: $5\times4=20$

(2) 3명: $5\times4\times3=60$

(3) 4명: $5\times4\times3\times2=120$

(4) 5명: $5\times4\times3\times2\times1=120$ (5!(팩토리얼))

- d 고정: $4\times3\times2\times1=4!=24$
- a, b 이웃할 때: $(4\times3\times2\times1)\times(2\times1)=4!\times2!=48$

M2 정수 만들기 개념강의

〈0이 없을 때〉		〈0이 있을 때〉
1 2 3 4		0 1 2 3
$4\times3=12$	두 자리 정수	$3\times3=9$
$4\times3\times2=24$	세 자리 정수	$3\times3\times2=18$
$4\times3\times2\times1=4!=24$	네 자리 정수	$3\times3\times2\times1=3\times3!=18$
$n!$	n자리 정수	$(n-1)\times(n-1)!$

M3 대표 뽑기 개념강의

A, B, C, D, E 중에서

〈자격이 다른 경우〉

- 회장 1명, 부회장 1명: $5\times4=20$
- 회장 1명, 부회장 1명, 총무 1명: $5\times4\times3=60$

〈자격이 같은 경우〉

- 대표 2명: $\dfrac{5\times4}{2}=10$ (2 ← 2!)
- 대표 3명: $\dfrac{5\times4\times3}{6}=10$ (6 ← 3!)

유형 | 한 줄로 줄 세우기

09

5명의 가족이 일렬로 서서 가족 사진을 찍으려고 한다. 자녀 3명이 이웃하여 가족 사진을 찍게 되는 경우의 수를 구하시오.

學

09

현이, 정이, 동화, 수정, 수연 다섯 명을 한 줄로 세울 때, 현이와 정이가 서로 이웃하지 않는 경우의 수는?

① 24 ② 36 ③ 48
④ 60 ⑤ 72

유형 | 정수 만들기

10

1, 2, 3, 4, 5의 5장의 카드 중에서 3장을 뽑아 세 자리의 정수를 만들려고 한다. 같은 카드를 여러 번 뽑을 수 있을 때, 모두 몇 개의 정수를 만들 수 있는지 구하시오.

學

10

0, 1, 2, 3, 4의 5장의 카드 중에서 3장을 뽑아 만들 수 있는 세 자리의 정수 중 210보다 큰 정수의 개수를 구하시오.

11

학생 6명 중에서 떡볶이를 사올 사람과 아이스크림을 사올 사람을 각각 1명씩 뽑는 경우의 수를 구하시오.

12

다음 그림의 A, B, C, D 네 부분을 빨강, 주황, 노랑, 초록의 4가지 색을 사용하여 칠하려고 한다. 같은 색을 여러 번 사용할 수 있으나 서로 이웃한 면은 반드시 다른 색을 칠해야 할 때, 칠하는 방법의 수를 구하시오.

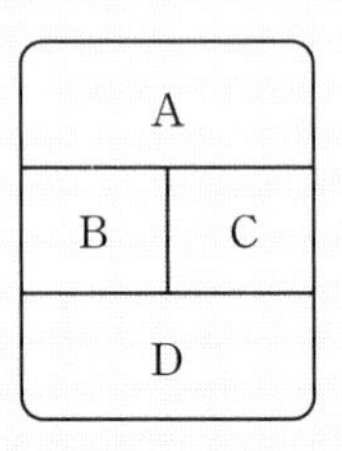

11

정수, 영운, 동해, 태연, 서연, 유나가 단체 줄넘기를 하려고 한다. 6명 중 줄을 돌릴 2명을 선택하는 방법의 수를 구하시오.

12

다음 그림과 같이 지도에는 노르웨이, 스웨덴, 핀란드, 러시아가 표시되어 있다. 여기에 빨강, 초록, 노랑, 주황의 네 가지의 색연필을 사용하여 칠하려고 할 때, 색칠하는 방법의 수를 구하시오. (단, 같은 색을 두 번 이상 사용해도 되지만 이웃하는 나라는 다른 색을 칠하여 구분해야 한다.)

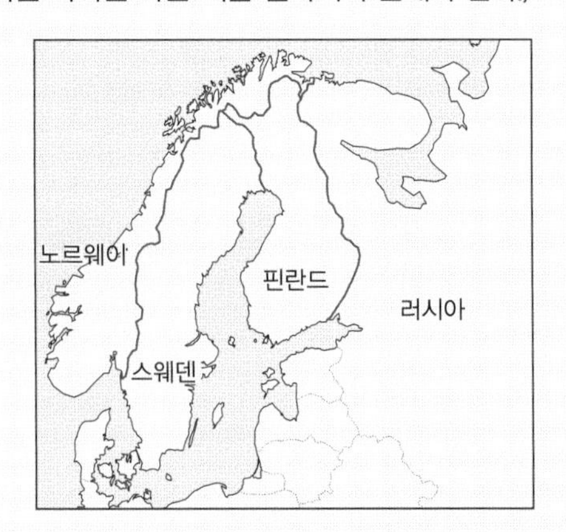

+MEMO

라디오 수타

라디오 방송 형식으로
배운 내용을 재미있게
수학타파하는 코너

껌

09

1학년 2명, 2학년 3명, 3학년 2명이 한 줄로 설 때, 1학년은 1학년끼리, 2학년은 2학년끼리, 3학년은 3학년끼리 이웃하게 서는 경우의 수를 구하시오.

껌

10

0에서 4까지의 숫자가 각각 적힌 5장의 카드에서 2장을 뽑아 두 자리의 정수를 만들려고 한다. 같은 숫자를 두 번 써도 좋다고 할 때, 모두 몇 개의 정수를 만들 수 있는가?

① 16개　　② 20개　　③ 24개
④ 28개　　⑤ 32개

꼭

11

10명의 학생 중에서 대표 1명, 회계 2명을 뽑는 경우의 수를 구하시오.

꼭

12

다음 그림과 같이 A, B, C, D, E 5개의 부분에 빨강, 주황, 노랑, 초록, 파랑의 5가지 색을 사용하여 칠하려고 한다. 이웃한 부분은 서로 다른 색을 칠해야 할 때, 칠하는 방법의 수를 구하시오. (단, 같은 색을 여러 번 사용해도 된다.)

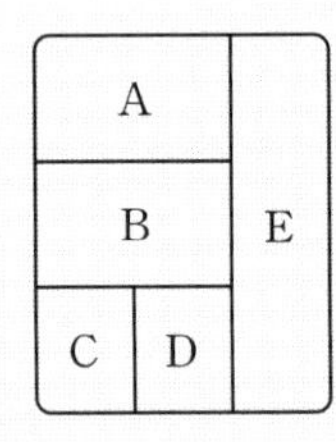

생각 +

어린이날에 민지는 아빠, 엄마 그리고 남동생 두 명과 함께 놀이공원에 놀러갔다. 아래 그림과 같은 5개의 의자가 있는 배를 타고 물길을 따라 움직이는 놀이기구를 타려고 할 때, 다음을 구하시오.

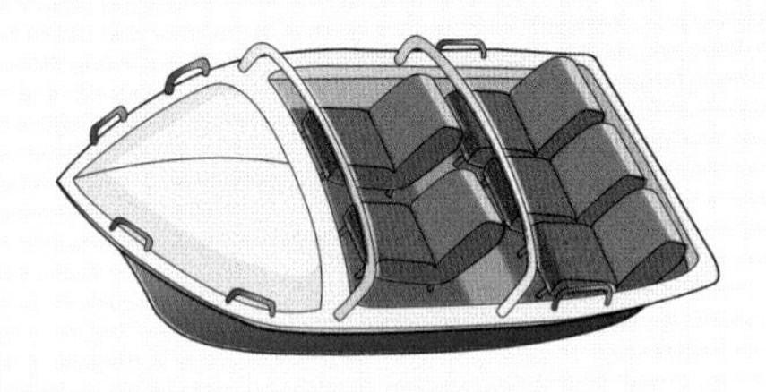

(1) 5명이 자유롭게 앉는 경우의 수

(2) 엄마와 민지는 앞자리, 아빠와 남동생 두 명은 뒷자리에 앉는 경우의 수

다음 그림과 같이 한 원 위에 5개의 점이 있다. 두 점을 이어서 만든 선분의 개수를 a개, 세 점을 이어서 만든 삼각형의 개수를 b개라 할 때, $a+b$의 값은?

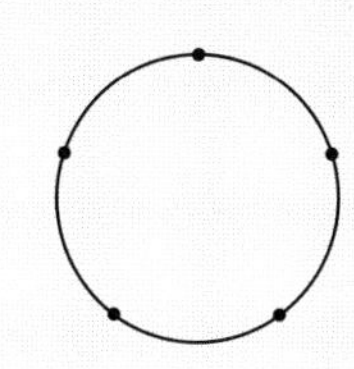

① 10 ② 15 ③ 20
④ 25 ⑤ 30

a, b, c, d, e, f의 6개의 문자를 사전식으로 $abcdef$에서 $fedcba$의 순서로 배열하였다. $dcabef$는 몇 번째 오는지 구하시오.

04 확률의 뜻과 성질

Mstory1

Mstory2

M1 확률의 뜻 개념강의

$$P=\frac{(\text{사건 A가 일어나는 경우의 수})}{(\text{모든 경우의 수})}=\frac{a}{n}$$

- 한 개의 주사위를 던질 때 4의 약수의 눈이 나올 확률: $\frac{3}{6}=\frac{1}{2}$
- 이빨이 13개인 악어룰렛 게임에서 게임에서 질 확률: $=\frac{1}{13}$

(경험적 확률) —큰 수의 법칙→ (수학적 확률)

M2 확률의 성질 개념강의

$P=\frac{a}{n}$ ➡ $0\le a\le n$

$\frac{0}{n}\le\frac{a}{n}\le\frac{n}{n}$

⓪≤P≤①

절대로× (주사위에서 7의 눈이 나올 확률)

반드시○ (주사위에서 6 이하의 눈이 나올 확률)

M3 어떤 사건이 일어나지 않을 확률 개념강의

(사건 A가 일어날 확률)+(사건 A가 일어나지 않을 확률)=1 ← 여사건의 확률

$p+q=1$

- $q=1-p,\ p=1-q$
- $0\le p\le 1,\ 0\le q\le 1$

용어사전
- 확률 (確 확고하다, 率 비율) probability
- 여 (餘 남다) 사건 complementary event

유형 | 확률의 뜻(1)

13

주머니 속에 오렌지맛 사탕이 5개, 딸기맛 사탕이 6개, 포도맛 사탕이 3개가 들어 있다. 이 주머니에서 사탕 한 개를 꺼낼 때, 딸기맛 사탕이 나올 확률을 구하시오.

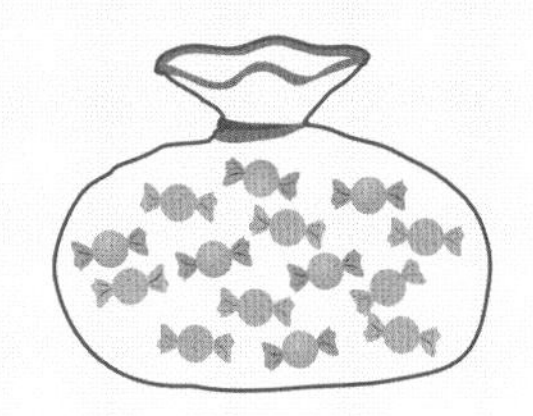

유형 | 확률의 뜻(2)

14

어느 게임에서 한 개의 동전을 던져서 앞면이 나오면 $+3$점, 뒷면이 나오면 -2점을 준다고 한다. 한 개의 동전을 3번 던져서 얻은 점수의 합이 $+4$점이 될 확률은?

① $\frac{1}{4}$ ② $\frac{3}{8}$ ③ $\frac{1}{2}$
④ $\frac{5}{8}$ ⑤ $\frac{3}{4}$

學

13

0, 1, 2, 3, 4의 숫자가 각각 적힌 5장의 카드 중에서 2장을 뽑아 두 자리의 정수를 만들려고 한다. 이때, 이 두 자리의 정수가 30 이상일 확률을 구하시오.

學

14

성수는 주사위 한 개를 던져서 4의 눈이 나오면 두 계단 올라가고, 그 이외의 눈이 나오면 한 계단 올라간다. 한 개의 주사위를 2번 던졌을 때, 성수가 시작점으로부터 세 계단 위에 올라가 있을 확률을 구하시오.

유형 | 확률의 성질

15

한 개의 주사위를 던질 때, 다음을 구하시오.

(1) 6 이하의 자연수가 나올 확률

(2) 0이 나올 확률

유형 | 어떤 사건이 일어나지 않을 확률

16

A 공장에서 생산한 휴대전화 100개 가운데 3개의 불량품이 있다. 이 중에서 임의로 한 개를 택할 때, 합격품이 나올 확률을 구하시오.

學

15

어떤 사건 A가 일어날 확률을 p, 일어나지 않을 확률을 q라 할 때, 다음 〈보기〉 중 옳은 것을 모두 고르시오.

〈 보기 〉

ㄱ. $p=1-q$ ㄴ. $p\times q=1$

ㄷ. $-1<p<1$ ㄹ. $0\leq q\leq 1$

ㅁ. $q=0$이면 사건 A는 반드시 일어난다.

學

16

한 개의 동전을 두 번 던질 때, 적어도 한 번은 앞면이 나올 확률은?

① $\frac{1}{4}$ ② $\frac{3}{8}$ ③ $\frac{1}{2}$

④ $\frac{5}{8}$ ⑤ $\frac{3}{4}$

+MEMO

라디오 수타

라디오 방송 형식으로 배운 내용을 재미있게 **수학타파**하는 코너

꼼

13

한 개의 주사위를 두 번 던져서 처음에 나온 눈의 수를 x, 나중에 나온 눈의 수를 y라 할 때, $x+3y<9$일 확률은?

① $\frac{1}{9}$ ② $\frac{5}{36}$ ③ $\frac{1}{6}$
④ $\frac{7}{36}$ ⑤ $\frac{2}{9}$

꼼

14

주연이는 주사위 한 개를 던져서 3의 눈이 나오면 두 계단 올라가고, 그 이외의 눈이 나오면 한 계단 내려가려고 한다. 한 개의 주사위를 두 번 던졌을 때, 주연이가 시작점으로부터 한 계단 위에 올라가 있을 확률을 구하시오.

(단, 시작점 아래에도 계단이 있다.)

꼭

15

다음 중 확률이 0인 것은?

① 두 사람이 가위바위보를 할 때, 서로 비길 확률
② 한 개의 주사위를 던질 때, 1 이하의 눈이 나올 확률
③ 서로 다른 두 개의 동전을 동시에 던질 때, 뒷면이 두 개 이상 나올 확률
④ 서로 다른 두 개의 주사위를 동시에 던질 때, 주사위의 눈의 차가 0일 확률
⑤ 서로 다른 두 개의 주사위를 동시에 던질 때, 주사위의 눈의 차가 6일 확률

꼭

16

서로 다른 두 개의 주사위를 동시에 던질 때, 적어도 하나는 2의 배수의 눈이 나올 확률은?

① $\frac{1}{4}$ ② $\frac{5}{9}$ ③ $\frac{2}{3}$
④ $\frac{3}{4}$ ⑤ $\frac{7}{9}$

생각 +

다음 표는 도영이네 반 학생들의 형제 수를 조사하여 나타낸 것이다. 이 반에서 임의로 한 학생을 선택했을 때, 그 학생의 형제가 1명 이하일 확률을 구하시오.

형제 수(명)	학생 수(명)
0	11
1	18
2	7
3	4

생각 ✚✚

다음 그림과 같은 과녁에 화살을 쏘아서 맞힌 부분에 적힌 숫자를 점수로 받는다고 할 때, 화살을 한 번 쏘아서 4점을 얻을 확률을 구하시오. (단, 화살이 과녁을 벗어나거나 경계선을 맞히는 경우는 없다.)

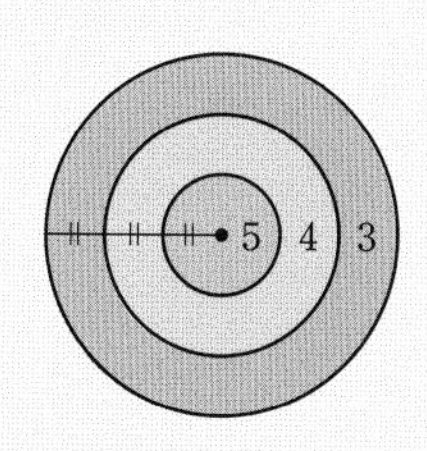

생각 ✚✚✚

남학생 5명, 여학생 5명 중에서 2명의 대표를 선출할 때, 적어도 1명은 남학생이 선출될 확률을 구하시오.

05 확률의 계산

M1 사건 A 또는 사건 B가 일어날 확률 – 확률의 덧셈 개념강의

① ② ③ ④ ⑤

과자 우유 꽝 과자 꽝

과자 또는 우유가 나올 확률

$$\frac{2+1}{5}=\frac{3}{5}=\frac{2}{5}+\frac{1}{5}$$

사건 A: p, 사건 B: q

동시에 일어나지 않을 때

사건 A 또는 사건 B: $p+q$

(+)

M2 두 사건 A와 B가 동시에 일어날 확률 – 확률의 곱셈 개념강의

동시에

뒷면 $\left(\frac{1}{2}\right)$

3의 배수 $\left(\frac{2}{6}\right)$

$$\frac{1\times2}{2\times6}=\frac{2}{12}=\frac{1}{2}\times\frac{2}{6}$$

사건 A: p, 사건 B: q

두 사건이 영향을 주지 않을 때

두 사건 A, B가 동시에: $p\times q$

(×)

M3 연속하여 뽑는 경우의 확률 개념강의

(빨간 별)을 뽑고 또 (빨간 별)을 뽑을 확률?

- 처음 뽑은 별을 다시 넣을 때 (복원 추출)

$$\frac{3}{5}\times\frac{3}{5}=\frac{9}{25}$$

- 처음 뽑은 별을 다시 넣지 않을 때 (비복원 추출)

$$\frac{3}{5}\times\frac{2}{4}=\frac{3}{10}$$

 | 사건 A 또는 사건 B가 일어날 확률

17

두 개의 주사위를 동시에 던질 때, 나온 눈의 수의 합이 5 또는 7일 확률은?

① $\frac{4}{18}$ ② $\frac{5}{18}$ ③ $\frac{1}{3}$
④ $\frac{7}{18}$ ⑤ $\frac{4}{9}$

유형 | 두 사건 A와 B가 동시에 일어날 확률

18

A, B 두 개의 주사위를 동시에 던질 때, A 주사위는 4의 약수의 눈이 나오고, B 주사위는 소수의 눈이 나올 확률을 구하시오.

17

20개의 면에 1부터 20까지의 숫자가 각각 적힌 정이십면체 모양의 주사위를 한 번 던질 때, 나온 눈의 수가 18의 약수이거나 소수일 확률은?

① $\frac{11}{20}$ ② $\frac{3}{5}$ ③ $\frac{13}{20}$
④ $\frac{7}{10}$ ⑤ $\frac{4}{4}$

18

어느 교차로에는 고장을 대비하여 신호등이 2개 설치되어 있다. 신호등 한 개가 고장 날 확률이 $\frac{1}{200}$일 때, 신호등 2개가 모두 고장 날 확률을 구하시오.

유형 | 연속하여 뽑는 경우의 확률

19

20개의 제비 중 당첨 제비가 3개 들어 있다. 영아가 제비 1개를 뽑아 확인하고 다시 집어 넣은 후 희철이가 1개를 뽑을 때, 영아는 당첨되고 희철이는 당첨되지 않을 확률을 구하시오.

유형 | 여러 가지 확률

20

은정, 영우, 상현이가 가위바위보를 할 때, 상현이가 이길 확률은?

① $\frac{1}{9}$ ② $\frac{2}{9}$ ③ $\frac{1}{3}$
④ $\frac{4}{9}$ ⑤ $\frac{5}{9}$

學

19

빨간 공이 2개, 파란 공이 3개 들어 있는 주머니에서 차례로 2개의 공을 꺼낼 때, 2개 모두 빨간 공일 확률은?
(단, 한 번 꺼낸 공은 다시 넣지 않는다.)

① $\frac{1}{20}$ ② $\frac{1}{10}$ ③ $\frac{1}{5}$
④ $\frac{1}{4}$ ⑤ $\frac{1}{2}$

學

20

건영이가 5개의 ○, × 문제에 무심히 답할 때, 적어도 한 문제는 맞힐 확률은?

① $\frac{1}{32}$ ② $\frac{1}{16}$ ③ $\frac{1}{8}$
④ $\frac{15}{16}$ ⑤ $\frac{31}{32}$

라디오 수타

라디오 방송 형식으로 배운 내용을 재미있게 수학타파하는 코너

꼼

17

8개의 면에 1부터 8까지의 숫자가 각각 적힌 정팔면체 모양의 주사위를 한 번 던질 때, 나온 눈의 수가 4의 약수이거나 7의 약수일 확률은?

① $\frac{1}{4}$　② $\frac{3}{8}$　③ $\frac{1}{2}$

④ $\frac{5}{8}$　⑤ $\frac{3}{4}$

꼼

18

화살을 과녁에 5발 쏘면 평균 2발을 명중시키는 양궁 선수가 2발을 과녁에 쏘았을 때, 모두 명중시킬 확률은?

① $\frac{2}{25}$　② $\frac{4}{25}$　③ $\frac{6}{25}$

④ $\frac{8}{25}$　⑤ $\frac{2}{5}$

꼭

19

주머니 속에 흰 공 3개와 검은 공 5개가 들어 있다. 이 주머니에서 공을 두 번 연속하여 꺼낼 때, 첫 번째는 흰 공을 꺼내고 두 번째는 검은 공을 꺼낼 확률을 다음 각 경우에 대하여 구하시오.

(1) 첫 번째 꺼낸 공을 다시 넣는 경우

(2) 첫 번째 꺼낸 공을 다시 넣지 않는 경우

꼭

20

민정이와 수지가 놀이공원에서 만나기로 약속하였다. 민정이가 약속 장소에 나올 확률이 $\frac{2}{5}$, 수지가 약속 장소에 나올 확률이 $\frac{3}{5}$일 때, 두 사람이 만나지 못할 확률을 구하시오.

생각+

비가 온 날의 다음 날에 비가 올 확률은 $\frac{1}{4}$이고, 비가 오지 않은 날의 다음 날에 비가 올 확률은 $\frac{1}{5}$이라 한다. 화요일에 비가 왔을 때, 같은 주 목요일에 비가 오지 않을 확률은?

① $\frac{57}{80}$ ② $\frac{59}{80}$ ③ $\frac{61}{80}$
④ $\frac{63}{80}$ ⑤ $\frac{13}{16}$

생각 ++

5발을 쏘아 평균 4발을 명중시키는 양궁 선수가 2발 이하로 화살을 쏘았을 때, 과녁에 명중시킬 확률은?
(단, 명중시키면 더 이상 화살을 쏘지 않는다.)

① $\frac{16}{25}$　② $\frac{18}{25}$　③ $\frac{4}{5}$
④ $\frac{22}{25}$　⑤ $\frac{24}{25}$

생각 +++

악어룰렛은 13개의 악어이빨이 있는데, 이 중 하나의 이빨은 센서와 연결이 되어 있어 이를 누르면 악어가 입을 다물게 된다. A, B 두 사람이 A부터 시작하여 번갈아 가며 이빨을 하나씩 누르는 게임을 하려고 한다. A가 이빨을 눌렀을 때, 악어가 입을 다물 확률을 구하시오. (단, 한 번 누른 이빨은 다시 누르지 않으며 악어가 입을 다물 때까지 게임은 계속된다.)

단원 종합 문제

〈1번부터 16번까지는 각 문항당 4점입니다.〉

01

서로 다른 4개의 윷가락을 동시에 던질 때, 걸 또는 개가 나오는 경우의 수를 구하시오.

02

자음 ㄱ, ㄴ, ㄷ이 각각 적힌 카드 3장과 모음 ㅏ, ㅣ, ㅗ, ㅜ가 각각 적힌 카드 4장이 있다. 자음과 모음이 적힌 카드를 각각 한 장씩 뽑아 만들 수 있는 글자의 개수를 구하시오.

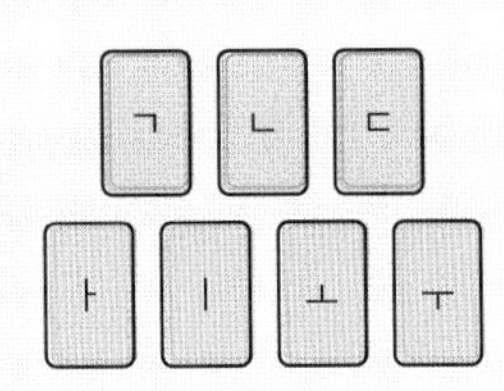

03

다음 그림과 같은 정육면체에서 점 A를 출발하여 모서리를 따라 점 G까지 최단거리로 가는 방법은 모두 몇 가지인가?

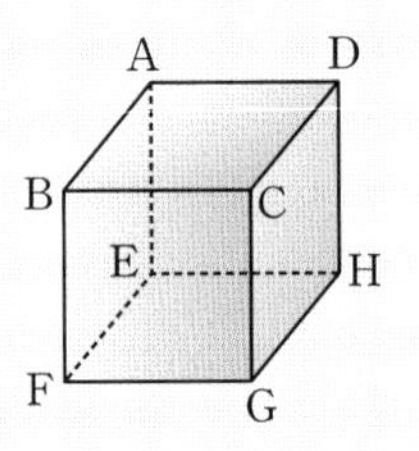

① 4가지 ② 5가지 ③ 6가지
④ 7가지 ⑤ 8가지

04

세 자연수 a, b, c에 대하여 $a+b+c=5$인 경우의 수를 구하시오.

05

모양과 크기가 같은 9개의 복숭아를 3개의 같은 상자에 나누어 담는 방법의 수는?

(단, 각 상자에 적어도 한 개씩을 넣는다.)

① 6 ② 7 ③ 8
④ 9 ⑤ 10

06

다섯 명의 사람들이 서로 한 번씩 빠짐없이 악수를 할 때, 악수를 모두 몇 번 하게 되는지 구하시오.

07

다음 그림과 같이 반원 위에 6개의 점이 있다. 이 중 3개의 점을 꼭짓점으로 하는 삼각형의 개수를 구하시오.

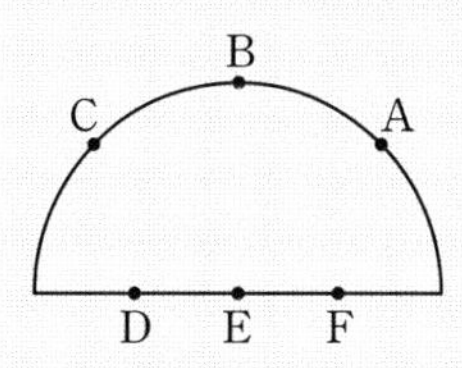

08

다음 그림은 직사각형을 정사각형 12개로 나눈 도형이다. 이 도형의 선분으로 만들 수 있는 직사각형은 모두 몇 개인가? (단, 정사각형은 직사각형에 포함된다.)

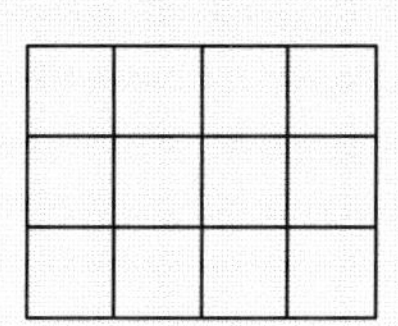

① 48개 ② 52개 ③ 56개
④ 60개 ⑤ 64개

09

철수는 다섯 개의 문자 a, b, c, d, e를 사전식으로 $abcde$부터 $edcba$까지 직접 써보았다고 한다. 이때, 〈보기〉 중 옳은 것을 모두 고른 것은?

〈 보기 〉

ㄱ. 총 120가지의 경우의 수가 있다.
ㄴ. $bdcae$는 40번째 문자이다.
ㄷ. 60번째 문자는 $cbeda$이다.

① ㄱ ② ㄷ ③ ㄱ, ㄷ
④ ㄴ, ㄷ ⑤ ㄱ, ㄴ, ㄷ

10

10원짜리, 50원짜리, 100원짜리 동전이 각각 1개씩 있다. 세 개의 동전을 동시에 던질 때, 앞면이 1개만 나올 확률은?

① $\frac{1}{4}$ ② $\frac{3}{8}$ ③ $\frac{1}{2}$
④ $\frac{5}{8}$ ⑤ $\frac{3}{4}$

11

1부터 10까지의 자연수가 각각 하나씩 적힌 10장의 카드 중에서 1장을 뽑을 때, 다음 중 옳지 않은 것은?

① 짝수가 나올 확률은 $\frac{1}{2}$이다.
② 10의 약수가 나올 확률은 $\frac{2}{5}$이다.
③ 10 이하의 자연수가 나올 확률은 1이다.
④ 1보다 작은 자연수가 나올 확률은 0이다.
⑤ 두 자리의 자연수가 나올 확률은 0이다.

12

한 개의 주사위를 두 번 던져 처음에 나오는 눈의 수를 a, 나중에 나오는 눈의 수를 b라 할 때, 연립일차방정식 $\begin{cases} 2x+y=1 \\ ax+2y=b \end{cases}$ 의 해가 없을 확률은?

① $\frac{5}{36}$ ② $\frac{1}{6}$ ③ $\frac{7}{36}$
④ $\frac{2}{9}$ ⑤ $\frac{1}{4}$

13

상자 안에 들어 있는 50개의 제품 가운데 5개의 불량품이 섞여 있다. 이 상자에서 두 개의 제품을 연속하여 꺼낼 때, 적어도 1개 이상의 합격품을 꺼낼 확률을 구하시오.

(단, 한 번 꺼낸 제품은 다시 넣지 않는다.)

14

다음 그림과 같이 각각 4등분, 5등분된 두 원판이 있다. 이 두 원판의 바늘이 각각 돌다가 멈추었을 때, 두 바늘 모두 색칠된 영역에 있을 확률을 구하시오.

(단, 두 원판의 바늘이 경계선에 멈추는 경우는 없다.)

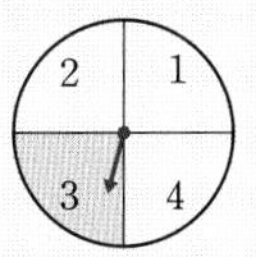

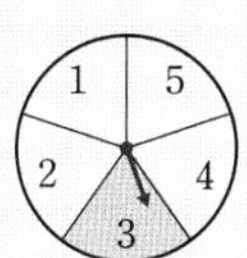

15

눈이 온 날의 다음 날에 눈이 올 확률은 $\frac{3}{10}$이고, 눈이 오지 않은 날의 다음 날에 눈이 올 확률은 $\frac{1}{10}$이라 한다. 수요일에 눈이 왔을 때, 같은 주 토요일에 눈이 올 확률을 구하시오.

16

다음 그림과 같이 폭이 일정한 관에 구슬을 떨어트려 관을 통과시키려고 할 때, 구슬이 B로 나올 확률은?

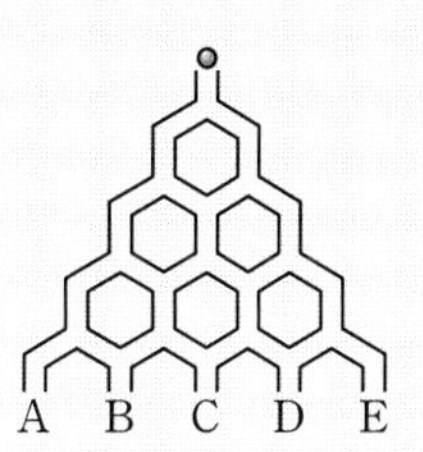

① $\frac{1}{16}$　② $\frac{1}{8}$　③ $\frac{1}{5}$

④ $\frac{1}{4}$　⑤ $\frac{3}{8}$

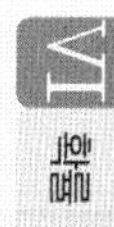

독심술

17

아래 그림과 같은 직사각형 모양의 길이 있다. 다음 물음에 답하시오. [총 6점]

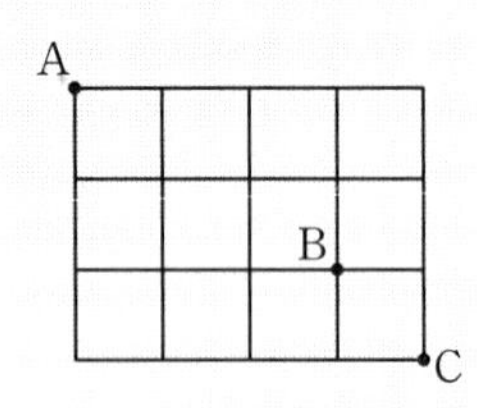

(1) 점 A에서 점 B까지 최단거리로 가는 방법의 수를 구하시오. [2점]

(2) 점 B에서 점 C까지 최단거리로 가는 방법의 수를 구하시오. [2점]

(3) 점 A에서 점 B를 거쳐 점 C까지 최단거리로 가는 방법의 수를 구하시오. [2점]

18

6명의 학생이 우산꽂이에 꽂혀 있는 우산을 임의로 가져갈 때, 3명의 학생이 자신의 우산을 가져가고 나머지 3명의 학생은 다른 학생의 우산을 가져가게 되는 경우의 수를 구하시오. [10점]

19

가로, 세로, 높이에 같은 크기의 작은 정육면체 10개씩을 쌓아서 큰 정육면체를 만들었다. 이 큰 정육면체의 겉면에 페인트를 칠하고 다시 흐트러 놓은 다음 1개를 택했을 때, 그것이 적어도 한 면이 색칠된 정육면체일 확률을 구하시오. [10점]

20

윤지와 도현이가 가위바위보를 모두 5번 하여 먼저 3번 이기는 사람이 우승을 하는 게임을 하기로 하였다. 지금까지 가위바위보를 2번 하여 모두 도현이가 이겼다고 한다. 두 사람이 이길 확률은 $\frac{1}{2}$로 같다고 할 때, 도현이가 우승할 확률을 구하시오. (단, 비기는 경우는 없다.) [10점]

MEMO

MEMO

MEMO

개념엔 유형학습

개념엔
유형학습

상위 1%로 가는 지름길

Mbest

개념엔 유형학습

정답과 해설

중학수학 2·2

메가스터디BOOKS

정답과 해설

Ⅰ. 삼각형의 성질 10

Ⅱ. 사각형의 성질 23

Ⅲ. 도형의 닮음 35

Ⅳ. 닮음의 활용 43

Ⅴ. 피타고라스 정리 57

Ⅵ. 확률 64

I 삼각형의 성질

01 이등변삼각형의 성질

p. 13 ~ p. 17

유형 01 $40°$	學 01 ④
유형 02 6	學 02 5 cm
유형 03 $26°$	學 03 12 cm^2
유형 04 (가) $\overline{AC}$ (나) $\angle CAD$ (다) $\overline{AD}$ (라) SAS	
學 04 (가) $\overline{AC}$ (나) $\overline{BC}$ (다) $\overline{AB}=\overline{BC}=\overline{CA}$	
習 01 ④	習 02 $90°$
習 03 (1) $82°$ (2) 7 cm	
習 04 (가) $\angle C$ (나) $\angle A$ (다) $\angle A=\angle B=\angle C$	
생각+ 풀이 참조	생각++ 23.5 cm^2
생각+++ $59°$	

02 직각삼각형의 합동 조건

p. 19 ~ p. 23

유형 05 ㄱ - ㅁ(RHS 합동), ㄴ - ㅂ(RHA 합동), ㄷ - ㄹ(ASA 합동)	
學 05 ⑤	
유형 06 50 cm^2	學 06 $\frac{27}{2}\text{ cm}^2$
유형 07 $38°$	學 07 18 cm^2
유형 08 ③	學 08 ④
習 05 ③	習 06 ③
習 07 ②	習 08 ③
생각+ (가) $\angle CEB$ (나) $\overline{BC}$ (다) $\angle CBE$ (라) RHA (마) $\overline{CE}$	
생각++ 빗변의 길이가 같아야 한다. ($\overline{AB}=\overline{AC}$)	
생각+++ ②	

03 삼각형의 외심

p. 25 ~ p. 29

유형 09 ④	學 09 ②
유형 10 $25\pi\text{ cm}^2$	學 10 ③
유형 11 ③	學 11 $40°$
유형 12 $65°$	學 12 $10°$
習 09 12π cm	習 10 $36°$
習 11 ②	習 12 $80°$
생각+ 혁구, 희연, 원길, 미림	생각++ $35°$
생각+++ ③	

04 삼각형의 내심

p. 31 ~ p. 35

유형 13 ㄱ, ㄴ, ㄷ	學 13 풀이 참조
유형 14 ③	學 14 ②
유형 15 $138°$	學 15 ③
유형 16 ①	學 16 31.5 cm
習 13 ④	習 14 $60°$
習 15 ①	習 16 11 cm
생각+ $135°$	생각++ $146°$
생각+++ $165°$	

05 삼각형의 외심과 내심의 응용

p. 37 ~ p. 41

유형 17 3 cm	學 17 ③
유형 18 265°	學 18 ④
유형 19 ④	學 19 120°
유형 20 ⑤	學 20 $24\,cm^2$
習 17 ④	習 18 ①
習 19 12°	習 20 $84\pi\,cm^2$

생각+ $(51-9\pi)\,cm^2$

생각++ (가) $\overline{OC}$ (나) ∠OFC (다) $\overline{OF}$ (라) △OCF (마) $\overline{CF}$

생각+++ (가) $\overline{IF}$ (나) $\overline{IC}$ (다) RHS (라) ∠ICF (마) 이등분선

단원 종합 문제

p. 42 ~ p. 47

01 36°	02 12	03 ③	04 3 cm
05 ③	06 ②	07 70°	08 ①
09 $25\,cm^2$	10 130°	11 ①	12 ②
13 ⑤	14 52°	15 148°	16 63.75°

17 (1) △ABD≡△CAE(RHA 합동) (2) 4 cm

18 풀이 참조	19 70°
20 $\frac{10}{7}$ cm	

Ⅱ 사각형의 성질

01 평행사변형의 성질

p. 55 ~ p. 59

유형 01 ∠x=45°, ∠y=35°	學 01 108°

유형 02 ①

學 02 (가) ∠CBD (나) ∠CDB (다) $\overline{BD}$ (라) ASA (마) $\overline{AB}=\overline{DC}$

유형 03 ∠x=150°, ∠y=30°

學 03 (가) ∠ABC (나) ∠CDA (다) ∠DCB (라) ∠BAD

유형 04 ③

學 04 (가) ∠OCD (나) ∠ODC (다) $\overline{CD}$ (라) ASA (마) $\overline{OC}$ (바) $\overline{OD}$

習 01 ⑤	習 02 1 cm
習 03 72°	習 04 ①
생각+ ②	생각++ $30\,cm^2$
생각+++ 120°	

02 평행사변형이 되는 조건

p. 61 ~ p. 65

유형 05 ⑤

學 05 (가) $\overline{CD}$ (나) $\overline{DA}$ (다) $\overline{AC}$ (라) SSS (마) ∠DCA (바) ∠CAD

유형 06 풀이 참조	學 06 풀이 참조
유형 07 ㄱ, ㄴ, ㄹ	學 07 ⑤
유형 08 $36\,cm^2$	學 08 ③

習 05 (가) $\overline{CD}$ (나) ∠DCA (다) $\overline{AC}$ (라) SAS (마) $\overline{AD}/\!/\overline{BC}$

習 06 풀이 참조	習 07 47°
習 08 $16\,cm^2$	
생각+ $x=-2$, $y=43$	생각++ 10개
생각+++ 경은	

03 직사각형과 마름모

p. 67 ~ p. 71

유형 09 5	學 09 114°
유형 10 $x=40$, $y=50$	學 10 18 cm
유형 11 ⑤	學 11 직사각형
유형 12 ⑤	學 12 $\overline{AD}=12$ cm, $\angle BDC=38°$
꼼 09 10	꼼 10 ④
꼼 11 ㄱ, ㄴ	꼼 12 ⑤
생각+ ①	생각++ ④
생각+++ $\frac{48}{5}$	

04 정사각형과 등변사다리꼴

p. 73 ~ p. 77

유형 13 15°	學 13 ④
유형 14 ㄱ, ㄹ	學 14 ⑤
유형 15 ③	學 15 66°
유형 16 2 cm	學 16 23 cm
꼼 13 ①	꼼 14 ㄴ, ㄷ
꼼 15 ①	꼼 16 ④
생각+ 38°	생각++ 30°
생각+++ ③	

05 사각형 사이의 관계

p. 79 ~ p. 83

유형 17 직사각형	學 17 마름모
유형 18 ②, ④	學 18 ④, ⑤
유형 19 ②	學 19 $\overline{FG}=9$ cm, $\angle EFG=107°$
유형 20 ⑤	學 20 24 cm^2
꼼 17 풀이 참조	꼼 18 7
꼼 19 50 cm^2	꼼 20 ③
생각+ ⑤	생각++ 10 cm^2
생각+++ 56평	

단원 종합 문제

p. 84 ~ p. 89

01 58	02 ③	03 ④	04 $\frac{8}{3}$
05 ⑤	06 60°	07 ③	08 ③
09 62°	10 $\frac{73}{4}$ cm^2	11 60°	12 ③, ④
13 ③	14 36 cm	15 60 cm^2	16 ④
17 (1) △EBD (2) 24 cm		18 15°	
19 20		20 12 cm^2	

III 도형의 닮음

01 닮은 도형의 성질

p. 95 ~ p. 99

유형 01 ㄱ, ㄷ, ㅂ	學 01 ①
유형 02 ④	學 02 $\overline{AB}=\frac{42}{b}$ cm, $\overline{EF}=\frac{ab}{7}$ cm
유형 03 75 cm	學 03 ④
유형 04 $\frac{37}{4}$	學 04 14
習 01 ㄱ, ㄷ	習 02 ⑤
習 03 ②	習 04 ③
생각+ 실제 동체 길이의 차: 9.3 m, 실제 날개 폭의 차: 15.2 m	
생각++ 64π cm^2	생각+++ 닮음이 아니다.

02 삼각형의 닮음 조건

p. 101 ~ p. 105

유형 05 ④	學 05 ②
유형 06 ④	學 06 6 : 7
유형 07 4 cm	學 07 ⑤
유형 08 ④	學 08 $\overline{AC}=15$ cm, $\overline{AD}=12$ cm
習 05 ㄱ-ㄷ(AA 닮음), ㄴ-ㅂ(SAS 닮음), ㄹ-ㅁ(SSS 닮음)	
習 06 ⑤	習 07 2 cm
習 08 ④	생각+ 15 cm
생각++ $\frac{24}{5}$ cm	생각+++ ③

단원 종합 문제

p. 106 ~ p. 111

01 ④	02 2 : 1	03 $x=\frac{10}{3}$, $y=40$	
04 225π cm^2	05 ③	06 1 : 2	07 $\frac{22}{3}$ cm
08 ⑤	09 $\frac{30}{7}$ cm	10 $\frac{2}{9}a$	11 ③
12 469 cm^2	13 $x=16$, $y=9$		14 $\frac{27}{10}$ cm
15 $\frac{15}{4}$ cm	16 ③		
17 (1) △ABC∽△EDC′(AA 닮음) (2) $\frac{36}{5}$ cm			
18 $\frac{17}{2}$ cm	19 4 : 5	20 20 : 16 : 9	

IV 닮음의 활용

01 삼각형과 평행선

p. 119~p. 123

유형 01 ①	學 01 3
유형 02 ㄴ, ㄹ	學 02 ④
유형 03 $15\,\text{cm}^2$	學 03 ②
유형 04 28 cm	學 04 $\frac{33}{4}$ cm
꼼 01 6 cm	꼼 02 ㄱ, ㅂ
꼼 03 $\frac{12}{5}$ cm	꼼 04 ③
생각+ 3 cm	생각++ 30 cm
생각+++ ①	

02 평행선 사이의 선분의 길이의 비

p. 125~p. 129

유형 05 ②	學 05 ②
유형 06 19 cm	學 06 ④
유형 07 24 cm	學 07 풀이 참조
유형 08 $\overline{\text{EF}}=6$ cm, $\overline{\text{BF}}=6$ cm	學 08 ⑤
꼼 05 ③	꼼 06 $\frac{2}{5}a+12$
꼼 07 $\frac{48}{5}$ cm	꼼 08 $63\,\text{cm}^2$
생각+ ②	생각++ 85 cm
생각+++ 풀이 참조	

03 삼각형의 두 변의 중점을 연결한 선분

p. 131~p. 135

유형 09 ④	學 09 ⑤
유형 10 (1) 6 cm (2) 4 cm	學 10 6 cm
유형 11 $x=7$, $y=3$	學 11 ⑤
유형 12 22 cm	學 12 $20\,\text{cm}^2$
꼼 09 17 cm	꼼 10 6 cm
꼼 11 42 cm	꼼 12 26 cm
생각+ 44 cm	생각++ ③
생각+++ 3.5 cm	

04 삼각형의 무게중심

p. 137~p. 141

유형 13 $x=12$, $y=8$	學 13 ②
유형 14 ③	學 14 7 cm
유형 15 ③	學 15 ③
유형 16 $5\,\text{cm}^2$	學 16 1 : 2
꼼 13 $36\pi\,\text{cm}^2$	꼼 14 6 cm
꼼 15 ④	꼼 16 $28\,\text{cm}^2$
생각+ ②	생각++ ②
생각+++ 풀이 참조	

V 피타고라스 정리

05 넓이의 비와 부피의 비

p. 143 ~ p. 147

유형 17 $60\pi\ cm^2$	學 17 ⑤
유형 18 $48\pi\ cm^3$	學 18 16분
유형 19 4.8 m	學 19 3.2 m
유형 20 0.18 km	學 20 ⑤
習 17 4 : 21	習 18 296 mL
習 19 ①	習 20 1시간 36분
생각+ ④	생각++ 1 : 7 : 19
생각+++ 1 : 1 : 1	

단원 종합 문제

p. 148 ~ p. 153

01 $\frac{36}{7}$ cm	02 ②	03 $16S\ cm^2$	04 5 cm
05 ③	06 16	07 $\frac{18}{5}$ cm	08 14 cm
09 25°	10 ②	11 ②	12 ③
13 6 : 2 : 1	14 1 : 2	15 ⑤	16 ④
17 (1) 1 : 9 (2) $45\ cm^2$ (3) $180\ cm^2$			
18 1 : 6		19 12 cm	
20 990 g			

01 피타고라스 정리

p. 159 ~ p. 163

유형 01 ③	
學 01 ㉠ 4 ㉡ 13 ㉢ 6 ㉣ 24 ㉤ 17	
유형 02 (가) SAS (나) 90° (다) 정사각형 (라) $(a+b)^2$ (마) c^2	
學 02 $13\ cm^2$	
유형 03 $32\ cm^2$	學 03 ④
유형 04 $\frac{25}{13}$	學 04 $\frac{84}{25}$
習 01 2.1 m	習 02 ⑤
習 03 3개	習 04 $\frac{12}{5}$
생각+ ②	생각++ 풀이 참조
생각+++ (가) △CDE (나) 90° (다) $\frac{1}{2}(a+b)^2$ (라) $\frac{1}{2}c^2$	

02 피타고라스 정리의 응용

p. 165 ~ p. 169

유형 05 ③	學 05 3개
유형 06 ②	學 06 $60\ cm^2$
유형 07 37	學 07 9
유형 08 17 cm	學 08 15 cm
習 05 ②	習 06 $170\ cm^2$
習 07 125	習 08 ④
생각+ 3개	생각++ 24
생각+++ ④	

단원 종합 문제

p. 170~p. 175

01 26	02 ③	03 ③	04 ②
05 34	06 ④	07 52	08 $\frac{9}{2}$ cm
09 7 cm	10 60 cm^2	11 ④	12 2, 7, 8
13 ③	14 18	15 85	16 17π cm
17 (1) $(10-x)$cm (2) $\frac{15}{4}$ cm (3) $\frac{75}{8}$ cm^2			18 $\frac{65}{3}$
19 15		20 126 cm^2	

VI 확률

01 경우의 수

p. 183~p. 187

유형 01 ②	學 01 3	유형 02 ③	學 02 6

유형 03 (T, H, H, H), (H, T, H, H), (H, H, T, H), (H, H, H, T)

學 03 (H, H, T, T), (H, T, T, H), (H, T, H, T), (T, H, H, T), (T, H, T, H), (T, T, H, H)

유형 04 ②	學 04 9
꼴 01 ③	꼴 02 (1) 4 (2) 6 (3) 5
꼴 03 (1) 4 (2) 1	꼴 04 6
생각+ 풀이 참조	생각++ 10
생각+++ (1) 1 (2) 4 (3) 3 (4) 8	

02 합의 법칙과 곱의 법칙

p. 188~p. 189

유형 05 ⑤	學 05 ④
유형 06 8	學 06 11
유형 07 ④	學 07 16가지
유형 08 8	學 08 24
꼴 05 ③	꼴 06 ④
꼴 07 ③	꼴 08 ③
생각+ 7	생각++ 18
생각+++ 33	

03 여러 가지 경우의 수

p. 195~p. 199

유형 09 36	學 09 ⑤
유형 10 125개	學 10 32개
유형 11 30	學 11 15
유형 12 48	學 12 48
꼴 09 144	꼴 10 ②
꼴 11 360	꼴 12 540
생각+ (1) 120 (2) 12	생각++ ③
생각+++ 409번 째	

04 확률의 뜻과 성질

p. 201 ~ p. 205

유형 13 $\frac{3}{7}$	學 13 $\frac{1}{2}$
유형 14 ②	學 14 $\frac{5}{18}$
유형 15 (1) 1 (2) 0	學 15 ㄱ, ㄹ, ㅁ
유형 16 $\frac{97}{100}$	學 16 ⑤
習 13 ④	習 14 $\frac{5}{18}$
習 15 ⑤	習 16 ④
생각+ $\frac{29}{40}$	생각++ $\frac{1}{3}$
생각+++ $\frac{7}{9}$	

05 확률의 계산

p. 207 ~ p. 211

유형 17 ②	學 17 ②
유형 18 $\frac{1}{4}$	學 18 $\frac{1}{40000}$
유형 19 $\frac{51}{400}$	學 19 ②
유형 20 ③	學 20 ⑤
習 17 ③	習 18 ②
習 19 (1) $\frac{15}{64}$ (2) $\frac{15}{56}$	習 20 $\frac{19}{25}$
생각+ ④	생각++ ⑤
생각+++ $\frac{7}{13}$	

단원 종합 문제

p. 212 ~ p. 217

01 10	02 12개	03 ③	04 6
05 ②	06 10번	07 19개	08 ④
09 ③	10 ②	11 ⑤	12 ①
13 $\frac{243}{245}$	14 $\frac{1}{20}$	15 $\frac{33}{250}$	16 ④
17 (1) 10 (2) 2 (3) 20		18 40	
19 $\frac{61}{125}$		20 $\frac{7}{8}$	

I 삼각형의 성질

01 이등변삼각형의 성질

p. 13 ~ p. 17

유형 01 $40°$	學 01 ④	유형 02 6	學 02 5 cm
유형 03 $26°$		學 03 12 cm^2	
유형 04 (가) $\overline{AC}$ (나) $\angle CAD$ (다) $\overline{AD}$ (라) SAS			
學 04 (가) $\overline{AC}$ (나) $\overline{BC}$ (다) $\overline{AB}=\overline{BC}=\overline{CA}$			
習 01 ④		習 02 $90°$	
習 03 (1) $82°$ (2) 7 cm			
習 04 (가) $\angle C$ (나) $\angle A$ (다) $\angle A=\angle B=\angle C$			
생각⊕ 풀이 참조		생각⊕⊕ 23.5 cm^2	
생각⊕⊕⊕ $59°$			

유형 01 $40°$

$\angle ACB=180°-110°=70°$

$\angle B=\angle ACB=70°$

$\therefore \angle x=180°-(70°+70°)=40°$

學 01 ④

정오각형의 한 내각의 크기는 $108°$이므로

$\angle D=\angle E=108°$

$\triangle AED$에서 $\overline{AE}=\overline{ED}$이므로

$\angle EDA=\angle EAD$

$=\dfrac{180°-108°}{2}=\dfrac{72°}{2}=36°$

$\therefore \angle ADC=\angle D-\angle EDA$

$=108°-36°=72°$

유형 02 6

$x=\dfrac{1}{2}\times 12=6$

學 02 5 cm

$\triangle ABC$에서

$\angle CAD=40°+\angle ACB=80°$

$\therefore \angle ACB=40°$

또, $\triangle CDA$에서

$\angle CDA=180°-100°=80°$

따라서 $\triangle ABC$, $\triangle CDA$는 각각 $\overline{AB}=\overline{AC}$,

$\overline{AC}=\overline{CD}$인 이등변삼각형이므로

$\overline{CD}=\overline{AC}=\overline{AB}=5\text{ cm}$

유형 03 $26°$

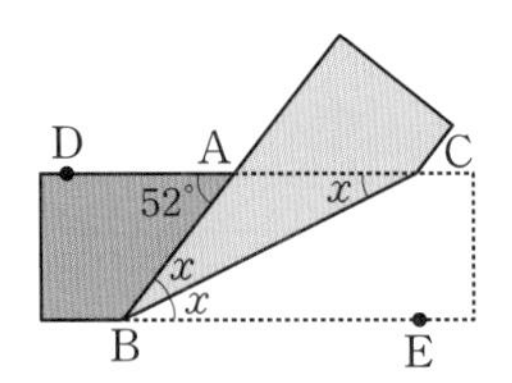

$\angle CBE=\angle ACB=\angle x$(엇각)

$\angle ABC=\angle CBE=\angle x$(접은 각)

따라서 $\triangle ABC$에서

$\angle DAB=\angle x+\angle x=52°$이므로

$\angle x=26°$

學 03 12 cm^2

$\triangle ABC$는 $\angle BAC=\angle BCA$인 이등변삼각형이므로

$\overline{BC}=\overline{BA}=6\text{ cm}$이다.

$\therefore \triangle ABC=\dfrac{1}{2}\times 6\times 4=12(\text{cm}^2)$

習 01 ④

이등변삼각형의 꼭지각의 이등분선은 밑변을 수직이등분하므로 $\overline{AD}$는 $\angle A$의 이등분선이다.

$\angle CAD=20°$, $\angle ADC=90°$이므로

$\angle x=180°-(20°+90°)=70°$

꼴 02 90°

$\angle A=\angle B$이므로 $\triangle ABC$는 $\overline{CA}=\overline{CB}$인 이등변삼각형이다.
따라서 점 D는 $\overline{AB}$의 중점이므로 $\overline{CD}$는 밑변 AB의 수직이등분선이다.
$\therefore \angle x=90^\circ$

꼴 03 (1) 82° (2) 7 cm

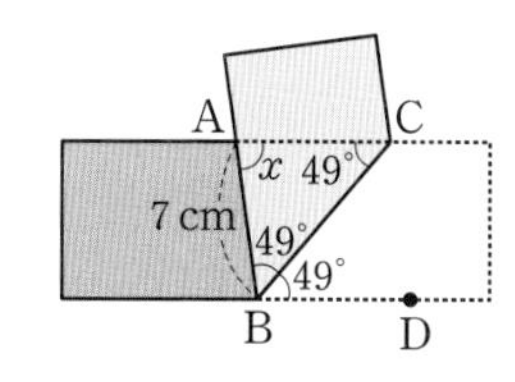

(1) $\angle CBD=\angle ABC=49^\circ$(접은 각)
$\angle ACB=\angle CBD=49^\circ$(엇각)
이므로
$\angle x=180^\circ-2\times49^\circ=82^\circ$

(2) $\triangle ABC$는 이등변삼각형이므로
$\overline{AC}=\overline{AB}=7$ cm

생각 ⊙ 풀이 참조

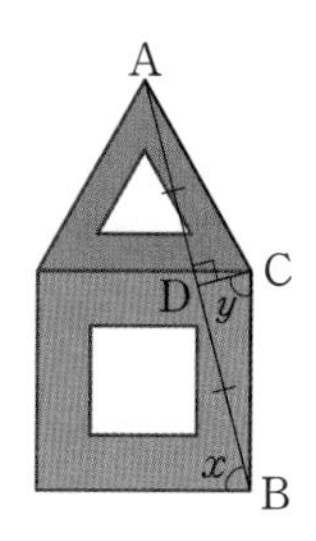

$\angle ACB=60^\circ+90^\circ=150^\circ$
$\triangle ACB$는 $\overline{AC}=\overline{BC}$인 이등변삼각형이므로
$\angle y=\angle BCD=\angle ACD$
$=\dfrac{\angle ACB}{2}=\dfrac{150^\circ}{2}=75^\circ$
한편 $\triangle BCD$에서
$\angle CBD=180^\circ-(90^\circ+75^\circ)=15^\circ$
$\therefore \angle x=90^\circ-15^\circ=75^\circ$
$\therefore \angle x=\angle y$

생각 ⊙⊙ 23.5 cm^2

5초 후, 삼각형 ABC는 15 cm 이동하고, 삼각형 DEF는 10 cm 이동하게 되므로 겹쳐진 모양은 다음 그림과 같다.

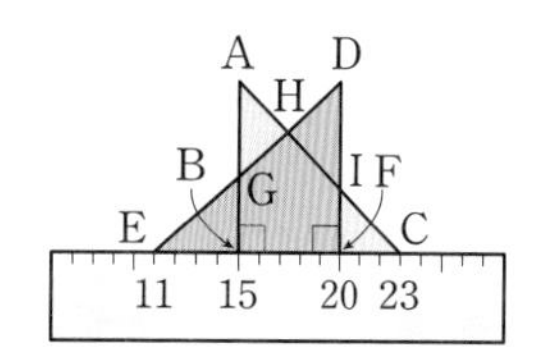

이때, 생기는 모든 삼각형은 밑각의 크기가 45°인 이등변삼각형이므로
(구하는 넓이)$=\triangle ABC-\triangle AGH-\triangle IFC$
$=8\times8\times\dfrac{1}{2}-4\times2\times\dfrac{1}{2}-3\times3\times\dfrac{1}{2}$
$=32-4-4.5=23.5(\text{cm}^2)$

생각 ⊙⊙⊙ 59°

$\triangle ABC$에서
$\angle ABC=\angle ACB=\dfrac{1}{2}\times(180^\circ-56^\circ)=62^\circ$
$\triangle BED\equiv\triangle CFE$(SAS 합동)이므로
$\angle DEF=180^\circ-(\angle BED+\angle CEF)$
$=180^\circ-(\angle BED+\angle BDE)$
$=\angle DBE=62^\circ$
따라서 $\triangle EFD$는 $\overline{ED}=\overline{EF}$인 이등변삼각형이므로
$\angle x=\dfrac{1}{2}\times(180^\circ-62^\circ)=59^\circ$

02 직각삼각형의 합동 조건

p. 19~p. 23

유형 05 ㄱ-ㅁ(RHS 합동), ㄴ-ㅂ(RHA 합동), ㄷ-ㄹ(ASA 합동)	
學 05 ⑤	
유형 06 50 cm^2	學 06 $\frac{27}{2}\text{ cm}^2$
유형 07 38°	學 07 18 cm^2
유형 08 ③	學 08 ④
習 05 ③	習 06 ③
習 07 ②	習 08 ③
생각+ ㈎ $\angle$CEB ㈏ $\overline{BC}$ ㈐ $\angle$CBE ㈑ RHA ㈒ $\overline{CE}$	
생각++ 빗변의 길이가 같아야 한다. ($\overline{AB}=\overline{AC}$)	
생각+++ ②	

學 05 ⑤

① RHA 합동
② RHS 합동
③ SAS 합동
④ ASA 합동

유형 06 50 cm^2

$\triangle$DBA와 $\triangle$EAC에서
$\angle BDA=\angle AEC=90^\circ$,
$\overline{AB}=\overline{CA}$,
$\angle DAB=90^\circ-\angle EAC=\angle ECA$
따라서 $\triangle DBA\equiv\triangle EAC$(RHA 합동)이므로
$\overline{DA}=\overline{EC}=4\text{ cm}$,
$\overline{AE}=\overline{BD}=6\text{ cm}$

$\therefore\ \square BCED=\frac{1}{2}\times(4+6)\times(4+6)$
$=50(\text{cm}^2)$

學 06 $\frac{27}{2}\text{ cm}^2$

$\triangle$ADM과 $\triangle$BEM에서
$\overline{AM}=\overline{BM}$, $\angle ADM=\angle BEM=90$,
$\angle AMD=\angle BME$(맞꼭지각)
$\therefore\ \triangle ADM\equiv\triangle BEM$(RHA 합동)
따라서 $\overline{DM}=\overline{EM}=2\text{cm}$, $\overline{AD}=\overline{BE}=3\text{cm}$이므로
$\triangle ADC=\frac{1}{2}\times3\times(2+7)=\frac{27}{2}(\text{cm}^2)$

유형 07 38°

$\triangle$AED와 $\triangle$AFD에서
$\overline{AD}$는 공통, $\angle AED=\angle AFD=90^\circ$, $\overline{ED}=\overline{FD}$
$\therefore\ \triangle AED\equiv\triangle AFD$(RHS 합동)
따라서 $\angle ADF=\angle ADE=52^\circ$이므로 $\triangle$ADF에서
$\angle x=180^\circ-(90^\circ+52^\circ)=38^\circ$

學 07 18 cm^2

$\angle BAC=\angle BCA=45^\circ$
$\triangle$EDC에서
$\angle EDC=90^\circ-\angle ECD=90^\circ-45^\circ=45^\circ$
이므로 $\triangle$EDC는 $\overline{ED}=\overline{EC}$인 직각이등변삼각형이다.
이때, $\triangle$ABD와 $\triangle$AED에서
$\overline{AD}$는 공통, $\angle ABD=\angle AED=90^\circ$, $\overline{AB}=\overline{AE}$
$\therefore\ \triangle ABD\equiv\triangle AED$(RHS 합동)
따라서 $\overline{EC}=\overline{DE}=\overline{BD}=6\text{ cm}$이므로
$\triangle CED=\frac{1}{2}\times6\times6=18(\text{cm}^2)$

유형 08 ③

다음 그림과 같이 점 D에서 $\overline{BC}$에 내린 수선의 발을 E라 하자.

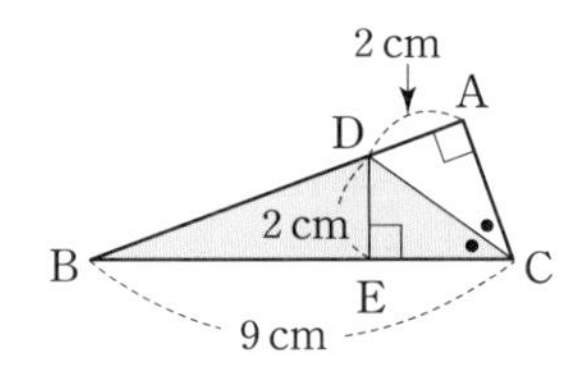

$\triangle ADC$와 $\triangle EDC$에서
$\overline{DC}$는 공통, $\angle DAC=\angle DEC=90°$,
$\angle ACD=\angle ECD$
$\therefore \triangle ADC\equiv\triangle EDC$(RHA 합동)
따라서 $\overline{DE}=2$ cm이므로
$\triangle DBC=\frac{1}{2}\times9\times2=9(cm^2)$

學 08 ④
$\triangle ABD\equiv\triangle AED$(RHA 합동)이므로
$\overline{BD}=\overline{ED}$
$\overline{AB}=\overline{AE}=8$ cm
$\overline{EC}=17-\overline{AE}=17-8=9$(cm)
$\therefore$ ($\triangle CED$의 둘레의 길이)$=\overline{ED}+\overline{DC}+\overline{CE}$
$=\overline{BD}+\overline{DC}+\overline{CE}$
$=\overline{BC}+\overline{CE}$
$=15+9=24$(cm)

習 05 ③
③ $\angle C=180°-(90°+55°)=35°$이므로
$\triangle ABC\equiv\triangle DEF$(RHA 합동)

習 06 ③
$\triangle ABD$와 $\triangle CAE$에서
$\overline{AB}=\overline{CA}$, $\angle ADB=\angle CEA=90°$,
$\angle BAD=90°-\angle CAE=\angle ACE$
따라서 $\triangle ABD\equiv\triangle CAE$(RHA 합동)이므로
$\overline{AE}=\overline{BD}=5$ cm, $\overline{AD}=\overline{CE}=8$ cm
$\therefore \overline{DE}=\overline{AD}-\overline{AE}=8-5=3$(cm)

習 07 ②
$\triangle BCE$와 $\triangle CBD$에서
$\angle BEC=\angle CDB=90°$, $\overline{BE}=\overline{CD}$, $\overline{BC}$는 공통
따라서 $\triangle BCE\equiv\triangle CBD$(RHS 합동)이므로
$\angle CBE=\angle BCD=\frac{1}{2}\times(180°-76°)=52°$
따라서 $\triangle BCE$에서
$\angle x=180°-(90°+\angle CBE)$
$=180°-(90°+52°)=38°$

習 08 ③
$\triangle POQ$와 $\triangle POR$에서
$\overline{OP}$는 공통, $\angle PQO=\angle PRO=90°$,
$\angle QOP=\angle ROP$
따라서 $\triangle POQ\equiv\triangle POR$(RHA 합동)이므로
$\overline{PQ}=\overline{PR}$

생각 ●● 빗변의 길이가 같아야 한다. ($\overline{AB}=\overline{AC}$)

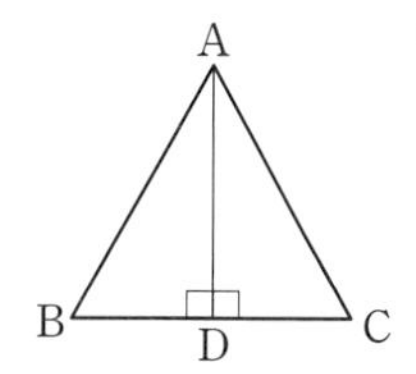

주어진 조건을 위의 그림과 같이 나타내면 1번 비닐인 $\overline{AD}$는 밑변인 $\overline{BC}$와 수직을 이루고 있으므로
$\angle ADB=\angle ADC=90°$
또, $\overline{AD}$는 공통인 변이므로 두 직각삼각형이 합동이 되려면 빗변 AB, AC의 길이가 같아야 한다.

생각 ●●● ②
$\triangle ABF$와 $\triangle BCG$에서
$\angle AFB=\angle BGC=90°$, $\overline{AB}=\overline{BC}$,
$\angle BAF=90°-\angle ABF=\angle CBG$
$\therefore \triangle ABF\equiv\triangle BCG$(RHA 합동)
따라서 $\overline{BF}=\overline{CG}=6$ cm, $\overline{BG}=\overline{AF}=9$ cm이므로
$\overline{FG}=\overline{BG}-\overline{BF}=9-6=3$(cm)
$\therefore \triangle AFG=\frac{1}{2}\times3\times9=\frac{27}{2}(cm^2)$

03 삼각형의 외심

p. 25 ~ p. 29

유형 09 ④	學 09 ②
유형 10 $25\pi\,cm^2$	學 10 ③
유형 11 ③	學 11 40°
유형 12 65°	學 12 10°
習 09 $12\pi\,cm$	習 10 36°
習 11 ②	習 12 80°
생각+ 혁구, 희연, 원길, 미림	생각++ 35°
생각+++ ③	

유형 09 ④

④ $\angle OBD=\angle OAD$

學 09 ②

$\triangle ABC$의 외심의 위치에 편의점을 세우면 세 지점 A, B, C로부터 같은 거리에 있다.

유형 10 $25\pi\,cm^2$

$\triangle ABC$의 둘레의 길이가 24 cm이므로

$\overline{AC}=24-(6+8)=10(cm)$

직각삼각형의 외심은 빗변의 중점이므로 외심을 점 O라 하면

$\overline{OA}=5\,cm$

$\therefore$ ($\triangle ABC$의 외접원의 넓이)$=\pi\times5^2=25\pi(cm^2)$

學 10 ③

점 M은 직각삼각형 ABC의 외심이므로

$\overline{MC}=\frac{1}{2}\times16=8(cm)$

$\overline{AM}=\overline{BM}=\overline{CM}=8\,cm$이고,

$\angle BCA=\angle AMC=60^\circ$이므로

$\overline{AC}=\overline{AM}=8\,cm$

$\therefore$ ($\triangle AMC$의 둘레의 길이)$=8+8+8=24(cm)$

유형 11 ③

$\angle OAB+\angle OBC+\angle OCA=90^\circ$이므로

$\angle OAB+30^\circ+40^\circ=90^\circ$

$\therefore \angle OAB=20^\circ$

學 11 40°

$\angle AOC=2\angle ABC=2\times50^\circ=100^\circ$

점 O는 $\triangle ABC$의 외심이므로

$\overline{OA}=\overline{OC}$

따라서 $\triangle AOC$는 이등변삼각형이므로

$\angle x=\frac{1}{2}\times(180^\circ-100^\circ)=40^\circ$

유형 12 65°

$\angle BAC=\frac{1}{2}\times\angle BOC=\frac{1}{2}\times130^\circ=65^\circ$

이때, $\angle OAC=\angle OCA=\angle x$이므로

$\angle BAC=\angle x+\angle y=65^\circ$

〈다른 풀이〉

$\triangle OBC$는 $\overline{OB}=\overline{OC}$인 이등변삼각형이므로

$\angle OBC=\angle OCB=\frac{1}{2}\times(180^\circ-130^\circ)=25^\circ$

따라서 $\angle x+\angle y+\angle OBC=90^\circ$이므로

$\angle x+\angle y+25^\circ=90^\circ$

$\therefore \angle x+\angle y^\circ=65^\circ$

學 12 10°

점 O는 $\triangle ABC$의 외심이므로

$\angle BOC=2\times80^\circ=160^\circ$

따라서 $\triangle BOC$에서 $\angle OBC=\angle OCB$이므로

$\angle OCB=\frac{1}{2}\times(180^\circ-160^\circ)=10^\circ$

習 09 $12\pi\,cm$

점 O는 $\triangle ABC$의 외심이므로 $\overline{OA}=\overline{OB}$

$\therefore \overline{OA}=\overline{OB}=\frac{1}{2}\times(21-9)=6(cm)$

따라서 △ABC의 외접원의 반지름의 길이는 6 cm이므로

(외접원의 둘레의 길이)$=2\times\pi\times6=12\pi$(cm)

꼼 10 36°

$\angle BOA : \angle AOC = 3 : 2$이므로

$\angle BOA = 180° \times \frac{3}{5} = 108°$

이때, 점 O는 △ABC의 외심이므로

$\overline{OA}=\overline{OB}=\overline{OC}$

따라서 △BOA는 이등변삼각형이므로

$\angle B = \angle OAB = \frac{1}{2} \times (180° - 108°)$

$= \frac{1}{2} \times 72° = 36°$

꼼 11 ②

점 O가 △ABC의 외심이므로 $\overline{OA}=\overline{OB}=\overline{OC}$

$\angle OAB = \angle OBA = 39°$, $\angle OBC = \angle OCB = 30°$ 이므로

$\angle OAC = \angle OCA$

$= \frac{1}{2} \times \{180° - (39° + 39° + 30° + 30°)\}$

$= 21°$

따라서 △AOF에서

$\angle x = 180° - (90° + 21°) = 69°$

꼼 12 80°

$\angle BAC : \angle ABC : \angle BCA$

$= \angle BOC : \angle AOC : \angle BOA = 2 : 3 : 4$

$\therefore \angle BOC = 360° \times \frac{2}{2+3+4} = 360° \times \frac{2}{9} = 80°$

생각 ⊙ 혁구, 희연, 원길, 미림

혁구: 깨진 부분을 복원하려면 외형이 남은 부분에 점 세 개를 찍어 삼각형을 그린다. 이 삼각형의 외심을 찾아 컴퍼스로 원을 그리면 깨진 접시의 원래 크기를 알 수 있다.

희연: 모래의 양은 같다.

원길: 할인마트는 세 아파트 P, Q, R를 연결해서 만들어진 삼각형의 외심에 위치해야 한다.

윤희: 삼각형의 세 변에 이르는 거리가 같은 것은 내심의 성질이다.

미림: 삼각형의 외심의 성질이다.

모래 더미의 세 경계선이 만나는 점은 삼각형의 외심이므로 이 실험에 대하여 바르게 이야기하고 있는 학생은 혁구, 희연, 원길, 미림이다.

생각 ⊙⊙ 35°

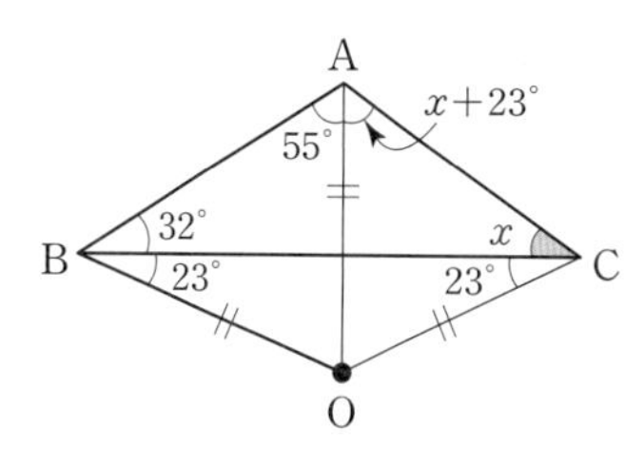

점 O는 △ABC의 외심이므로

$\overline{OA}=\overline{OB}=\overline{OC}$에서

$\angle OAB = \angle OBA = 23° + 32° = 55°$

$\angle OAC = \angle OCA = \angle x + 23°$

△ABC에서

$32° + 55° + \angle x + 23° + \angle x = 180°$

$2\angle x + 110° = 180°$, $2\angle x = 70°$

$\therefore \angle x = 35°$

생각 ⊙⊙⊙ ③

$\angle DBE = \angle DEB = \angle a$,

$\angle EDC = \angle ECD = \angle b$라 하면

$\angle OAB = \angle a$, $\angle OAC = \angle b$

$\therefore \angle BOC = 2\angle BAC = 2(\angle a + \angle b)$

△ODE에서 $\angle DOE = 180° - (\angle a + \angle b)$

$\angle BOC = \angle DOE$(맞꼭지각)에서

$2(\angle a + \angle b) = 180° - (\angle a + \angle b)$

$3(\angle a + \angle b) = 180°$

$\therefore \angle a + \angle b = 60°$, 즉 $\angle BAC = 60°$

$\therefore \angle BOC = 2\angle BAC = 2 \times 60° = 120°$

04 삼각형의 내심

p. 31 ~ p. 35

유형 13 ㄱ, ㄴ, ㄷ	學 13 풀이 참조
유형 14 ③	學 14 ②
유형 15 138°	學 15 ③
유형 16 ①	學 16 31.5 cm
習 13 ④	習 14 60°
習 15 ①	習 16 11 cm
생각+ 135°	생각++ 146°
생각+++ 165°	

유형 13 ㄱ, ㄴ, ㄷ

ㄹ. $\angle IAD=\angle IAF$

따라서 옳은 것은 ㄱ, ㄴ, ㄷ이다.

學 13 풀이 참조

세 도로에 이르는 거리가 같아야 하므로 △ABC의 내접원의 중심인 내심을 세 내각의 이등분선의 교점을 이용하여 찾아 그 위치에 분수를 세워야 한다.

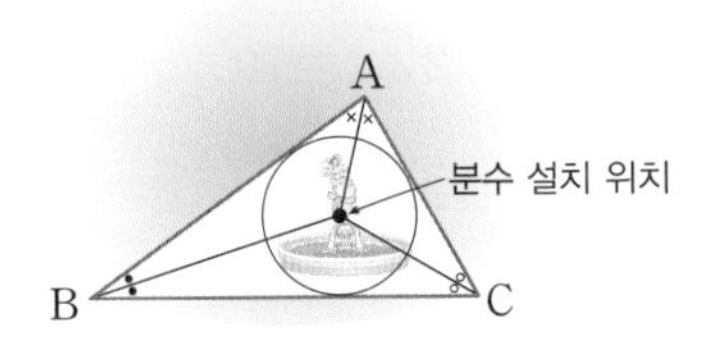

유형 14 ③

$\angle IBA=\angle IBC=32°$이므로 △IAB에서

$\angle IAB=180°-(115°+32°)=33°$

$\therefore \angle IAC=\angle IAB=33°$

學 14 ②

$\angle IBA=\angle IBC=20°$

이때, △ABC는 이등변삼각형이므로

$\angle A=\angle ABC=20°+20°=40°$

따라서 $\angle ICA=\angle ICB$이므로

$\angle ICA=\frac{1}{2}\times\{180°-(40°+40°)\}=50°$

유형 15 138°

$48°+\angle IBC+\angle ICB=90°$이므로

$\angle IBC+\angle ICB=42°$

$\therefore \angle BIC=180°-(\angle IBC+\angle ICB)$
$=180°-42°=138°$

學 15 ③

$\angle A=180°\times\frac{2}{2+3+4}=180°\times\frac{2}{9}=40°$

$\therefore \angle x=90°+\frac{1}{2}\angle A=110°$

유형 16 ①

① $\overline{DI}=\overline{DB}$, $\overline{IE}=\overline{CE}$

學 16 31.5 cm

$\overline{BD}=\overline{ID}$, $\overline{CE}=\overline{IE}$이므로

$\overline{AB}=\overline{AD}+\overline{BD}=\overline{AD}+\overline{ID}$

$\overline{AC}=\overline{AE}+\overline{CE}=\overline{AE}+\overline{IE}$

$\therefore \overline{AB}+\overline{AC}=\overline{AD}+(\overline{ID}+\overline{IE})+\overline{AE}$
$=\overline{AD}+\overline{DE}+\overline{AE}$
$=6+7+8=21(\text{cm})$

$\therefore$ (△ABC의 둘레의 길이)$=21+10.5=31.5(\text{cm})$

習 13 ④

④ $\overline{BE}=\overline{BD}$

習 14 60°

점 I가 △ABC의 내심이므로

$\angle ABC=2\angle IBC=48°$

$\angle ACB=2\angle ICB=72°$

따라서 △ABC에서

$\angle A=180°-(48°+72°)=60°$

꼼 15 ①

$90° + \frac{1}{2}\angle C = 100°$이므로

$\angle C = 20°$

$\therefore \angle x = \frac{1}{2}\angle C = 10°$

꼼 16 11 cm

$(\triangle ADE$의 둘레의 길이$) = \overline{AD} + \overline{DE} + \overline{AE}$

$= \overline{AD} + (\overline{DI} + \overline{IE}) + \overline{AE}$

$= \overline{AD} + \overline{DB} + \overline{CE} + \overline{AE}$

$= \overline{AB} + \overline{AC} = 22$

이때, $\overline{AB} = \overline{AC}$이므로 $\overline{AC} = 11$ cm

생각 ● 135°

학교 운동장의 조회대를 점 A, 수돗가를 점 B, 동상을 점 C라 하면 이 세 점을 잇는 △ABC 안에 그릴 수 있는 가장 큰 원은 다음 그림과 같다.

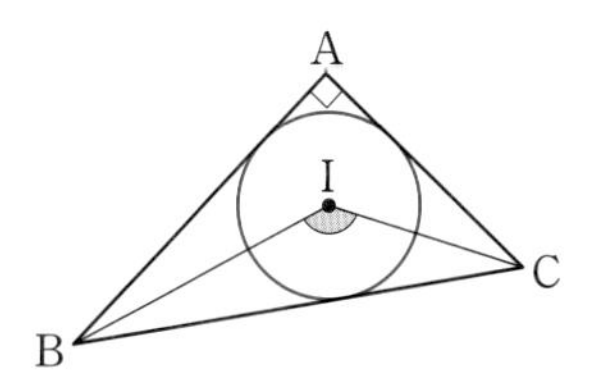

이 원의 중심을 I라 할 때, 점 I에 타임캡슐을 묻으면 된다.

따라서 점 I는 삼각형 ABC의 내심이므로

(구하는 각의 크기) $= \angle BIC$

$= 90° + \frac{1}{2} \times 90° = 135°$

생각 ●● 146°

점 I가 △ABC의 내심이므로

$\angle BIC = 90° + \frac{1}{2}\angle A = 90° + 22° = 112°$

또, 점 I′은 △IBC의 내심이므로

$\angle BI'C = 90° + \frac{1}{2}\angle BIC = 90° + 56° = 146°$

생각 ●●● 165°

다음 그림과 같이

$\angle IAB = \angle IAC = \angle a$, $\angle ICA = \angle ICB = \angle b$

라 하자.

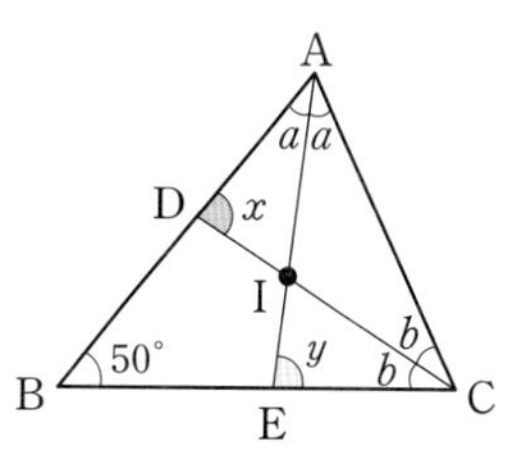

$25° + \angle a + \angle b = 90°$에서

$\angle a + \angle b = 65°$

△BCD에서 $\angle x = \angle b + 50°$

△ABE에서 $\angle y = \angle a + 50°$

$\therefore \angle x + \angle y = \angle a + \angle b + 100°$

$= 65° + 100° = 165°$

05 삼각형의 외심과 내심의 응용

p. 37 ~ p. 41

유형 **17** 3 cm	學 **17** ③
유형 **18** 265°	學 **18** ④
유형 **19** ④	學 **19** 120°
유형 **20** ⑤	學 **20** 24 cm²
習 **17** ④	習 **18** ①
習 **19** 12°	習 **20** 84π cm²

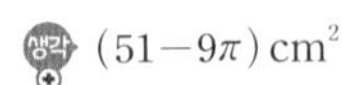
생각⊕ $(51-9\pi)\,\text{cm}^2$

생각⊕⊕ (가) $\overline{\text{OC}}$ (나) $\angle\text{OFC}$ (다) $\overline{\text{OF}}$ (라) $\triangle\text{OCF}$ (마) $\overline{\text{CF}}$

생각⊕⊕⊕ (가) $\overline{\text{IF}}$ (나) $\overline{\text{IC}}$ (다) RHS (라) $\angle\text{ICF}$ (마) 이등분선

유형 17 3 cm

$\overline{\text{BD}}=\overline{\text{BE}}=2\,\text{cm}$

$\therefore\ \overline{\text{AF}}=\overline{\text{AD}}$

$=5-2$

$=3(\text{cm})$

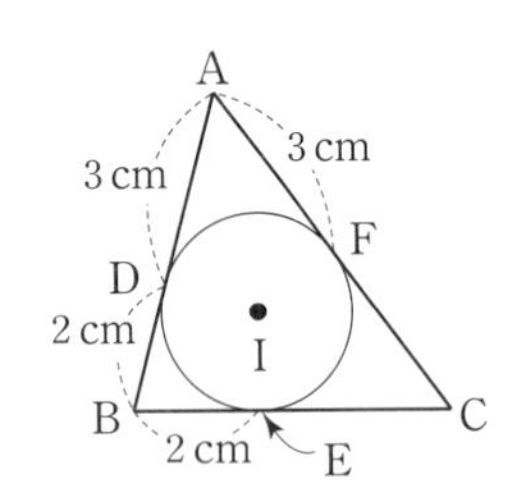

學 17 ③

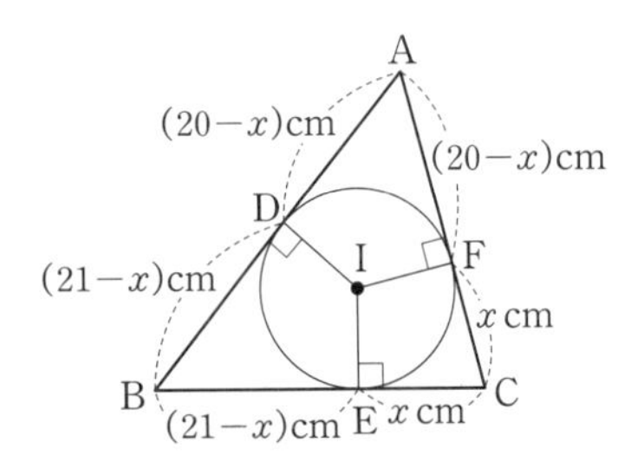

$\overline{\text{CE}}=\overline{\text{CF}}=x\,\text{cm}$라 하면

$\overline{\text{AF}}=\overline{\text{AD}}=(20-x)\,\text{cm}$,

$\overline{\text{BE}}=\overline{\text{BD}}=(21-x)\,\text{cm}$이므로

$\overline{\text{AB}}=(20-x)+(21-x)=25$

$41-2x=25,\ 2x=16$

$\therefore\ x=8$

$\therefore\ \overline{\text{CF}}=8\,\text{cm}$

유형 18 265°

$\angle\text{BIC}=90^\circ+\frac{1}{2}\angle\text{A}=90^\circ+\frac{1}{2}\times70^\circ=125^\circ$

$\angle\text{BOC}=2\angle\text{A}=2\times70^\circ=140^\circ$

$\therefore\ \angle\text{BIC}+\angle\text{BOC}=125^\circ+140^\circ=265^\circ$

學 18 ④

점 O가 △ABC의 외심이므로

$\overline{\text{AO}}=\overline{\text{BO}}$에서 $\angle\text{OAB}=\angle\text{OBA}=\angle x$,

$\overline{\text{BO}}=\overline{\text{CO}}$에서 $\angle\text{OBC}=\angle\text{OCB}=\angle y$라 하자.

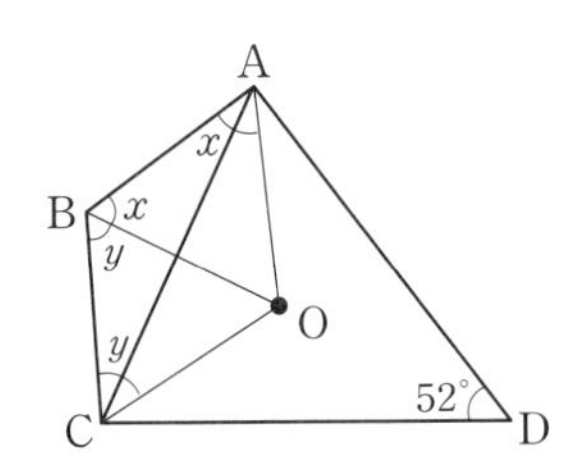

이때, 점 O가 △ACD의 내심이므로

$\angle\text{AOC}=90^\circ+\frac{1}{2}\angle\text{D}=90^\circ+26^\circ=116^\circ$

따라서 □OABC에서

$2\angle x+2\angle y+116^\circ=360^\circ$

$2(\angle x+\angle y)=244^\circ$

$\therefore\ \angle x+\angle y=122^\circ$

유형 19 ④

$\angle\text{BOC}=2\angle\text{A}=2\times50^\circ=100^\circ$이므로

$\angle\text{OBC}=\angle\text{OCB}=\frac{1}{2}\times(180^\circ-100^\circ)=40^\circ$

$\angle\text{ABC}=\frac{1}{2}\times(180^\circ-50^\circ)=65^\circ$이므로

$\angle\text{IBC}=\frac{1}{2}\times65^\circ=32.5^\circ$

$\therefore\ \angle\text{OBC}-\angle\text{IBC}=40^\circ-32.5^\circ=7.5^\circ$

學 19 120°

외심과 내심이 일치하는 삼각형은 정삼각형이다.

따라서 $\angle\text{A}=60^\circ$이므로 $\angle x=2\angle\text{A}=120^\circ$

유형 20 ⑤

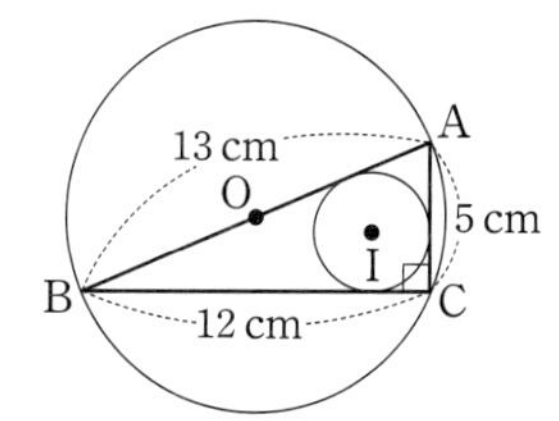

외접원의 중점을 O, 내접원의 중점을 I라 하면 점 O는 △ABC의 빗변의 중점에 위치하므로

$\overline{OA}=\frac{1}{2}\times 13=\frac{13}{2}$(cm)

내접원의 반지름의 길이를 r cm라 하면

$\triangle ABC=\frac{1}{2}\times r\times(13+12+5)$

$=\frac{1}{2}\times 12\times 5=30$

$15r=30 \quad \therefore r=2$

따라서 내접원과 외접원의 반지름의 길이의 합은

$2+\frac{13}{2}=\frac{17}{2}$(cm)

學 20 24 cm²

$\overline{AB}=a$ cm, $\overline{BC}=b$ cm라 하면

$\overline{AF}=\overline{AD}=(a-2)$cm, $\overline{CF}=\overline{CE}=(b-2)$ cm

따라서 $\overline{AC}=2\overline{OC}=\overline{AF}+\overline{CF}=10$(cm)이므로

$(a-2)+(b-2)=10 \quad \therefore a+b=14$

$\therefore \triangle ABC=\frac{1}{2}\times 2\times(a+b+10)$

$=\frac{1}{2}\times 2\times 24=24(\text{cm}^2)$

꼼 17 ④

$\overline{GP}=\overline{GD}$, $\overline{HP}=\overline{HE}$이므로 △GBH의 둘레의 길이는 $\overline{BD}+\overline{BE}$가 된다.

$\overline{BD}=\overline{BE}=x$ cm라 하면

$\overline{AD}=\overline{AF}=(10-x)$ cm,

$\overline{CE}=\overline{CF}=(11-x)$ cm

$\overline{AC}=(10-x)+(11-x)=9$, $2x=12$

$\therefore x=6$

∴ (△GBH의 둘레의 길이)$=\overline{BD}+\overline{BE}$

$=6+6=12$(cm)

꼼 18 ①

$\angle A=180^\circ-(48^\circ+72^\circ)=60^\circ$

즉, $\angle BIC=90^\circ+\frac{1}{2}\angle A=90^\circ+30^\circ=120^\circ$

$\angle BOC=2\angle A=2\times 60^\circ=120^\circ$

$\therefore \angle BIC-\angle BOC=0^\circ$

꼼 19 12°

$\angle BAC=180^\circ-2\angle ABC=180^\circ-2\times 68^\circ=44^\circ$

이므로

$\angle BOC=2\angle BAC=2\times 44^\circ=88^\circ$

$\angle BIC=90^\circ+\frac{1}{2}\angle BAC=90^\circ+\frac{1}{2}\times 44^\circ=112^\circ$

△OBC에서 $\angle OCB=\frac{1}{2}\times(180^\circ-88^\circ)=46^\circ$

△IBC에서 $\angle ICB=\frac{1}{2}\times 68^\circ=34^\circ$

$\therefore \angle OCI=\angle OCB-\angle ICB=46^\circ-34^\circ=12^\circ$

꼼 20 84π cm²

△ABC의 내접원의 반지름의 길이를 r cm라 하면

$\triangle ABC=\frac{1}{2}\times r\times(12+20+16)=\frac{1}{2}\times 12\times 16$

$24r=96 \quad \therefore r=4$

∴ (색칠한 부분의 넓이)$=\pi\times 10^2-\pi\times 4^2$

$=100\pi-16\pi=84\pi(\text{cm}^2)$

생각 ● $(51-9\pi)$ cm²

원 I의 둘레의 길이가 6π cm이므로 △ABC의 내접원의 반지름의 길이를 r cm라 하면

$2\pi\times r=6\pi \quad \therefore r=3$

$\therefore \triangle ABC=\frac{1}{2}\times 3\times 34=51(\text{cm}^2)$

이때, (원 I의 넓이)$=\pi\times 3^2=9\pi(\text{cm}^2)$이므로

(색칠한 부분의 넓이)$=51-9\pi(\text{cm}^2)$

생각 ●● 생각 ●●● 별도의 해설은 없습니다.

정답을 참조해주세요.

(혹시 궁금한 부분은 강의나 Q&A를 활용해주세요)

단원 종합 문제

p.42~p.47

01 36°	**02** 12	**03** ③	**04** 3 cm
05 ③	**06** ②	**07** 70°	**08** ①
09 25 cm^2	**10** 130°	**11** ①	**12** ②
13 ⑤	**14** 52°	**15** 148°	**16** 63.75°
17 (1) △ABD≡△CAE(RHA 합동) (2) 4 cm			
18 풀이 참조		**19** 70°	
20 $\frac{10}{7}$ cm			

01 36°

△DAB에서 $\overline{DA}=\overline{DB}$이므로

$\angle DBA=\angle A=\angle x$

$\angle BDC=\angle A+\angle DBA=2\angle x$

△BCD에서 $\overline{BC}=\overline{BD}$이므로

$\angle C=\angle BDC=2\angle x$

△ABC에서 $\overline{AB}=\overline{AC}$이므로

$\angle ABC=\angle C=2\angle x$

$\angle x+2\angle x+2\angle x=180°$이므로

$5\angle x=180°$ $\quad\therefore \angle x=36°$

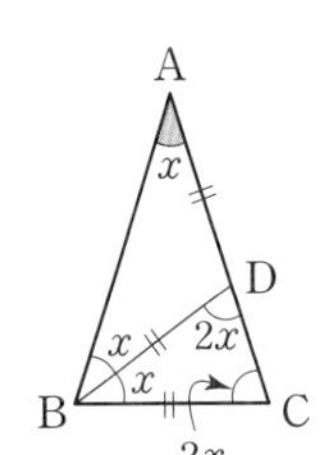

02 12

$\angle A=\angle C$이므로 △ABC는 $\overline{BC}=\overline{BA}$인 이등변삼각형이다.

따라서 ∠B의 이등분선 $\overline{BD}$는 밑변 AC를 수직이등분하므로

$\overline{AC}=2\overline{CD}=12$(cm) $\quad\therefore x=12$

03 ③

①, ② 이등변삼각형의 꼭지각의 이등분선은 밑변을 수직이등분하므로 $\overline{PD}\perp\overline{BC}$, $\overline{BD}=\overline{CD}$

④ △ABP와 △ACP에서 $\overline{AB}=\overline{AC}$, $\overline{AP}$는 공통, $\angle BAP=\angle CAP$이므로

△ABP≡△ACP(SAS 합동)

⑤ △PBC에서 $\overline{PB}=\overline{PC}$이고 $\overline{PD}\perp\overline{BC}$, $\overline{BD}=\overline{CD}$이므로 $\angle BPC=2\angle BPD$

04 3 cm

$\overline{AB}=\overline{AC}$이므로

$\angle B=\angle C=\angle a$라 하면

△DEC에서

$\angle CDE=90°-\angle a$이므로

$\angle FDA=\angle CDE=90°-\angle a$(맞꼭지각)

△FBE에서 $\angle F=90°-\angle a$

$\therefore \angle F=\angle FDA$

따라서 △ADF는 $\overline{AD}=\overline{AF}$인 이등변삼각형이므로

$\overline{AF}=\overline{AD}=7-4=3$(cm)

05 ③

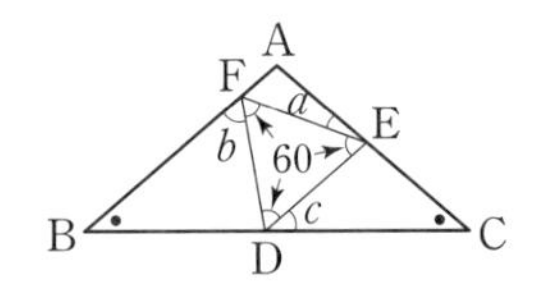

$\overline{AB}=\overline{AC}$이므로 $\angle B=\angle C=\angle x$라 하면

△FBD에서

$\angle x+\angle b=\angle c+60°$ $\quad\cdots\cdots$ ㉠

△EDC에서

$\angle x+\angle c=\angle a+60°$ $\quad\cdots\cdots$ ㉡

㉠−㉡을 하면 $\angle b-\angle c=\angle c-\angle a$

$\therefore 2\angle c=\angle a+\angle b$

06 ②

△ADB≡△CEA(RHA 합동)이므로

$\overline{DA}=\overline{EC}=12$ cm, $\overline{AE}=\overline{BD}=8$ cm

$\therefore$ △ADB$=\frac{1}{2}\times8\times12=48$(cm^2)

따라서 △ADB=△CEA이므로

△ABC=□BCED−2△ADB

$=\frac{1}{2}\times(8+12)\times(12+8)-2\times48$

$=200-96=104$(cm^2)

07 $70°$

$\triangle ADM$과 $\triangle AEM$에서

$\overline{AM}$은 공통, $\angle ADM=\angle AEM=90°$, $\overline{DM}=\overline{EM}$

따라서 $\triangle ADM\equiv\triangle AEM$(RHS 합동)이므로

$\angle AMD=\angle AME=55°$

$\therefore \angle MAD=\angle MAE=180°-(90°+55°)=35°$

$\therefore \angle BAC=35°+35°=70°$

08 ①

A, B, C 세 동에서 거리가 같은 지점을 O라 하면 $\overline{OA}=\overline{OB}=\overline{OC}$이므로 점 O를 중심으로 하고 세 점 A, B, C를 지나는 외접원을 그릴 수 있다. 이 외접원의 중심에 도서관을 세우면 된다.

09 $25\,cm^2$

$\triangle AOF=\triangle COF=\frac{1}{2}\times 6\times 5=15(cm^2)$

$\triangle AOD=\triangle BOD=a\,cm^2$,

$\triangle BOE=\triangle COE=b\,cm^2$라 하면

$\triangle ABC=2\times 15+2\times a+2\times b=80(cm^2)$이므로

$a+b=25$

$\therefore \square ODBE=\triangle BOD+\triangle BOE$

$=a+b=25(cm^2)$

10 $130°$

$\angle IBC=\angle IBA=33°$, $\angle ICB=\angle ICA=\angle x$

$\triangle IBC$에서 $\angle x=180°-(127°+33°)=20°$

$\therefore \angle ACB=2\times 20°=40°$

$\angle y=90°+\frac{1}{2}\angle ACB=90°+\frac{1}{2}\times 40°=110°$

이므로

$\angle x+\angle y=20°+110°=130°$

11 ①

점 M은 직각삼각형 ABC의 외심이므로 $\overline{MB}=\overline{MC}$

$\therefore \angle MBC=\angle MCB=50°$

또, 직각삼각형 HBC에서

$\angle HBC=90°-50°=40°$

$\therefore \angle x=50°-40°=10°$

12 ②

$\triangle ABC=\frac{1}{2}\times 12\times 9=54(cm^2)$

$\triangle ABC$의 내접원의 반지름의 길이를 r cm라 하면

$\triangle ABC=\frac{1}{2}\times r\times(12+15+9)=54$

$18r=54 \quad \therefore r=3$

$\therefore \triangle ICA=\frac{1}{2}\times 15\times 3=\frac{45}{2}=22.5(cm^2)$

13 ⑤

$\triangle ABC$는 이등변삼각형이므로 $\overline{AD}\perp\overline{BC}$이다.

$\therefore \triangle ABC=\frac{1}{2}\times 8\times\overline{AD}=4\overline{AD}$

또한, $\triangle ABC=\triangle ABI+\triangle BCI+\triangle CAI$이므로

$4\overline{AD}=\frac{1}{2}\times\overline{DI}\times(6+8+6)$, $4\overline{AD}=10\overline{DI}$

$\therefore \overline{DI}=\frac{2}{5}\overline{AD}$

따라서 $\overline{AD}:\overline{DI}=5:2$이므로 $\overline{AI}:\overline{DI}=3:2$

14 $52°$

$\angle BAD=180°-76°=104°$, $\overline{AC}=\overline{BC}$이므로

$\angle CAB=76°$

$\angle DAC=104°-76°=28°$이고, $\angle IAC=38°$

$\triangle ADC$에서 $\angle ADC=180°-2\times 28°=124°$

$\therefore \angle ADI'=62°$

$\triangle APD$에서 $38°+28°+62°+\angle APD=180°$

$\therefore \angle APD=52°$

15 $148°$

점 O는 $\triangle ABC$의 외심이므로

$\angle AOC=2\angle B=128°$

점 O는 $\triangle ACD$의 외심이므로

$\angle D=\frac{1}{2}\times(360^\circ-128^\circ)=\frac{1}{2}\times 232^\circ=116^\circ$

점 I는 $\triangle ACD$의 내심이므로

$\angle AIC=90^\circ+\frac{1}{2}\times 116^\circ=148^\circ$

16 63.75°

내심과 외심이 일직선상에 있으므로 $\triangle ABC$는 이등변삼각형이다.

$\angle ACB=\frac{1}{2}\times(180^\circ-75^\circ)=52.5^\circ$

$\angle PCE=\frac{1}{2}\times 52.5^\circ=26.25^\circ$

이때, $\angle OEC=90^\circ$이므로

$\angle EPC=90^\circ-26.25^\circ=63.75^\circ$

17 (1) $\triangle ABD\equiv\triangle CAE$(RHA 합동) (2) 4 cm

(1) $\triangle ABD$와 $\triangle CAE$에서

$\angle ADB=\angle CEA=90^\circ$, $\overline{AB}=\overline{CA}$,

$\angle BAD+\angle EAC=90^\circ=\angle EAC+\angle ACE$

$\therefore \angle BAD=\angle ACE$

$\therefore \triangle ABD\equiv\triangle CAE$(RHA 합동) … [3점]

(2) $\overline{AD}=\overline{CE}=10$ cm, $\overline{AE}=\overline{BD}=6$ cm

$\therefore \overline{DE}=\overline{AD}-\overline{AE}=10-6=4$(cm) … [3점]

18 풀이 참조

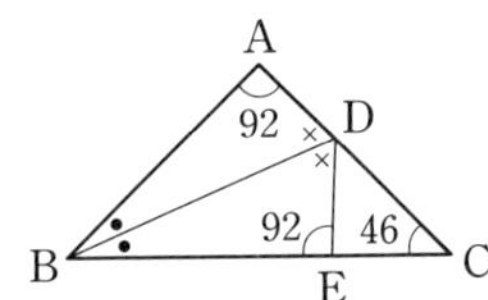

$\angle BED=92^\circ$가 되도록 $\overline{DE}$를 그으면

$\triangle ABD\equiv\triangle EBD$(ASA 합동)이므로

$\overline{BA}=\overline{BE}$, $\overline{DE}=\overline{AD}$ … [5점]

한편, $\angle DEC=180^\circ-92^\circ=88^\circ$이므로

$\triangle DEC$에서 $\angle CDE=180^\circ-(88^\circ+46^\circ)=46^\circ$ … [3점]

따라서 $\triangle DEC$는 $\overline{ED}=\overline{EC}$인 이등변삼각형이므로

$\overline{BC}=\overline{BE}+\overline{EC}=\overline{BA}+\overline{ED}=\overline{AB}+\overline{AD}$ … [2점]

19 70°

$\angle BAC=2\angle IAB=2\times 40^\circ=80^\circ$이므로

$\angle BOC=2\angle BAC=2\times 80^\circ=160^\circ$

$\therefore \angle OCB=\frac{1}{2}\times(180^\circ-160^\circ)=10^\circ$ … [4점]

$\angle CAO=\angle ACO=30^\circ$이므로

$\angle C=\angle OCB+\angle ACO=10^\circ+30^\circ=40^\circ$ … [4점]

따라서 $\triangle AEC$에서

$\angle x=\angle CAE+\angle C=30^\circ+40^\circ=70^\circ$ … [2점]

20 $\frac{10}{7}$ cm

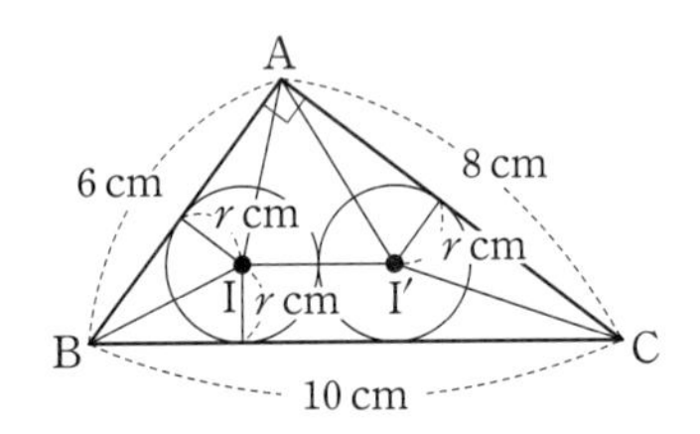

꼭짓점 A에서 $\overline{BC}$에 내린 수선의 발을 H라 하면

$\frac{1}{2}\times 10\times\overline{AH}=\frac{1}{2}\times 6\times 8$

$\therefore \overline{AH}=\frac{24}{5}$ cm … [4점]

$\triangle ABC$에 내접하는 두 원의 중심을 I, I′이라 하고 두 원의 반지름의 길이를 r cm라 하면

$\triangle ABC=\triangle ABI+\triangle ACI'+\triangle AII'+\square IBCI'$ … [3점]

이므로

$\frac{1}{2}\times 6\times 8$

$=\frac{1}{2}\times r\times 6+\frac{1}{2}\times r\times 8+\frac{1}{2}\times\left(\frac{24}{5}-r\right)\times 2r$

$+\frac{1}{2}\times r\times(2r+10)$

$24=3r+4r+\frac{24}{5}r-r^2+r^2+5r$

$24=\frac{84}{5}r \quad \therefore r=\frac{10}{7}$ (cm) … [3점]

II 사각형의 성질

01 평행사변형의 성질

p. 55 ~ p. 59

유형 01 $\angle x=45^\circ$, $\angle y=35^\circ$	
學 01 108°	
유형 02 ①	
學 02 (가) $\angle CBD$ (나) $\angle CDB$ (다) $\overline{BD}$ (라) ASA (마) $\overline{AB}=\overline{DC}$	
유형 03 $\angle x=150^\circ$, $\angle y=30^\circ$	
學 03 (가) $\angle ABC$ (나) $\angle CDA$ (다) $\angle DCB$ (라) $\angle BAD$	
유형 04 ③	
學 04 (가) $\angle OCD$ (나) $\angle ODC$ (다) $\overline{CD}$ (라) ASA (마) $\overline{OC}$ (바) $\overline{OD}$	
꼴 01 ⑤	꼴 02 1 cm
꼴 03 72°	꼴 04 ①
생각+ ②	생각++ 30 cm^2
생각+++ 120°	

유형 01 $\angle x=45^\circ$, $\angle y=35^\circ$

$\overline{AD} /\!/ \overline{BC}$이므로

$\angle x=\angle ADB=45^\circ$(엇각)

$\overline{AB} /\!/ \overline{DC}$이므로

$\angle y=\angle BAC=35^\circ$(엇각)

學 01 108°

$\angle A+\angle B=180^\circ$이므로

$\angle C=\angle A=180^\circ\times\dfrac{3}{5}=108^\circ$

유형 02 ①

$\overline{AD}=\overline{BC}$이므로 $2x+1=4x-5$

$2x=6$ $\therefore x=3$

$\therefore \overline{AB}=\overline{DC}=3x-3=3\times3-3=6$

유형 03 $\angle x=150^\circ$, $\angle y=30^\circ$

$\angle A+\angle B=180^\circ$이므로

$\angle x=180^\circ-30^\circ=150^\circ$

$\angle B=\angle D$이므로 $\angle y=30^\circ$

유형 04 ③

$\overline{OB}=\overline{OD}=5$

$\overline{AD} /\!/ \overline{EC}$이므로 $\angle BED=\angle ADE$(엇각)

따라서 $\triangle BDE$는 이등변삼각형이므로

$\overline{BE}=\overline{BD}=5+5=10$

꼴 01 ⑤

$\overline{AB} /\!/ \overline{DC}$이므로

$\angle x=\angle ABD=51^\circ$(엇각)

$\triangle OCD$에서

$\angle OCD=180^\circ-(51^\circ+60^\circ)=69^\circ$

$\therefore \angle y=\angle OCD=69^\circ$(엇각)

$\therefore \angle y-\angle x=69^\circ-51^\circ=18^\circ$

꼴 02 1 cm

$\angle ADE=\angle DEC$(엇각)이므로 $\triangle CDE$에서

$\overline{CE}=\overline{CD}=\overline{AB}=3\text{ cm}$

$\therefore \overline{BE}=4-3=1(\text{cm})$

꼴 03 72°

$\overline{EA} /\!/ \overline{BC}$이므로

$\angle ECB=\angle AEC=24^\circ$(엇각)

$\therefore \angle ACB=24^\circ+24^\circ=48^\circ$

또, $\angle B=\angle D=60^\circ$이므로 $\triangle ABC$에서

$\angle CAB+48^\circ+60^\circ=180^\circ$

$\therefore \angle CAB=72^\circ$

꼴 04 ①

$\overline{AD}=\overline{BC}$이므로 $3x+1=4x-2$ $\therefore x=3$

따라서 $\overline{OD}=2\times3+2=8$이므로

$\overline{BD}=2\times\overline{OD}=2\times8=16$

생각 ⊕ ②

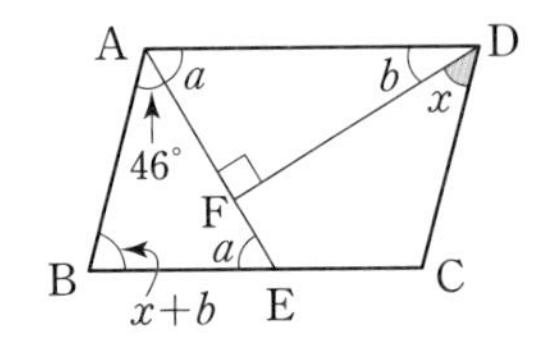

$\overline{AD} /\!/ \overline{BC}$이므로 $\angle DAE = \angle AEB$

$\angle DAE = \angle a$, $\angle ADF = \angle b$라 하면

$\angle a + \angle b = 90°$

또, $\angle B = \angle D = \angle x + \angle b$이므로 $\triangle ABE$에서

$46° + (\angle x + \angle b) + \angle a = 180°$

$\angle x + 136° = 180°$

$\therefore \angle x = 44°$

생각 ⊕⊕ $30\,cm^2$

$\triangle APO$와 $\triangle CQO$에서

$\angle OPA = \angle OQC = 90°$(엇각), $\overline{OA} = \overline{OC}$

$\angle AOP = \angle COQ$(맞꼭지각)

$\therefore \triangle APO \equiv \triangle CQO$(RHA 합동)

또, $\overline{CQ} = \overline{CD} - \overline{QD} = 18 - 12 = 6(cm)$이므로

$\triangle APO = \triangle CQO = \frac{1}{2} \times 10 \times 6 = 30(cm^2)$

생각 ⊕⊕⊕ $120°$

$\angle AFB = 180° - 150° = 30°$이므로

$\angle FBE = \angle AFB = 30°$(엇각)

$\therefore \angle ABE = 2\angle FBE = 2 \times 30° = 60°$

이때, $\angle BAF + \angle ABE = 180°$이므로

$\angle BAF = 180° - 60° = 120°$

$\therefore \angle EAB = \frac{1}{2}\angle BAF = \frac{1}{2} \times 120° = 60°$

따라서 $\triangle ABE$에서

$\angle AEC = \angle EAB + \angle ABE$

$= 60° + 60° = 120°$

02 평행사변형이 되는 조건

p. 61 ~ p. 65

유형 05 ⑤	
學 05 (가) $\overline{CD}$ (나) $\overline{DA}$ (다) $\overline{AC}$ (라) SSS (마) $\angle DCA$ (바) $\angle CAD$	
유형 06 풀이 참조	學 06 풀이 참조
유형 07 ㄱ, ㄴ, ㄹ	學 07 ⑤
유형 08 $36\,cm^2$	學 08 ③
習 05 (가) $\overline{CD}$ (나) $\angle DCA$ (다) $\overline{AC}$ (라) SAS (마) $\overline{AD} /\!/ \overline{BC}$	
習 06 풀이 참조	習 07 $47°$
習 08 $16\,cm^2$	
생각⊕ $x = -2$, $y = 43$	생각⊕⊕ 10개
생각⊕⊕⊕ 경은	

유형 05 ⑤

⑤ 평행사변형이 되려면 한 쌍의 대변이 평행하고, 그 길이가 같아야 하므로 $\overline{AB} /\!/ \overline{DC}$, $\overline{AB} = \overline{DC}$이어야 한다.

유형 06 풀이 참조

□ABCD는 평행사변형이므로 $\overline{OA} = \overline{OC}$

$\overline{BE} = \overline{DF}$이고, $\overline{OB} = \overline{OD}$이므로

$\overline{OE} = \overline{OB} - \overline{BE} = \overline{OD} - \overline{DF} = \overline{OF}$

따라서 두 대각선이 서로 다른 것을 이등분하므로

□AECF는 평행사변형이다.

學 06 풀이 참조

$\angle B = \angle D$이므로 $\frac{1}{2}\angle B = \frac{1}{2}\angle D$

즉, $\angle EBF = \angle EDF$ …… ㉠

$\angle AEB = \angle EBF$(엇각),

$\angle DFC = \angle EDF$(엇각)이므로

$\angle AEB = \angle DFC$

$\therefore \angle DEB = 180° - \angle AEB$

$= 180° - \angle DFC = \angle BFD$ …… ㉡

㉠, ㉡에 의하여 두 쌍의 대각의 크기가 각각 같으므로 □EBFD는 평행사변형이다.

유형 07 ㄱ, ㄴ, ㄹ

□ABCD가 평행사변형이므로
$\overline{OA}=\overline{OC}$, $\overline{OB}=\overline{OD}$
이때, 점 E, F, G, H는 $\overline{OA}$, $\overline{OB}$, $\overline{OC}$, $\overline{OD}$의 중점이므로 $\overline{OE}=\overline{OG}$, $\overline{OF}=\overline{OH}$이다.
따라서 두 대각선 EG, FH는 서로 다른 것을 이등분하므로 □EFGH는 평행사변형이다.
ㄱ. $\overline{AO}=\overline{CO}$이므로 $\overline{AE}=\overline{CG}$
ㄴ, ㄹ. □EFGH는 평행사변형이므로
$\overline{EH}=\overline{FG}$, $\overline{EF}/\!/\overline{HG}$
따라서 옳은 것은 ㄱ, ㄴ, ㄹ이다.

學 07 ⑤

$\angle DAE=\angle BEA$(엇각)이므로
$\angle BEA=\angle BAE$
△ABE에서
$\angle BAE=\frac{1}{2}\times(180°-108°)=36°$
이때, □AECF는 평행사변형이므로
$\angle x+\angle FAE=180°$, $\angle x+36°=180°$
$\therefore \angle x=144°$

유형 08 36 cm²

$\triangle ABO=\triangle OCD$이므로
$\triangle BCD=\triangle ABC=9\text{ cm}^2$
$\therefore$ □BFED$=4\triangle BCD=4\times9=36(\text{cm}^2)$

學 08 ③

평행사변형 ABCD에서

$$\triangle PDA+\triangle PBC=\frac{1}{2}\square ABCD=\frac{1}{2}\times100=50(\text{cm}^2)$$

$\therefore \triangle PDA=50-\triangle PBC=50-18=32(\text{cm}^2)$

꼼 06 풀이 참조

$\angle AEB=\angle CFD$이므로
$\overline{BE}/\!/\overline{DF}$ ······ ㉠
△AEB와 △CFD에서 $\angle AEB=\angle CFD=90°$
$\overline{AB}=\overline{CD}$, $\angle BAE=\angle DCF$(엇각)
따라서 $\triangle AEB\equiv\triangle CFD$(RHA 합동)이므로
$\overline{BE}=\overline{DF}$ ······ ㉡
㉠, ㉡에 의하여 한 쌍의 대변이 평행하고 그 길이가 같으므로 □EBFD는 평행사변형이다.

꼼 07 47°

□EBFD는 평행사변형이므로
$\angle EBF=\angle EDF=43°$
따라서 △EBF에서
$\angle BFE=180°-(90°+43°)=47°$

꼼 08 16 cm²

$$\triangle PAB+\triangle PCD=\frac{1}{2}\square ABCD=\frac{1}{2}\times80=40(\text{cm}^2)$$

$\therefore \triangle PCD=\frac{2}{5}\times40=16(\text{cm}^2)$

생각 ○ $x=-2$, $y=43$

$\overline{AB}=\overline{DC}$이어야 하므로
$3-2x=9+x$에서
$3x=-6$ $\therefore x=-2$
$\overline{AB}/\!/\overline{DC}$이어야 하므로 $\angle BAC=\angle DCA$에서
$\angle y=\angle BAC=43°$ $\therefore y=43$

생각 ○○ 10개

곽티슈를 다음 그림과 같이 직육면체 ABCD−EFGH로 나타내자.

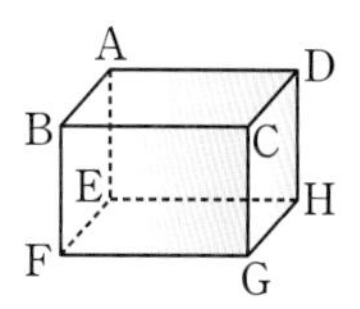

평행사변형이 되려면 두 쌍의 대변이 각각 평행하여야 하므로
윗면에서 A, B를 택했을 때 □ABFE, □ABGH
윗면에서 C, D를 택했을 때 □CDEF, □CDHG
윗면에서 A, D를 택했을 때 □ADHE, □ADGF
윗면에서 B, C를 택했을 때 □BCGF, □BCHE
윗면에서 A, C를 택했을 때 □ACGE
윗면에서 B, D를 택했을 때 □BDHF
따라서 만들 수 있는 평행사변형은 모두 10개이다.

생각 ⊕⊕⊕ 경은

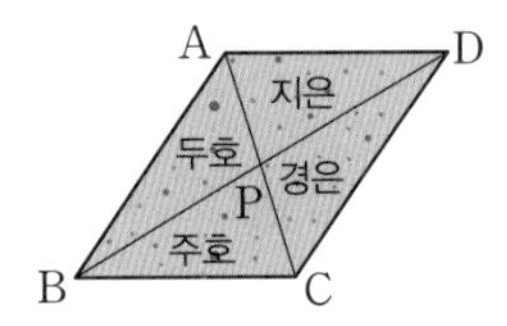

임의의 점 P에 대하여
$\triangle PAB + \triangle PCD = \triangle PAD + \triangle PBC$
가 되고, 점 P가 평행사변형 ABCD의 두 대각선의 교점에 있을 때, △PAB, △PBC, △PCD, △PDA의 넓이는 정확히 사등분이 된다.
이때, 말뚝 P가 $\overline{BC}$에 가까워지면
(지은이의 땅) > (주호의 땅)
말뚝 P가 $\overline{AB}$에 가까워지면
(두호의 땅) < (경은이의 땅)
따라서 틀린 말을 하는 사람은 경은이다.

03 직사각형과 마름모

p. 67 ~ p. 71

유형 09 5		學 09 114°	
유형 10 $x=40$, $y=50$		學 10 18 cm	
유형 11 ⑤		學 11 직사각형	
유형 12 ⑤	學 12 $\overline{AD}=12$ cm, $\angle BDC=38°$		
習 09 10	習 10 ④	習 11 ㄱ, ㄴ	習 12 ⑤
생각 ⊕ ①		생각 ⊕⊕ ④	
생각 ⊕⊕⊕ $\frac{48}{5}$			

유형 09 5

$\overline{BD}=\overline{AC}=10$ cm이고, $\overline{BO}=\overline{DO}$이므로

$x=\frac{1}{2}\overline{BD}=\frac{1}{2}\times 10=5$

學 09 114°

$\overline{AO}=\overline{BO}=\overline{CO}=\overline{DO}$이므로 △OCD는 $\overline{CO}=\overline{DO}$인 이등변삼각형이다.

$\therefore \angle ODC=\angle OCD=57°$

따라서 △OCD에서

$\angle AOD=\angle ODC+\angle OCD$
$=57°+57°=114°$

유형 10 $x=40$, $y=50$

△AOD와 △COD에서

$\overline{AD}=\overline{CD}$, $\overline{DO}$는 공통, $\overline{OA}=\overline{OC}$이므로

△AOD≡△COD(SSS 합동)

$\therefore \angle x=\angle ADO=40°$ $\therefore x=40$

이때, △AOD에서 ∠AOD=90°이므로

$\angle DAO=180°-(90°+40°)=50°$

$\angle y=\angle BCO=\angle DAO=50°$ $\therefore y=50$

學 10 18 cm

□ABCD가 마름모이므로 $\overline{AD}=\overline{CD}=6$ cm

$\triangle ABO \equiv \triangle CBO \equiv \triangle CDO \equiv \triangle ADO$(RHA 합동)이므로
$\angle ADO = \angle CDO = \angle ABO = 30°$
$\therefore \angle ADC = 60°$
$\overline{AD} = \overline{CD}$이므로 $\angle DAC = \angle DCA = 60°$
따라서 $\triangle ACD$는 한 변의 길이가 6 cm인 정삼각형이므로 그 둘레의 길이는 $6 \times 3 = 18$(cm)

유형 11 ⑤
두 대각선의 길이가 같거나, 한 내각의 크기가 $90°$이면 평행사변형은 직사각형이 된다.
① 두 대각선의 길이가 같다.
② $\overline{AO} = \overline{BO}$이면 $\overline{AC} = \overline{BD}$, 즉 두 대각선의 길이가 같다.
③ 한 내각이 직각이다.
④ $\angle B + \angle C = 180°$에서 $\angle B = \angle C$이면 $\angle B = \angle C = 90°$, 즉 한 내각이 직각이다.

學 11 직사각형
$\overline{AD} /\!/ \overline{BC}$, $\overline{AD} = \overline{BC}$이므로 □ABCD는평행사변형이다.
$\angle OAD = \angle ODA$이므로 $\overline{OA} = \overline{OD}$
평행사변형 ABCD에서
$\overline{AO} = \overline{CO}$, $\overline{BO} = \overline{DO}$이므로
$\overline{OA} = \overline{OD}$이면 $\overline{AC} = \overline{BD}$
따라서 두 대각선의 길이가 같으므로 □ABCD는 직사각형이다.

유형 12 ⑤
이웃하는 두 변의 길이가 같거나, 두 대각선이 직교하는 평행사변형은 마름모이다.
① 이웃하는 두 변의 길이가 같다.
② $\angle ABO = \angle CBO = \angle ADO$(엇각)이므로 $\overline{AB} = \overline{AD}$, 즉 이웃하는 두 변의 길이가 같다.
③ 두 대각선이 직교한다.
④ $\angle CBD = \angle CDB$이면 $\overline{BC} = \overline{DC}$, 즉 이웃하는 두 변의 길이가 같다.
⑤ 평행사변형이 직사각형이 되는 조건이다.

學 12 $\overline{AD} = 12$ cm, $\angle BDC = 38°$
$\overline{AD} /\!/ \overline{BC}$이므로 $\angle OCB = \angle OAD = 52°$(엇각)
$\triangle OBC$에서 $\angle BOC = 180° - (38° + 52°) = 90°$
즉, $\overline{AC} \perp \overline{BD}$이므로 □ABCD는 마름모이다.
따라서 $\overline{BC} = \overline{CD} = \overline{AD} = \overline{AB} = 12$ cm이므로
$\angle BDC = \angle OBC = 38°$

習 09 10
직사각형에서 두 대각선은 길이가 같고, 서로 다른 것을 이등분하므로 $\overline{BO} = \overline{DO}$에서
$2x - 3 = 1 + x \qquad \therefore x = 4$
따라서 $\overline{DO} = 1 + x = 5$이므로
$\overline{AC} = 2 \times \overline{DO} = 2 \times 5 = 10$

習 10 ④
④ $\overline{OA} = \overline{OC}$, $\overline{OB} = \overline{OD}$

習 11 ㄱ, ㄴ
두 대각선의 길이가 같거나, 한 내각의 크기가 $90°$이면 평행사변형은 직사각형이 된다.
ㄱ. 두 대각선의 길이가 같다.
ㄴ. 한 내각이 직각이다.
ㄷ. 평행사변형의 성질이다.
ㄹ. 평행사변형이 마름모가 되는 조건이다.
따라서 평행사변형이 직사각형이 되는 조건은 ㄱ, ㄴ이다.

習 12 ⑤
이웃하는 두 변의 길이가 같거나, 두 대각선이 직교하는 평행사변형은 마름모이다.
① 이웃하는 두 변의 길이가 같다.
② 두 대각선이 직교한다.
③ $\angle BAC = \angle ACD = 60°$(엇각)이므로 $\overline{BA} = \overline{BC}$ 즉, 이웃하는 두 변의 길이가 같다.

④ $\angle ADB=30°$이고, $\angle CAD=\angle ACB=60°$이므로 $\triangle AOD$에서
$\angle AOD=180°-(30°+60°)=90°$
즉, 두 대각선이 직교한다.

생각 ⊕ ①

$\angle B=70°$이므로 $\angle BAD=180°-70°=110°$
$\triangle ABP\equiv\triangle ADQ$(RHA 합동)이므로
$\overline{AP}=\overline{AQ}$이고 $\angle DAQ=\angle BAP=90°-70°=20°$
$\triangle APQ$에서 $\overline{AP}=\overline{AQ}$이고
$\angle PAQ=\angle BAD-(\angle BAP+\angle DAQ)$
$=110°-(20°+20°)=70°$
$\therefore \angle AQP=\angle APQ=\frac{1}{2}\times(180°-70°)=55°$

생각 ⊕⊕ ④

$\overline{AB}=5k$, $\overline{AD}=8k$(k는 0이 아닌 상수)로 놓으면
$\angle BAE=\angle DAE=\angle BEA$(엇각)이므로 $\triangle ABE$는 이등변삼각형이다.
따라서 $\overline{EC}=8k-5k=3k$이므로
$\triangle ABE=\frac{1}{2}\times5k\times5k=\frac{25}{2}k^2$
$\square AECD=\frac{1}{2}\times11k\times5k=\frac{55}{2}k^2$
$\therefore \triangle ABE:\square AECD=\frac{25}{2}k^2:\frac{55}{2}k^2=5:11$

생각 ⊕⊕⊕ $\frac{48}{5}$

마름모 ABCD의 넓이는 $\frac{1}{2}\times8\times6=24$
$\square ABCD$
$=\triangle PAB+\triangle PBC+\triangle PCD+\triangle PDA$
$=\frac{1}{2}\times5\times a+\frac{1}{2}\times5\times b+\frac{1}{2}\times5\times c+\frac{1}{2}\times5\times d$
$=\frac{5}{2}\times(a+b+c+d)=24$
$\therefore a+b+c+d=24\times\frac{2}{5}=\frac{48}{5}$

04 정사각형과 등변사다리꼴

p. 73 ~ p. 77

유형 13 15°	學 13 ④	유형 14 ㄱ, ㄹ	學 14 ⑤
유형 15 ③	學 15 66°	유형 16 2 cm	學 16 23 cm
習 13 ①	習 14 ㄴ, ㄷ	習 15 ①	習 16 ④
생각⊕ 38°		생각⊕⊕ 30°	
생각⊕⊕⊕ ③			

유형 13 15°

$\triangle PBC$가 정삼각형이므로
$\angle PCB=60°$, $\angle PCD=90°-60°=30°$
$\overline{CP}=\overline{BC}=\overline{CD}$이므로 $\triangle CDP$는 $\angle CPD=\angle CDP$인 이등변삼각형이다.
$\angle CDP=\angle CPD=\frac{1}{2}\times(180°-30°)=75°$이므로
$\angle PDA=\angle D-\angle CDP$
$=90°-75°=15°$

學 13 ④

$\triangle EBC$와 $\triangle FCD$에서
$\overline{EB}=\overline{FC}$, $\angle EBC=\angle FCD=90°$, $\overline{BC}=\overline{CD}$이므로
$\triangle EBC\equiv\triangle FCD$(SAS 합동)
$\therefore \angle ECB=\angle FDC$
$\triangle DGC$에서
$\angle DGE=\angle DCG+\angle GDC$
$=\angle DCG+\angle ECB$
$=\angle BCD=90°$

유형 14 ㄱ, ㄹ

ㄱ. 이웃하는 두 변의 길이가 같은 직사각형은 정사각형이다.
ㄹ. 두 대각선이 직교하는 직사각형은 정사각형이다.
따라서 직사각형이 정사각형이 되기 위한 조건은 ㄱ, ㄹ이다.

學 14 ⑤

①, ② 두 대각선의 길이가 같은 마름모는 정사각형이다.

③, ④ 한 내각의 크기가 90°인 마름모는 정사각형이다.

유형 15 ③

① 등변사다리꼴에서 평행하지 않은 한 쌍의 대변의 길이는 같다.

②, ⑤ $\triangle ABO \equiv \triangle DCO$이므로
$\overline{OB}=\overline{OC}$, $\angle OAB=\angle ODC$

④ $\triangle ABC \equiv \triangle DCB$이므로 $\angle ABC=\angle DCB$

學 15 66°

$\overline{AD} /\!/ \overline{BC}$이므로 $\angle DAC=\angle ACB=38^\circ$
$\triangle DAC$는 이등변삼각형이므로
$\angle DCA=\angle DAC=38^\circ$
또, $\triangle OBC$는 이등변삼각형이므로
$\angle OBC=\angle OCB=38^\circ$
따라서 $\triangle DBC$에서
$\angle CDB=180^\circ-(38^\circ+38^\circ+38^\circ)=66^\circ$

유형 16 2 cm

점 D에서 $\overline{BC}$에 내린 수선의 발을 F라 하면

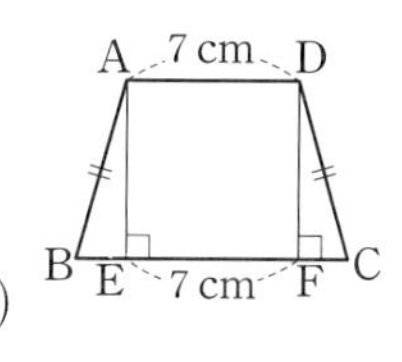

$\overline{EF}=\overline{AD}=7$ cm
또, $\triangle ABE \equiv \triangle DCF$(RHA 합동)이므로

$\overline{BE}=\overline{CF}=\frac{1}{2}\times(11-7)=2(\text{cm})$

學 16 23 cm

오른쪽 그림과 같이 $\overline{AB} /\!/ \overline{DE}$가 되도록 $\overline{BC}$ 위에 점 E를 잡으면 $\square ABED$는 평행사변형이므로
$\overline{BE}=\overline{AD}=4$ cm, $\angle BED=120^\circ$
$\therefore \angle DEC=180^\circ-120^\circ=60^\circ$
이때, $\angle C=\angle B=180^\circ-120^\circ=60^\circ$이므로 $\triangle DEC$는 정삼각형이다.
즉, $\overline{EC}=\overline{DC}=5$ cm이므로
$\overline{BC}=4+5=9(\text{cm})$
$\therefore$ ($\square ABCD$의 둘레의 길이)
$=4+5+9+5=23(\text{cm})$

꼼 13 ①

$\triangle ABE$와 $\triangle CBE$에서
$\overline{AB}=\overline{CB}$, $\angle ABE=\angle CBE=45^\circ$, $\overline{BE}$는 공통
$\therefore \triangle ABE \equiv \triangle CBE$(SAS 합동)
따라서 $\angle BCE=\angle BAE=21^\circ$이므로 $\triangle EBC$에서
$\angle DEC=\angle EBC+\angle BCE$
$=45^\circ+21^\circ=66^\circ$

꼼 14 ㄴ, ㄷ

ㄱ. 이웃하는 두 변의 길이가 같고, 두 대각선이 수직인 평행사변형은 마름모이다.

ㄴ. 두 대각선이 직교하고, 한 내각의 크기가 90°인 평행사변형은 정사각형이다.

ㄷ. 이웃하는 두 변의 길이가 같고, 두 대각선의 길이가 같은 평행사변형은 정사각형이다.

ㄹ. 두 대각선의 길이가 같은 평행사변형은 직사각형이다.

따라서 평행사변형이 정사각형이 되기 위한 조건은 ㄴ, ㄷ이다.

꼼 15 ①

$\triangle ABD$는 $\overline{AB}=\overline{AD}$인 이등변삼각형이므로
$\angle ABD=\angle ADB$
또, $\overline{AD} /\!/ \overline{BC}$이므로 $\angle ADB=\angle DBC$(엇각)
$\therefore \angle ABD=\angle DBC$
$\square ABCD$는 등변사다리꼴이므로
$\angle ABC=\angle C=82^\circ$
$\therefore \angle DBC=\frac{1}{2}\angle ABC=\frac{1}{2}\times 82^\circ=41^\circ$

꼴 16 ④

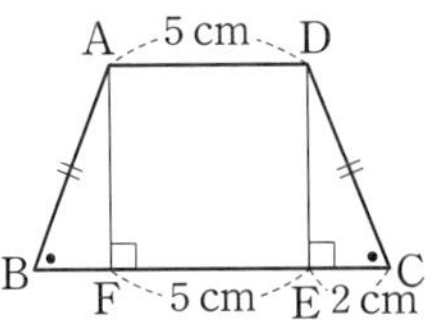

점 A에서 $\overline{BC}$에 내린 수선의 발을 F라 하면

$\overline{FE}=\overline{AD}=5\,cm$

$\triangle ABF \equiv \triangle DCE$(RHA 합동)이므로 $\overline{BF}=2\,cm$

$\therefore \overline{BC}=2+5+2=9(cm)$

생각⊕ 38°

$\triangle ABC$와 $\triangle DCB$에서

$\overline{AB}=\overline{DC}$, $\angle ABC=\angle DCB$, $\overline{BC}$는 공통이므로

$\triangle ABC \equiv \triangle DCB$(SAS 합동)

$\angle DBC=\angle ACB=38°$

$\overline{AE} /\!/ \overline{DB}$이므로 $\angle x=\angle DBC=38°$(동위각)

생각⊕⊕ 30°

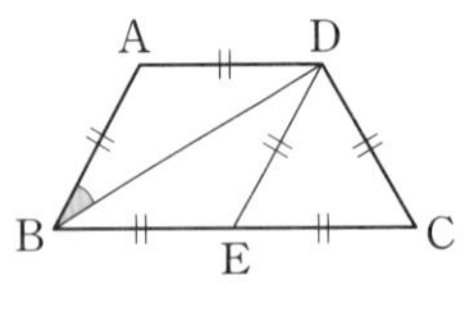

오른쪽 그림과 같이 $\overline{AB} /\!/ \overline{DE}$가 되도록 $\overline{BC}$ 위에 점 E를 잡으면 □ABED는 평행사변형이므로

$\overline{AD}=\overline{BE}$

또, $\overline{BC}=2\overline{AD}$이므로 $\overline{BE}=\overline{EC}$

즉, $\triangle DEC$는 정삼각형이므로 $\angle DEB=120°$

따라서 $\angle A=\angle DEB=120°$이고 $\overline{AB}=\overline{AD}$이므로

$\triangle ABD$에서

$\angle ABD=\angle ADB=\frac{1}{2}\times(180°-120°)=30°$

생각⊕⊕⊕ ③

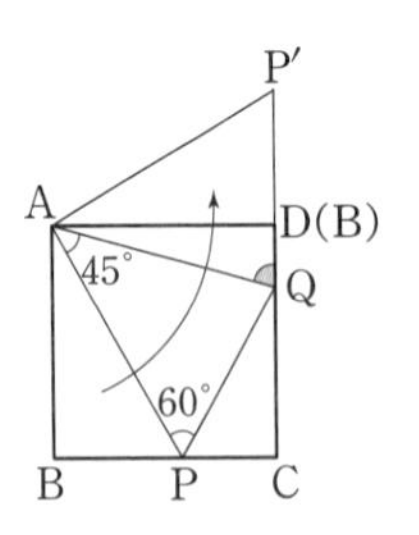

$\overline{AB}$를 $\overline{AD}$와 맞닿게 $\triangle ABP$를 이동시키면 $\triangle AQP$와 $\triangle AQP'$에서

$\overline{AQ}$는 공통,

$\angle QAP=\angle QAP'=45°$,

$\overline{AP}=\overline{AP'}$

$\therefore \triangle AQP \equiv \triangle AQP'$(SAS 합동)

$\therefore \angle AQD=\angle AQP=180°-(60°+45°)=75°$

05 사각형 사이의 관계

p. 79 ~ p. 83

유형 17 직사각형	學 17 마름모
유형 18 ②, ④	學 18 ④, ⑤
유형 19 ②	學 19 $\overline{FG}=9\,cm$, $\angle EFG=107°$
유형 20 ⑤	學 20 $24\,cm^2$
꼴 17 풀이 참조	꼴 18 7
꼴 19 $50\,cm^2$	꼴 20 ③
생각⊕ ⑤	생각⊕⊕ $10\,cm^2$
생각⊕⊕⊕ 56평	

유형 17 직사각형

$\angle BAD+\angle CDA=180°$이므로

$\angle FAD+\angle FDA=90°$

$\triangle AFD$에서

$\angle AFD=180°-90°=90°$

같은 방법으로 하면

$\angle HEF=\angle EHG=\angle FGH=90°$

따라서 □EFGH는 직사각형이다.

學 17 마름모

$\angle AFB=\angle FBE$(엇각),

$\angle ABF=\angle BFE$(엇각)이므로

$\overline{AB}=\overline{AF}$, $\overline{BE}=\overline{EF}$

또, $\angle AEB=\angle FAE$(엇각)이므로 $\overline{AB}=\overline{BE}$

따라서$\overline{AB}=\overline{BE}=\overline{EF}=\overline{AF}$이므로 □ABEF는 마름모이다.

유형 19 ②

직사각형의 각 변의 중점을 연결하여 만든 사각형은 마름모이므로 □EFGH는 마름모이다.

$\therefore$ (□EFGH의 둘레의 길이)$=4\overline{EH}$

$=4\times5=20(cm)$

學 19 $\overline{FG}=9\,\text{cm}$, $\angle EFG=107^\circ$

사각형의 각 변의 중점을 연결하여 만든 사각형은 평행사변형이므로 □EFGH는 평행사변형이다.

$\overline{FG}=\overline{EH}=9\,\text{cm}$

$\angle HEF+\angle EFG=180^\circ$이므로

$\angle EFG=180^\circ-\angle HEF=180^\circ-73^\circ=107^\circ$

유형 20 ⑤

$\overline{AE}\,/\!/\,\overline{BC}$이므로 $\triangle ABE=\triangle ACE$

$\overline{AC}\,/\!/\,\overline{EF}$이므로 $\triangle ACE=\triangle ACF$

$\overline{AB}\,/\!/\,\overline{FC}$이므로 $\triangle ACF=\triangle BCF$

$\therefore \triangle ABE=\triangle BCF=\triangle ACE=\triangle ACF$

學 20 $24\,\text{cm}^2$

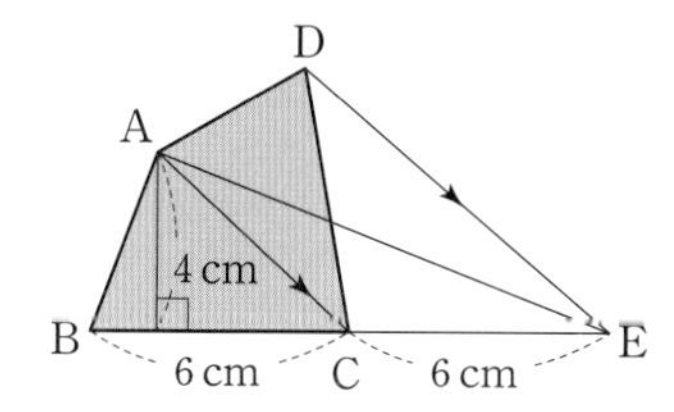

$\overline{AE}$를 그으면 $\overline{BC}=\overline{CE}$이므로 $\triangle ACE=\triangle ABC$

$\overline{AC}\,/\!/\,\overline{DE}$이므로 $\triangle ACD=\triangle ACE$

$$\begin{aligned}\therefore \square ABCD&=\triangle ABC+\triangle ACD\\&=\triangle ABC+\triangle ACE\\&=\triangle ABC+\triangle ABC\\&=2\times\frac{1}{2}\times6\times4=24(\text{cm}^2)\end{aligned}$$

꼴 17 풀이 참조

$\triangle EAG$와 $\triangle CDG$에서

$\angle AEG=\angle DCG$(엇각), $\overline{AE}=\overline{DC}$,

$\angle EAG=\angle CDG$(엇각)

즉, $\triangle EAG\equiv\triangle CDG$(ASA 합동)이므로

$\overline{AG}=\overline{DG}$

$\triangle BFH$와 $\triangle CDH$에서

$\angle BFH=\angle CDH$(엇각), $\overline{BF}=\overline{DC}$,

$\angle FBH=\angle DCH$(엇각)

즉, $\triangle BFH\equiv\triangle CDH$(ASA 합동)이므로

$\overline{BH}=\overline{CH}$

$\overline{DC}=\overline{AB}$이고, $2\overline{AB}=\overline{AD}$이므로

$\overline{DC}=\overline{DG}=\overline{CH}=\overline{GH}$

따라서 □GHCD는 마름모이다.

꼴 18 7

두 대각선의 길이가 같은 사각형은 ㄴ, ㄹ, ㅁ의 3개,

두 대각선이 서로 다른 것을 이등분하는 사각형은 ㄱ, ㄴ, ㄷ, ㄹ의 4개이므로

$a=3$, $b=4$

$\therefore a+b=7$

꼴 19 $50\,\text{cm}^2$

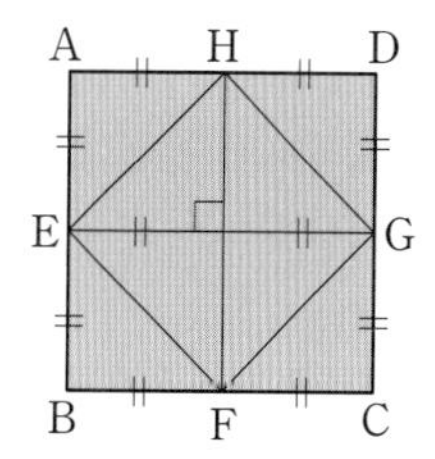

정사각형의 각 변의 중점을 연결하여 만든 사각형은 정사각형이므로 □EFGH는 정사각형이다.

$$\begin{aligned}\therefore \square ABCD&=2\square EFGH\\&=2\times5\times5=50(\text{cm}^2)\end{aligned}$$

꼴 20 ③

$\overline{AD}\,/\!/\,\overline{BC}$이므로 $\triangle ABD=\triangle ACD$

$$\begin{aligned}\therefore \triangle OAB&=\triangle ABD-\triangle AOD\\&=\triangle ACD-\triangle AOD\\&=\triangle OCD=24(\text{cm}^2)\end{aligned}$$

따라서 $\triangle ABO:\triangle AOD=\overline{BO}:\overline{DO}=4:3$이므로

$24:\triangle AOD=4:3$

$\therefore \triangle AOD=18(\text{cm}^2)$

생각 ⊙ ⑤

⑤ 마름모가 정사각형이 되는 조건은 한 내각의 크기가 90°이거나 두 대각선의 길이가 같아야 한다.

생각 ○○ 10 cm²

$\overline{BE} : \overline{EC} = 1 : 2$이므로

$\triangle ABE = \frac{1}{3}\triangle ABC = \frac{1}{3} \times 150 = 50(cm^2)$

$\overline{DE}$를 그으면 $\overline{AD} : \overline{DB} = 2 : 3$이므로

$\triangle ADE = \frac{2}{5}\triangle ABE = \frac{2}{5} \times 50 = 20(cm^2)$

$\overline{AP} : \overline{PE} = 1 : 1$이므로

$\triangle ADP = \frac{1}{2}\triangle ADE = \frac{1}{2} \times 20 = 10(cm^2)$

생각 ○○○ 56평

오른쪽 그림과 같이

$\overline{AE} = a$, $\overline{BE} = b$, $\overline{CE} = c$,

$\overline{DE} = d$, $\triangle CDE = S$라 하면

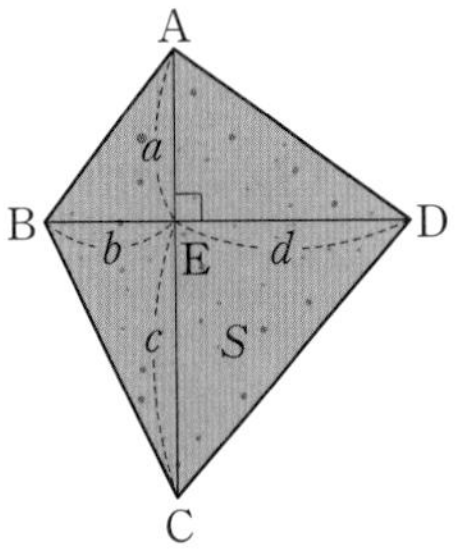

$\frac{1}{2}ab = 20$ ...... ㉠

$\frac{1}{2}bc = 32$ ...... ㉡

$\frac{1}{2}ad = 35$ ...... ㉢

$\frac{1}{2}cd = S$ ...... ㉣

㉠, ㉣에서 $\frac{1}{4}abcd = 20 \times S$

㉡, ㉢에서 $\frac{1}{4}abcd = 32 \times 35$

$\therefore S = \frac{32 \times 35}{20} = 56$(평)

따라서 $\triangle CDE$의 넓이는 56평이다.

단원 종합 문제

p. 84 ~ p. 89

01 58	02 ③	03 ④	04 $\frac{8}{3}$
05 ⑤	06 60°	07 ③	08 ③
09 62°	10 $\frac{73}{4}$ cm²	11 60°	12 ③, ④
13 ③	14 36 cm	15 60 cm²	16 ④
17 (1) △EBD (2) 24 cm		18 15°	
19 20		20 12 cm²	

01 58

$\overline{AD} = \overline{BC}$이므로 $x = 8$

$\angle B = \angle D$이므로 $y = 50$

$\therefore x + y = 8 + 50 = 58$

02 ③

$\overline{AD} = \overline{BC}$이므로

$2x + 1 = 4x - 5$, $2x = 6$

$\therefore x = 3$

$\overline{OA} = 2 \times 3 - 1 = 5$

따라서 $\overline{OA} = \overline{OC}$이므로

$\overline{AC} = 2\overline{OA} = 2 \times 5 = 10$

03 ④

평행사변형 ABCD에서 $\overline{OA} = \overline{OC}$, $\overline{OB} = \overline{OD}$이고,

$\overline{OE} = \overline{OA} - \overline{AE} = \overline{OC} - \overline{CF} = \overline{OF}$

따라서 □EBFD는 두 대각선이 서로 다른 것을 이등분하므로 평행사변형이다.

04 $\frac{8}{3}$

$\angle ABE = \angle EBF = \angle AEB$(엇각)이므로 $\triangle ABE$는 이등변삼각형이다.

$\overline{AE} = \overline{AB} = 5$ cm이고, 같은 방법으로

$\overline{CF} = \overline{CD} = 5$ cm

즉, $\overline{ED} = \overline{BF} = 8 - 5 = 3$(cm), $\overline{ED} /\!/ \overline{BF}$이므로

□EBFD는 평행사변형이다.

평행사변형 ABCD의 높이를 h cm라 하면
$\square ABCD=\overline{BC}\times h=8h(cm^2)$,
$\square EBFD=\overline{BF}\times h=3h(cm^2)$이므로
$\square ABCD=\frac{8}{3}\times\square EBFD \quad \therefore k=\frac{8}{3}$

05 ⑤

$\overline{MN}$을 그으면 □ABNM, □MNCD는 평행사변형이고 그 넓이가 같다.
$\square ABNM=4\triangle PNM$,
$\square MNCD=4\triangle MNQ$이므로
$\square ABCD=\square ABNM+\square MNCD$
$=4\triangle PNM+4\triangle MNQ$
$=4(\triangle PNM+\triangle MNQ)$
$=4\square MPNQ=4\times 17=68(cm^2)$

06 60°

$\angle BAD=90°$이고 $\overline{OA}=\overline{OB}$이므로 △OAB에서
$\angle OBA=\angle OAB=90°-30°=60°$
따라서 △OAB에서
$\angle x=180°-(60°+60°)=60°$

07 ③

□ABCD가 마름모이므로
$\angle ED'F=\angle EDF=\angle ABC=33°$
$\triangle ED'F$에서
$\angle EFD'=180°-(126°+33°)$
$=21°=\angle EFD$(접은 각)
$\therefore \angle AFD'=180°-(21°+21°)=138°$

08 ③

$\overline{AB}/\!/\overline{CD}$이므로 $\angle BAC=\angle DCA=50°$
△ABO에서 $\angle AOB=180°-(50°+40°)=90°$
따라서 $\overline{AC}\perp\overline{BD}$이므로 □ABCD는 마름모이다.
즉, $\triangle ABO\equiv\triangle CBO\equiv\triangle CDO\equiv\triangle ADO$이므로
$\angle x=40°$, $\angle y=50°$
$\therefore \angle x+\angle y=40°+50°=90°$

09 62°

△ADE와 △CDE에서
$\overline{AD}=\overline{CD}$, $\angle ADE=\angle CDE=45°$, $\overline{DE}$는 공통
$\therefore$ △ADE≡△CDE(SAS 합동)
따라서 $\angle DCE=\angle DAE=17°$이므로 △EDC에서
$\angle BEC=\angle EDC+\angle DCE$
$=45°+17°=62°$

10 $\frac{73}{4}$ cm²

△OBF≡△OCE(ASA 합동)이므로
$\overline{BF}=\overline{CE}=3$ cm
$\square OFCE=\triangle OBC$
$=\frac{1}{4}\times 11\times 11=\frac{121}{4}(cm^2)$
이므로
$\triangle EOF=\square OFCE-\triangle EFC$
$=\frac{121}{4}-\frac{1}{2}\times 8\times 3=\frac{73}{4}(cm^2)$

11 60°

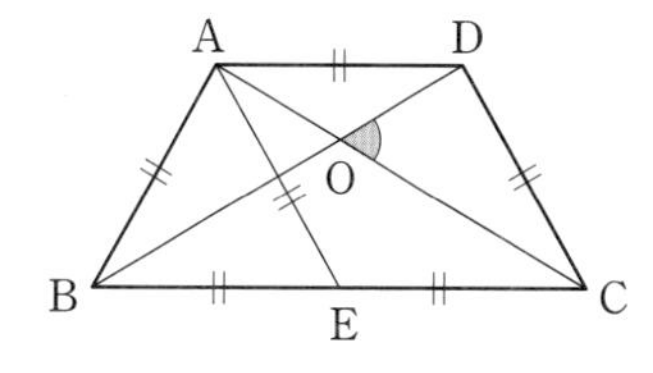

$\overline{DC}/\!/\overline{AE}$가 되도록 $\overline{BC}$ 위에 점 E를 잡으면
$\overline{BC}=2\overline{AD}$이므로 $\overline{AE}=\overline{BE}=\overline{CE}$
즉, 점 E는 △ABC의 외심이므로
$\angle BAC=90°$
한편, △ABE는 정삼각형이므로 $\angle ABE=60°$,
$\angle BAD=120°$이고
$\angle ABD=\angle ADB=\frac{1}{2}\times(180°-120°)=30°$
$\therefore \angle DOC=\angle AOB$
$=180°-(90°+30°)=60°$

12 ③, ④

① 두 대각선의 길이가 같은 사각형은 직사각형, 정사각형, 등변사다리꼴이다.

② 두 대각선이 직교하는 사각형은 마름모, 정사각형이다.

⑤ 한 쌍의 대각의 크기의 합이 180°인 평행사변형은 직사각형, 정사각형이다.

13 ③

③ 사각형 → 평행사변형

14 36 cm

등변사다리꼴의 각 변의 중점을 연결하여 만든 사각형은 마름모이므로 □EFGH는 마름모이다.

따라서 $\overline{EF}=\overline{FG}=\overline{GH}=\overline{HE}=9$ cm이므로

(□EFGH의 둘레의 길이)$=4\times 9=36$(cm)

15 60 cm^2

$\overline{AD}/\!/\overline{BC}$이므로 $\triangle ABD=\triangle ACD$

$\triangle OAB=\triangle ABD-\triangle ODA$
$=\triangle ACD-\triangle ODA$
$=\triangle OCD$
$=40-16=24(\text{cm}^2)$

$\overline{OA}:\overline{OC}=\triangle AOD:\triangle OCD=16:24=2:3$ 이므로

$\triangle OAB:\triangle OBC=2:3=24:\triangle OBC$

따라서 $\triangle OBC=36\text{ cm}^2$이므로

$\triangle ABC=\triangle OAB+\triangle OBC$
$=24+36=60(\text{cm}^2)$

16 ④

$\triangle ABF:\triangle BEF=18:9=2:1$이므로

$\overline{AF}:\overline{FE}=2:1$

$\triangle ABF:\triangle AFD=18:12=3:2$이므로

$\overline{BF}:\overline{FD}=3:2$

$\overline{FC}$를 긋고 $\triangle DFC=a$, $\triangle FEC=b$라 하면

$\triangle AFC:\triangle FEC=\overline{AF}:\overline{FE}=2:1$에서

$(12+a):b=2:1$

$2b=12+a$ ...... ㉠

$\triangle FBC:\triangle DFC=\overline{BF}:\overline{FD}=3:2$에서

$(9+b):a=3:2$

$3a=18+2b$ ...... ㉡

㉠, ㉡에서 $a=15$, $b=\frac{27}{2}$이므로

$□DFEC=a+b=\frac{57}{2}$

17 (1) $\triangle EBD$ (2) 24 cm

(1) $\overline{AE}/\!/\overline{BD}$이므로

$\triangle ABD=\triangle EBD$ ... [3점]

(2) $□ABCD=\triangle ABD+\triangle DBC$
$=\triangle EBD+\triangle DBC$
$=\triangle DEC$

즉, $□ABCD=\triangle DEC=120\text{ cm}^2$이므로

$\triangle DEC=\frac{1}{2}\times\overline{EC}\times 10=120$

$\therefore \overline{EC}=24$ cm ... [3점]

18 15°

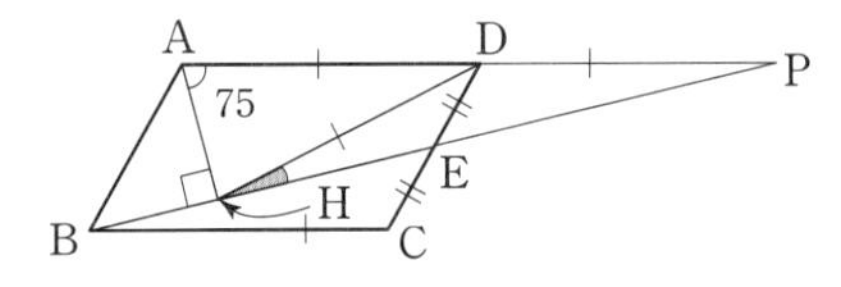

$\triangle BCE\equiv\triangle PDE$(ASA 합동)이므로

$\overline{DP}=\overline{BC}=\overline{AD}$ ... [4점]

직각삼각형 AHP에서 점 D는 빗변의 중점, 즉 외심이므로

$\overline{DH}=\overline{AD}=\overline{DP}$

즉, 이등변삼각형 DAH에서

$\angle DHA=75°$ ... [4점]

$\therefore \angle DHE=90°-75°=15°$ ... [2점]

19 20

□ABCD는 정사각형이므로

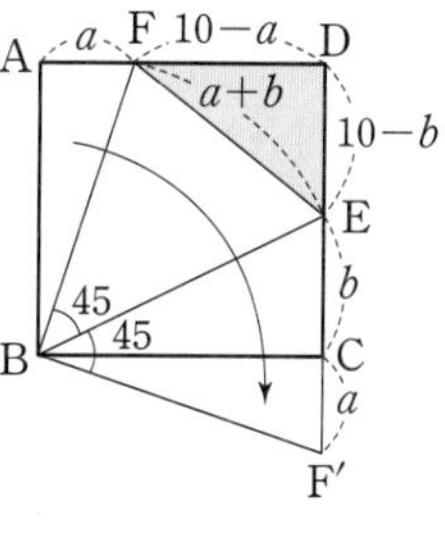

$\angle FBE=\frac{1}{2}\times 90^\circ=45^\circ$ … [2점]

△ABF를 $\overline{BC}$에 옮겨 붙이면

△FBE≡△EBF′(SAS 합동) … [3점]

$\overline{AF}=a$, $\overline{EC}=b$로 놓으면

$\overline{FD}=10-a$

$\overline{DE}=10-b$

$\overline{FE}=\overline{F'E}=a+b$ … [3점]

∴ (△DFE의 둘레의 길이)

$=\overline{FD}+\overline{DE}+\overline{FE}=20$ … [2점]

20 12 cm²

$\triangle AED=\triangle APD+\triangle PED$

$=\triangle APD+\triangle PBC$

$=\frac{1}{2}\square ABCD$

$\therefore \triangle PED=\triangle PBC=18\,cm^2$ … [5점]

이때, $\triangle APD:\triangle PED=\overline{AP}:\overline{PE}=2:3$이므로

$\triangle APD:18=2:3$

$\therefore \triangle APD=12\,cm^2$ … [5점]

III 도형의 닮음

01 닮은 도형의 성질

p. 95~p. 99

유형 01 ㄱ, ㄷ, ㅂ	學 01 ①
유형 02 ④	學 02 $\overline{AB}=\frac{42}{b}$ cm, $\overline{EF}=\frac{ab}{7}$ cm
유형 03 75 cm	學 03 ④
유형 04 $\frac{37}{4}$	學 04 14
習 01 ㄱ, ㄷ	習 02 ⑤
習 03 ②	習 04 ③
생각+ 실제 동체 길이의 차: 9.3 m, 실제 날개 폭의 차: 15.2 m	
생각++ $64\pi\,cm^2$	생각+++ 닮음이 아니다.

유형 01 ㄱ, ㄷ, ㅂ

다음의 경우에 닮음이 아니다.

ㄴ.

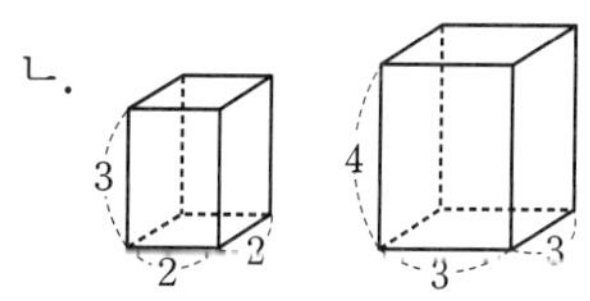

ㄹ.

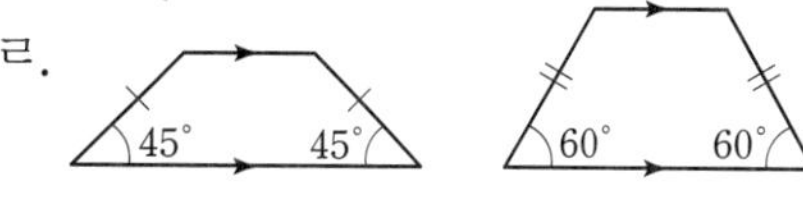

ㅁ.

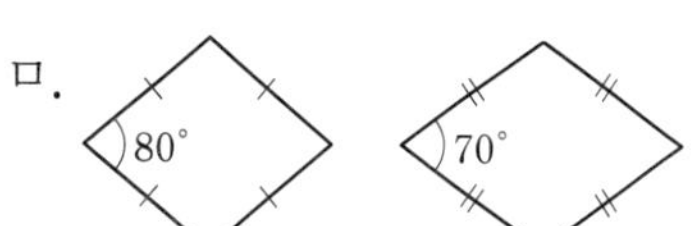

따라서 항상 닮은 도형은 ㄱ, ㄷ, ㅂ이다.

學 01 ①

다음 그림과 같은 두 직사각형은 넓이는 같지만 닮은 도형이 아니다.

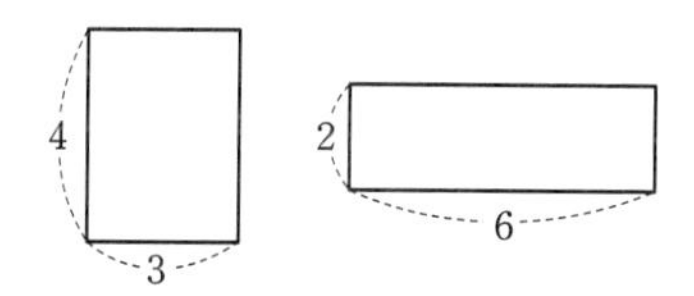

유형 02 ④

① $\overline{AD} : \overline{EH} = \overline{DC} : \overline{HG} = 7 : 10$

② $\overline{AB} : \overline{EF} = \overline{DC} : \overline{HG}$이므로

$7 : \overline{EF} = 7 : 10$

$\therefore \overline{EF} = 10\,\text{cm}$

③ $\angle A = \angle E = 90^\circ$

④ $\angle G = \angle C = 360^\circ - (90^\circ + 118^\circ + 85^\circ) = 67^\circ$

⑤ $\overline{DC} : \overline{HG} = 7 : 10$이므로 닮음비는 $7 : 10$이다.

學 02 $\overline{AB} = \frac{42}{b}\,\text{cm}$, $\overline{EF} = \frac{ab}{7}\,\text{cm}$

$\triangle ABC$와 $\triangle DEF$의 닮음비가 $7 : b$이므로

$\overline{AB} : 6 = 7 : b$, $b\overline{AB} = 42$

$\therefore \overline{AB} = \frac{42}{b}\,\text{cm}$

$a : \overline{EF} = 7 : b$, $7\overline{EF} = ab$

$\therefore \overline{EF} = \frac{ab}{7}\,\text{cm}$

유형 03 75 cm

$\overline{AB} : \overline{DE} = 3 : 2$이므로

$\overline{AB} : 12 = 3 : 2$, $2\overline{AB} = 36$

$\therefore \overline{AB} = 18\,\text{cm}$

이때, $\triangle ABC$의 둘레의 길이는

$18 + 18 + 9 = 45(\text{cm})$이므로

$\triangle DEF$의 둘레의 길이를 $l\,\text{cm}$라 하면

$45 : l = 3 : 2$, $3l = 90$

$\therefore l = 30$

따라서 $\triangle ABC$와 $\triangle DEF$의 둘레의 길이의 합은

$45 + 30 = 75(\text{cm})$

學 03 ④

원 O의 반지름의 길이를 $r\,\text{cm}$라 하면

$r : 12 = 3 : 4$이므로 $r = 9$

$\therefore$ (원 O의 둘레의 길이)$= 2\pi \times 9 = 18\pi(\text{cm})$

유형 04 $\frac{37}{4}$

두 직육면체의 닮음비는

$\overline{FG} : \overline{NO} = 12 : 9 = 4 : 3$이므로

$x : 12 = 4 : 3$, $3x = 48$ $\quad \therefore x = 16$

$9 : y = 4 : 3$, $4y = 27$ $\quad \therefore y = \frac{27}{4}$

$\therefore x - y = 16 - \frac{27}{4} = \frac{37}{4}$

學 04 14

두 삼각기둥의 닮음비는

$\overline{BC} : \overline{HI} = 6 : 9 = 2 : 3$이므로

$x : 12 = 2 : 3$, $3x = 24$ $\quad \therefore x = 8$

$4 : y = 2 : 3$, $2y = 12$ $\quad \therefore y = 6$

$\therefore x + y = 8 + 6 = 14$

꼼 01 ㄱ, ㄷ

다음의 경우에 닮음이 아니다.

ㄴ.

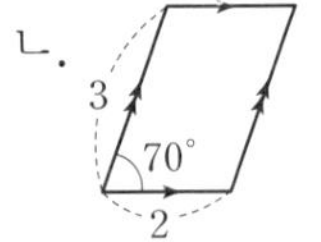

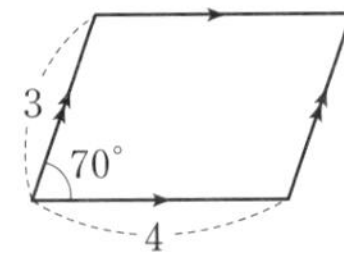

ㄹ.

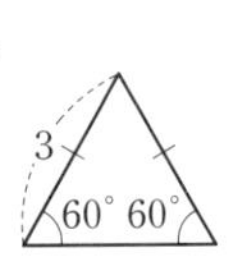

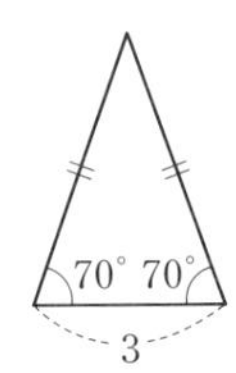

따라서 항상 닮은 도형인 것은 ㄱ, ㄷ이다.

꼼 02 ⑤

① $\overline{CD} : \overline{GH} = \overline{AD} : \overline{EH} = 9 : 6 = 3 : 2$

② $\overline{DC} : \overline{HG} = 3 : 2$이므로

$8 : \overline{HG} = 3 : 2$, $3\overline{HG} = 16$

$\therefore \overline{HG} = \frac{16}{3}\,\text{cm}$

③ $\angle F = \angle B = 75^\circ$

④ $\angle C = \angle G = 80^\circ$

⑤ $\square ABCD$와 $\square EFGH$의 닮음비는 $3 : 2$이다.

꼼 03 ②

$\overline{AD} : \overline{EH} = 1 : 2$이므로 $\overline{AD} : 10 = 1 : 2$

$\therefore \overline{AD} = 5\,\text{cm}$

따라서 □ABCD의 둘레의 길이는

$5+5+6+7=23(\text{cm})$이므로

□EFGH의 둘레의 길이를 l cm라 하면

$23 : l = 1 : 2$

$\therefore l = 46$

꼼 04 ③

두 사각뿔대의 닮음비는

$\overline{AD} : \overline{IL} = 24 : 32 = 3 : 4$이므로

$x : 20 = 3 : 4$, $4x = 60$

$\therefore x = 15$

$30 : y = 3 : 4$, $3y = 120$

$\therefore y = 40$

$\therefore y - x = 40 - 15 = 25$

생각 ○ 실제 동체 길이의 차: 9.3 m
실제 날개 폭의 차: 15.2 m

모형 항공기는 실제 항공기를 $\frac{1}{1000}$로 축소하여 똑같이 만들었으므로 모형 항공기와 실제 항공기는 서로 닮은 도형이라 할 수 있다. 서로 닮은 두 도형에서 대응변의 길이의 비는 같으므로 모형 항공기와 실제 항공기의 닮음비는 1 : 1000이고, 각각의 실제 길이는 다음과 같다.

	동체 길이	날개 폭
A−380	73.0 m	80.0 m
B−777	63.7 m	64.8 m

따라서 두 항공기의

실제 동체 길이의 차는

$73.0 - 63.7 = 9.3(\text{m})$

실제 날개 폭의 차는

$80.0 - 64.8 = 15.2(\text{m})$

생각 ○○ $64\pi\,\text{cm}^2$

물의 높이는 $30 \times \frac{2}{5} = 12(\text{cm})$이므로 물의 높이와 그릇의 높이의 닮음비는

$30 : 12 = 5 : 2$

수면의 반지름의 길이를 r cm라 하면

$20 : r = 5 : 2$, $5r = 40$

$\therefore r = 8$

따라서 수면의 넓이는

$\pi \times 8^2 = 64\pi(\text{cm}^2)$

생각 ○○○ 닮음이 아니다.

□ABCD의 가로, 세로의 길이는 각각 10 cm, 15 cm 이므로

□ABCD의 폭을 x cm만큼 줄인다고 하면

□EFGH의 가로, 세로의 길이는 각각

$10-2x$, $15-2x$

두 직사각형이 닮음이라 하면

$10 : 15 = (10-2x) : (15-2x)$

$30 - 6x = 30 - 4x$

$\therefore x = 0$

즉, $x=0$인 경우만 닮음이다.

이 경우 □ABCD와 □EFGH는 같은 사각형이다.

따라서 두 직사각형 ABCD, EFGH는 닮음이 아니다.

02 삼각형의 닮음 조건 p. 101 ~ p. 105

유형 05 ④	學 05 ②	유형 06 ④	學 06 6 : 7
유형 07 4 cm		學 07 ⑤	유형 08 ④
學 08 $\overline{AC}=15$ cm, $\overline{AD}=12$ cm			
習 05 ㄱ-ㄷ(AA 닮음), ㄴ-ㅂ(SAS 닮음), ㄹ-ㅁ(SSS 닮음)			
習 06 ⑤	習 07 2 cm	習 08 ④	
생각+ 15 cm		생각++ $\frac{24}{5}$ cm	
생각+++ ③			

유형 05 ④

① SSS 닮음　　② SAS 닮음

③ AA 닮음　　⑤ SSS 닮음

④ ∠B와 ∠E가 두 변 사이의 끼인 각이 아니므로 닮은 도형이 아니다.

學 05 ②

② △ABC에서 ∠A=70°, ∠B=65°이므로
∠C=180°−(70°+65°)=45°
△ABC와 △DEF에서
∠B=∠E=65°, ∠C=∠F=45°
∴ △ABC∽△DEF(AA 닮음)

①, ③ 두 쌍의 대응변의 길이의 비는 같지만 그 끼인 각의 크기가 주어지지 않았으므로 닮은 도형인지 알 수 없다.

④, ⑤ 두 삼각형은 한 쌍의 각의 크기만 같으므로 닮은 도형이 아니다.

유형 06 ④

△ABC와 △EDC에서
$\overline{AC}:\overline{EC}=8:4=2:1$, ∠C는 공통,
$\overline{BC}:\overline{DC}=6:3=2:1$
∴ △ABC∽△EDC(SAS 닮음)
이때, $\overline{AB}:\overline{ED}=2:1$이므로 $\overline{AB}:2=2:1$
∴ $\overline{AB}=4$ cm

學 06 6 : 7

△ABD와 △ACE에서
$\overline{AB}:\overline{AC}=12:14=6:7$,
∠A는 공통, $\overline{AD}:\overline{AE}=6:7$
∴ △ABD∽△ACE(SAS 닮음)
∴ $\overline{BD}:\overline{CE}=6:7$

유형 07 4 cm

△ABC와 △EDC에서
∠ABC=∠EDC, ∠C는 공통
∴ △ABC∽△EDC(AA 닮음)
이때, $\overline{AC}:\overline{EC}=6:2=3:1$이므로
$\overline{BC}:\overline{DC}=3:1$, $12:\overline{DC}=3:1$
∴ $\overline{DC}=4$ cm

學 07 ⑤

(i) △ABD와 △ACE에서
∠A는 공통, ∠ADB=∠AEC=90°
∴ △ABD∽△ACE(AA 닮음)

(ii) △ABD와 △FBE에서
∠B는 공통, ∠ADB=∠FEB=90°
∴ △ABD∽△FBE(AA 닮음)

(iii) △ACE와 △FCD에서
∠C는 공통, ∠AEC=∠FDC=90°
∴ △ACE∽△FCD(AA 닮음)

(i), (ii), (iii)에 의하여
△ABD∽△ACE∽△FBE∽△FCD

유형 08 ④

③ △ABC∽△DBA(AA 닮음)이므로
$\overline{BC}:\overline{AB}=\overline{AB}:\overline{BD}$
∴ $\overline{AB}^2=\overline{BC}\times\overline{BD}$

④ △ABC∽△DAC(AA 닮음)이므로
$\overline{BC}:\overline{AC}=\overline{AC}:\overline{CD}$
∴ $\overline{AC}^2=\overline{BC}\times\overline{CD}$

⑤ △DBA∽△DAC(AA 닮음)이므로
$\overline{BD}:\overline{AD}=\overline{AD}:\overline{CD}$
∴ $\overline{AD}^2=\overline{BD}\times\overline{CD}$

學 08 $\overline{AC}=15$ cm, $\overline{AD}=12$ cm
$\overline{AB}^2=\overline{BD}\times\overline{BC}$이므로
$20^2=16(16+\overline{DC})$ $\therefore \overline{DC}=9$ cm
$\overline{AC}^2=\overline{CD}\times\overline{CB}$이므로
$\overline{AC}^2=9(9+16)=225$ $\therefore \overline{AC}=15$ cm
$\overline{AD}^2=\overline{DB}\times\overline{DC}$이므로
$\overline{AD}^2=16\times9=144$ $\therefore \overline{AD}=12$ cm

꼼 06 ⑤
$\triangle$ABC와 $\triangle$EBD에서
$\overline{AB}:\overline{EB}=25:15=5:3$, $\angle$B는 공통,
$\overline{BC}:\overline{BD}=30:18=5:3$
$\therefore \triangle ABC \backsim \triangle EBD$(SAS 닮음)
이때, $\overline{AC}:\overline{ED}=5:3$이므로 $18:\overline{ED}=5:3$
$\therefore \overline{ED}=\frac{54}{5}$ cm

꼼 07 2 cm
$\triangle$AFD와 $\triangle$EFB에서 $\overline{AD}/\!/\overline{BC}$이므로
$\angle FAD=\angle FEB$(엇각), $\angle FDA=\angle FBE$(엇각)
$\therefore \triangle AFD \backsim \triangle EFB$(AA 닮음)
즉, $\overline{AF}:\overline{EF}=\overline{AD}:\overline{EB}$이므로
$4:3=8:\overline{EB}$ $\therefore \overline{EB}=6$ cm
$\therefore \overline{CE}=8-6=2$(cm)

꼼 08 ④
$\overline{AD}^2=\overline{BD}\times\overline{CD}$이므로
$4^2=\overline{BD}\times2$ $\therefore \overline{BD}=8$ cm
$\therefore \triangle ABD=\frac{1}{2}\times\overline{BD}\times\overline{AD}$
$=\frac{1}{2}\times8\times4=16(\text{cm}^2)$

생각 ○ 15 cm
$\triangle$ABD와 $\triangle$OED에서
$\angle BAD=\angle EOD=90^\circ$, $\angle$D는 공통
$\therefore \triangle ABD \backsim \triangle OED$(AA 닮음)
따라서 $\overline{AB}:\overline{OE}=\overline{AD}:\overline{OD}$이므로
$12:\overline{OE}=16:10$, $12:\overline{OE}=8:5$
$8\overline{OE}=60$ $\therefore \overline{OE}=\frac{15}{2}$ cm
$\therefore \overline{EF}=2\overline{OE}=2\times\frac{15}{2}=15$(cm)

생각 ○○ $\frac{24}{5}$ cm
점 M은 $\triangle$ABC의 외심이므로
$\overline{CM}=\frac{1}{2}\overline{BC}=10$(cm)
$\overline{DM}=\overline{MC}-\overline{DC}=10-4=6$(cm)
$\overline{AD}^2=\overline{DB}\times\overline{DC}$이므로
$\overline{AD}^2=16\times4=64$
$\therefore \overline{AD}=8$ cm
$\triangle AMD=\frac{1}{2}\times\overline{AM}\times\overline{DE}=\frac{1}{2}\times\overline{DM}\times\overline{AD}$
이므로
$10\times\overline{DE}=6\times8$
$\therefore \overline{DE}=\frac{24}{5}$ cm

생각 ○○○ ③
$\triangle$DBA′과 $\triangle$A′CE에서
$\angle DBA'=\angle A'CE=60^\circ$
$\angle BDA'=180^\circ-(\angle DBA'+\angle BA'D)$
$=180^\circ-(\angle DA'E+\angle BA'D)$
$=\angle EA'C$
$\therefore \triangle DBA' \backsim \triangle A'CE$(AA 닮음)
$\overline{AD}=\overline{A'D}=14$ cm,
$\overline{BC}=\overline{AB}=14+16=30$(cm)이므로
$\overline{A'C}=30-10=20$(cm)
이때, $\overline{DB}:\overline{A'C}=\overline{B'A'}:\overline{CE}$이므로
$16:20=10:\overline{CE}$
$\therefore \overline{CE}=\frac{25}{2}$ cm

단원 종합 문제 p. 106~p. 111

01 ④	02 2 : 1	03 $x=\frac{10}{3}$, $y=40$	
04 225π cm^2	05 ③	06 1 : 2	07 $\frac{22}{3}$ cm
08 ⑤	09 $\frac{30}{7}$ cm	10 $\frac{2}{9}a$	11 ③
12 469 cm^2	13 $x=16$, $y=9$		14 $\frac{27}{10}$ cm
15 $\frac{15}{4}$ cm	16 ③		
17 (1) △ABC∽△EDC′(AA 닮음) (2) $\frac{36}{5}$ cm			
18 $\frac{17}{2}$ cm		19 4 : 5	
20 20 : 16 : 9			

01 ④

④ 다음과 같은 경우에 두 등변사다리꼴은 닮음이 아니다.

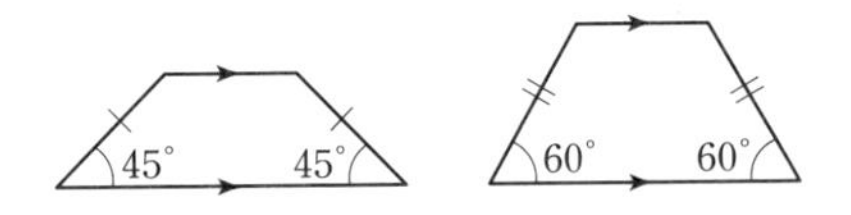

02 2:1

A4 용지의 가로, 세로의 길이를 각각 a, b라고 하면

A6 용지의 가로, 세로의 길이는 각각 $\frac{1}{2}a$, $\frac{1}{2}b$이므로

A4 용지와 A6 용지의 닮음비는

$a : \frac{1}{2}a=b : \frac{1}{2}b=2 : 1$

03 $x=\frac{10}{3}$, $y=40$

$\overline{AB}$의 대응변은 $\overline{A'B'}$이고,

닮음비는 $\overline{AB} : \overline{A'B'}=\overline{BC} : \overline{B'C'}$이므로

$x : 5=4 : 6=2 : 3$, $3x=10$

$\therefore x=\frac{10}{3}$

∠B′의 대응각은 ∠B이므로

$y^\circ=\angle B=40^\circ$ $\therefore y=40$

04 225π cm^2

두 원기둥 A, B의 닮음비는 16 : 24=2 : 3이므로 원기둥 B의 밑면의 반지름의 길이를 x cm라 하면

$10 : x=2 : 3$, $2x=30$

$\therefore x=15$

따라서 원기둥 B의 밑면의 넓이는

$\pi\times15^2=225\pi(\text{cm}^2)$

05 ③

① SSS 닮음 ② SAS 닮음

④ AA 닮음 ⑤ AA 닮음

③ ∠A와 ∠D가 두 변 사이의 끼인 각이 아니므로 닮은 도형이 아니다.

06 1 : 2

△ADF와 △CEF에서

∠ADF=∠CEF(엇각),

∠AFD=∠CFE(맞꼭지각)

∴ △ADF∽△CEF(AA 닮음)

$\therefore \overline{AF} : \overline{CF}=\overline{AD} : \overline{CE}=\overline{BC} : \overline{CE}=3 : 2$

또한, △ABF와 △CGF에서

∠BAF=∠GCF(엇각),

∠AFB=∠CFG(맞꼭지각)

∴ △ABF∽△CGF(AA 닮음)

$\therefore \overline{AF} : \overline{CF}=\overline{AB} : \overline{CG}=\overline{DC} : \overline{CG}=3 : 2$

$\therefore \overline{DG} : \overline{GC}=1 : 2$

07 $\frac{22}{3}$ cm

△ABC와 △ACD에서

∠ABC=∠ACD, ∠A는 공통

∴ △ABC∽△ACD(AA 닮음)

$\overline{BC} : \overline{CD}=\overline{AB} : \overline{AC}=18 : 12=3 : 2$

$11 : \overline{CD}=3 : 2$, $3\overline{CD}=22$

$\therefore \overline{CD}=\frac{22}{3}$ cm

08 ⑤

△ABC와 △CBD에서

$\overline{AB} : \overline{CB} = 12 : 6 = 2 : 1$, ∠B는 공통,

$\overline{BC} : \overline{BD} = 6 : 3 = 2 : 1$

∴ △ABC∽△CBD(SAS 닮음)

따라서 $\overline{AC} : \overline{CD} = 2 : 1$이므로

$\overline{AC} : 5 = 2 : 1$ ∴ $\overline{AC} = 10$ cm

09 $\frac{30}{7}$ cm

$\overline{CE} : \overline{EO} = 3 : 2$이므로

$\overline{CE} = 3k$ cm, $\overline{EO} = 2k$ cm, $\overline{AO} = \overline{CO} = 5k$ cm

△ABE와 △CFE에서

∠AEB=∠CEF(맞꼭지각),

∠BAE=∠FCE(엇각)

∴ △ABE∽△CFE(AA 닮음)

따라서 $\overline{AB} : \overline{CF} = \overline{AE} : \overline{CE}$이므로

$10 : \overline{CF} = 7 : 3$ ∴ $\overline{CF} = \frac{30}{7}$ cm

10 $\frac{2}{9}a$

△ACD와 △DBF에서 ∠ACD=∠DBF=60°

∠CAD+∠CDA=∠BDF+∠CDA=120°에서

∠CAD=∠BDF

∴ △ACD∽△DBF(AA 닮음)

따라서 $\overline{AC} : \overline{DB} = \overline{CD} : \overline{BF}$이므로

$a : \frac{2}{3}a = \frac{1}{3}a : \overline{BF}$

$a\overline{BF} = \frac{2}{9}a^2$ ∴ $\overline{BF} = \frac{2}{9}a$

11 ③

마름모의 두 대각선은 서로 수직이등분하므로

$\overline{AC} \perp \overline{EF}$, $\overline{AO} = \overline{CO}$, $\overline{EO} = \overline{FO}$

$\overline{AC} : \overline{EF} = \overline{AO} : \overline{EO}$

이때, △ABC∽△FOC(AA 닮음)이므로

$\overline{OC} : \overline{FO} = \overline{BC} : \overline{AB} = 8 : 6 = 4 : 3$

∴ $\overline{AC} : \overline{EF} = 2\overline{OC} : 2\overline{FO} = 4 : 3$

12 469 cm^2

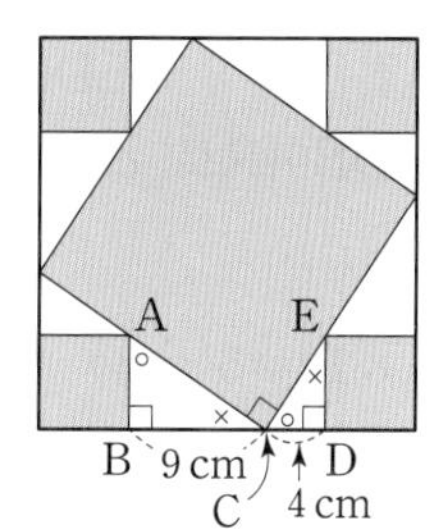

위의 그림과 같이 △ABC, △CDE를 잡으면

△ABC∽△CDE(AA 닮음)

$\overline{AB} : \overline{CD} = \overline{BC} : \overline{DE}$이고 $\overline{DE} = \overline{AB}$이므로

$\overline{AB}^2 = \overline{BC} \times \overline{CD} = 9 \times 4 = 36$

∴ $\overline{AB} = 6$ cm

따라서 외곽의 큰 정사각형의 한 변의 길이는

$6+9+4+6=25$(cm)이므로

(색칠한 부분의 넓이)

$=25^2-\left(\frac{1}{2}\times9\times6\times4+\frac{1}{2}\times4\times6\times4\right)$

$=469$(cm^2)

13 $x=16$, $y=9$

△ABD∽△CAD(AA 닮음)이므로

$\overline{AB} : \overline{CA} = \overline{AD} : \overline{CD}$에서

$20 : 15 = 12 : y$ ∴ $y=9$

$\overline{AD} : \overline{CD} = \overline{BD} : \overline{AD}$에서 $\overline{AD}^2 = \overline{BD} \times \overline{CD}$

$12^2 = 9x$ ∴ $x=16$

14 $\frac{27}{10}$ cm

점 M은 △ABC의 외심이므로

$\overline{BM} = \frac{1}{2}\overline{BC} = \frac{15}{2}$(cm)

$\overline{DM} = \overline{BM} - \overline{BD} = \frac{15}{2} - 3 = \frac{9}{2}$(cm)

△ADM에서 $\overline{DM}^2 = \overline{HM} \times \overline{AM}$이므로

$\frac{81}{4} = \overline{HM} \times \frac{15}{2}$ ∴ $\overline{HM} = \frac{27}{10}$ cm

15 $\frac{15}{4}$ cm

$\angle EBD=\angle DBC$(접은 각), $\angle EDB=\angle DBC$(엇각)
즉, $\angle EBD=\angle EDB$이므로 $\triangle EBD$는 이등변삼각형이다.

$\therefore \overline{BF}=\overline{DF}=\frac{1}{2}\times 10=5(cm)$

$\triangle ABD$와 $\triangle FED$에서
$\angle BAD=\angle EFD=90^\circ$, $\angle D$는 공통
$\therefore \triangle ABD \backsim \triangle FED$(AA 닮음)
따라서 $\overline{AD}:\overline{FD}=\overline{AB}:\overline{FE}$이므로
$8:5=6:\overline{EF}$

$\therefore \overline{EF}=\frac{15}{4}$ cm

16 ③

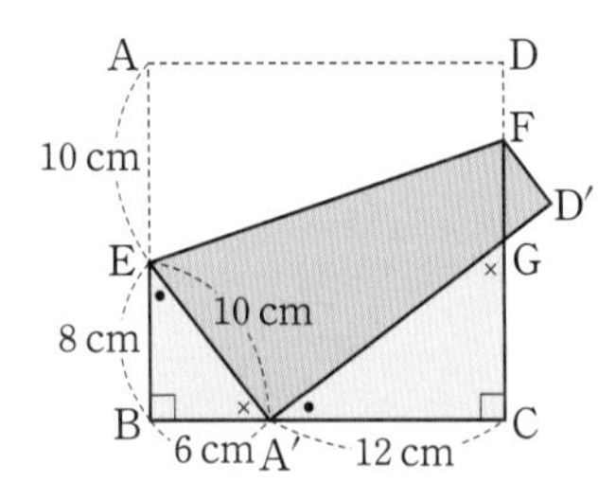

$\triangle EBA \backsim \triangle A'CG$(AA 닮음)이므로
$\overline{EB}:\overline{A'C}=\overline{EA'}:\overline{A'G}$
$8:12=10:\overline{A'G}$, $8\overline{A'G}=120$
$\therefore \overline{A'G}=15$ cm
$\therefore \overline{GD'}=\overline{A'D'}-\overline{A'G}=\overline{AD}-\overline{A'G}$
$=18-15=3(cm)$

17 (1) $\triangle ABC \backsim \triangle EDC'$(AA 닮음) (2) $\frac{36}{5}$ cm

(1) $\triangle ABC$와 $\triangle EDC'$에서
$\angle BAC=\angle DEC'=90^\circ$,
$\angle ACB=\angle EC'D$(접은 각)
$\therefore \triangle ABC \backsim \triangle EDC'$(AA 닮음) … [3점]

(2) $\overline{AC}:\overline{EC'}=\overline{BC}:\overline{DC'}$이므로
$16:\overline{EC'}=20:8=5:2$
$\therefore \overline{EC'}=\frac{32}{5}$ cm

$\therefore \overline{BC'}=\overline{BC}-\overline{C'E}-\overline{EC}$
$=20-\frac{32}{5}-\frac{32}{5}=\frac{36}{5}(cm)$ … [3점]

18 $\frac{17}{2}$ cm

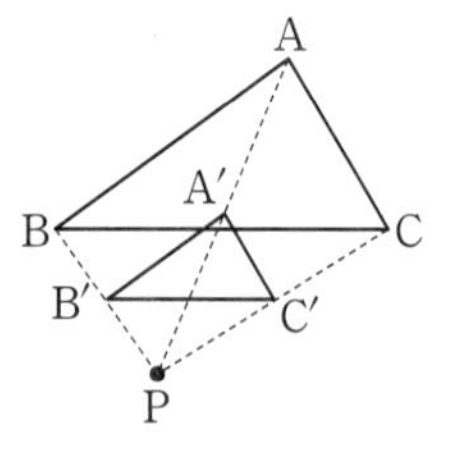

점 R가 그리는 도형을 나타내면 오른쪽 그림의 $\triangle A'B'C'$이다.
점 R는 $\overline{PQ}$를 $1:1$로 나누므로
$\overline{PB'}:\overline{PB}=\overline{PC'}:\overline{PC}=1:2$ … [5점]

따라서 $\triangle A'B'C'$와 $\triangle ABC$의 닮음비는 $1:2$이므로 $\triangle A'B'C'$의 둘레의 길이를 l cm라 하면
$l:(6+7+4)=1:2$

$\therefore l=\frac{17}{2}$ … [5점]

19 4 : 5

$\triangle ADC$에서 $\angle BAC=\bullet+\angle DAC=\angle EDF$ … [3점]
$\triangle BEA$에서 $\angle ABC=\bullet+\angle ABE=\angle DEF$ … [3점]
$\therefore \triangle ABC \backsim \triangle DEF$(AA 닮음) … [2점]
$\therefore \overline{DF}:\overline{EF}=\overline{AC}:\overline{BC}=8:10=4:5$ … [2점]

20 20 : 16 : 9

$\triangle ABF \backsim \triangle DEF$(AA 닮음)이므로
$\overline{DE}:\overline{EC}=4:1$에서
$\overline{DC}:\overline{DE}=\overline{AB}:\overline{DE}=5:4$
$\therefore \overline{AF}:\overline{FE}=5:4$ …… ㉠ … [4점]
또한, $\triangle ABG \backsim \triangle ECG$(AA 닮음)이므로
$\overline{AB}:\overline{EC}=5:1$에서 $\overline{AG}:\overline{EG}=5:1$
$\overline{AE}:\overline{EG}=4:1$이므로 $\overline{EG}=k$라 하면
$\overline{AE}=4k$ …… ㉡ … [4점]
㉠, ㉡에서

$\overline{AF}=4k\times\frac{5}{9}=\frac{20}{9}k$, $\overline{FE}=4k\times\frac{4}{9}=\frac{16}{9}k$

$\therefore \overline{AF}:\overline{FE}:\overline{EG}=\frac{20}{9}k:\frac{16}{9}k:k=20:16:9$

… [2점]

IV 닮음의 활용

01 삼각형과 평행선

p. 119~p. 123

유형 01 ①	學 01 3
유형 02 ㄴ, ㄹ	學 02 ④
유형 03 15cm^2	學 03 ②
유형 04 28 cm	學 04 $\frac{33}{4}$ cm
꼼 01 6 cm	꼼 02 ㄱ, ㅂ
꼼 03 $\frac{12}{5}$ cm	꼼 04 ③
생각+ 3 cm	생각++ 30 cm
생각+++ ①	

유형 01 ①

$\overline{AB} : \overline{DB} = \overline{AC} : \overline{EC}$이므로

$18 : (18-6) = 21 : x$, $3 : 2 = 21 : x$, $3x = 42$

$\therefore x = 14$

$\overline{AD} : \overline{AB} = \overline{DE} : \overline{BC}$이므로

$6 : 18 = 9 : y$, $1 : 3 = 9 : y$ $\quad\therefore y = 27$

$\therefore x + y = 14 + 27 = 41$

學 01 3

$\overline{AD} : \overline{AB} = \overline{DG} : \overline{BF} = \overline{GE} : \overline{FC}$이므로

$6 : (6+y) = 4 : x = 6 : 9$

즉, $6 : (6+y) = 2 : 3$에서 $6 + y = 9$ $\quad\therefore y = 3$

또한, $4 : x = 2 : 3$에서 $2x = 12$ $\quad\therefore x = 6$

$\therefore x - y = 6 - 3 = 3$

유형 02 ㄴ, ㄹ

ㄱ. $5 : 6 \neq 4 : 7.5$이므로 $\overline{BC}$와 $\overline{DE}$는 평행하지 않다.

ㄴ. $6 : 16.5 = 4 : 11$이므로 $\overline{BC} /\!/ \overline{DE}$

ㄷ. $5 : 10 \neq 4 : 12.5$이므로 $\overline{BC}$와 $\overline{DE}$는 평행하지 않다.

ㄹ. $11 : 15 = 13.2 : 18$이므로 $\overline{BC} /\!/ \overline{DE}$

따라서 $\overline{BC} /\!/ \overline{DE}$인 것은 ㄴ, ㄹ이다.

學 02 ④

① $\overline{CF} : \overline{FA} \neq \overline{CE} : \overline{EB}$이므로 $\overline{AB}$와 $\overline{EF}$는 평행하지 않다.

② $\overline{BD} : \overline{DA} \neq \overline{BE} : \overline{EC}$이므로 $\overline{AC}$와 $\overline{DE}$는 평행하지 않다.

③ ①에 의해 $\overline{AB}$와 $\overline{EF}$가 평행하지 않으므로 $\triangle CFE$와 $\triangle CAB$는 닮음이 아니다.

④ $\overline{AB} : \overline{AD} = \overline{AC} : \overline{AF}$이므로 $\overline{DF} /\!/ \overline{BC}$
이때, $\angle A$는 공통,
$\angle ABC = \angle ADF$(동위각)이므로
$\triangle ABC \backsim \triangle ADF$(AA 닮음)

⑤ $\overline{DF} : \overline{BC} = \overline{AF} : \overline{AC} = 2 : 5$

유형 03 15cm^2

$\overline{AB} : \overline{AC} = \overline{BD} : \overline{CD} = 9 : 12 = 3 : 4$이므로

$\triangle ABD : \triangle ACD = \overline{BD} : \overline{CD} = 3 : 4$

$\triangle ABD : 20 = 3 : 4$ $\quad\therefore \triangle ABD = 15\text{cm}^2$

學 03 ②

$\overline{AB} : \overline{AC} = \overline{BE} : \overline{CE}$이므로

$\overline{AB} : 16 = 4 : 8$ $\quad\therefore \overline{AB} = 8\text{cm}$

$\overline{CA} : \overline{CB} = \overline{AD} : \overline{BD}$이므로 $\overline{AD} = x\text{cm}$라 하면

$16 : 12 = x : (8-x)$, $12x = 128 - 16x$

$28x = 128$ $\quad\therefore x = \frac{32}{7}$

$\therefore \overline{AD} = \frac{32}{7}\text{cm}$

유형 04 28 cm

$\overline{AB} : \overline{AC} = \overline{BD} : \overline{CD}$이므로 $\overline{BD} = x\text{cm}$라 하면

$8 : 6 = x : (x-7)$, $6x = 8x - 56$, $2x = 56$

$\therefore x = 28$

$\therefore \overline{BD} = 28\text{cm}$

學 04 $\dfrac{33}{4}$ cm

$\triangle ABD$에서 $\overline{AD} /\!/ \overline{FC}$이므로

$\overline{BC} : \overline{BD} = \overline{FC} : \overline{AD}$

$\overline{BC} : 18 = 3 : 12 = 1 : 4 \qquad \therefore \overline{BC} = \dfrac{9}{2}$ cm

$\overline{CD} = 18 - \dfrac{9}{2} = \dfrac{27}{2}$(cm)

$\overline{AB} : \overline{AC} = \overline{BD} : \overline{CD}$이므로

$11 : \overline{AC} = 18 : \dfrac{27}{2} = 4 : 3 \qquad \therefore \overline{AC} = \dfrac{33}{4}$ cm

꼼 01 6 cm

$\overline{AE} : \overline{AC} = \overline{ED} : \overline{BC}$이므로

$4 : \overline{AC} = 6 : (9+3)$, $4 : \overline{AC} = 1 : 2$

$\therefore \overline{AC} = 8$ cm

$\overline{AC} /\!/ \overline{GF}$이므로 $\overline{BF} : \overline{BC} = \overline{GF} : \overline{AC}$

$9 : 12 = \overline{GF} : 8$, $3 : 4 = \overline{GF} : 8$

$\therefore \overline{GF} = 6$ cm

꼼 02 ㄱ, ㅂ

ㄱ. $\overline{AD} : \overline{DB} = \overline{AF} : \overline{FC}$이므로 $\overline{DF} /\!/ \overline{BC}$

ㄴ. $\overline{AF} : \overline{FC} \neq \overline{BE} : \overline{EC}$이므로 $\overline{AB}$와 $\overline{FE}$는 평행하지 않다.

ㄷ. ㄴ에서 $\overline{AB}$와 $\overline{FE}$가 평행하지 않으므로 $\angle FEC \neq \angle ABC$

ㄹ. ㄱ에서 $\overline{DF} /\!/ \overline{BC}$이므로 $\angle AFD = \angle FCE$
$\overline{BD} : \overline{DA} \neq \overline{BE} : \overline{EC}$이므로 $\overline{DE}$와 $\overline{AC}$는 평행하지 않다.
$\therefore \angle AFD = \angle FCE \neq \angle DEB$

ㅁ. ㄴ에서 $\overline{AB}$와 $\overline{FE}$가 평행하지 않으므로 $\triangle FEC$와 $\triangle ABC$는 닮음이 아니다.

ㅂ. ㄱ에서 $\overline{DF} /\!/ \overline{BC}$이므로 $\triangle ADF \backsim \triangle ABC$

따라서 옳은 것은 ㄱ, ㅂ이다.

꼼 03 $\dfrac{12}{5}$ cm

$\overline{AB} : \overline{AC} = \overline{BD} : \overline{DC}$이므로

$\overline{BD} : \overline{DC} = 6 : 4 = 3 : 2$

$\overline{AC} /\!/ \overline{ED}$이므로 $\overline{ED} : \overline{AC} = \overline{BD} : \overline{BC}$

$\overline{ED} : 4 = 3 : 5 \qquad \therefore \overline{DE} = \dfrac{12}{5}$ cm

꼼 04 ③

$\overline{BC} : \overline{BA} = \overline{CD} : \overline{AD}$이므로 $\overline{AC} = x$ cm라 하면

$6 : 4 = (10+x) : 10$, $60 = 40 + 4x$

$4x = 20 \qquad \therefore x = 5$

$\therefore \overline{AC} = 5$ cm

생각 ○ 3 cm

$\overline{DE} /\!/ \overline{BF}$이므로 $\overline{AD} : \overline{DB} = \overline{AE} : \overline{EF} = 2 : 1$

$\overline{DF} /\!/ \overline{BC}$이므로 $\overline{AF} : \overline{FC} = \overline{AD} : \overline{DB}$

$6 : \overline{FC} = 2 : 1 \qquad \therefore \overline{FC} = 3$ cm

생각 ○○ 30 cm

입체도형의 전개도를 그리면 오른쪽 그림과 같다.

$\overline{BC}$와 $\overline{QP}$는 평행하므로

$\triangle APQ$와 $\triangle ACB$에서

$\angle AQP = \angle ABC$(동위각),

$\angle A$는 공통

$\therefore \triangle APQ \backsim \triangle ACB$(AA 닮음)

이때, $\overline{AP} : \overline{PC} = \overline{AQ} : \overline{QB}$이므로

$20 : \overline{PC} = 10 : 15$, $20 : \overline{PC} = 2 : 3$

$\therefore \overline{PC} = 30$ cm

생각 ○○○ ①

$\overline{AB} : \overline{AC} = \overline{BD} : \overline{DC}$이므로

$9 : 6 = 3 : \overline{DC} \qquad \therefore \overline{DC} = 2$ cm

$\overline{AB} : \overline{AC} = \overline{BE} : \overline{CE}$이므로 $\overline{CE} = x$ cm라 하면

$9 : 6 = (5+x) : x$, $9x = 30 + 6x$, $3x = 30$

$\therefore x = 10$

$\therefore \overline{CE} = 10$ cm

02 평행선 사이의 선분의 길이의 비

p. 125 ~ p. 129

유형 05 ②	學 05 ②
유형 06 19 cm	學 06 ④
유형 07 24 cm	學 07 풀이 참조
유형 08 $\overline{EF}=6$ cm, $\overline{BF}=6$ cm	學 08 ⑤
習 05 ③	習 06 $\frac{2}{5}a+12$
習 07 $\frac{48}{5}$ cm	習 08 63 cm^2
생각+ ②	생각++ 85 cm
생각+++ 풀이 참조	

유형 05 ②

$10:x=12:6 \qquad \therefore x=5$

$5:8=6:y \qquad \therefore y=\frac{48}{5}$

$\therefore x+5y=5+48=53$

學 05 ②

$a:24=8:16 \qquad \therefore a=12$

$24:b=16:12 \qquad \therefore b=18$

$c:14=12:8 \qquad \therefore c=21$

$\therefore a+b-c=12+18-21=9$

유형 06 19 cm

$\overline{EF}/\!/\overline{BC}$이므로

$\overline{AE}:\overline{AB}=\overline{EG}:\overline{BC}$

$6:16=\overline{EG}:24 \qquad \therefore \overline{EG}=9$ cm

$\overline{AD}/\!/\overline{EF}$이므로

$\overline{BE}:\overline{BA}=\overline{GF}:\overline{AD}$

$10:16=\overline{GF}:16 \qquad \therefore \overline{GF}=10$ cm

$\therefore \overline{EF}=\overline{EG}+\overline{GF}=9+10=19$(cm)

學 06 ④

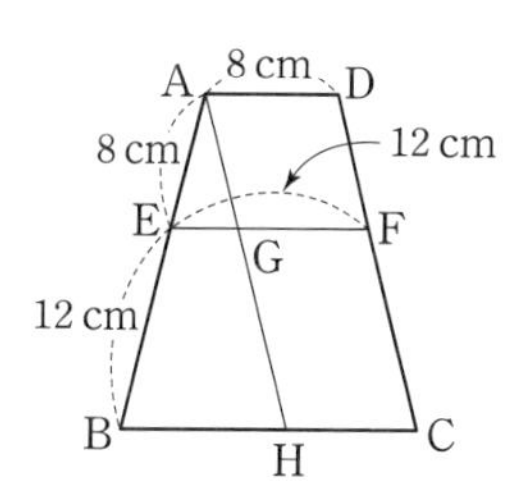

위의 그림과 같이 점 A를 지나고 $\overline{DC}$에 평행한 직선이 $\overline{EF}$, $\overline{BC}$와 만나는 점을 각각 G, H라 하면

$\overline{GF}=\overline{HC}=\overline{AD}=8$ cm, $\overline{EG}=4$ cm

$\triangle$ABH에서 $\overline{AE}:\overline{AB}=\overline{EG}:\overline{BH}$

$8:20=4:\overline{BH} \qquad \therefore \overline{BH}=10$ cm

$\therefore \overline{BC}=10+8=18$(cm)

유형 07 24 cm

$\triangle AOD \backsim \triangle COB$(AA 닮음)이므로

$\overline{OA}:\overline{OC}=\overline{AD}:\overline{CB}=20:30=2:3$

$\triangle AEO \backsim \triangle ABC$이므로

$2:5=\overline{EO}:30$

$\therefore \overline{EO}=12$ cm

또, $\triangle DOF \backsim \triangle DBC$이므로

$2:5=\overline{OF}:30$

$\therefore \overline{OF}=12$ cm

$\therefore \overline{EF}=\overline{EO}+\overline{OF}=12+12=24$(cm)

學 07 풀이 참조

$\triangle AOD \backsim \triangle COB$(AA 닮음)이므로

$\overline{OA}:\overline{OC}=\overline{AD}:\overline{CB}=a:b$

$\triangle$ABC에서 $\overline{AO}:\overline{AC}=\overline{EO}:\overline{BC}$

$a:(a+b)=\overline{EO}:b \qquad \therefore \overline{EO}=\frac{ab}{a+b}$

$\triangle$CAD에서 $\overline{CO}:\overline{CA}=\overline{OF}:\overline{AD}$

$b:(a+b)=\overline{OF}:a \qquad \therefore \overline{OF}=\frac{ab}{a+b}$

$\therefore \overline{EF}=\overline{EO}+\overline{OF}=\frac{ab}{a+b}+\frac{ab}{a+b}=\frac{2ab}{a+b}$

유형 08 $\overline{EF}=6\,cm$, $\overline{BF}=6\,cm$

$\triangle ABE \backsim \triangle CDE$(AA 닮음)이므로

$\overline{BE}:\overline{DE}=10:15=2:3$

따라서 $\overline{BE}:\overline{BD}=2:5$이므로 $\triangle BCD$에서

$\overline{BE}:\overline{BD}=\overline{EF}:\overline{DC}$, $2:5=\overline{EF}:15$

$\therefore \overline{EF}=6\,cm$

$\overline{BF}:\overline{BC}=\overline{BE}:\overline{BD}$, $\overline{BF}:15=2:5$

$\therefore \overline{BF}=6\,cm$

學 08 ⑤

$\triangle ABP \backsim \triangle DCP$(AA 닮음)이므로

$\overline{AP}:\overline{DP}=6:12=1:2$

$\triangle ABD$에서 $\overline{DP}:\overline{DA}=\overline{PQ}:\overline{AB}$

$2:3=\overline{PQ}:6 \quad \therefore \overline{PQ}=4\,cm$

또, $\triangle BNM$에서 $\overline{BP}=\overline{PM}$, $\overline{BQ}=\overline{QN}$이므로

$\overline{PQ} /\!/ \overline{MN}$

따라서 $\triangle BNM$에서

$\overline{PQ}:\overline{MN}=\overline{BQ}:\overline{BN}=1:2$이므로

$4:\overline{MN}=1:2 \quad \therefore \overline{MN}=8\,cm$

꼼 05 ③

$7:x=6:9 \quad \therefore x=\frac{63}{6}=\frac{21}{2}$

$6:9=5:y \quad \therefore y=\frac{45}{6}=\frac{15}{2}$

$\therefore x-y=\frac{21}{2}-\frac{15}{2}=\frac{6}{2}=3$

꼼 06 $\frac{2}{5}a+12$

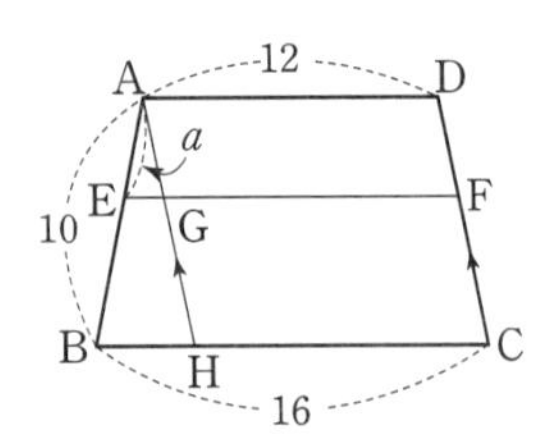

위의 그림과 같이 점 A를 지나고 $\overline{DC}$에 평행한 직선이 $\overline{EF}$, $\overline{BC}$와 만나는 점을 각각 G, H라 하면

$\overline{GF}=\overline{HC}=\overline{AD}=12$

$\triangle ABH$에서 $a:10=\overline{EG}:4$

$\therefore \overline{EG}=\frac{2}{5}a$

$\therefore \overline{EF}=\overline{EG}+\overline{GF}=\frac{2}{5}a+12$

꼼 07 $\frac{48}{5}$ cm

$\triangle AOD \backsim \triangle COB$(AA 닮음)이므로

$\overline{AO}:\overline{CO}=\overline{AD}:\overline{BC}=8:12=2:3$

$\triangle ABC$에서 $\overline{AO}:\overline{AC}=\overline{EO}:\overline{BC}$

$2:5=\overline{EO}:12 \quad \therefore \overline{EO}=\frac{24}{5}$ cm

$\triangle ACD$에서 $\overline{CO}:\overline{CA}=\overline{OF}:\overline{AD}$

$3:5=\overline{OF}:8 \quad \therefore \overline{OF}=\frac{24}{5}$ cm

$\therefore \overline{EF}=\overline{EO}+\overline{OF}=\frac{24}{5}+\frac{24}{5}=\frac{48}{5}$(cm)

꼼 08 $63\,cm^2$

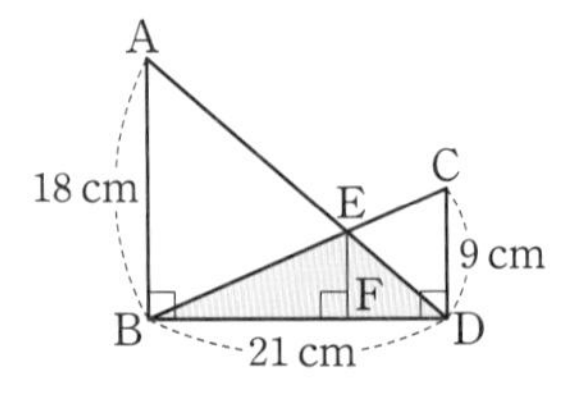

$\triangle ABE \backsim \triangle DCE$이므로

$\overline{BE}:\overline{CE}=\overline{AB}:\overline{DC}=18:9=2:1$

점 E에서 $\overline{BD}$에 내린 수선의 발을 F라 하면

$\triangle BDC$에서

$\overline{BE}:\overline{BC}=\overline{EF}:\overline{CD}$

$2:3=\overline{EF}:9 \quad \therefore \overline{EF}=6\,cm$

$\therefore \triangle EBD=\frac{1}{2}\times 21\times 6=63(cm^2)$

생각 ②

$2\overline{AE}=3\overline{EB}$이므로 $\overline{AE}:\overline{EB}=3:2$

$\triangle ABC$에서 $\overline{EN} /\!/ \overline{BC}$이므로

$\overline{AE}:\overline{AB}=\overline{EN}:\overline{BC}$

$3:5=\overline{EN}:25 \quad \therefore \overline{EN}=15\,cm$

$\triangle$BDA에서 $\overline{EM} /\!/ \overline{AD}$이므로
$\overline{BE} : \overline{BA} = \overline{EM} : \overline{AD}$
$2 : 5 = \overline{EM} : 15$ $\quad\therefore \overline{EM} = 6$ cm
$\therefore \overline{MN} = \overline{EN} - \overline{EM} = 15 - 6 = 9$(cm)

생각 ⊕⊕ 85 cm

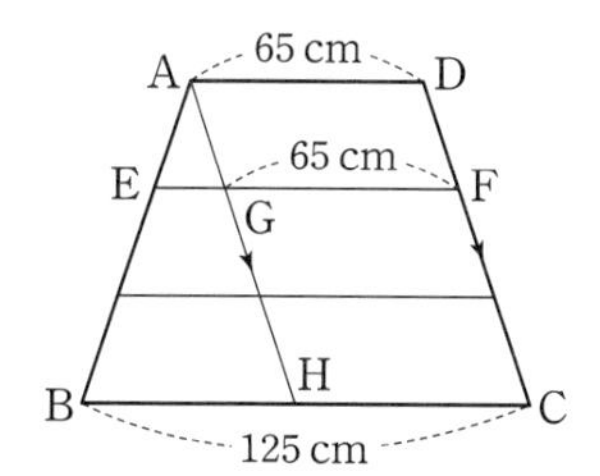

위의 그림과 같이 두 번째 틀에서부터 네 번째 틀까지를 등변사다리꼴 ABCD로 나타내어 보자. 점 A를 지나고 $\overline{CD}$에 평행한 직선이 $\overline{EF}$, $\overline{BC}$와 만나는 점을 각각 G, H라 하면 □AGFD와 □AHCD는 평행사변형이므로
$\overline{HC} = \overline{GF} = \overline{AD} = 65$ cm, $\overline{BH} = 60$ cm
각 틀의 높이가 일정하므로 $\overline{AE} : \overline{AB} = 1 : 3$
$\triangle$ABH에서 $\overline{EG} /\!/ \overline{BH}$이므로
$\overline{AE} : \overline{AB} = \overline{EG} : \overline{BH}$, $1 : 3 = \overline{EG} : 60$
$\therefore \overline{EG} = 20$ cm
$\therefore \overline{EF} = 20 + 65 = 85$(cm)

생각 ⊕⊕⊕ 풀이 참조

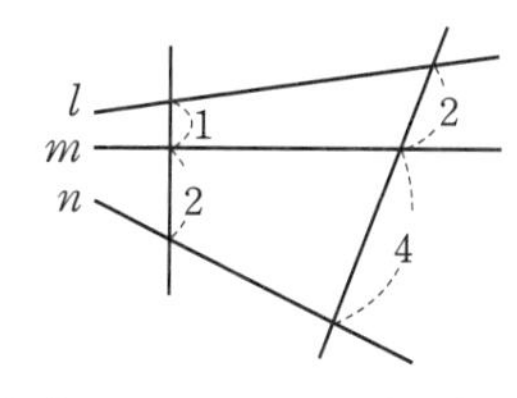

위의 그림과 같이 $1 : 2 = 2 : 4$가 성립하지만 세 직선 l, m, n은 평행하지 않다.
따라서 옳지 않다.

03 삼각형의 두 변의 중점을 연결한 선분 p. 131 ~ p. 135

유형 09 ④	學 09 ⑤
유형 10 (1) 6 cm (2) 4 cm	學 10 6 cm
유형 11 $x=7$, $y=3$	學 11 ⑤
유형 12 22 cm	學 12 20 cm^2
習 09 17 cm	習 10 6 cm
習 11 42 cm	習 12 26 cm
생각 ⊕ 44 cm	생각 ⊕⊕ ③
생각 ⊕⊕⊕ 3.5 cm	

유형 09 ④
$\triangle$ABC에서 $\overline{BC} = 2\overline{MN} = 2 \times 8 = 16$(cm)
$\triangle$DBC에서 $\overline{PQ} = \frac{1}{2}\overline{BC} = \frac{1}{2} \times 16 = 8$(cm)
$\therefore \overline{PQ} + \overline{BC} = 8 + 16 = 24$(cm)

學 09 ⑤
$\triangle$AFC에서 $\overline{FC} = 2\overline{ED} = 2 \times 10 = 20$(cm)
$\triangle$BDE에서 $\overline{FG} = \frac{1}{2}\overline{ED} = \frac{1}{2} \times 10 = 5$(cm)
$\therefore \overline{GC} = \overline{FC} - \overline{FG} = 20 - 5 = 15$(cm)

유형 10 (1) 6 cm (2) 4 cm
(1) $\overline{AC} = 2\overline{DE} = 2 \times 3 = 6$(cm)
(2) $\overline{EA} = \overline{BE} = \frac{1}{2} \times 8 = 4$(cm)

學 10 6 cm
$\triangle$ACD에서 $\overline{AM} = \overline{MD}$, $\overline{MP} /\!/ \overline{DC}$이므로
$\overline{AP} = \overline{PC}$
$\overline{DC} = 2\overline{MP} = 12$(cm)
또, $\overline{AB} = \overline{DC} = 12$ cm이므로 $\triangle$ABC에서
$\overline{PN} = \frac{1}{2}\overline{AB} = \frac{1}{2} \times 12 = 6$(cm)

유형 11 $x=7$, $y=3$

$x=\frac{1}{2}\times(4+10)=7$

△ABD에서 $\overline{MP}=\frac{1}{2}\overline{AD}=2(\text{cm})$

△ACD에서 $\overline{QN}=\frac{1}{2}\overline{AD}=2(\text{cm})$

$\therefore y=\overline{MN}-\overline{MP}-\overline{QN}=7-2-2=3$

學 11 ⑤

△ABC에서 $\overline{AM}=\overline{BM}$, $\overline{AC}/\!/\overline{MP}$이므로
$\overline{PC}=\overline{BP}=7\text{ cm}$ $\quad\therefore \overline{BC}=14\text{ cm}$

이때, $\overline{MN}=\frac{1}{2}(\overline{AD}+\overline{BC})$이므로

$13=\frac{1}{2}(\overline{AD}+14)$ $\quad\therefore \overline{AD}=12\text{ cm}$

유형 12 22 cm

△ABD에서 $\overline{EH}=\frac{1}{2}\overline{BD}=\frac{1}{2}\times10=5(\text{cm})$

△BCD에서 $\overline{FG}=\frac{1}{2}\overline{BD}=\frac{1}{2}\times10=5(\text{cm})$

△ABC에서 $\overline{EF}=\frac{1}{2}\overline{AC}=\frac{1}{2}\times12=6(\text{cm})$

△ACD에서 $\overline{HG}=\frac{1}{2}\overline{AC}=\frac{1}{2}\times12=6(\text{cm})$

∴ (□EFGH의 둘레의 길이)
$=\overline{EH}+\overline{FG}+\overline{EF}+\overline{HG}$
$=5+5+6+6=22(\text{cm})$

學 12 20 cm^2

$\overline{BD}/\!/\overline{EH}/\!/\overline{FG}$, $\overline{AC}/\!/\overline{EF}/\!/\overline{HG}$이고 $\overline{AC}\perp\overline{BD}$이므로 □EFGH의 네 내각의 크기는 모두 직각이다.
따라서 □EFGH는 직사각형이다.

$\overline{EH}=\frac{1}{2}\overline{BD}=\frac{1}{2}\times10=5(\text{cm})$,

$\overline{EF}=\frac{1}{2}\overline{AC}=\frac{1}{2}\times8=4(\text{cm})$

∴ □EFGH$=5\times4=20(\text{cm}^2)$

꼴 09 17 cm

$\overline{EH}=\frac{1}{2}\overline{AB}=\frac{1}{2}\times8=4(\text{cm})$

$\overline{HF}=\frac{1}{2}\overline{DC}=\frac{1}{2}\times9=\frac{9}{2}(\text{cm})$

$\overline{GF}=\frac{1}{2}\overline{AB}=\frac{1}{2}\times8=4(\text{cm})$

$\overline{GE}=\frac{1}{2}\overline{DC}=\frac{1}{2}\times9=\frac{9}{2}(\text{cm})$

∴ (□EHFG의 둘레의 길이)
$=4+\frac{9}{2}+4+\frac{9}{2}=17(\text{cm})$

꼴 10 6 cm

△FBC에서 $\overline{BF}=2\overline{DG}=2\times4=8(\text{cm})$

△ADG에서 $\overline{EF}=\frac{1}{2}\overline{DG}=\frac{1}{2}\times4=2(\text{cm})$

$\therefore \overline{BE}=\overline{BF}-\overline{EF}=8-2=6(\text{cm})$

꼴 11 42 cm

$\overline{MP}:\overline{PQ}=5:2$이므로 $\overline{MP}=5x$, $\overline{PQ}=2x$라 하면
$\overline{MQ}=5x+2x=7x$
△ABC에서 $\overline{BC}=2\overline{MQ}=14x$
△ABD에서 $\overline{AD}=2\overline{MP}=10x$
$\overline{AD}+\overline{BC}=10x+14x=24x=72$ $\quad\therefore x=3$
$\therefore \overline{BC}=14\times3=42(\text{cm})$

꼴 12 26 cm

$\overline{PS}=\overline{QR}=\frac{1}{2}\overline{BD}$, $\overline{PQ}=\overline{SR}=\frac{1}{2}\overline{AC}$이고
등변사다리꼴 ABCD에서 $\overline{AC}=\overline{BD}$이므로
$\overline{PS}=\overline{QR}=\overline{PQ}=\overline{SR}$
따라서 □PQRS는 마름모이다.
∴ (□PQRS의 둘레의 길이)
$=\overline{PS}+\overline{PQ}+\overline{QR}+\overline{SR}$
$=\frac{1}{2}\overline{BD}+\frac{1}{2}\overline{AC}+\frac{1}{2}\overline{BD}+\frac{1}{2}\overline{AC}$
$=\overline{BD}+\overline{AC}$
$=2\overline{AC}(\because \overline{BD}=\overline{AC})$
$=2\times13=26(\text{cm})$

생각 ○ 44 cm

(△ABC의 둘레의 길이)
$=2\times$(△DEF의 둘레의 길이)
$=2\times2\times$(△GHI의 둘레의 길이)
$=4\times11$
$=44$(cm)

생각 ○○ ③

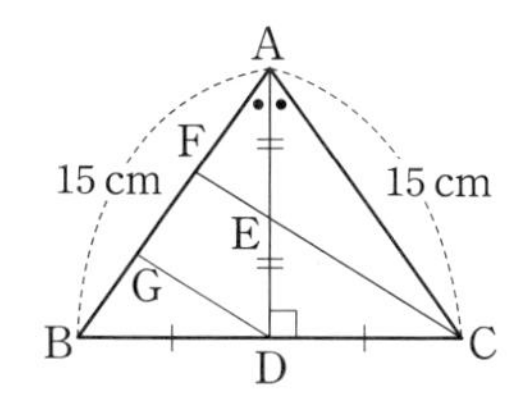

점 D를 지나고 $\overline{FC}$에 평행하도록 $\overline{GD}$를 그으면
△FBC에서 $\overline{BD}=\overline{DC}$이고 $\overline{GD}/\!/\overline{FC}$이므로
$\overline{BG}=\overline{GF}$
△AGD에서
$\overline{AE}=\overline{ED}$, $\overline{FE}/\!/\overline{GD}$이므로 $\overline{AF}=\overline{GF}$
$\therefore \overline{AF}=\overline{FG}=\overline{GB}$
$\therefore \overline{AF}=\frac{1}{3}\overline{AB}=5$(cm)

생각 ○○○ 3.5 cm

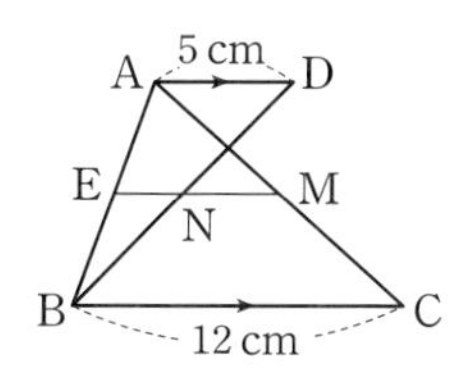

$\overline{AB}$를 긋고, $\overline{MN}$의 연장선과 $\overline{AB}$의 교점을 E라 하면
△ABC에서
$\overline{EM}=\frac{1}{2}\overline{BC}=6$(cm)
△ABD에서
$\overline{EN}=\frac{1}{2}\overline{AD}=2.5$(cm)
$\therefore \overline{MN}=\overline{EM}-\overline{EN}=6-2.5=3.5$(cm)

04 삼각형의 무게중심

p. 137~p. 141

유형 13 $x=12$, $y=8$	學 13 ②
유형 14 ③	學 14 7 cm
유형 15 ③	學 15 ③
유형 16 5 cm²	學 16 1 : 2
習 13 36π cm²	習 14 6 cm
習 15 ④	習 16 28 cm²
생각 ○ ②	생각 ○○ ②
생각 ○○○ 풀이 참조	

유형 13 $x=12$, $y=8$

점 G가 △ABC의 무게중심이므로
$\overline{AG}:\overline{GD}=2:1$
$\therefore x=\frac{2}{3}\overline{AD}=\frac{2}{3}\times18=12$
점 D는 $\overline{BC}$의 중점이므로
$y=\overline{BD}=8$

學 13 ②

$\overline{BG}:\overline{GM}=2:1$이므로
$20:x=2:1$ $\therefore x=10$
$\therefore \overline{BM}=20+10=30$
△MBC에서 $\overline{MN}=\overline{CN}$이고 $\overline{BD}=\overline{DC}$이므로
$\overline{DN}=\frac{1}{2}\overline{BM}=\frac{1}{2}\times30=15$ $\therefore y=15$
$\therefore x+y=10+15=25$

유형 14 ③

△AGG′과 △AEF에서
$\overline{AG}:\overline{AE}=2:3$, $\overline{AG'}:\overline{AF}=2:3$, ∠A는 공통
$\therefore$ △AGG′ ∽ △AEF(SAS 닮음)
따라서 $\overline{GG'}:\overline{EF}=2:3$이다.

$\overline{EF}=\overline{ED}+\overline{DF}=\frac{1}{2}\overline{BD}+\frac{1}{2}\overline{DC}$

$=\frac{1}{2}\overline{BC}=\frac{1}{2}\times24=12(\text{cm})$

$\overline{GG'}:12=2:3\qquad\therefore\ \overline{GG'}=8\text{ cm}$

學 14 7 cm

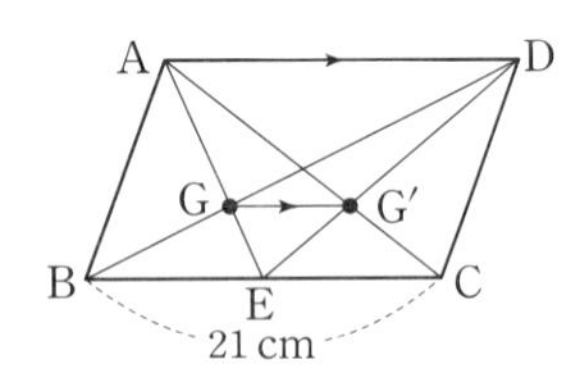

$\overline{AG}$와 $\overline{DG'}$이 만나는 점을 E라 하면

$\triangle AED$와 $\triangle GEG'$에서

$\overline{AE}:\overline{GE}=\overline{DE}:\overline{G'E}=3:1$

$\angle E$는 공통

$\therefore\ \triangle AED\backsim\triangle GEG'$(SAS 닮음)

따라서 $\overline{AD}:\overline{GG'}=3:1$이므로

$21:\overline{GG'}=3:1\qquad\therefore\ \overline{GG'}=7\text{ cm}$

유형 15 ③

$\triangle AGC+\square GEBD$

$=\frac{4}{6}\triangle ABC=\frac{2}{3}\times57$

$=38(\text{cm}^2)$

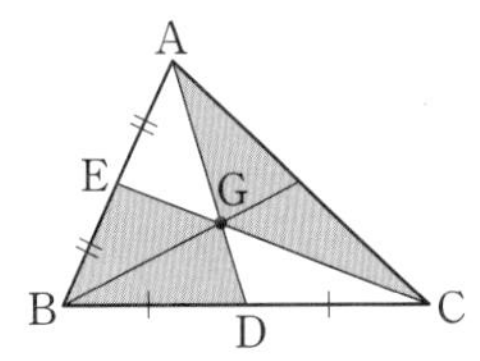

學 15 ③

$\overline{AG}$를 그으면

$\triangle ADG=\frac{1}{2}\triangle ABG$

$=\frac{1}{2}\times\frac{1}{3}\triangle ABC$

$=\frac{1}{6}\triangle ABC$

$\triangle AGE=\frac{1}{2}\triangle AGC$

$=\frac{1}{2}\times\frac{1}{3}\triangle ABC$

$=\frac{1}{6}\triangle ABC$

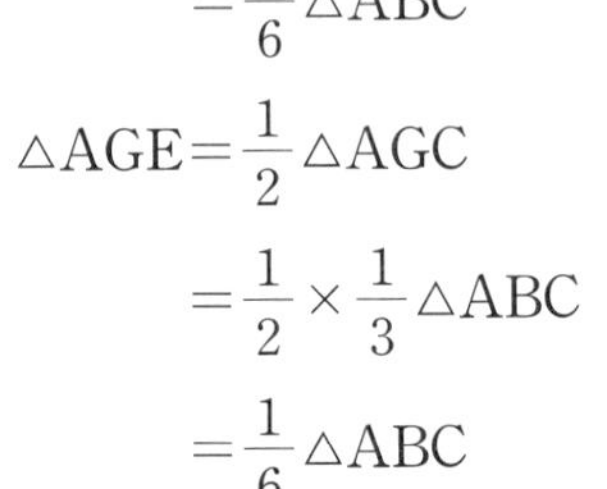

$\therefore\ \triangle ADG+\triangle AGE=\frac{1}{6}\triangle ABC+\frac{1}{6}\triangle ABC$

$=\frac{1}{3}\triangle ABC$

$=\frac{1}{3}\times36=12(\text{cm}^2)$

유형 16 5 cm^2

점 P, Q는 각각 $\triangle ABD$, $\triangle BCD$의 무게중심이므로

$\triangle PBO=\frac{1}{6}\triangle ABD=\frac{1}{6}\times\frac{1}{2}\square ABCD$

$=\frac{1}{12}\square ABCD=\frac{1}{12}\times60=5(\text{cm}^2)$

學 16 1 : 2

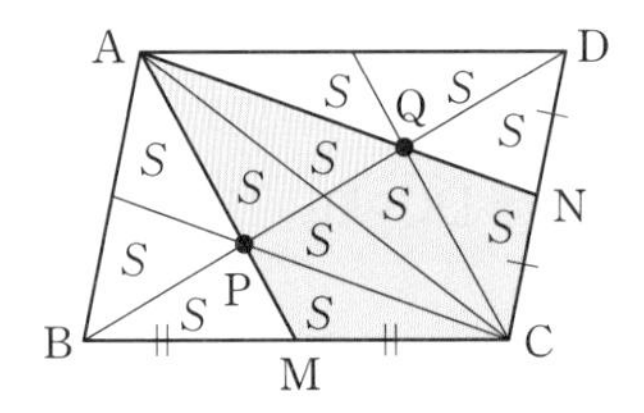

점 P, Q는 각각 $\triangle ABC$, $\triangle ACD$의 무게중심이므로

$\triangle APQ$: (오각형 PMCNQ의 넓이)

$=2S:4S=1:2$

꼼 13 $36\pi\text{ cm}^2$

원 O의 넓이가 $9\pi\text{ cm}^2$이므로

$\overline{GO}=\overline{DO}=3\text{ cm}\qquad\therefore\ \overline{GD}=6\text{ cm}$

$\overline{AG}:\overline{GD}=2:1$이므로 $\overline{AG}:6=2:1$

$\therefore\ \overline{AG}=12\text{ cm}$

따라서 $\overline{O'A}=\overline{O'G}=6\text{ cm}$이므로

(원 O′의 넓이)$=\pi\times6^2=36\pi(\text{cm}^2)$

꼼 14 6 cm

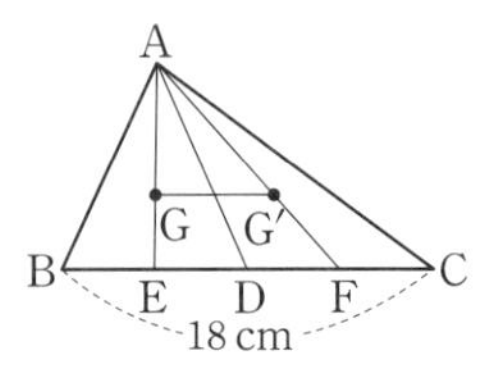

$\overline{AE}$, $\overline{AF}$를 그으면

$\triangle AGG' \backsim \triangle AEF$(SAS 닮음)

$\therefore \overline{GG'} : \overline{EF} = \overline{AG} : \overline{AE} = 2 : 3$

$\overline{EF} = \frac{1}{2}\overline{BC} = \frac{1}{2} \times 18 = 9(\text{cm})$이므로

$\overline{GG'} : 9 = 2 : 3 \qquad \therefore \overline{GG'} = 6\,\text{cm}$

꼼 15 ④

① $\triangle ABF = \frac{1}{2}\triangle ABC = \frac{1}{2} \times 72 = 36(\text{cm}^2)$

② $\triangle GBC = \frac{1}{3}\triangle ABC = \frac{1}{3} \times 72 = 24(\text{cm}^2)$

③ $\triangle CFG = \frac{1}{6}\triangle ABC = \frac{1}{6} \times 72 = 12(\text{cm}^2)$

④ $\square ADGF = \frac{1}{3}\triangle ABC = \frac{1}{3} \times 72 = 24(\text{cm}^2)$

⑤ $\triangle GAB + \square CFGE = 24 + 24 = 48(\text{cm}^2)$

꼼 16 $28\,\text{cm}^2$

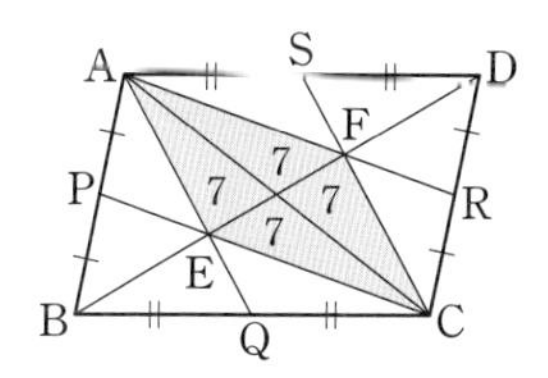

$\overline{AC}$, $\overline{BD}$를 그으면 점 E, F는 각각 $\triangle ABC$, $\triangle ACD$의 무게중심이다.

$\therefore \square AECF = 4\triangle AFS = 4 \times 7 = 28(\text{cm}^2)$

생각 ○ ②

두 점 P, Q는 각각 $\triangle ABC$, $\triangle ACD$의 무게중심이므로

$\overline{BD} = 3\overline{PQ} = 3 \times 4 = 12(\text{cm})$

$\triangle BCD$에서 $\overline{MN} = \frac{1}{2}\overline{BD} = \frac{1}{2} \times 12 = 6(\text{cm})$

생각 ○○ ②

$\overline{AG} : \overline{GD} = 2 : 1$이므로 $\triangle AGF : \triangle GDF = 2 : 1$

$\triangle AGF : 8 = 2 : 1 \qquad \therefore \triangle AGF = 16\,\text{cm}^2$

$\triangle ADC$에서 $\overline{AF} : \overline{FC} = \overline{AG} : \overline{GD} = 2 : 1$이므로

$\triangle ADF : \triangle FDC = 2 : 1$

$(16+8) : \triangle FDC = 2 : 1$

$\therefore \triangle FDC = 12\,\text{cm}^2$

생각 ○○○ 풀이 참조

❶ $\overline{AC}$를 그어 $\triangle ABC$와 $\triangle ACD$의 무게중심 P와 P′을 각각 구하고 $\overline{PP'}$을 긋는다.

❷ $\overline{BD}$를 그어 $\triangle ABD$와 $\triangle BCD$의 무게중심 Q와 Q′을 각각 구하고 $\overline{QQ'}$을 긋는다.

❸ $\overline{PP'}$과 $\overline{QQ'}$의 교점 G가 $\square ABCD$의 무게중심이다.

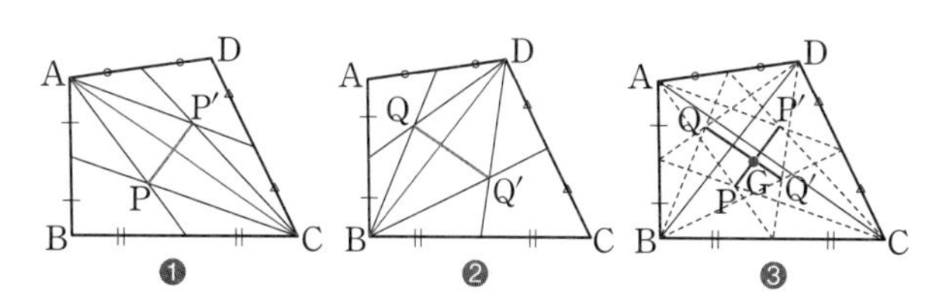

05 넓이의 비와 부피의 비

p. 143 ~ p. 147

유형 17 $60\pi\,cm^2$	學 17 ⑤
유형 18 $48\pi\,cm^3$	學 18 16분
유형 19 4.8 m	學 19 3.2 m
유형 20 0.18 km	學 20 ⑤
꼼 17 4 : 21	꼼 18 296 mL
꼼 19 ①	꼼 20 1시간 36분
생각+ ④	생각++ 1 : 7 : 19
생각+++ 1 : 1 : 1	

유형 17 $60\pi\,cm^2$

(원 O의 반지름):(원 O′의 반지름):(원 O″의 반지름)

$=1:2:4$

즉, 세 원의 넓이의 비는

$1^2:2^2:4^2=1:4:16$이므로

(원 O′의 넓이)$=4\times5\pi=20\pi(cm^2)$

(원 O″의 넓이)$=16\times5\pi=80\pi(cm^2)$

$\therefore$ (색칠한 부분의 넓이)$=80\pi-20\pi=60\pi(cm^2)$

學 17 ⑤

두 상자의 닮음비가 $3:4$이므로 겉넓이의 비는

$3^2:4^2=9:16$

큰 상자의 겉면을 칠하는데 페인트 x mL가 필요하다고 하면

$9:16=135:x$　　$\therefore x=240$

따라서 필요한 페인트의 양은 240 mL이다.

유형 18 $48\pi\,cm^3$

닮음비가 $2:3$이므로 부피의 비는 $2^3:3^3=8:27$

$8:27=$(A의 부피)$:162\pi$

$\therefore$ (A의 부피)$=48\pi\,cm^3$

學 18 16분

두 풍선의 닮음비가 $1:2$이므로

부피의 비는 $1^3:2^3=1:8$

B 풍선을 부는 데 걸리는 시간을 x분이라 하면

$1:8=2:x$　　$\therefore x=16$

따라서 B 풍선을 부는 데 걸린 시간은 16분이다.

유형 19 4.8 m

$\triangle ABC$와 $\triangle AB'C'$에서

$\angle A$는 공통, $\angle B=\angle B'=90°$

이므로 $\triangle ABC\backsim\triangle AB'C'$(AA 닮음)

$\overline{AB}:\overline{AB'}=\overline{BC}:\overline{B'C'}$, $1:6=0.8:\overline{B'C'}$

$\therefore \overline{B'C'}=4.8$ m

따라서 탑의 높이는 4.8 m이다.

學 19 3.2 m

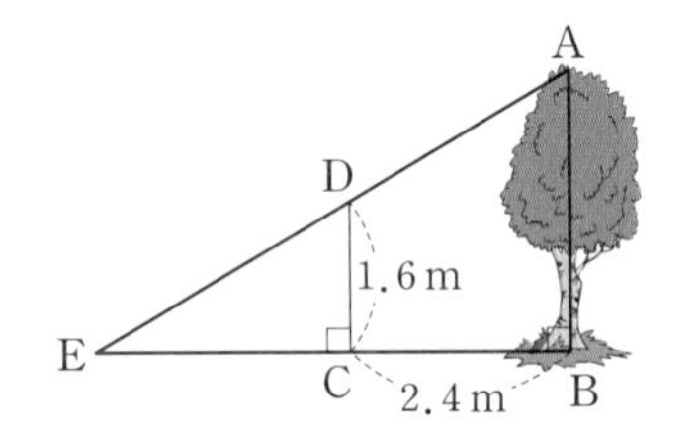

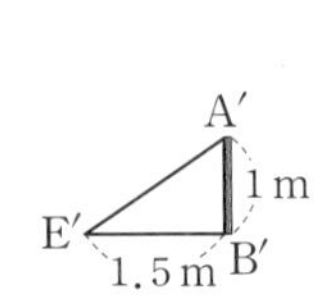

위의 그림과 같이 벽면이 그림자를 가리지 않았다고 할 때, $\overline{AD}$와 $\overline{BC}$를 연장하여 만나는 점을 E라 하자.

$\triangle DEC\backsim\triangle A'E'B'$(AA 닮음)이고,

닮음비는 $\overline{DC}:\overline{A'B'}=1.6:1=8:5$

$\overline{EC}:\overline{E'B'}=8:5$, $\overline{EC}:1.5=8:5$

$\therefore \overline{EC}=2.4$ m

또, $\triangle AEB\backsim\triangle A'E'B'$이므로 닮음비는

$\overline{EB}:\overline{E'B'}=4.8:1.5=3.2:1$

$\overline{AB}:\overline{A'B'}=3.2:1$

$\therefore \overline{AB}=3.2$ m

따라서 나무의 높이는 3.2 m이다.

유형 20 0.18 km

(실제 거리)$=6\times3000=18000(cm)$

$=180(m)=0.18(km)$

學 20 ⑤

$\overline{AB}:\overline{AD}=8:12=2:3$이므로

$\overline{AB}=k$ cm라 하면

$k:(k+3)=2:3$, $3k=2k+6$ $\therefore k=6$

$\therefore \overline{AB}=6$ cm

축척이 $\frac{1}{2000}$인 지도상에서 $\overline{AB}=6$ cm이므로

A, B 두 지점 사이의 실제 거리는

$6\times2000=12000$(cm)$=120$(m)

꼼 17 4 : 21

두 정사각형의 닮음비가 5 : 2이므로

$\square ABCD:\square EFGH=5^2:2^2=25:4$

$\therefore \square EFGH:$(색칠한 부분의 넓이)$=4:(25-4)$

$=4:21$

꼼 18 296 mL

수면의 높이와 그릇의 높이의 비가 $18:24=3:4$이므로 물의 부피와 그릇의 부피의 비는

$3^3:4^3=27:64$

이때, 그릇의 부피를 x mL라 하면

$27:64=216:x$ $\therefore x=512$

따라서 더 부어야 하는 물의 양은

$512-216=296$(mL)

꼼 19 ①

피라미드의 높이를 h m라 하면

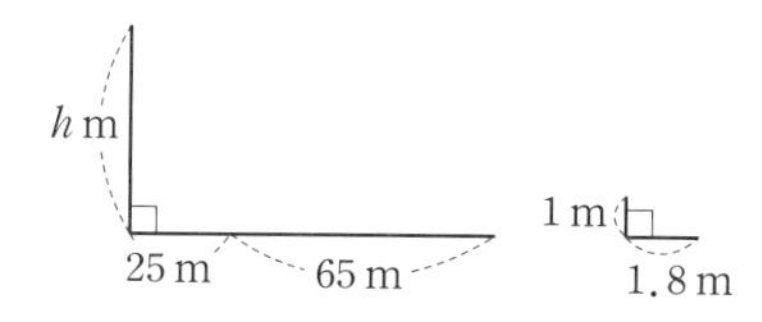

$h:(25+65)=1:1.8$

$\therefore h=50$

꼼 20 1시간 36분

두 지점 사이의 실제 거리는

$8\times500000=4000000$(cm)$=40$(km)

즉, 두 지점 사이의 왕복 거리는 80 km이다.

이때, 80 km를 시속 50 km로 갈 때 걸리는 시간은

$\frac{80}{50}=1.6$(시간)이므로 1시간 36분이 걸린다.

생각 ○ ④

슬라이드 필름과 스크린의 닮음비는

$9:(9+441)=1:50$

필름의 넓이와 스크린에 비친 영상의 넓이의 비는

$1^2:50^2=1:2500$

따라서 스크린에 비친 영상의 넓이는 필름의 넓이의 2500배이다.

생각 ○○ 1 : 7 : 19

세 원뿔 A, (A+B), (A+B+C)의 닮음비는

1 : 2 : 3이므로 부피의 비는

$1^3:2^3:3^3=1:8:27$

따라서 세 입체도형 A, B, C의 부피의 비는

$1:(8-1):(27-8)=1:7:19$

생각 ○○○ 1 : 1 : 1

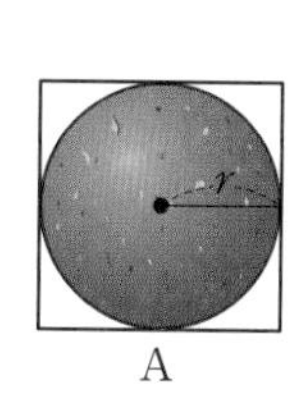

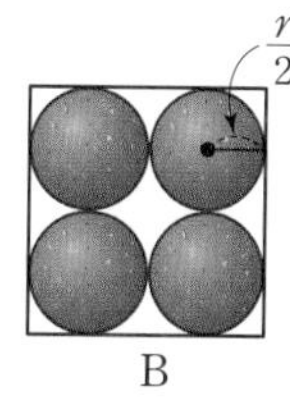

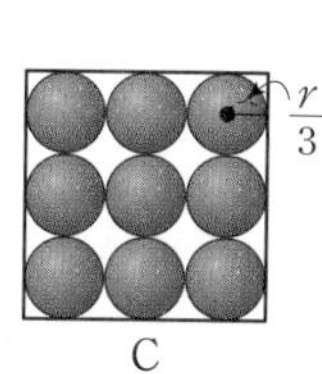

세 상자 A, B, C에 들어 있는 초콜릿의 반지름의 길이의 비는 $r:\frac{r}{2}:\frac{r}{3}=6:3:2$이므로 각 상자에 들어 있는 초콜릿 1개의 부피의 비는

$6^3:3^3:2^3=216:27:8$

이때, 세 상자 A, B, C에 들어 있는 초콜릿의 개수는 각각 1개, 8개, 27개이므로 각 상자에 들어 있는 초콜릿의 양의 비는

$216:(27\times8):(8\times27)=1:1:1$

단원 종합 문제

p. 148~p. 153

01 $\frac{36}{7}$ cm	02 ②	03 $16S$ cm^2	04 5 cm
05 ③	06 16	07 $\frac{18}{5}$ cm	08 14 cm
09 25°	10 ②	11 ②	12 ③
13 6 : 2 : 1	14 1 : 2	15 ⑤	16 ④
17 (1) 1 : 9 (2) 45 cm^2 (3) 180 cm^2			
18 1 : 6		19 12 cm	
20 990 g			

01 $\frac{36}{7}$ cm

$\overline{DF} /\!/ \overline{AC}$이므로

$\overline{BD} : \overline{DA} = \overline{BF} : \overline{FC} = 12 : 9 = 4 : 3$

$\overline{DE} /\!/ \overline{AF}$이므로 $\overline{BE} : \overline{EF} = \overline{BD} : \overline{DA}$

$\overline{EF} = x$ cm라 하면

$(12-x) : x = 4 : 3$

$4x = 36 - 3x,\ 7x = 36 \qquad \therefore x = \frac{36}{7}$

$\therefore \overline{EF} = \frac{36}{7}$ cm

02 ②

$\triangle ABF$에서 $\overline{AG} : \overline{AF} = \overline{DG} : \overline{BF}$ ······ ㉠

$\triangle AFC$에서 $\overline{AG} : \overline{AF} = \overline{GE} : \overline{FC}$ ······ ㉡

㉠, ㉡에서 $\overline{DG} : \overline{BF} = \overline{GE} : \overline{FC}$

이때, $\overline{DG} = x$ cm라 하면

$x : 12 = (14 - x) : 9$

$9x = 168 - 12x,\ 21x = 168 \qquad \therefore x = 8$

$\therefore \overline{DG} = 8$ cm

03 $16S$ cm^2

$\overline{CA} : \overline{CB} = \overline{AD} : \overline{BD}$이므로

$6 : 8 = 3 : \overline{BD},\ 6\overline{BD} = 24 \qquad \therefore \overline{BD} = 4$ cm

$\overline{BC} : \overline{BA} = \overline{CE} : \overline{EA}$이므로

$8 : (4+3) = \overline{CE} : \overline{AE}$

즉, $\triangle BCE : \triangle BEA = \overline{CE} : \overline{AE} = 8 : 7$이므로

$\triangle BCE = \frac{8}{15} \times \triangle ABC = \frac{8}{15} \times 30S = 16S(\text{cm}^2)$

04 5 cm

$\overline{AC} : \overline{AB} = \overline{CD} : \overline{BD}$이므로 $\overline{AC} = x$ cm라 하면

$x : 3 = 10 : 6,\ 6x = 30 \qquad \therefore x = 5$

$\therefore \overline{AC} = 5$ cm

05 ③

$\overline{AB} : \overline{BC} = \overline{DE} : \overline{EF}$이므로

$4 : 8 = 3 : \overline{EF} \qquad \therefore \overline{EF} = 6$ cm

06 16

$\triangle BAD$에서 $\overline{EM} /\!/ \overline{AD}$이므로

$x : (x+12) = 6 : 18 = 1 : 3$

$3x = x + 12,\ 2x = 12 \qquad \therefore x = 6$

$\triangle ABC$에서 $\overline{EN} /\!/ \overline{BC}$이므로

$12 : 18 = (6+y) : 24$

$2 : 3 = (6+y) : 24,\ 6 + y = 16 \qquad \therefore y = 10$

$\therefore x + y = 6 + 10 = 16$

07 $\frac{18}{5}$ cm

$\triangle ABP \backsim \triangle CDP$(AA 닮음)이므로

$\overline{AB} : \overline{CD} = 6 : 9 = 2 : 3$

이때, $\overline{PH} : \overline{DC} = \overline{BP} : \overline{BD}$이므로

$\overline{PH} : 9 = 2 : 5 \qquad \therefore \overline{PH} = \frac{18}{5}$ cm

08 14 cm

삼각형의 중점 연결 정리에 의해

$\overline{PQ} = \overline{QR} = \overline{RS} = \overline{SP} = \frac{1}{2} \times 7 = \frac{7}{2}(\text{cm})$

$\therefore$ (□PQRS의 둘레의 길이)

$= \frac{7}{2} \times 4 = 14(\text{cm})$

09 $25°$

$\overline{EG} /\!/ \overline{AB}$이므로 $\angle EGD = \angle ABD = 30°$

$\overline{GF} /\!/ \overline{DC}$이므로 $\angle BGF = \angle BDC = 80°$,

$\angle DGF = 180° - 80° = 100°$

$\therefore \angle EGF = 30° + 100° = 130°$

한편, $\overline{EG} = \frac{1}{2}\overline{AB}$, $\overline{GF} = \frac{1}{2}\overline{DC}$이고

$\overline{AB} = \overline{DC}$이므로

$\triangle EGF$는 $\overline{EG} = \overline{GF}$인 이등변삼각형이다.

$\therefore \angle GFE = \angle GEF = \frac{1}{2} \times (180° - 130°) = 25°$

10 ②

$\triangle DBC$에서 삼각형의 중점 연결 정리에 의해

$\overline{PC} = \overline{BP} = 7\,cm$

$\square QBPN$은 평행사변형이므로 $\overline{QN} = \overline{BP} = 7\,cm$

이때, $\overline{MQ} = \overline{MN} - \overline{QN} = 10 - 7 = 3(cm)$이므로

$\overline{AD} = 2\overline{MQ} = 2 \times 3 = 6(cm)$

11 ②

$\triangle EFG \backsim \triangle BDG$(AA 닮음)이므로

$\overline{FG} : \overline{DG} = \overline{EG} : \overline{BG} = 1 : 2$

$2 : \overline{DG} = 1 : 2 \qquad \therefore \overline{DG} = 4\,cm$

$\therefore \overline{AD} = 3\overline{DG} = 3 \times 4 = 12(cm)$

12 ③

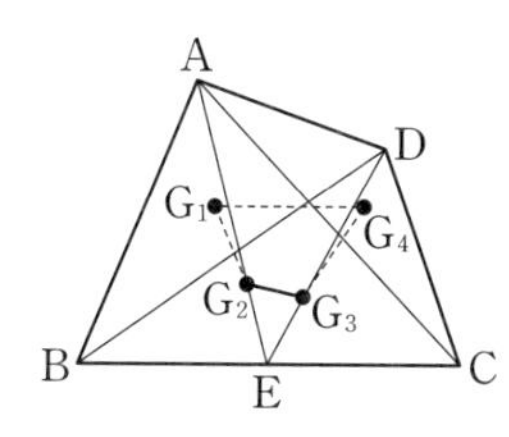

$\triangle ABC$, $\triangle DBC$의 중선 $\overline{AE}$, $\overline{DE}$를 그으면

$\triangle EAD \backsim \triangle EG_2G_3$(SAS 닮음)이므로

$\overline{G_2G_3} : \overline{AD} = 1 : 3 \qquad \therefore \overline{G_2G_3} = \frac{1}{3}\overline{AD}$

마찬가지로 하면

$\overline{G_1G_2} = \frac{1}{3}\overline{DC}$, $\overline{G_3G_4} = \frac{1}{3}\overline{AB}$, $\overline{G_1G_4} = \frac{1}{3}\overline{BC}$

$\therefore$ ($\square ABCD$의 둘레의 길이)$\times \frac{1}{3}$

$=$($\square G_1G_2G_3G_4$의 둘레의 길이)

$\therefore k = \frac{1}{3}$

13 $6 : 2 : 1$

$\overline{AG} : \overline{GD} = 2 : 1$, $\overline{GG'} : \overline{G'D} = 2 : 1$이므로

$\overline{G'D} = k$라 하면 $\overline{GG'} = 2k$, $\overline{GD} = 3k$

$\therefore \overline{AG} = 6k$

$\therefore \overline{AG} : \overline{GG'} : \overline{G'D} = 6k : 2k : k = 6 : 2 : 1$

14 $1 : 2$

두 상자 A, B 안에 들어 있는 구슬 한 개의 반지름의 길이의 비는 $2 : 1$이므로 구슬 한 개의 겉넓이의 비는 $2^2 : 1^2 = 4 : 1$

상자 A에는 1개의 구슬이 들어 있고, 상자 B에는 8개의 구슬이 들어 있으므로 구슬 전체의 겉넓이의 비는

$(4 \times 1) : (1 \times 8) = 4 : 8 = 1 : 2$

15 ⑤

큰 컵과 작은 컵의 닮음비는 $6 : 5$이므로 부피의 비는

$6^3 : 5^3 = 216 : 125$

이때, 큰 컵의 부피는 $3 \times 288 = 864(cm^3)$이므로

$864 :$ (작은 컵의 부피)$= 216 : 125$

$\therefore$ (작은 컵의 부피)$= 500\,cm^3$

16 ④

축척이 $\frac{1}{5000}$이므로 지도에서의 토지의 넓이와 실제 토지의 넓이의 비는 $1^2 : 5000^2$

따라서 실제 토지의 넓이가

$2(km^2) = 2 \times 10^6(m^2) = 2 \times 10^{10}(cm^2)$이므로

(지도에서의 넓이)$: (2 \times 10^{10}) = 1 : 5000^2$

$\therefore$ (지도에서의 넓이)$= \frac{2 \times 10^{10}}{25 \times 10^6} = \frac{2 \times 10^4}{25}$

$= 800(cm^2)$

17 (1) $1:9$ (2) 45 cm^2 (3) 180 cm^2

(1) 점 Q, R는 각각 △ABC, △DBC의 무게중심이므로
$\overline{BQ}:\overline{QP}=2:1$, $\overline{CR}:\overline{RP}=2:1$, ∠P는 공통
∴ △PQR∽△PBC(SAS 닮음)
$\overline{PQ}:\overline{PB}=1:3$이므로
△PQR : △PBC$=1:9$ … [2점]

(2) 5 : △PBC$=1:9$에서
△PBC$=45\text{ cm}^2$ … [2점]

(3) □ABCD$=2$△ABC$=2\times2$△PBC
$=4\times45=180(\text{cm}^2)$ … [2점]

18 $1:6$

$\overline{AB}:\overline{AC}=\overline{BD}:\overline{CD}$이므로
$16:12=6:\overline{CD}$, $16\overline{CD}=72$
$\therefore \overline{CD}=\dfrac{9}{2}\text{ cm}$
$\therefore \overline{BC}=6+\dfrac{9}{2}=\dfrac{21}{2}(\text{cm})$
또, $\overline{AB}:\overline{AC}=\overline{BE}:\overline{CE}$이므로 $\overline{BE}=x\text{ cm}$라 하면
$16:12=x:\left(x-\dfrac{21}{2}\right)$, $12x=16x-168$
$4x=168$ $\quad\therefore x=42$
$\therefore \overline{DE}=42-6=36(\text{cm})$
따라서 △ABD와 △ADE의 넓이의 비는
$\overline{BD}:\overline{DE}=6:36=1:6$

19 12 cm

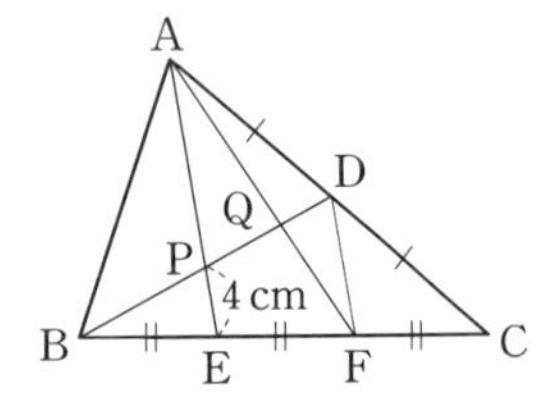

$\overline{DF}$를 그으면 △AEC에서
$\overline{AD}=\overline{DC}$, $\overline{EF}=\overline{FC}$이므로 $\overline{AE}/\!/\overline{DF}$
△DBF에서 $\overline{DF}=2\overline{PE}=2\times4=8(\text{cm})$
△AEC에서 $\overline{AE}=2\overline{DF}=2\times8=16(\text{cm})$
$\therefore \overline{AP}=\overline{AE}-\overline{PE}=16-4=12(\text{cm})$

20 990 g

세 원기둥의 닮음비는 $2:3:4$이므로 부피의 비는
$2^3:3^3:4^3=8:27:64$
가장 위에 놓일 원기둥의 부피를 $a\text{ g}$, 중간에 놓일 원기둥의 부피를 $b\text{ g}$이라 하면
$64:8=640:a$ $\quad\therefore a=80$
$64:27=640:b$ $\quad\therefore b=270$
따라서 필요한 반죽의 총 양은
$640+270+80=990(\text{g})$

V 피타고라스 정리

01 피타고라스 정리

p. 159 ~ p. 163

유형 01 ③

學 01 ㉠ 4 ㉡ 13 ㉢ 6 ㉣ 24 ㉤ 17

유형 02 ㈎ SAS ㈏ 90° ㈐ 정사각형 ㈑ $(a+b)^2$ ㈒ c^2

學 02 $13\,\text{cm}^2$

유형 03 $32\,\text{cm}^2$	學 03 ④
유형 04 $\frac{25}{13}$	學 04 $\frac{84}{25}$
習 01 2.1 m	習 02 ⑤
習 03 3개	習 04 $\frac{12}{5}$
생각+ ②	생각++ 풀이 참조

생각+++ ㈎ △CDE ㈏ 90° ㈐ $\frac{1}{2}(a+b)^2$ ㈑ $\frac{1}{2}c^2$

유형 01 ③

△ADC에서

$\overline{DC}^2=20^2-12^2=256$이므로 $\overline{DC}=16\,\text{cm}$

$\therefore\ \overline{BD}=25-16=9(\text{cm})$

△ABD에서 $\overline{AB}^2=9^2+12^2=225$이므로

$\overline{AB}=15\,\text{cm}$

學 01 ㉠ 4 ㉡ 13 ㉢ 6 ㉣ 24 ㉤ 17

㉠$^2=5^2-3^2=16$ ∴ ㉠$=4$

㉡$^2=5^2+12^2=169$ ∴ ㉡$=13$

㉢$^2=10^2-8^2=36$ ∴ ㉢$=6$

㉣$^2=25^2-7^2=576$ ∴ ㉣$=24$

㉤$^2=8^2+15^2=289$ ∴ ㉤$=17$

유형 02 ㈎ SAS ㈏ 90° ㈐ 정사각형

㈑ $(a+b)^2$ ㈒ c^2

△AEH≡△BFE≡△CGF≡△DHG(SAS 합동)

∠EFG=180°−(∠EFB+∠GFC)= 90°

따라서 □EFGH는 정사각형이다.

이때, □ABCD=□EFGH+4△EBF이므로

$(a+b)^2=c^2+4\times\frac{1}{2}ab$

$a^2+2ab+b^2=c^2+2ab$

$\therefore\ a^2+b^2=c^2$

學 02 $13\,\text{cm}^2$

$\overline{AE}=5-3=2(\text{cm})$이므로

$\overline{EH}^2=3^2+2^2=13$

이때, □EFGH는 정사각형이므로

□EFGH$=\overline{EH}^2=13\,\text{cm}^2$

유형 03 $32\,\text{cm}^2$

□ADEB+□ACHI=□BFGC이므로

4+□ACHI=36

∴ □ACHI$=32\,\text{cm}^2$

學 03 ④

① $\overline{EA}=\overline{CA}$, $\overline{AB}=\overline{AF}$,

∠EAB=90°+∠CAB=∠CAF

이므로 △EAB≡△CAF(SAS 합동)

② $\overline{EA}/\!/\overline{DB}$이므로 △EAC=△EAB

$\overline{AF}/\!/\overline{CM}$이므로 △CAF=△AFL

이때, △EAB≡△AFL이므로

△EAC=△AFL

③ □ACDE=2△EAC,

□AFML=2△LAF이고,

△EAC=△AFL이므로

□ACDE=□AFML

⑤ 2△AFL=2△EAC=□ACDE

유형 04 $\frac{25}{13}$

직각삼각형 ABC에서

$\overline{BC}^2=5^2+12^2=169$ $\therefore \overline{BC}=13$

이때, $\overline{AB}^2=\overline{BH}\times\overline{BC}$이므로

$5^2=\overline{BH}\times 13$ $\therefore \overline{BH}=\frac{25}{13}$

學 04 $\frac{84}{25}$

$\triangle ABC$에서 $\overline{BC}^2=15^2+20^2=625$

$\therefore \overline{BC}=25$

$\therefore \overline{AM}=\overline{BM}=\overline{CM}=\frac{1}{2}\overline{BC}=\frac{25}{2}$

한편, $\triangle ABC$에서 $15\times 20=25\times\overline{AH}$

$\therefore \overline{AH}=12$

또, $\triangle ABH$에서 $\overline{BH}^2=15^2-12^2=81$

$\therefore \overline{BH}=9$

$\therefore \overline{HM}=\overline{BM}-\overline{BH}=\frac{25}{2}-9=\frac{7}{2}$

따라서 $\triangle AHM$에서

$12\times\frac{7}{2}=\frac{25}{2}\times\overline{HN}$ $\therefore \overline{HN}=\frac{84}{25}$

꼼 01 2.1 m

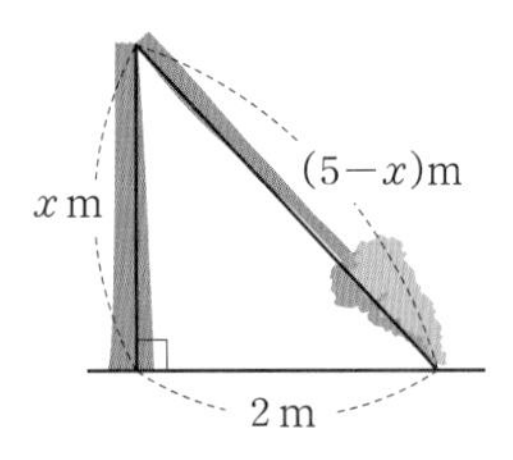

위의 그림과 같이 지면에서부터 부러진 부분까지의 높이를 x m라 하면

$x^2+2^2=(5-x)^2$이므로

$x^2+4=x^2-10x+25$, $10x=21$

$\therefore x=2.1$

따라서 지면에서부터 부러진 부분까지의 높이는 2.1 m이다.

꼼 02 ⑤

① $\triangle ADH\equiv\triangle BAE\equiv\triangle CBF\equiv\triangle DCG$(RHA 합동)이므로

$\overline{AE}=\overline{BF}=\overline{CG}=\overline{DH}=5$ cm

② $\triangle AHD$에서 $\overline{AD}=13$ cm, $\overline{DH}=5$ cm이므로

$\overline{AH}^2=13^2-5^2=144$ $\therefore \overline{AH}=12$ cm

③ $\overline{BE}=\overline{CF}=\overline{DG}=\overline{AH}=12$ cm이므로

$\overline{EF}=\overline{BE}-\overline{BF}=12-5=7$(cm)

④ $\triangle BCF=\frac{1}{2}\times\overline{BF}\times\overline{CF}$

$=\frac{1}{2}\times 5\times 12=30(\text{cm}^2)$

⑤ $\square ABCD=13\times 13=169(\text{cm}^2)$,

$\square EFGH=7\times 7=49(\text{cm}^2)$이므로

$\square ABCD=\frac{169}{49}\square EFGH$

꼼 03 3개

$\triangle EBC=\triangle EBA=\triangle ABF=\triangle JBF$

$=\frac{1}{2}\square ADEB=\frac{1}{2}\square BFKJ$

따라서 〈보기〉에서 $\triangle EBC$와 넓이가 같은 것은 ㄱ, ㄴ, ㅂ의 3개이다.

꼼 04 $\frac{12}{5}$

A(0, 3), B(4, 0)이므로

$\overline{AB}^2=3^2+4^2=25$ $\therefore \overline{AB}=5$

$\overline{OA}\times\overline{OB}=\overline{AB}\times\overline{OH}$이므로

$3\times 4=5\times\overline{OH}$ $\therefore \overline{OH}=\frac{12}{5}$

생각+ ②

$\overline{AC}$를 한 변으로 하는 정사각형의 넓이는

$\overline{AC}^2=2\triangle AEC=2\times 72=144(\text{cm}^2)$이므로

$\overline{AC}=12$ cm

$\therefore \overline{AB}^2=15^2-12^2=81$ $\therefore \overline{AB}=9$ cm

생각 ⊕⊕ 풀이 참조

정사각형 ABCD는 직각삼각형 ABF와 합동인 3개의 삼각형을 맞추어 만들 수 있다. 이때, □EFGH는 한 변의 길이가 $a-b$인 정사각형이다.

□ABCD=□EFGH+4△ABF이므로

$$c^2=(a-b)^2+4\times\frac{1}{2}ab$$

$$\therefore c^2=a^2+b^2$$

생각 ⊕⊕⊕ (가) △CDE (나) 90° (다) $\frac{1}{2}(a+b)^2$ (라) $\frac{1}{2}c^2$

△ABC≡ $\boxed{\triangle\text{CDE}}$ (SAS 합동)이므로

∠ACB+∠ECD=∠ACB+∠CAB

∴ ∠ACE= $\boxed{90^\circ}$

□ABDE=△ABC+△ACE+△CDE이므로

$$\boxed{\frac{1}{2}(a+b)^2}=\frac{1}{2}ab\times2+\boxed{\frac{1}{2}c^2}$$

$$\therefore a^2+b^2=c^2$$

02 피타고라스 정리의 응용

p. 165 ~ p. 169

유형 05 ③	學 05 3개
유형 06 ②	學 06 60 cm²
유형 07 37	學 07 9
유형 08 17 cm	學 08 15 cm
꼼 05 ②	꼼 06 170 cm²
꼼 07 125	꼼 08 ④
생각 ⊕ 3개	생각 ⊕⊕ 24
생각 ⊕⊕⊕ ④	

유형 05 ③

a, b, c 중 가장 긴 변의 길이가 c일 때, $a^2+b^2=c^2$을 만족하는 것을 찾는다.

① $3^2+4^2\neq6^2$ ② $5^2+11^2\neq13^2$
③ $8^2+15^2=17^2$ ④ $7^2+23^2\neq25^2$
⑤ $6^2+9^2\neq12^2$

學 05 3개

$x>12$이므로 가장 긴 변의 길이는 x cm이다.

$x^2>5^2+12^2$, $x^2>169$ ⋯⋯ ㉠

$\therefore x>13$

또, 삼각형의 세 변의 길이 사이의 관계에서 $5+12>x$이므로

$x<17$ ⋯⋯ ㉡

㉠, ㉡에서 $13<x<17$

따라서 이를 만족하는 자연수 x는 14, 15, 16의 3개이다.

유형 06 ②

$P+Q=R$이므로

$$P+Q+R=2\times R=2\times\left(\frac{1}{2}\times\pi\times8^2\right)$$
$$=64\pi(\text{cm}^2)$$

學 06 $60\,\text{cm}^2$

$\triangle$ABC에서

$\overline{AC}^2=17^2-8^2=225$ $\quad\therefore \overline{AC}=15\,\text{cm}$

$\therefore$ (색칠한 부분의 넓이)$=\triangle ABC$

$=\frac{1}{2}\times8\times15=60(\text{cm}^2)$

유형 07 37

$\overline{AB}^2+\overline{CD}^2=\overline{AD}^2+\overline{BC}^2$이므로

$\overline{AB}^2+12^2=10^2+9^2$

$\therefore \overline{AB}^2=37$

學 07 9

$\overline{AP}^2+\overline{CP}^2=\overline{BP}^2+\overline{DP}^2$이므로

$4^2+\overline{CP}^2=\overline{BP}^2+5^2$

$\therefore \overline{CP}^2-\overline{BP}^2=5^2-4^2=9$

유형 08 17 cm

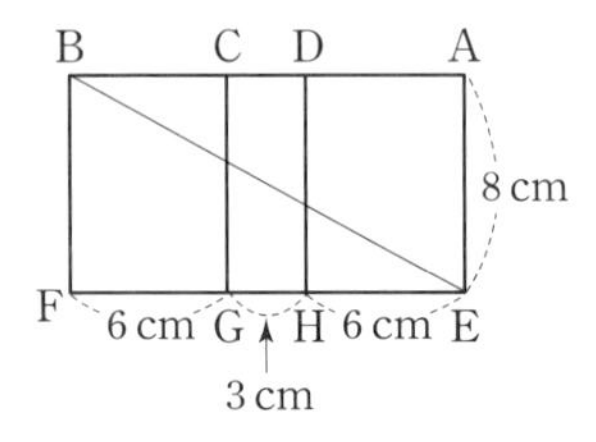

위의 그림과 같이 선이 지나는 면의 전개도를 그려보면 구하는 최단거리는 $\overline{BE}$의 길이이므로

$\overline{BE}^2=(6+3+6)^2+8^2=289$

$\therefore \overline{BE}=17\,\text{cm}$

學 08 15 cm

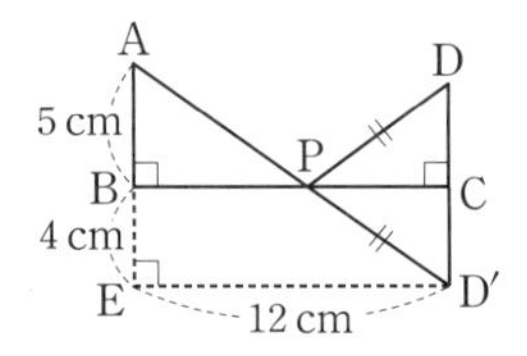

위의 그림과 같이 점 D를 $\overline{BC}$에 대하여 대칭이동한 점을 D′이라 하면 $\overline{AP}+\overline{DP}$의 최솟값은 $\overline{AD'}$의 길이이다.

직각삼각형 AED′에서

$\overline{AD'}^2=9^2+12^2=225$

$\therefore \overline{AD'}=15\,\text{cm}$

꼼 05 ②

$a<11$이므로 가장 긴 변의 길이는 11이다.

$11^2<a^2+9^2$, $a^2>40$ $\quad\therefore 40<a^2<121$

따라서 이를 만족시키는 자연수 a는 7, 8, 9, 10이므로 구하는 합은

$7+8+9+10=34$

꼼 06 $170\,\text{cm}^2$

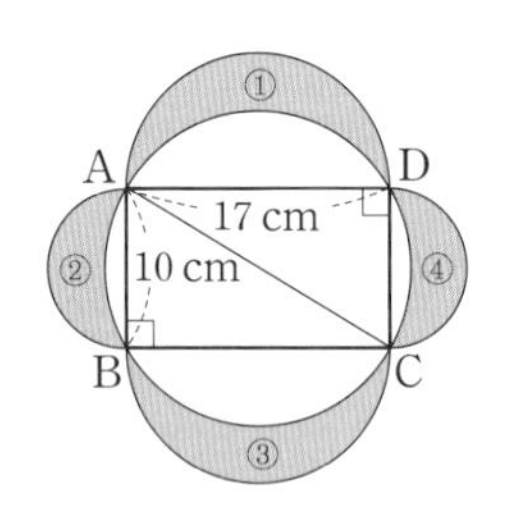

①+④$=\triangle ACD$, ②+③$=\triangle ABC$

$\therefore$ ①+②+③+④$=\square ABCD$

$=10\times17=170(\text{cm}^2)$

꼼 07 125

$\triangle ABC:\triangle EDC=2:1$이므로

$\overline{AB}:\overline{DE}=2:1$, $10:\overline{DE}=2:1$ $\quad\therefore \overline{DE}=5$

$\therefore \overline{AD}^2+\overline{BE}^2=\overline{DE}^2+\overline{AB}^2=5^2+10^2=125$

꼼 08 ④

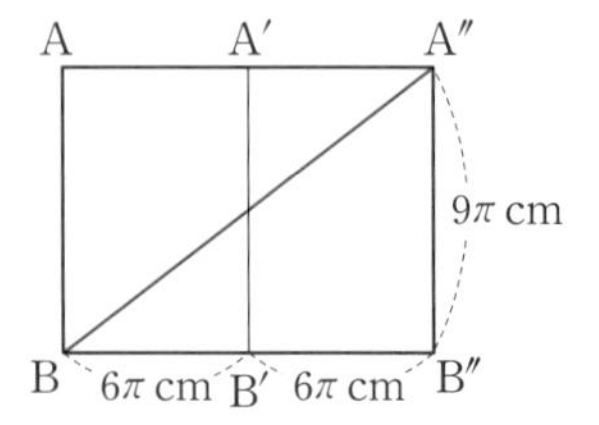

전개도에서 구하는 최단거리는 $\overline{BA''}$의 길이이므로

$\overline{BA''}^2=(12\pi)^2+(9\pi)^2=225\pi$

$\overline{BA''}=15\pi\,\text{cm}$

생각 ○ 3개

3장의 카드를 뽑는 경우는
(5, 6, 7), (5, 6, 8), (5, 6, 9), (5, 7, 8),
(5, 7, 9), (5, 8, 9), (6, 7, 8), (6, 7, 9),
(6, 8, 9), (7, 8, 9)의 10가지이다.
이때, $5^2+6^2<8^2$, $5^2+6^2<9^2$, $5^2+7^2<9^2$이므로 둔각삼각형이 되는 경우는
(5, 6, 8), (5, 6, 9), (5, 7, 9)의 3가지이다.

생각 ○○ 24

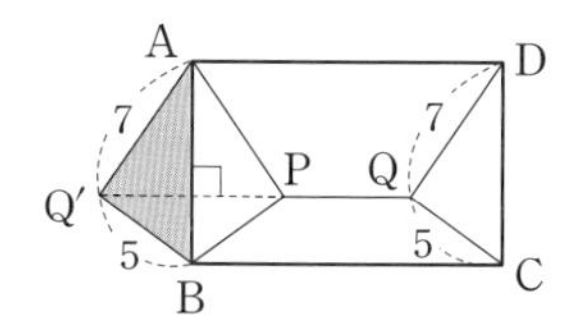

△DQC를 △AQ′B로 평행이동하면 □AQ′BP의 두 대각선은 서로 수직이다.
$\overline{AP}^2+\overline{BQ'}^2=\overline{AQ'}^2+\overline{BP}^2$이므로
$\overline{AP}^2-\overline{BP}^2=\overline{AQ'}^2-\overline{BQ'}^2=7^2-5^2=24$

생각 ○○○ ④

② $a^2>b^2+c^2$이므로 $\angle A>90°$이다.
따라서 $\angle B<90°$이다.
④ $b^2<a^2+c^2$이므로 $\angle B$는 예각이다. 하지만 b가 가장 긴 변의 길이라는 조건이 없으므로 △ABC가 예각삼각형인지 알 수 없다.

단원 종합 문제

p. 170~p. 175

01 26	**02** ③	**03** ③	**04** ②
05 34	**06** ④	**07** 52	**08** $\frac{9}{2}$ cm
09 7 cm	**10** 60 cm²	**11** ④	**12** 2, 7, 8
13 ③	**14** 18	**15** 85	**16** 17π cm
17 (1) $(10-x)$ cm (2) $\frac{15}{4}$ cm (3) $\frac{75}{8}$ cm²			**18** $\frac{65}{3}$
19 15		**20** 126 cm²	

01 26

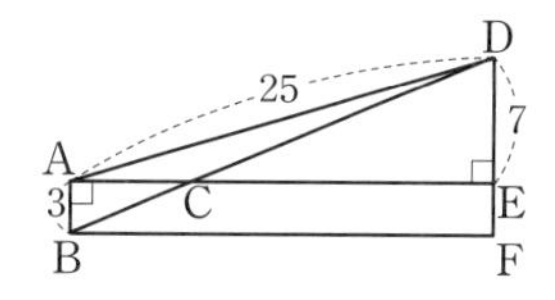

△AED에서 $\overline{AE}^2=25^2-7^2=576$ ∴ $\overline{AE}=24$
점 B를 지나면서 $\overline{AE}$에 평행한 직선과 $\overline{DE}$의 연장선이 만나는 점을 F라 하면
$\overline{BF}=\overline{AE}=24$
$\overline{AB}=3$이므로 $\overline{DF}=7+3=10$
따라서 △DBF에서 $\overline{BD}^2=24^2+10^2=676$
∴ $\overline{BD}=26$

02 ③

△ABC에서 $\overline{BC}^2=13^2-12^2=25$ ∴ $\overline{BC}=5$ cm
직선 l을 회전축으로 하여 색칠한 부분을 1회전시킬 때 생기는 입체도형은 다음 그림과 같다.

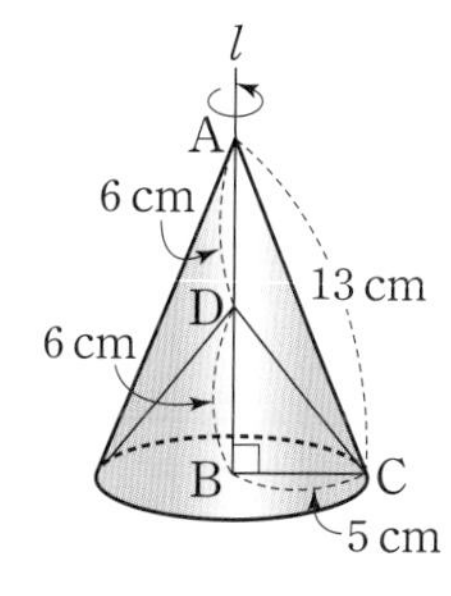

∴ (구하는 입체도형의 부피)
$$=\frac{1}{3}\times\pi\times5^2\times12-\frac{1}{3}\times\pi\times5^2\times6=50\pi(\text{cm}^3)$$

03 ③

△ABE에서 $\overline{AE}^2=10^2-8^2=36$ $\quad\therefore \overline{AE}=6\text{ cm}$

$\therefore \overline{EC}=8-6=2(\text{cm})$

한편, $\overline{AB}/\!/\overline{CD}$에서 △ABE∽△CDE(AA 닮음)

이므로 $\overline{AE}:\overline{CE}=6:2=3:1$에서

$8:\overline{CD}=3:1$ $\quad\therefore \overline{CD}=\frac{8}{3}\text{ cm}$

$\therefore \triangle AED=\frac{1}{2}\times\overline{AE}\times\overline{CD}$

$=\frac{1}{2}\times6\times\frac{8}{3}=8(\text{cm}^2)$

04 ②

△ABC에서 $(x+4)^2=x^2+8^2$이므로

$8x=48$ $\quad\therefore x=6$

원 I의 반지름의 길이를 r라 하면

$\frac{1}{2}\times8\times6=\frac{1}{2}\times8\times r+\frac{1}{2}\times6\times r+\frac{1}{2}\times10\times r$

$24=12r$ $\quad\therefore r=2$

따라서 원 I의 둘레의 길이는

$2\pi\times2=4\pi$

05 34

□EFGH$=a^2+b^2=3^2+5^2=34$

06 ④

□ACHI의 넓이가 64 cm^2이므로

$\overline{AC}=8\text{ cm}$

이때, △ABC의 넓이가 24 cm^2이므로

$\triangle ABC=\frac{1}{2}\times\overline{AB}\times8=24$ $\quad\therefore \overline{AB}=6\text{ cm}$

한편, △ABC에서

$\overline{BC}^2=\overline{AB}^2+\overline{AC}^2=6^2+8^2=100$

$\therefore \overline{BC}=10\text{ cm}$

∴ (색칠한 부분의 넓이)

$=\overline{AB}^2+\overline{BC}^2=6^2+10^2=136(\text{cm}^2)$

07 52

정사각형 EFGH의 넓이가 4이므로

$\overline{EH}^2=4$ $\quad\therefore \overline{EH}=2$

△ABE≡△BCF≡△CDG≡△DAH(RHA 합동)

이므로

$\overline{AE}=\overline{BF}=\overline{CG}=\overline{DH}=4$

$\overline{BE}=\overline{CF}=\overline{DG}=\overline{AH}=4+2=6$

∴ □ABCD$=\overline{AB}^2=6^2+4^2=52$

08 $\frac{9}{2}$ cm

△ABC에서

$\overline{AH}^2=\overline{BH}\times\overline{CH}=3\times9=27$

점 M은 △ABC의 외심이므로

$\overline{AM}=\overline{BM}=\overline{CM}=\frac{1}{2}\overline{BC}=6(\text{cm})$

또, △AHM에서 $\overline{AH}^2=\overline{AN}\times\overline{AM}$이므로

$27=\overline{AN}\times6$ $\quad\therefore \overline{AN}=\frac{9}{2}\text{ cm}$

09 7 cm

△ABD에서 $\overline{BD}^2=15^2+20^2=625$

$\therefore \overline{BD}=25\text{ cm}$

$\overline{AB}^2=\overline{BE}\times\overline{BD}$이므로 $15^2=\overline{BE}\times25$

$\therefore \overline{BE}=9\text{ cm}$

또, $\overline{CD}^2=\overline{DF}\times\overline{DB}$이므로 $15^2=\overline{DF}\times25$

$\therefore \overline{DF}=9\text{ cm}$

$\therefore \overline{EF}=25-(9+9)=7(\text{cm})$

10 60 cm^2

$8^2+15^2=17^2$이므로 주어진 삼각형은 빗변의 길이가 17 cm인 직각삼각형이다.

따라서 구하는 삼각형의 넓이는

$\frac{1}{2}\times8\times15=60(\text{cm}^2)$

11 ④

$3^2+5^2<7^2$이므로 $\angle B>90°$인 둔각삼각형이다.

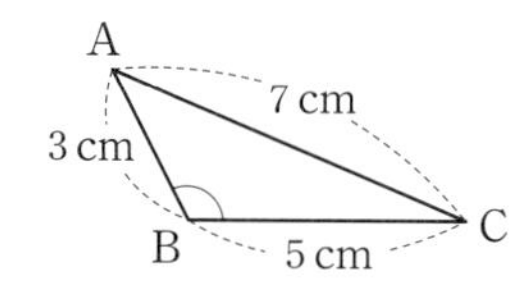

12 2, 7, 8

(i) 가장 긴 변의 길이가 a cm일 때,

삼각형의 결정조건에 의하여 $5<a<9$ …… ㉠

$a^2>4^2+5^2$이므로 $a^2>41$ …… ㉡

㉠, ㉡에서 $41<a^2<81$

따라서 가능한 자연수 a는 7, 8이다.

(ii) 가장 긴 변의 길이가 5 cm일 때,

삼각형의 결정조건에 의하여 $1<a<5$ …… ㉢

$a^2+4^2<5^2$이므로 $0<a<3$ …… ㉣

㉢, ㉣에서 $1<a<3$

따라서 가능한 자연수 a는 2이다.

(i), (ii)에서 자연수 a는 2, 7, 8이다.

13 ③

($\overline{AB}$를 지름으로 하는 반원의 넓이)$=\frac{1}{2}\times\pi\times2^2$

$=2\pi$

($\overline{BC}$를 지름으로 하는 반원의 넓이)$=\frac{1}{2}\times\pi\times4^2$

$=8\pi$

∴ ($\overline{AC}$를 지름으로 하는 반원의 넓이)

$=8\pi-2\pi=6\pi$

14 18

정사각형의 한 변의 길이를 x라 하면

$x^2+x^2=6^2$, $2x^2=36$, $x^2=18$

∴ (색칠한 부분의 넓이)

$=2\triangle ABD=\square ABCD=x^2=18$

15 85

$\overline{AD}^2+\overline{BC}^2=\overline{AB}^2+\overline{CD}^2$이므로

$\overline{AB}^2+\overline{CD}^2=7^2+11^2=170$ …… ㉠

이때, 등변사다리꼴 ABCD는 $\overline{AB}=\overline{CD}$이므로

㉠에서

$2\overline{CD}^2=170$ ∴ $\overline{CD}^2=85$

16 17π cm

밑면의 둘레의 길이는 $2\pi\times\frac{15}{2}=15\pi$(cm)

옆면의 전개도는 다음 그림과 같고, 구하는 최단거리는 $\overline{PQ'}$의 길이이므로

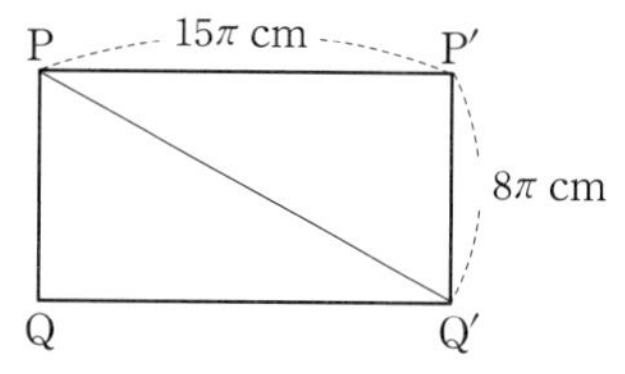

$\overline{PQ'}^2=(15\pi)^2+(8\pi)^2=289\pi^2$

∴ $\overline{PQ'}=17\pi$ (cm)

17 (1) $(10-x)$cm (2) $\frac{15}{4}$ cm (3) $\frac{75}{8}$ cm²

(1) $\overline{MD}=\overline{AD}-(10-x)$ cm … [2점]

(2) $\overline{MC}=\frac{1}{2}\times\overline{BC}=5$(cm)이므로

$(10-x)^2=5^2+x^2$

$20x=75$ ∴ $x=\frac{15}{4}$ … [2점]

(3) $\triangle DMC=\frac{1}{2}\times\overline{MC}\times\overline{CD}=\frac{1}{2}\times5\times\frac{15}{4}$

$=\frac{75}{8}$(cm²) … [2점]

18 $\frac{65}{3}$

$\triangle ABC$에서 $\overline{BC}^2=13^2-5^2=144$

∴ $\overline{BC}=12$ … [4점]

$\overline{AB}:\overline{AC}=\overline{BD}:\overline{DC}$이므로 $5:13=\overline{BD}:\overline{DC}$

∴ $\overline{DC}=\frac{13}{5+13}\times12=\frac{26}{3}$ … [4점]

∴ $\triangle ADC=\frac{1}{2}\times\overline{DC}\times\overline{AB}=\frac{1}{2}\times\frac{26}{3}\times5=\frac{65}{3}$

… [2점]

19 15

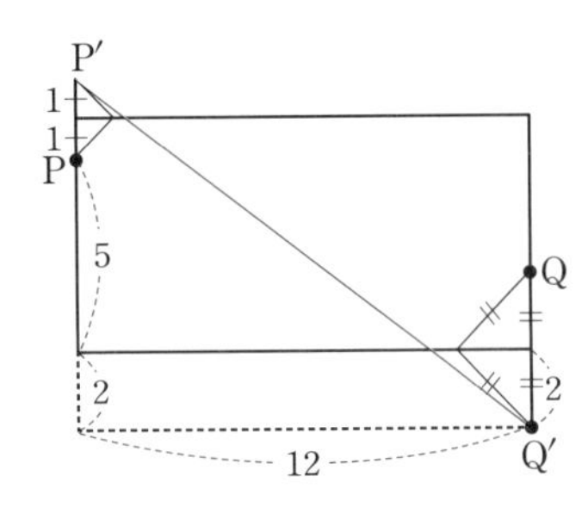

거북이가 움직인 최단거리는 점 P, Q를 대칭이동한 두 점 P′, Q′을 이은 $\overline{P'Q'}$의 길이이다. … [7점]

$\overline{P'Q'}^2=12^2+9^2=225$

$\therefore \overline{P'Q'}=15$ … [3점]

20 126 cm^2

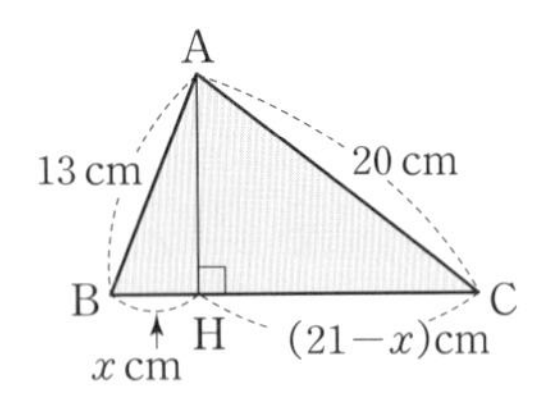

위의 그림과 같이 꼭짓점 A에서 $\overline{BC}$에 내린 수선의 발을 H라 하자.

$\overline{BH}=x$ cm라 하면 $\overline{HC}=(21-x)$ cm이므로

$\overline{AH}^2=13^2-x^2=20^2-(21-x)^2$

$169-x^2=400-441+42x-x^2$

$42x=210 \qquad \therefore x=5$ … [4점]

△ABH에서

$\overline{AH}^2=13^2-5^2=144$

$\therefore \overline{AH}=12\text{ (cm)}$ … [4점]

따라서 △ABC의 넓이는

$\frac{1}{2}\times21\times12=126\text{ (cm)}^2$ … [2점]

VI 확률

01 경우의 수

p. 183~p. 187

유형 01 ②	學 01 3	유형 02 ③	學 02 6
유형 03 (T, H, H, H), (H, T, H, H), (H, H, T, H), (H, H, H, T)			
學 03 (H, H, T, T), (H, T, T, H), (H, T, H, T), (T, H, H, T), (T, H, T, H), (T, T, H, H)			
유형 04 ②		學 04 9	
習 01 ③		習 02 (1) 4 (2) 6 (3) 5	
習 03 (1) 4 (2) 1		習 04 6	
생각⊕ 풀이 참조		생각⊕⊕ 10	
생각⊕⊕⊕ (1) 1 (2) 4 (3) 3 (4) 8			

유형 01 ②

동전의 앞면과 뒷면이 각각 한 번씩 나오는 경우는 (앞면, 뒷면), (뒷면, 앞면)이므로 구하는 경우의 수는 2이다.

學 01 3

앞면이 나오는 경우를 H, 뒷면이 나오는 경우를 T라 하자. 앞면이 2개, 뒷면이 1개 나오는 경우를 순서쌍으로 나타내면 (H, H, T), (H, T, H), (T, H, H)이므로 구하는 경우의 수는 3이다.

유형 02 ③

나오는 눈의 수의 합이 8이 되는 경우를 순서쌍으로 나타내면 (2, 6), (3, 5), (4, 4), (5, 3), (6, 2)이므로 구하는 경우의 수는 5이다.

學 02 6

나오는 눈의 수의 차가 3이 되는 경우를 순서쌍으로 나타내면 (1, 4), (2, 5), (3, 6), (4, 1), (5, 2), (6, 3)이므로 구하는 경우의 수는 6이다.

유형 03 (T, H, H, H), (H, T, H, H), (H, H, T, H), (H, H, H, T)

윷가락의 등이 나오는 경우는 H, 배가 나오는 경우는 T이므로 도가 나오는 경우를 순서쌍으로 나타내면 (T, H, H, H), (H, T, H, H), (H, H, T, H), (H, H, H, T)

學 03 (H, H, T, T), (H, T, T, H), (H, T, H, T), (T, H, H, T), (T, H, T, H), (T, T, H, H)

개가 나오는 경우를 순서쌍으로 나타내면 (H, H, T, T), (H, T, T, H), (H, T, H, T), (T, H, H, T), (T, H, T, H), (T, T, H, H)

유형 04 ②

300원을 지불하는 방법을 표로 나타내면 다음과 같으므로 구하는 방법은 2가지이다.

100원	50원
2개	2개
1개	4개

學 04 9

1000원을 지불하는 방법을 표로 나타내면 다음과 같으므로 구하는 방법의 수는 9이다.

500원	100원	50원
2개	0개	0개
1개	5개	0개
1개	4개	2개
1개	3개	4개
1개	2개	6개
1개	1개	8개
0개	8개	4개
0개	7개	6개
0개	6개	8개

꼼 01 ③

앞면이 나오는 경우를 H, 뒷면이 나오는 경우를 T라 하고 모든 경우를 순서쌍으로 나타내면
(H, H, H), (H, H, T), (H, T, H), (T, H, H), (H, T, T), (T, H, T), (T, T, H), (T, T, T)
이므로 구하는 경우의 수는 8이다.

꼼 02 (1) 4 (2) 6 (3) 5

(1) 3의 배수는 3, 6, 9, 12이므로 경우의 수는 4이다.
(2) 12의 약수는 1, 2, 3, 4, 6, 12이므로 경우의 수는 6이다.
(3) 소수는 2, 3, 5, 7, 11이므로 경우의 수는 5이다.

꼼 03 (1) 4 (2) 1

윷가락의 등이 나오는 경우를 H, 배가 나오는 경우를 T라 하면 걸이 나오는 경우는 H가 1개, T가 3개 나올 때이고, 윷이 나오는 경우는 T가 4개 나올 때이다.
(1) 걸이 나오는 경우는
(H, T, T, T), (T, H, T, T), (T, T, H, T), (T, T, T, H)이므로 구하는 경우의 수는 4이다.
(2) 윷이 나오는 경우는 (T, T, T, T)이므로 구하는 경우의 수는 1이다.

꼼 04 6

지불할 수 있는 금액을 표로 나타내면 다음과 같으므로 지불할 수 있는 금액의 모든 경우의 수는 6이다.

100원짜리 \ 500원짜리	1개	2개
1개	600원	1100원
2개	700원	1200원
3개	800원	1300원

생각 + 시행: 45 이하의 자연수가 각각 적힌 45개의 공이 들어 있는 주머니에서 한 개의 공을 꺼낼 때
사건: 5의 배수가 적힌 공이 나오는
경우의 수: 가짓수는 9이다.

생각 ⊕⊕ 10

주영, 잔디, 은민에게 나누어 주는 경우를 순서쌍으로 나타내면

(1, 2, 3), (1, 3, 2), (2, 1, 3), (2, 3, 1), (3, 1, 2), (3, 2, 1), (1, 1, 4), (1, 4, 1), (4, 1, 1), (2, 2, 2)의 10가지이다.

생각 ⊕⊕⊕ (1) 1 (2) 4 (3) 3 (4) 8

(1) 한 걸음에 걷는 계단 수를 순서쌍으로 나타내면 (1, 1, 1, 1, 1)의 1가지이다.

(2) 한 걸음에 걷는 계단 수를 순서쌍으로 나타내면 (1, 1, 1, 2), (1, 1, 2, 1), (1, 2, 1, 1), (2, 1, 1, 1)의 4가지이다.

(3) 한 걸음에 걷는 계단 수를 순서쌍으로 나타내면 (1, 2, 2), (2, 1, 2), (2, 2, 1)의 3가지이다.

(4) (1), (2), (3)에 의하여 구하는 경우의 수는

$1+4+3=8$

02 합의 법칙과 곱의 법칙

p. 189 ~ p. 193

유형 05 ⑤	學 05 ④	유형 06 8	學 06 11
유형 07 ④	學 07 16가지	유형 08 8	學 08 24
꼼 05 ③	꼼 06 ④	꼼 07 ③	꼼 08 ③
생각 ⊕ 7		생각 ⊕⊕ 18	
생각 ⊕⊕⊕ 33			

유형 05 ⑤

두 공에 적힌 수의 합이 6인 경우를 순서쌍으로 나타내면 (0, 6), (1, 5), (2, 4), (4, 2), (5, 1), (6, 0)의 6가지

두 공에 적힌 수의 합이 7인 경우를 순서쌍으로 나타내면 (0, 7), (1, 6), (2, 5), (3, 4), (4, 3), (5, 2), (6, 1), (7, 0)의 8가지

따라서 구하는 경우의 수는

$6+8=14$

學 05 ④

카드에 적힌 수가 소수가 나오는 경우는 2, 3, 5, 7의 4가지, 3의 배수가 나오는 경우는 3, 6, 9의 3가지, 소수이면서 3의 배수인 경우는 3의 1가지이므로 구하는 경우의 수는

$4+3-1=6$

유형 06 8

삼각김밥을 사는 경우의 수는 2이고, 각각의 경우에 음료수를 사는 경우의 수는 4이다.

따라서 구하는 경우의 수는

$2\times4=8$

學 06 11

3벌의 티셔츠와 4벌의 바지를 각각 한 벌씩 짝지어 입는 경우의 수는 $3\times4=12$

이때, 같은 색깔의 티셔츠와 바지는 입지 않으므로 흰색 티셔츠와 흰색 바지를 짝지어 입는 경우를 제외하면 구하는 경우의 수는

$12-1=11$

유형 07 ④

전등 한 개가 나타낼 수 있는 경우는 켜진 경우와 꺼진 경우의 2가지이므로 3개의 전등이 신호를 보내는 방법의 수는 $2\times2\times2=8$

이때, 전등이 모두 꺼진 경우는 신호로 생각하지 않으므로 구하는 방법은

$8-1=7$(가지)

學 07 16가지

전구 한 개가 나타낼 수 있는 경우는 불이 켜질 때와 꺼질 때의 2가지이므로 4개의 전구로 나타낼 수 있는 모든 방법은

$2\times2\times2\times2=16$(가지)

유형 08 8

(i) 집에서 학교까지 직접 가는 방법 ➡ 2가지

(ii) 집에서 편의점을 거쳐 학교까지 가는 방법
➡ $3\times2=6$(가지)

따라서 구하는 방법의 수는

$2+6=8$

學 08 24

(i) 집 → 문방구 → 공원 → 슈퍼마켓 → 집
➡ $2\times3\times1\times2=12$(가지)

(ii) 집 → 슈퍼마켓 → 공원 → 문방구 → 집
➡ $2\times1\times3\times2=12$(가지)

따라서 구하는 방법의 수는

$12+12=24$

꼴 05 ③

카드에 적힌 수가 3의 배수가 나오는 경우는 3, 6, 9, 12, 15, 18의 6가지, 5의 배수가 나오는 경우는 5, 10, 15, 20의 4가지, 3의 배수이면서 5의 배수인 경우는 15의 1가지이므로 구하는 경우의 수는

$6+4-1=9$

꼴 06 ④

국사 문제집은 4가지 종류, 영어 문제집은 5가지 종류, 수학 문제집은 6가지 종류가 있으므로 구하는 방법은

$4\times5\times6=120$(가지)

꼴 07 ③

각 칸에 써넣을 수 있는 숫자는 0, 1의 2가지이므로 구하는 암호의 개수는

$2\times2\times2\times2\times2=32$(개)

꼴 08 ③

(i) 대전과 대구를 거치지 않고 서울에서 부산까지 직접 가는 방법 ➡ 1가지

(ii) 서울에서 대구만 거쳐 부산까지 가는 방법
➡ $1\times2=2$(가지)

(iii) 서울에서 대전과 대구를 거쳐 부산까지 방법
➡ $2\times1\times2=4$(가지)

따라서 구하는 방법의 수는

$1+2+4=7$

생각+ 7

말이 점 A에 위치해 있으려면 두 번 던져 나온 주사위의 눈의 수의 합이 5 또는 10이어야 한다.

주사위의 눈의 수의 합이 5인 경우를 순서쌍으로 나타내면 (1, 4), (2, 3), (3, 2), (4, 1)의 4가지

주사위의 눈의 수의 합이 10인 경우를 순서쌍으로 나타내면 (4, 6), (5, 5), (6, 4)의 3가지

따라서 구하는 경우의 수는

$4+3=7$

생각 ⊕⊕ 18

모든 경우의 수는 $3\times3\times3=27$

비기는 경우는

(i) 세 사람이 모두 같은 것을 내는 경우 → 3가지

(ii) 세 사람이 모두 다른 것을 내는 경우

→ $3\times2\times1=6$(가지)

∴ $3+6=9$(가지)

따라서 승부가 결정되는 경우의 수는

$27-9=18$

생각 ⊕⊕⊕ 33

첫 번째 움직일 수 있는 경우는 상, 하, 좌, 우의 4가지, 두 번째 움직일 수 있는 경우는 온 길을 제외한 3가지, 세 번째 움직일 수 있는 경우 역시 온 길을 제외한 3가지이다.

따라서 세 번 움직일 때 경로의 수는

$4\times3\times3=36$

세 번 움직일 때, 탁자의 중간을 관통하는 경우는 1가지, 건조대의 중간을 관통하는 경우는 2가지이므로 구하는 경로의 수는

$36-(1+2)=33$

03 여러 가지 경우의 수

p. 195 ~ p. 199

유형 09 36	學 09 ⑤	유형 10 125개	學 10 32개
유형 11 30	學 11 15	유형 12 48	學 12 48
꼼 09 144	꼼 10 ②	꼼 11 360	꼼 12 540
생각 ⊕ (1) 120 (2) 12		생각 ⊕⊕ ③	
생각 ⊕⊕⊕ 409번째			

유형 09 36

자녀 3명을 하나로 묶어서 생각하면 3명을 일렬로 세우는 경우의 수이므로 $3\times2\times1=6$

자녀 3명이 자리를 바꾸는 경우의 수는 $3\times2\times1=6$

따라서 구하는 경우의 수는

$6\times6=36$

學 09 ⑤

5명을 한 줄로 세우는 경우의 수는

$5\times4\times3\times2\times1=120$

현이와 정이가 서로 이웃하는 경우의 수는

$(4\times3\times2\times1)\times2=48$

따라서 구하는 경우의 수는

$120-48=72$

유형 10 125개

만들 수 있는 세 자리의 정수의 개수는

$5\times5\times5=125$(개)

學 10 32개

210보다 큰 정수는

(i) 2□□인 경우: 213, 214, 230, 231, 234, 240, 241, 243의 8개

(ii) 3□□인 경우: $4\times3=12$(개)

(iii) 4□□인 경우: $4\times3=12$(개)

따라서 210보다 큰 정수의 개수는

$8+12+12=32$(개)

유형 11 30

6명 중에서 떡볶이를 사올 사람 1명, 아이스크림을 사올 사람 1명을 뽑는 경우의 수는 6명 중 자격이 다른 2명을 뽑는 경우의 수와 같으므로

$6\times5=30$

學 11 15

6명 중 자격이 같은 2명을 뽑는 경우의 수와 같으므로

$\frac{6\times5}{2}=15$

유형 12 48

A에 칠할 수 있는 색은 4가지

B에 칠할 수 있는 색은 A에 칠한 색을 제외한 3가지

C에 칠할 수 있는 색은 A와 B에 칠한 색을 제외한 2가지

D에 칠할 수 있는 색은 B와 C에 칠한 색을 제외한 2가지

따라서 칠하는 방법의 수는

$4\times3\times2\times2=48$

學 12 48

노르웨이에 칠할 수 있는 색은 4가지

스웨덴에 칠할 수 있는 색은 노르웨이에 칠한 색을 제외한 3가지

핀란드에 칠할 수 있는 색은 노르웨이와 스웨덴에 칠한 색을 제외한 2가지

러시아에 칠할 수 있는 색은 노르웨이와 핀란드에 칠한 색을 제외한 2가지

따라서 색칠하는 방법의 수는 $4\times3\times2\times2=48$

習 09 144

1학년, 2학년, 3학년을 각각 1명으로 생각하여 3명을 일렬로 세우는 경우의 수는 $3\times2\times1=6$

이때, 1학년끼리, 2학년끼리, 3학년끼리 자리를 바꾸는 경우의 수는 각각

$2\times1=2$, $3\times2\times1=6$, $2\times1=2$

따라서 구하는 경우의 수는

$6\times(2\times6\times2)=144$

習 10 ②

십의 자리에 올 수 있는 숫자는 0을 제외한 4개

일의 자리에 올 수 있는 숫자는 5개

따라서 구하는 정수의 개수는

$4\times5=20$(개)

習 11 360

(i) 10명 중 대표 1명을 뽑는 경우의 수는 10

(ii) 나머지 9명 중 회계 2명을 뽑는 경우의 수는

$\frac{9\times8}{2}=36$

따라서 구하는 경우의 수는

$10\times36=360$

習 12 540

B에 칠할 수 있는 색은 5가지

A에 칠할 수 있는 색은 B에 칠한 색을 제외한 4가지

E에 칠할 수 있는 색은 A와 B에 칠한 색을 제외한 3가지

D에 칠할 수 있는 색은 B와 E에 칠한 색을 제외한 3가지

C에 칠할 수 있는 색은 B와 D에 칠한 색을 제외한 3가지

따라서 칠하는 방법의 수는

$5\times4\times3\times3\times3=540$

생각+ (1) 120 (2) 12

(1) 5명이 5개의 자리에 앉는 경우의 수는 5명을 일렬로 세우는 경우의 수와 같으므로

$5\times4\times3\times2\times1=120$

(2) 엄마와 민지는 앞자리에 앉고, 아빠와 남동생 두 명은 뒷자리에 앉는 경우의 수는

$(2\times1)\times(3\times2\times1)=12$

생각⊕⊕ ③

선분의 개수는 5개의 점 중에서 2개의 점을 뽑는 경우의 수이므로

$a=\frac{5\times4}{2}=10$

삼각형의 개수는 5개의 점 중에서 3개의 점을 뽑는 경우의 수이므로

$b=\frac{5\times4\times3}{3\times2}=10$

$\therefore a+b=10+10=20$

생각⊕⊕⊕ 409번째

6개의 문자를 사전식으로 배열하면

(i) a□□□□□인 경우
$5\times4\times3\times2\times1=120$(개)

(ii) b□□□□□인 경우
$5\times4\times3\times2\times1=120$(개)

(iii) c□□□□□인 경우
$5\times4\times3\times2\times1=120$(개)

(iv) da□□□□인 경우
$4\times3\times2\times1=24$(개)

(v) db□□□□인 경우
$4\times3\times2\times1=24$(개)

즉, $dcabef$의 앞에는

$120+120+120+24+24=408$(개)

가 있으므로 $dcabef$는 409번째에 온다.

04 확률의 뜻과 성질

p. 201 ~ p. 205

유형 13 $\frac{3}{7}$	學 13 $\frac{1}{2}$
유형 14 ②	學 14 $\frac{5}{18}$
유형 15 (1) 1 (2) 0	學 15 ㄱ, ㄹ, ㅁ
유형 16 $\frac{97}{100}$	學 16 ⑤
習 13 ④	習 14 $\frac{5}{18}$
習 15 ⑤	習 16 ④
생각⊕ $\frac{29}{40}$	생각⊕⊕ $\frac{1}{3}$
생각⊕⊕⊕ $\frac{7}{9}$	

유형 13 $\frac{3}{7}$

모든 경우의 수는

$5+6+3=14$

딸기맛 사탕의 개수는 6이므로 주머니에서 사탕 한 개를 꺼낼 때, 딸기맛 사탕이 나올 확률은

$\frac{6}{14}=\frac{3}{7}$

學 13 $\frac{1}{2}$

만들 수 있는 두 자리의 정수의 개수는

$4\times4=16$(개)

(i) 3□인 경우: 30, 31, 32, 34의 4가지

(ii) 4□인 경우: 40, 41, 42, 43의 4가지

따라서 30 이상인 경우의 수는 8이므로 구하는 확률은

$\frac{8}{16}=\frac{1}{2}$

유형 14 ②

모든 경우의 수는

$2\times2\times2=8$

한 개의 동전을 던져서 앞면이 나오는 횟수를 x, 뒷면이 나오는 횟수를 y라 하면 구하는 확률은

$3x-2y=4$일 확률과 같다. (단, $x+y=3$)

$3x-2y=4$인 경우는 $x=2$, $y=1$일 때이므로 앞면이 두 번, 뒷면이 한 번 나오는 경우이다. 이를 순서쌍으로 나타내면 (앞면, 앞면, 뒷면), (앞면, 뒷면, 앞면), (뒷면, 앞면, 앞면)의 3가지이므로 구하는 확률은 $\frac{3}{8}$이다.

學 14 $\frac{5}{18}$

모든 경우의 수는 $6\times6=36$
성수가 시작점으로부터 세 계단 위에 올라가 있으려면
(i) 두 계단을 먼저 올라간 후, 한 계단을 올라간 경우
(4, 1), (4, 2), (4, 3), (4, 5), (4, 6)의 5가지
(ii) 한 계단을 먼저 올라간 후, 두 계단을 올라간 경우
(1, 4), (2, 4), (3, 4), (5, 4), (6, 4)의 5가지
따라서 세 계단 위에 올라가 있을 경우의 수는 10이므로 구하는 확률은 $\frac{10}{36}=\frac{5}{18}$이다.

유형 15 (1) 1 (2) 0

(1) 주사위를 던져서 나오는 눈은 항상 6 이하의 수이므로 구하는 확률은 1이다.
(2) 주사위를 던져서 0의 눈이 나오는 경우는 없으므로 구하는 확률은 0이다.

學 15 ㄱ, ㄹ, ㅁ

ㄴ. $p+q=1$
ㄷ. $0\le p\le 1$
ㅁ. $q=0$이면 $p=1$이므로 사건 A는 반드시 일어난다.
따라서 옳은 것은 ㄱ, ㄹ, ㅁ이다.

유형 16 $\frac{97}{100}$

100개의 휴대전화 중 3개의 불량품이 있으므로 불량품이 나올 확률은 $\frac{3}{100}$이다.
∴ (합격품이 나올 확률)=1−(불량품이 나올 확률)
$=1-\frac{3}{100}=\frac{97}{100}$

學 16 ⑤

모두 뒷면이 나올 확률은 $\frac{1}{4}$이므로 적어도 한 번은 앞면이 나올 확률은
$1-\frac{1}{4}=\frac{3}{4}$

꼴 13 ④

모든 경우의 수는 $6\times6=36$
$x+3y<9$를 만족하는 x, y를 순서쌍으로 나타내면
(1, 1), (1, 2), (2, 1), (2, 2), (3, 1), (4, 1), (5, 1)의 7가지이므로 구하는 확률은 $\frac{7}{36}$이다.

꼴 14 $\frac{5}{18}$

모든 경우의 수는 $6\times6=36$
시작점으로부터 한 계단 위에 올라가 있으려면
(i) 두 계단을 먼저 올라간 후, 한 계단을 내려간 경우
(3, 1), (3, 2), (3, 4), (3, 5), (3, 6)의 5가지
(ii) 한 계단을 먼저 내려간 후, 두 계단을 올라간 경우
(1, 3), (2, 3), (4, 3), (5, 3), (6, 3)의 5가지
따라서 경우의 수는 $5+5=10$이므로 구하는 확률은 $\frac{10}{36}=\frac{5}{18}$이다.

꼴 15 ⑤

① 모든 경우의 수는 $3\times3=9$
서로 비기는 경우는 (가위, 가위), (바위, 바위), (보, 보)의 3가지이므로 그 확률은 $\frac{3}{9}=\frac{1}{3}$
② 1 이하의 눈은 1의 1가지이므로 그 확률은 $\frac{1}{6}$
③ 모든 경우의 수는 $2\times2=4$
뒷면이 두 개 이상 나오는 경우는 (뒷면, 뒷면)의 1가지이므로 그 확률은 $\frac{1}{4}$

④ 모든 경우의 수는 $6\times6=36$
눈의 차가 0인 경우는 (1, 1), (2, 2), (3, 3), (4, 4), (5, 5), (6, 6)의 6가지이므로 그 확률은
$\frac{6}{36}=\frac{1}{6}$

⑤ 모든 경우의 수는 $6\times6=36$
눈의 차가 6인 경우는 없으므로 구하는 확률은 0이다.

꿀 16 ④

모든 경우의 수는 $6\times6=36$
두 개의 주사위 모두 2의 배수의 눈이 나오지 않는 경우는 (1, 1), (1, 3), (1, 5), (3, 1), (3, 3), (3, 5), (5, 1), (5, 3), (5, 5)의 9가지이므로 그 확률은
$\frac{9}{36}=\frac{1}{4}$
∴ (적어도 하나는 2의 배수의 눈이 나올 확률)
$=1-\frac{1}{4}=\frac{3}{4}$

생각 ○ $\frac{29}{40}$

전체 학생 수는
$11+18+7+4=40$(명)
형제가 1명 이하인 학생 수는
$11+18=29$(명)
따라서 구하는 확률은 $\frac{29}{40}$이다.

생각 ○○ $\frac{1}{3}$

세 원의 반지름의 길이의 비가 1 : 2 : 3이므로 각각의 반지름의 길이를 x, $2x$, $3x$라 하면 세 원의 넓이는 각각 πx^2, $4\pi x^2$, $9\pi x^2$
따라서 구하는 확률은
$\frac{4\pi x^2-\pi x^2}{9\pi x^2}=\frac{3\pi x^2}{9\pi x^2}=\frac{1}{3}$

생각 ○○○ $\frac{7}{9}$

모든 경우의 수는 $\frac{10\times9}{2}=45$
2명의 대표 모두 여학생이 선출되는 경우의 수는
$\frac{5\times4}{2}=10$
따라서 2명의 대표 모두 여학생이 선출될 확률은
$\frac{10}{45}=\frac{2}{9}$이다.
∴ (적어도 1명은 남학생이 선출될 확률)
$=1-$(2명의 대표 모두 여학생이 선출될 확률)
$=1-\frac{2}{9}=\frac{7}{9}$

05 확률의 계산

p. 207~p. 211

유형 17 ②	學 17 ②
유형 18 $\frac{1}{4}$	學 18 $\frac{1}{40000}$
유형 19 $\frac{51}{400}$	學 19 ②
유형 20 ③	學 20 ⑤
習 17 ③	習 18 ②
習 19 (1) $\frac{15}{64}$ (2) $\frac{15}{56}$	習 20 $\frac{19}{25}$
생각+ ④	생각++ ⑤
생각+++ $\frac{7}{13}$	

유형 17 ②

모든 경우의 수는 $6\times6=36$

(i) 눈의 수의 합이 5인 경우는 (1, 4), (2, 3), (3, 2), (4, 1)의 4가지이므로 그 확률은 $\frac{4}{36}$

(ii) 눈의 수의 합이 7인 경우는 (1, 6), (2, 5), (3, 4), (4, 3), (5, 2), (6, 1)의 6가지이므로 그 확률은 $\frac{6}{36}$

따라서 구하는 확률은 $\frac{4}{36}+\frac{6}{36}=\frac{5}{18}$

學 17 ②

(i) 눈의 수가 18의 약수인 경우는 1, 2, 3, 6, 9, 18의 6가지이므로 그 확률은 $\frac{6}{20}$

(ii) 눈의 수가 소수인 경우는 2, 3, 5, 7, 11, 13, 17, 19의 8가지이므로 그 확률은 $\frac{8}{20}$

(iii) 18의 약수이면서 소수인 경우는 2, 3의 2가지이므로 그 확률은 $\frac{2}{20}$

따라서 구하는 확률은 $\frac{6}{20}+\frac{8}{20}-\frac{2}{20}=\frac{3}{5}$

유형 18 $\frac{1}{4}$

(i) A 주사위가 4의 약수의 눈이 나오는 경우는 1, 2, 4의 3가지이므로 그 확률은 $\frac{3}{6}=\frac{1}{2}$

(ii) B 주사위가 소수의 눈이 나오는 경우는 2, 3, 5의 3가지이므로 그 확률은 $\frac{3}{6}=\frac{1}{2}$

따라서 구하는 확률은 $\frac{1}{2}\times\frac{1}{2}=\frac{1}{4}$

學 18 $\frac{1}{40000}$

(구하는 확률)$=\frac{1}{200}\times\frac{1}{200}=\frac{1}{40000}$

유형 19 $\frac{51}{400}$

영아가 당첨 제비를 뽑을 확률은 $\frac{3}{20}$

희철이가 당첨 제비를 뽑지 못할 확률은 $\frac{17}{20}$

따라서 구하는 확률은 $\frac{3}{20}\times\frac{17}{20}=\frac{51}{400}$

學 19 ②

(구하는 확률)$=\frac{2}{5}\times\frac{1}{4}=\frac{1}{10}$

유형 20 ③

(i) 상헌이만 이기는 경우는
(보, 보, 가위), (가위, 가위, 바위),
(바위, 바위, 보)의 3가지이므로 그 확률은
$\frac{3}{27}=\frac{1}{9}$

(ii) 은정이와 상헌이가 함께 이기는 경우는
(가위, 보, 가위), (바위, 가위, 바위),
(보, 바위, 보)의 3가지이므로 그 확률은
$\frac{3}{27}=\frac{1}{9}$

(iii) 영우와 상현이가 함께 이기는 경우는
(보, 가위, 가위), (가위, 바위, 바위),
(바위, 보, 보)의 3가지이므로 그 확률은
$\frac{3}{27}=\frac{1}{9}$

따라서 구하는 확률은
$\frac{1}{9}+\frac{1}{9}+\frac{1}{9}=\frac{1}{3}$

學 **20** ⑤

○, × 문제에서 문제를 맞히지 못할 확률은 $\frac{1}{2}$이므로
(적어도 한 문제는 맞힐 확률)
$=1-$(5개의 문제 모두 맞히지 못할 확률)
$=1-\frac{1}{2}\times\frac{1}{2}\times\frac{1}{2}\times\frac{1}{2}\times\frac{1}{2}$
$=1-\frac{1}{32}=\frac{31}{32}$

꼶 **17** ③

(i) 나온 눈의 수가 4의 약수인 경우는 1, 2, 4의 3가지이므로 그 확률은 $\frac{3}{8}$
(ii) 나온 눈의 수가 7의 약수인 경우는 1, 7의 2가지이므로 그 확률은 $\frac{2}{8}$
(iii) 나온 눈의 수가 4의 약수이면서 7의 약수인 경우는 1의 1가지이므로 그 확률은 $\frac{1}{8}$

따라서 구하는 확률은 $\frac{3}{8}+\frac{2}{8}-\frac{1}{8}=\frac{1}{2}$

꼶 **18** ②

명중률이 $\frac{2}{5}$이므로 2발 모두 명중시킬 확률은
$\frac{2}{5}\times\frac{2}{5}=\frac{4}{25}$

꼶 **19** (1) $\frac{15}{64}$ (2) $\frac{15}{56}$

(1) 첫 번째 흰 공을 꺼낼 확률은 $\frac{3}{8}$, 두 번째 검은 공을 꺼낼 확률은 $\frac{5}{8}$
따라서 구하는 확률은
$\frac{3}{8}\times\frac{5}{8}=\frac{15}{64}$

(2) 첫 번째 흰 공을 꺼낼 확률은 $\frac{3}{8}$, 두 번째 검은 공을 꺼낼 확률은 $\frac{5}{7}$
따라서 구하는 확률은
$\frac{3}{8}\times\frac{5}{7}=\frac{15}{56}$

꼶 **20** $\frac{19}{25}$

(두 사람이 만나지 못할 확률)
$=1-$(두 사람이 만날 확률)
$=1-\frac{2}{5}\times\frac{3}{5}=\frac{19}{25}$

생각 ⊕ ④

비가 온 날을 ○, 비가 오지 않은 날을 ×로 표시할 때
(i) (화, 수, 목)이 (○, ○, ×)인 경우의 확률은
$\frac{1}{4}\times\left(1-\frac{1}{4}\right)=\frac{1}{4}\times\frac{3}{4}=\frac{3}{16}$
(ii) (화, 수, 목)이 (○, ×, ×)인 경우의 확률은
$\left(1-\frac{1}{4}\right)\times\left(1-\frac{1}{5}\right)=\frac{3}{4}\times\frac{4}{5}=\frac{3}{5}$

따라서 구하는 확률은
$\frac{3}{16}+\frac{3}{5}=\frac{63}{80}$

생각 ○○ ⑤

화살을 한 번 쏘았을 때 명중시킬 확률은

$\frac{4}{5}$

(i) 첫 번째에 명중시킬 확률은

$\frac{4}{5}$

(ii) 첫 번째에 명중시키지 못하고 두 번째에 명중시킬 확률은

$\left(1-\frac{4}{5}\right)\times\frac{4}{5}=\frac{4}{25}$

따라서 구하는 확률은

$\frac{4}{5}+\frac{4}{25}=\frac{24}{25}$

생각 ○○○ $\frac{7}{13}$

(i) 1회에서 A가 이빨을 눌렀을 때 악어가 입을 다물 확률은

$\frac{1}{13}$

(ii) 3회에서 A가 이빨을 눌렀을 때 악어가 입을 다물 확률은

$\frac{12}{13}\times\frac{11}{12}\times\frac{1}{11}=\frac{1}{13}$

(iii) 5회에서 A가 이빨을 눌렀을 때 악어가 입을 다물 확률은

$\frac{12}{13}\times\frac{11}{12}\times\frac{10}{11}\times\frac{9}{10}\times\frac{1}{9}=\frac{1}{13}$

⋮

따라서 A는 1회, 3회, 5회, 7회, 9회, 11회, 13회에서 누르므로 모두 7번 누른다. 따라서 A가 이빨을 눌렀을 때 악어가 입을 다물 확률은

$\frac{1}{13}\times7=\frac{7}{13}$

단원 종합 문제

p. 212~p. 217

01 10	02 12개	03 ③	04 6
05 ②	06 10번	07 19개	08 ④
09 ③	10 ②	11 ⑤	12 ①
13 $\frac{243}{245}$	14 $\frac{1}{20}$	15 $\frac{33}{250}$	16 ④
17 (1) 10 (2) 2 (3) 20			18 40
19 $\frac{61}{125}$		20 $\frac{7}{8}$	

01 10

윷가락의 등이 나오는 경우를 H, 배가 나오는 경우를 T라 하자.

걸이 나오는 경우를 순서쌍으로 나타내면

(H, T, T, T), (T, H, T, T), (T, T, H, T), (T, T, T, H)의 4가지

개가 나오는 경우를 순서쌍으로 나타내면

(T, T, H, H), (T, H, H, T), (T, H, T, H), (H, T, T, H), (H, T, H, T), (H, H, T, T)의 6가지

따라서 구하는 경우의 수는

$4+6=10$

02 12개

3개의 자음 ㄱ, ㄴ, ㄷ 각각에 대하여 4개의 모음 ㅏ, ㅣ, ㅗ, ㅜ를 짝지어 만들 수 있는 글자의 개수는

$3\times4=12$(개)

03 ③

점 A에서 출발하는 길은 $\overline{AB}$, $\overline{AD}$, $\overline{AE}$의 3가지이고, 세 점 B, D, E에서 점 G에 이르는 길은 각각 2가지이다.

따라서 구하는 방법은

$3\times2=6$(가지)

04 6

$a+b+c=5$가 되는 경우를 순서쌍 (a, b, c)로 나타내면 (1, 1, 3), (1, 2, 2), (1, 3, 1), (2, 1, 2), (2, 2, 1), (3, 1, 1)의 6가지이다.

05 ②

각 상자에 복숭아를 한 개씩 나누어 담고, 남은 6개의 복숭아를 다시 세 상자에 나누어 담는 경우를 순서쌍으로 나타내면

(0, 0, 6), (0, 1, 5), (0, 2, 4), (0, 3, 3), (1, 1, 4), (1, 2, 3), (2, 2, 2)의 7가지

〈참고〉

3개의 같은 바구니이므로 (0, 0, 6), (0, 6, 0), (6, 0, 0)을 1가지로 생각한다.

06 10번

다섯 명 중 자격이 같은 대표 2명을 뽑는 경우의 수와 같으므로

$\frac{5\times4}{2}=10$(번)

07 19개

6개의 점 중에서 3개의 점을 뽑는 경우의 수는

$\frac{6\times5\times4}{3\times2\times1}=20$

이때, 한 직선 위에 있는 세 점으로는 삼각형을 만들 수 없으므로 반원의 지름 위에 있는 세 점 D, E, F를 뽑는 경우는 빼야 한다.

따라서 구하는 삼각형의 개수는 $20-1=19$(개)

08 ④

직사각형은 가로선 2개와 세로선 2개로 만들어진다.

(i) 가로선 4개 중에서 2개를 뽑는 경우의 수

$\frac{4\times3}{2}=6$

(ii) 세로선 5개 중에서 2개를 뽑는 경우의 수

$\frac{5\times4}{2}=10$

따라서 만들 수 있는 직사각형의 개수는

$6\times10=60$(개)

09 ③

ㄱ. $5\times4\times3\times2\times1=120$(참)

ㄴ. (i) a□□□□인 경우

$4\times3\times2\times1=24$(가지)

(ii) ba□□□, bc□□□인 경우

$3\times2\times1=6$(가지)

(iii) bd□□□인 경우

$bdace$, $bdaec$, $bdcae$, …이므로 $bdcae$는 $24+6+6+3=39$(번째) 문자이다. (거짓)

ㄷ. (i) a□□□□, b□□□□인 경우

$4\times3\times2\times1=24$(가지)

(ii) ca□□, cb□□인 경우

$3\times2\times1=6$(가지)

즉, $24+24+6+6=60$(가지)이므로 60번째 문자는 $cbeda$이다.(참)

따라서 옳은 것은 ㄱ, ㄷ이다.

10 ②

모든 경우의 수는 $2\times2\times2=8$

앞면이 한 개만 나오는 경우는 (앞, 뒤, 뒤), (뒤, 앞, 뒤), (뒤, 뒤, 앞)의 3가지이므로 구하는 확률은 $\frac{3}{8}$

11 ⑤

① 짝수는 2, 4, 6, 8, 10의 5가지이므로 그 확률은

$\frac{5}{10}=\frac{1}{2}$

② 10의 약수는 1, 2, 5, 10의 4가지이므로 그 확률은

$\frac{4}{10}=\frac{2}{5}$

③ 모두 10 이하의 자연수이므로 10 이하의 자연수가 나올 확률은 1이다.

④ 1보다 작은 자연수는 없으므로 1보다 작은 자연수가 나올 확률은 0이다.

⑤ 두 자리의 자연수는 10의 1가지이므로 그 확률은 $\frac{1}{10}$

12 ①

모든 경우의 수는 $6\times6=36$

해가 없는 경우는 $\frac{2}{a}=\frac{1}{2}\neq\frac{1}{b}$일 때이므로 $a=4$, $b\neq2$인 경우를 순서쌍으로 나타내면 $(4, 1)$, $(4, 3)$, $(4, 4)$, $(4, 5)$, $(4, 6)$의 5가지이다.

따라서 구하는 확률은 $\frac{5}{36}$이다

13 $\frac{243}{245}$

(적어도 1개 이상의 합격품을 꺼낼 확률)

$=1-$(두 개 모두 불량품을 꺼낼 확률)

$=1-\frac{5}{50}\times\frac{4}{49}=1-\frac{2}{245}=\frac{243}{245}$

14 $\frac{1}{20}$

왼쪽 원판의 바늘이 색칠된 영역에 있을 확률은 $\frac{1}{4}$

오른쪽 원판의 바늘이 색칠된 영역에 있을 확률은 $\frac{1}{5}$

따라서 구하는 확률은 $\frac{1}{4}\times\frac{1}{5}=\frac{1}{20}$

15 $\frac{33}{250}$

눈이 온 날을 ○, 눈이 오지 않은 날을 ×로 표시할 때

(i) (수, 목, 금, 토)가 (○, ○, ○, ○)인 경우의 확률은

$\frac{3}{10}\times\frac{3}{10}\times\frac{3}{10}=\frac{27}{1000}$

(ii) (수, 목, 금, 토)가 (○, ×, ○, ○)인 경우의 확률은

$\left(1-\frac{3}{10}\right)\times\frac{1}{10}\times\frac{3}{10}$

$=\frac{7}{10}\times\frac{1}{10}\times\frac{3}{10}=\frac{21}{1000}$

(iii) (수, 목, 금, 토)가 (○, ○, ×, ○)인 경우의 확률은

$\frac{3}{10}\times\left(1-\frac{3}{10}\right)\times\frac{1}{10}$

$=\frac{3}{10}\times\frac{7}{10}\times\frac{1}{10}=\frac{21}{1000}$

(iv) (수, 목, 금, 토)가 (○, ×, ×, ○)인 경우의 확률은

$\left(1-\frac{3}{10}\right)\times\left(1-\frac{1}{10}\right)\times\frac{1}{10}$

$=\frac{7}{10}\times\frac{9}{10}\times\frac{1}{10}=\frac{63}{1000}$

따라서 구하는 확률은

$\frac{27}{1000}+\frac{21}{1000}+\frac{21}{1000}+\frac{63}{1000}=\frac{33}{250}$

16 ④

구슬이 B로 나오는 경우의 수는 4이다.

이때, 각각의 갈림길에서 하나의 길을 선택할 확률은 $\frac{1}{2}$이므로 각각의 경우의 확률은

$\frac{1}{2}\times\frac{1}{2}\times\frac{1}{2}\times\frac{1}{2}=\frac{1}{16}$

따라서 구하는 확률은

$\frac{1}{16}\times4=\frac{1}{4}$

17 (1) 10 (2) 2 (3) 20

(1) 점 A에서 점 B까지 최단거리로 가는 방법의 수는 10

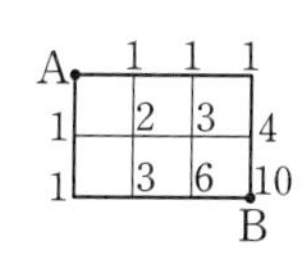

… [2점]

(2) 점 B에서 점 C까지 최단거리로 가는 방법의 수는 2

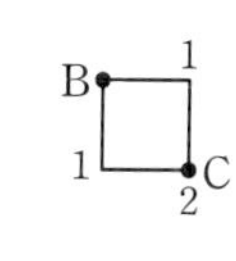

… [2점]

(3) 점 A에서 점 B를 거쳐 점 C까지 최단거리로 가는 방법의 수는

$10\times2=20$ … [2점]

18 40

자신의 우산을 가져가는 3명을 뽑는 경우의 수는

$\frac{6\times5\times4}{3\times2\times1}=20$ … [4점]

나머지 3명이 다른 학생의 우산을 가져가는 경우의 수는 다음 표와 같이 2이다.

학생	1	2	3
우산	2	3	1
	3	1	2

… [4점]

따라서 구하는 경우의 수는

$20\times2=40$ … [2점]

19 $\frac{61}{125}$

각각의 작은 정육면체의 개수는

$10\times10\times10=1000$(개) … [3점]

한 면도 색칠되지 않은 작은 정육면체의 개수는

$8\times8\times8=512$(개) … [3점]

∴ (적어도 한 면이 색칠된 정육면체일 확률)

$=1-$(한 면도 색칠되지 않은 정육면체일 확률)

$=1-\frac{512}{1000}=\frac{61}{125}$ … [4점]

20 $\frac{7}{8}$

도현이가 우승하는 경우는

(i) 3회 게임에서 도현이가 이길 확률

$\frac{1}{2}$ … [2점]

(ii) 4회 게임에서 도현이가 이길 확률

$\left(1-\frac{1}{2}\right)\times\frac{1}{2}=\frac{1}{4}$ … [2점]

(iii) 5회 게임에서 도현이가 이길 확률

$\left(1-\frac{1}{2}\right)\times\left(1-\frac{1}{2}\right)\times\frac{1}{2}=\frac{1}{8}$ … [2점]

따라서 구하는 확률은

$\frac{1}{2}+\frac{1}{4}+\frac{1}{8}=\frac{7}{8}$ … [4점]

MEMO

MEMO

개념엔 유형학습

정답과 해설

메가스터디BOOKS

www.megastudybooks.com

1661-5431

개념엔
유형학습

개념엔

유형학습